D0278324

GUY GAVRIEL KAY

Guy Gavriel Kay est l'auteur de quatre romans : *The Summer Tree*, *The Wandering Fire* et *The Darkest Road* (qui forment *The Fionavar Tapestry*), et *Tigana*. Ses livres ont été traduits en huit langues. *Tigana* a remporté le prix Aurora 1991 pour la meilleure œuvre d'anticipation de langue anglaise. Guy Gavriel Kay habite Toronto.

La chanson d'Arbonne

Guy Gavriel Kay

La chanson d'Arbonne

traduit par Hélène Rioux

Flammarion ltée

La publication de cet ouvrage a été rendue possible grâce à l'aide financière du ministère des Communications du Canada, du Conseil des Arts du Canada et du ministère de la Culture et des Communications du Québec.

Titre original : *A Song for Arbonne*
Éditeur original : Penguin Group

Dépôt légal : 2e trimestre 1995
Bibliothèque nationale du Canada
Bibliothèque nationale du Québec
ISBN 2-89261-139-3 [XYZ éditeur]
ISBN 2-89077-121-0 [Flammarion]

Distribution en librairie :
Socadis
350, boulevard Lebeau
Ville Saint-Laurent (Québec)
H4N 1W6

Conception typographique et montage : Édiscript enr.
Illustration de la couverture : Gerard Gauci

Ce livre est affectueusement dédié
à la mémoire de mon père,
le Dr Samuel K. Kay,
un chirurgien qui manifesta toute sa vie
autant de compassion
que de conscience professionnelle ;
à ces qualités s'ajoutait un grand amour
de la langue et de la littérature,
un amour que, entre autres bienfaits,
il légua à ses fils.

Remerciements

Bien qu'il s'agisse ici de fiction, je dois encore une fois beaucoup au talent et au travail d'un certain nombre d'érudits qui ont écrit sur la période qui m'a inspiré. Comme il fallait s'y attendre, plusieurs d'entre eux sont français : Georges Duby, Emmanuel Le Roy Ladurie, Philippe Aries. Je me suis également inspiré des ouvrages d'Urban Tigner Holmes, de Frances et de Joseph Gies et de Philippe Heer, entre autres. Frederick Golden, Paul Blackburn, Alan Press et Meg Bogin m'ont surtout donné accès à l'œuvre et à l'histoire des troubadours.

La plus grande partie de *La chanson d'Arbonne* fut écrite au cours de deux longues périodes passées dans la campagne près d'Aix-en-Provence. Je suis heureux de remercier pour leur accueil chaleureux et leur assistance certaines personnes qui, depuis, sont devenues des amis : Jean-Pierre et Kamma Sorensen et leur fils Nicolas, de même que Roland et Jean Ricard.

Je continue à bénéficier des aptitudes critiques et professionnelles d'un certain nombre de personnes. Parmi elles, j'aimerais mentionner mes agentes, Linda McKnight à Toronto et Anthea Morton-Saner à Londres. Il est également grand temps de reconnaître la stimulation et l'appui que l'amitié et l'exemple de l'extraordinaire George Jonas me procurent depuis longtemps. Enfin, et comme toujours, il y a Laura.

Note de la traductrice

La version originale de *La chanson d'Arbonne* comporte certains mots créés par l'auteur. Comme il s'est inspiré de la langue parlée au Moyen Âge dans ce qui est maintenant le sud de la France (la Provence, le Languedoc et l'Aquitaine), je les ai laissés tels quels. Il s'agit de *corfe*, *liensenne*, *racoux*, *séguignac*, *syvaren*, *audrade*, *barben*, *senhal* et *sirnal*. Le contexte est toujours suffisamment clair pour qu'on en comprenne sans difficulté la signification.

J'ai cependant remplacé par *messire* le titre de noblesse *En*, un peu étrange en français, et préféré, pour des raisons purement phonétiques (le féminin me paraissant aller de soi), le mot *vida*, vie, en espagnol, à celui de *vidan* utilisé par l'auteur.

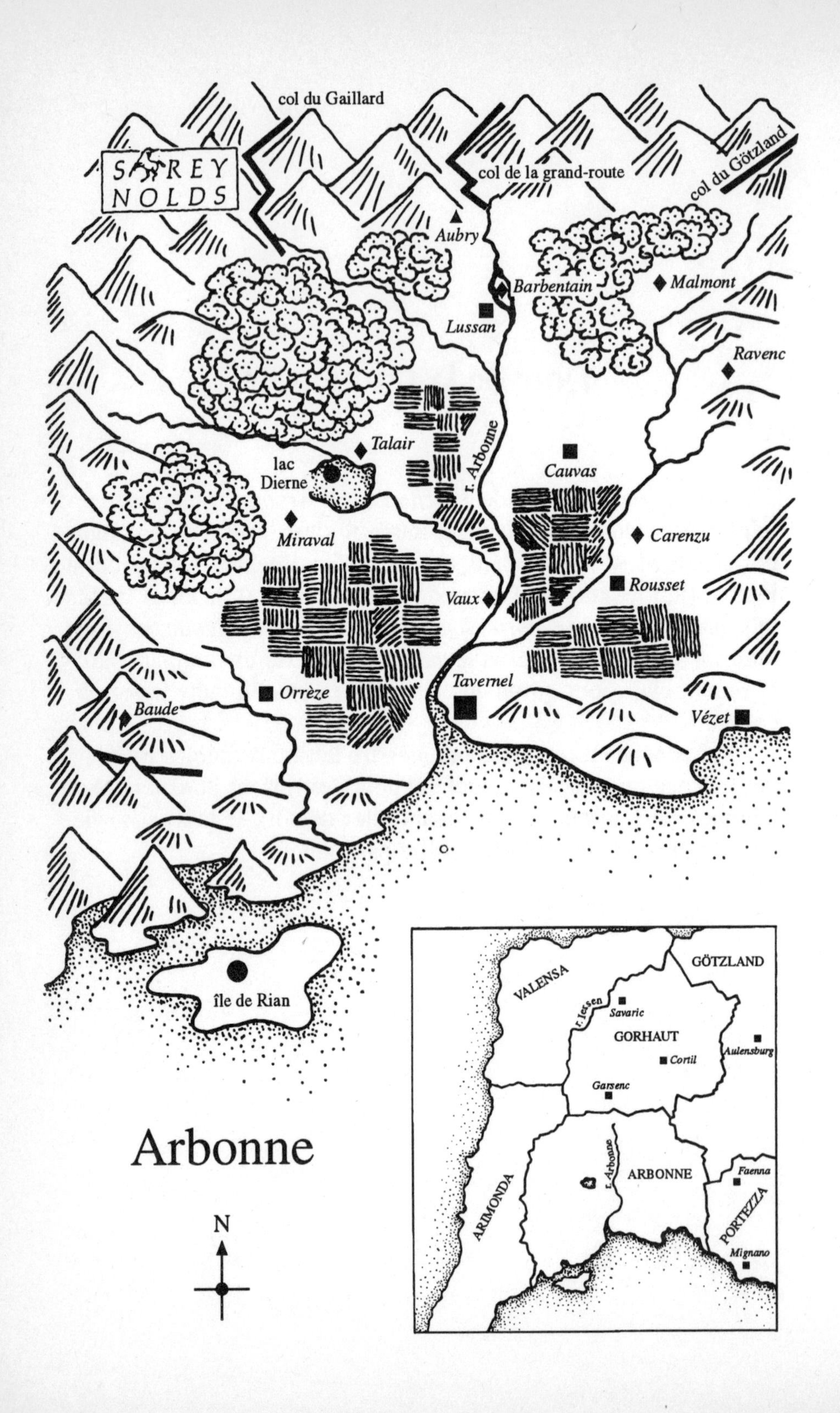
col du Gaillard
col de la grand-route
col du Götzland
Aubry
Barbentain
Malmont
Lussan
Ravenc
Talair
lac
Dierne
r. Arbonne
Cauvas
Miraval
Carenzu
Rousset
Vaux
Tavernel
Orrèze
Baude
Vézet
île de Rian
Arbonne
N
GÖTZLAND
VALENSA
r. Jessen
Savaric
GORHAUT
Cortil
Aulensburg
Garsenc
ARIMONDA
r. Arbonne
ARBONNE
Faenna
PORTEZZA
Mignano

De la vida du troubadour Anselme de Cauvas...

Anselme, qui a toujours été reconnu comme le premier et peut-être le plus important de tous les troubadours d'Arbonne, était d'origine modeste, le plus jeune fils d'un clerc du château d'un baron situé près de Cauvas. Il était de taille moyenne, avait les cheveux noirs, s'exprimait d'une manière calme et néanmoins merveilleusement agréable pour tous ceux qui l'entendaient. Dès sa tendre enfance, il montra de grandes aptitudes et de l'intérêt pour la musique et fut invité à se joindre au célèbre chœur du sanctuaire du dieu à Cauvas. Bientôt, il commença cependant à éprouver le désir de faire une musique très différente de celle qui était acceptable pour le culte du dieu ou de la déesse Rian dans leurs temples. C'est ainsi qu'Anselme renonça au confort de la chapelle et du chœur, et partit seul dans les villages et les châteaux de l'Arbonne, offrant ses nouvelles chansons composées de mélodies et de paroles telles qu'il les avait entendu chanter par le peuple dans sa propre langue...

Il fit par la suite partie de la maison du duc Raimbaut de Vaux où il occupa une place d'honneur, et ses prouesses finirent par attirer l'attention du comte Folquet lui-même ; Anselme fut donc invité à passer un hiver à Barbentain. À partir de ce moment, sa fortune fut assurée et, par le fait même, le sort des troubadours d'Arbonne, car Anselme conquit rapidement l'amitié et la confiance du comte Folquet, ainsi que l'estime et la très grande affection de la noble comtesse Dia. Tous deux l'honoraient pour sa musique et son esprit, sa discrétion et son intelligence, ce qui incita le duc à lui confier plusieurs délicates missions diplomatiques hors des frontières d'Arbonne.

Puis le comte Folquet lui-même, sous la tutelle d'Anselme de Cauvas, se mit à écrire ses propres chansons et, depuis ce jour, on peut affirmer que l'art et la réputation des troubadours ne perdirent jamais leur importance et ne coururent jamais aucun danger en Arbonne. Cet art s'est par la suite développé dans tous les pays connus du monde...

Prologue

Un matin de printemps, alors que fondaient les neiges des montagnes et que les rivières accéléraient leur cours, Aëlis de Miraval regarda son mari s'éloigner, à l'aube, sur son cheval, pour chasser dans la forêt à l'ouest de leur château. Peu après, elle enfourcha elle aussi sa monture et se dirigea vers le nord-est, le long des rives du lac. Son but était tout tracé : elle allait concevoir un enfant.

Elle ne voyageait pas seule ni clandestinement, ce qui aurait été d'une folie inconcevable. Malgré sa jeunesse et sa témérité, Aëlis n'avait jamais été folle et, même amoureuse, elle ne le serait pas maintenant.

Sa jeune cousine l'accompagnait, ainsi qu'une escorte de six corans armés, ces guerriers du domaine entraînés et consacrés. Son voyage avait été planifié, comme elle en avait informé son mari plusieurs jours auparavant. Elle s'en allait passer une journée et une nuit chez la duchesse de Talair, dans son château cerné de douves sur la rive nord du lac Dierne. Tout était en ordre, on avait veillé à tout.

Bien entendu, d'autres personnes se trouvaient dans le château de Talair en plus de la duchesse et de ses dames de compagnie ; il ne valait pas la peine d'en parler. Un grand nombre de personnes habitaient le domaine d'un duc aussi puissant que Bernart de Talair, et si l'une d'elles se trouvait à être le fils cadet et un poète, quelle importance ? Même ici en Arbonne, dans un château, les femmes étaient gardées comme des épices ou de l'or, enfermées la nuit, à l'abri de quiconque pourrait errer dans le silence des ténèbres.

Mais la nuit et ses vagabonds étaient encore bien loin. Tout ce monde chevauchait à présent par un beau matin, première note de ce qui allait être le printemps en Arbonne. À la gauche des cavaliers, les vignes cultivées en terrasses s'étiraient au loin dans les terres de Miraval, à présent vert pâle mais portant la promesse de l'été et de grappes mûres. À l'est de la route en lacet, les eaux du lac Dierne miroitaient, toutes bleues, dans la lumière du soleil matinal. Aëlis distinguait clairement l'île et la fumée montant des trois feux sacrés allumés dans le temple de Rian. Malgré les deux années qu'elle avait passées sur l'autre île de la déesse, plus grande, loin dans la mer, au sud, Aëlis avait vécu trop près du monde et du jeu du pouvoir terrestre pour être vraiment pieuse ; ce matin-là, elle adressa pourtant une prière silencieuse à Rian, puis une autre — en se moquant un peu d'elle-même — à Corannos, afin que le dieu des Anciens jette également sur elle un regard bienveillant depuis son trône derrière le soleil.

L'air était si limpide, balayé par la fraîcheur de la brise, qu'Aëlis pouvait même apercevoir Talair au loin, sur l'autre rive du lac. Les remparts du château se dressaient, austères et formidables, comme il convenait au domaine d'une aussi fière famille. Elle regarda derrière elle et vit, de l'autre côté des vignes qui s'étendaient entre les deux domaines, les murs tout aussi arrogants de Miraval, un peu plus élevés, siège d'une lignée qui n'avait rien à envier aux autres familles de la noblesse arbonnaise. Si Aëlis souriait en regardant Talair de l'autre côté du lac, elle ne pouvait s'empêcher de sentir un petit frisson glacé lorsqu'elle regardait le château où elle vivait avec son mari.

« J'ai pensé que tu aurais peut-être froid. J'ai apporté ta cape, Aëlis. Le jour et l'année sont encore jeunes. »

Aëlis se dit que sa cousine Ariane était beaucoup trop vive et perspicace pour ses treize ans. Il était presque temps pour elle de se marier. Ainsi, une autre fille de la famille découvrirait les plaisirs douteux d'un mariage déterminé pour des raisons politiques, songea Aëlis avec dépit. Elle regretta vite cette pensée : pouvait-elle désirer voir un autre seigneur semblable à Urté de Miraval épouser une de ses parentes, et surtout une enfant joyeuse comme Ariane ?

Aëlis songea que, peu de temps auparavant, elle aussi avait été une insouciante fillette.

Elle regarda sa cousine aux yeux vifs et expressifs, aux longs cheveux noirs tombant sur ses épaules. Bien entendu, sa propre chevelure était désormais soigneusement attachée et couverte ; elle était une femme mariée, non plus une jeune fille et, comme chacun le savait, tous les troubadours l'ayant écrit, tous les ménestrels l'ayant chanté, les cheveux dénoués ne pouvaient que provoquer le désir. Les femmes mariées de haut rang ne devaient pas susciter le désir, songea Aëlis, amère. Elle sourit néanmoins à Ariane ; il était difficile de ne pas sourire à Ariane. « Pas de cape ce matin, cher cœur. Ce serait comme une négation du printemps. »

Ariane éclata de rire. « *Lorsque même les oiseaux au-dessus du lac chantent mon amour*, cita-t-elle, *alors que seules les vagues peuvent les entendre.* »

Aëlis sourit de nouveau. Ariane ne chantait pas les bonnes paroles, mais il était préférable de ne pas la corriger car elle risquait ainsi de se trahir. Toutes ses dames de compagnie fredonnaient cette chanson. Les vers étaient récents et anonymes. Elles avaient entendu un ménestrel les chanter dans une salle de Miraval quelques mois auparavant pendant les pluies de l'hiver. Après, pendant au moins deux semaines, les femmes s'étaient avidement demandé lequel parmi les troubadours les plus célèbres était l'auteur de cette nouvelle évocation passionnée du printemps et de son désir.

Aëlis le savait. Elle connaissait celui qui avait écrit cette chanson et savait également que celle-ci avait été écrite pour elle et non pas pour les autres nobles dames dont les noms étaient fébrilement évoqués. Cette chanson lui appartenait. Réponse à une promesse qu'elle avait choisi de faire au cours des fêtes du milieu de l'hiver à Barbentain.

Une promesse irréfléchie ? Justifiée ? Si Aëlis pouvait facilement imaginer la réponse de son père, elle se demandait cependant ce que sa mère en aurait pensé. C'était après tout Cygne, comtesse d'Arbonne, qui avait fondé la Cour d'amour ici, au sud, et Aëlis avait grandi en entendant, dans la grande salle de Barbentain, la voix claire de sa mère s'élever, spirituelle ou moqueuse, à laquelle répondait le rire rauque d'un cercle d'hommes hébétés.

Cela se produisait encore aujourd'hui, ce matin même sans doute, au milieu des splendeurs de Barbentain sur son île dans le fleuve à proximité des cols de montagne. Les jeunes seigneurs d'Arbonne, les plus âgés aussi, les troubadours et les ménestrels avec leurs luths et leurs harpes, les émissaires venus de pays situés au-delà des montagnes et des mers étaient certainement aux petits soins pour l'éblouissante comtesse d'Arbonne, sa mère.

Tandis que Guibor, le comte, surveillait la scène, se souriant à lui-même selon son habitude, puis évaluait les affaires de l'État et prenait les décisions nécessaires, la nuit, avec la resplendissante épouse qui partageait son amour et à qui il avait confié sa vie, son honneur, son royaume et tout son espoir de bonheur de ce côté-ci de la mort.

« Le rire de ta mère, avait-il un jour confié à Aëlis, est la plus puissante armée que j'aurai jamais en Arbonne. »

Voilà ce qu'il avait dit à sa fille. Elle avait alors seize ans et, de retour chez elle après deux années passées sur l'île de Rian dans la mer, elle découvrait peu à peu que, après la gaucherie de l'enfance, la beauté et la grâce étaient possibles.

Moins d'un an après cette conversation, son père l'avait mariée à Urté de Miraval, le plus influent peut-être des seigneurs d'Arbonne, et l'avait ainsi exilée loin de ces nouveaux courtisans et de ces poètes charmants et flatteurs, loin de l'esprit, de la musique et des rires de Barbentain vers les chiens de chasse et les coups de boutoir du duc, dans la nuit empestant la sueur. Guibor avait décidé de lier plus étroitement le duc à son allégeance envers les comtes qui gouvernaient l'Arbonne.

Un sort semblable à celui de n'importe quelle fille de la noblesse. Cela avait été celui de sa mère, de sa tante à Malmont, à l'est, de l'autre côté du fleuve. Un jour — et une nuit —, dans un proche avenir, Ariane aux cheveux noirs connaîtrait un destin identique.

Pour ce qui était des hommes, certaines femmes avaient de la chance ; d'autres devenaient rapidement veuves, ce qui pouvait en réalité signifier le pouvoir ici, en Arbonne, mais certes pas partout dans le monde. D'autres routes étaient possibles : celle de la déesse et celle du dieu. Sa sœur Béatrice, l'aînée des enfants, avait été donnée à Rian ; elle était prêtresse dans un sanctuaire situé à l'est, dans les montagnes près du Götzland. Elle y deviendrait un jour grande prêtresse, son rang lui assurant au moins ce titre, et exercerait sa propre mesure de pouvoir au sein des conseils complexes du clergé de Rian. Selon Aëlis, il s'agissait là, et ce à plus d'un titre, d'un avenir enviable, même si loin des rires et de la musique des cours.

Était-elle proche elle-même de cette musique et de ces rires à Miraval où, dès le crépuscule, l'on éteignait les bougies et les torches et où le duc Urté venait vers elle, la nuit, passant par la porte non verrouillée qui reliait leurs appartements, sentant le chien, le faucon qui mue et le vin suri, à la seule recherche d'un soulagement temporaire et d'un héritier ?

Des femmes différentes affrontaient leur destin de façon différente, pensait Aëlis aux cheveux noirs, aux yeux sombres, dame de Miraval, tout en chevauchant sous le feuillage mordoré, le long des eaux ridées du lac Dierne et des vignes à sa gauche, vers les forêts au loin.

Elle savait exactement qui elle était, ce qu'elle était, ce que sa lignée signifiait pour l'homme farouchement ambitieux à qui on l'avait donnée comme on remet un trophée après un tournoi à la Foire de Lussan : Urté, qui ressemblait tellement plus à un seigneur du Gorhaut là-bas dans le nord sombre et froid qu'à un seigneur du pays d'Arbonne baigné de soleil, même si les raisins et les olives poussaient en abondance sur ses terres fertiles. Aëlis savait précisément ce qu'elle représentait pour lui : nul besoin d'un professeur de l'université de Tavernel pour résoudre cette équation.

Un bruit se fit tout à coup entendre à côté d'elle, un petit cri involontaire d'étonnement. Aëlis émergea de sa rêverie et regarda vivement au-dessus puis au-delà d'Ariane pour voir ce qui avait fait sursauter la jeune fille. La vision qui s'offrit à elle fit également battre son cœur. Juste devant elles, à côté du chemin longeant le lac, l'Arc des Anciens se dressait au bout d'une double rangée d'ormes, ses pierres couleur de miel dans la lumière du matin. Aëlis comprit que sa cousine, empruntant cette route pour la première fois, n'avait jamais vu l'arc.

La riche terre ainsi nommée à cause du fleuve Arbonne qui l'irriguait était couverte de ruines des Anciens : des colonnes au bord de la route, des temples sur les falaises près de la mer ou dans les défilés de montagne, les fondations de maisons dans les villes, des ponts de pierre dégringolés dans les cours d'eau des montagnes, certains encore debout, certains encore en usage. Un grand nombre de routes sur lesquelles on chevauchait et marchait aujourd'hui avaient été construites par les Anciens, à une époque reculée. La grand-route longeant l'Arbonne, depuis la mer à Tavernel vers le nord jusqu'à Barbentain et Lussan et plus loin encore au-delà des montagnes jusqu'au Gorhaut, était du nombre. Tout au long de cette route, on trouvait des bornes de pierre, certaines encore debout, la plupart renversées dans l'herbe ; des mots y étaient inscrits dans une langue inconnue des vivants, même des érudits de l'université.

En Arbonne, la présence des Anciens se faisait sentir partout et la simple vue d'un de leurs vestiges, bien qu'inattendue, n'aurait pas arraché un cri à Ariane.

Mais l'arc au bord du lac Dierne était bien autre chose.

Haut comme dix fois la taille d'un homme, et presque aussi large, il se dressait solitaire dans la campagne à l'extrémité d'une allée d'ormes, paraissant dominer et subjuguer le doux paysage de vignes entre les forêts et le lac. Aëlis soupçonnait depuis longtemps que c'était précisément pour cette raison qu'il avait été érigé. Les frises sculptées sur ses deux faces évoquaient la guerre et les conquêtes : on y voyait, dans des chariots, des hommes en armure portant des boucliers ronds et de lourdes épées, combattant d'autres hommes armés seulement de gourdins et de lances. Sur les frises, les guerriers armés de gourdins mouraient, leurs souffrances rendues vivantes par l'art du sculpteur. Sur les côtés de l'arc étaient représentés des hommes et des femmes vêtus de peaux de bêtes, enchaînés, la tête inclinée et détournée en signe de soumission, des esclaves. Peu importe qui ils étaient et où ils s'en étaient ensuite allés, les Anciens qui avaient laissé leurs marques sur cette terre n'étaient pas venus avec des intentions pacifiques.

« Aimerais-tu le voir de plus près ? » demanda doucement Aëlis à Ariane. Celle-ci hocha la tête sans détacher ses yeux de l'arc. Aëlis éleva la voix pour appeler Riquier, le chef des corans désignés pour l'escorter. Il se hâta de venir se placer à côté d'elle.

« Ma dame ? »

Elle lui sourit. Brusque et dénué d'humour, Riquier était de loin le meilleur des corans du domaine et Aëlis était de toute façon d'humeur à sourire à presque tout le monde, ce matin-là. Une chanson tournait dans son cœur, une chanson composée pour elle pendant l'hiver, après la saison des festivités, en réponse à une promesse faite par une dame. Tous les ménestrels d'Arbonne l'avaient chantée. Personne ne connaissait le troubadour qui l'avait écrite, personne ne connaissait la dame dont il était question.

« Si vous croyez que nous ne risquons rien, dit-elle, j'aimerais que nous nous arrêtions quelques instants afin que ma cousine puisse voir l'arc de plus près. Est-ce possible, d'après vous ? »

Riquier regarda avec circonspection le paysage serein et baigné de soleil. Son expression était sérieuse, comme toujours lorsqu'il s'adressait à Aëlis. Elle n'avait jamais réussi à le faire rire. Ni aucun des autres, d'ailleurs ; les corans de Miraval étaient de toute évidence des hommes de la même trempe que son mari.

« Je ne crois pas qu'il y ait de problème, répondit-il.

— Merci, murmura Aëlis. Je suis contente de m'en remettre à vous, messire Riquier, en cela comme en toute chose. » Un homme plus jeune, de meilleure éducation, lui aurait rendu son sourire, et un homme d'esprit aurait su comment répondre à cette flatterie qu'elle venait de lui faire en lui accordant sans vergogne un titre honorifique. Riquier se contenta de rougir, hocha une fois la tête et s'éloigna pour donner ses ordres à l'arrière-garde. Aëlis s'était souvent demandé ce qu'il pensait d'elle ; d'autres fois, elle n'était pas vraiment sûre de vouloir le savoir.

« Les mains de cet homme ne connaissent rien d'autre que son épée et une fiasque de vin pur, dit Ariane d'un ton acerbe et à voix un peu trop haute. Et s'il est digne d'un titre de seigneur, il en va de même pour mon palefrenier. » Elle arborait une expression pleine de mépris.

Aëlis dut réprimer un sourire. C'était la deuxième fois que sa jeune cousine la surprenait, ce matin-là. La vivacité de cette fille était déconcertante. Même si les paroles d'Ariane reflétaient ses propres pensées, Aëlis lui jeta un regard désapprobateur. Elle avait des devoirs, ceux d'une duchesse envers une adolescente qu'on lui avait envoyée comme dame de compagnie pour qu'elle fît son éducation et lui apprît à bien se conduire à la cour. Ce qui ne risquait pas de se produire à Miraval, songea Aëlis. Elle avait pensé écrire à sa tante à Malmont pour l'informer de la situation, mais y avait jusqu'à présent renoncé, en partie pour des raisons égoïstes : depuis l'arrivée d'Ariane l'automne précédent, son esprit vif avait été une source de plaisir authentique, l'un des rares plaisirs d'Aëlis. Tout comme certaines chansons, bien sûr. *Même les oiseaux au-dessus du lac chantent mon amour...*

« Les hommes ne sont pas tous faits pour la galanterie ou d'autres formes d'élégance de cour, murmura-t-elle à sa cousine. Riquier est loyal et compétent, et la remarque à propos du vin est inopportune... tu l'as toi-même vu dans la grande salle.

— En effet », répondit Ariane d'une manière ambiguë. Aëlis haussa les sourcils, mais n'eut ni le temps ni l'envie de poursuivre la conversation.

Riquier repassa près d'elles au petit galop et s'écarta du chemin, obliquant à travers les herbes qui bordaient la route puis en direction de l'arc entre les arbres qui le cernaient. Les deux femmes suivaient, entourées de corans.

Ils ne parvinrent jamais à destination.

On entendit un craquement, un bruit de feuilles remuées et froissées. Six hommes dégringolèrent des branches et, désarçonnés, les six corans d'Urté tombèrent sur le sol. Cachés dans les broussailles, d'autres hommes bondirent aussitôt et accoururent à la rescousse des agresseurs. Ariane poussa un hurlement. Aëlis fit reculer son cheval, et un assaillant masqué qui se ruait sur elle battit hâtivement en retraite. Elle vit deux autres hommes émerger d'entre les arbres et se placer devant tout le monde, sans prendre part au combat. Ils étaient masqués, comme tous les autres. Aëlis vit que Riquier était tombé ; deux hommes se tenaient au-dessus de lui. Elle fit tourner son cheval, se donnant ainsi de l'espace, et saisit la petite arbalète qu'elle portait toujours accrochée à sa selle.

Elle était la digne fille de son père ; Guibor de Barbentain avait la réputation d'avoir été, dans la fleur de l'âge, le plus habile archer de son pays et c'est lui qui lui avait enseigné à tirer. Aëlis immobilisa sa monture entre ses genoux, visa rapidement et soigneusement, puis tira. L'un des deux hommes qui se trouvaient sur le chemin devant elle poussa un cri et recula en titubant, agrippant la flèche fichée dans son épaule.

Aëlis se tourna vivement. Quatre hommes l'encerclaient à présent, tentant de saisir les rênes de son cheval. Elle fit de nouveau reculer son étalon qui rua, dispersant les hommes. Aëlis fouilla dans son carquois pour prendre une deuxième flèche.

« Arrêtez ! cria alors l'autre homme qui était resté entre les arbres. Arrêtez, dame Aëlis. Si vous blessez un autre de mes hommes, nous allons commencer à tuer vos corans. Il y a aussi la jeune fille. Jetez votre arbalète. »

La bouche sèche et le cœur battant à tout rompre, Aëlis leva les yeux et vit que le cheval terrifié d'Ariane s'ébrouait, maintenu fermement par deux de leurs agresseurs. Les six corans d'Urté étaient tous à terre et désarmés, mais aucun ne paraissait avoir été grièvement blessé.

« C'est vous que nous voulons », reprit le chef qui leur faisait face, comme pour répondre à sa question muette. « Si vous venez de bon gré, on ne fera aucun mal aux autres. Vous avez ma parole.

— De bon gré ? rétorqua sèchement Aëlis avec toute la morgue dont elle pouvait faire preuve. La situation s'y prête-t-elle ? Et quelle valeur devrais-je accorder à la parole d'un homme capable d'une telle conduite ? »

Ils se trouvaient à mi-chemin de l'arc, au milieu des ormes. À sa droite, de l'autre côté du lac, Talair se dessinait clairement. Derrière elle, si elle se tournait, elle verrait sans doute encore Miraval. Ils avaient été attaqués à portée de vue des deux châteaux.

« Vous n'avez pas vraiment le choix, n'est-ce pas ? » dit l'homme en avançant de quelques pas. Il était de taille moyenne, vêtu de brun, le visage presque entièrement caché par un masque du carnaval d'hiver, aussi incongru qu'inquiétant dans un lieu pareil.

« Est-ce que vous savez ce que mon mari vous fera ? demanda Aëlis d'un air sombre. Et mon père, à Barbentain ? En avez-vous la moindre idée ?

— En effet », répondit l'homme masqué. À côté de lui, l'homme qu'Aëlis avait blessé se tenait toujours l'épaule. Il y avait du sang sur sa main. « Ce serait plutôt une question d'argent, gente dame. Une très grosse somme, en vérité.

— Vous êtes vraiment fou ! » répliqua Aëlis. Ils avaient à présent entouré son cheval, mais personne n'en avait encore saisi les rênes. Il semblait y avoir une quinzaine d'hommes, un nombre extraordinaire pour une bande de hors-la-loi si près de deux châteaux. « Pensez-vous vivre assez longtemps pour dépenser ce qu'ils vous auront donné ? Ignorez-vous combien vous serez poursuivi ?

— Questions angoissantes, en vérité, reprit l'homme sans paraître angoissé le moins du monde. Je n'ai pas l'impression que vous y ayez beaucoup réfléchi. Moi, si. Je m'attends toutefois à ce que vous vous montriez coopérative, ajouta-t-il d'une voix plus dure, sinon des gens seront blessés, peut-être même la jeune fille, j'en ai peur. Je ne dispose pas d'une réserve de temps ou de patience illimitée, dame Aëlis. Laissez tomber votre arbalète. »

Cette dernière phrase fut prononcée avec une telle autorité qu'Aëlis sursauta. Elle regarda Ariane ; la jeune fille tremblait de crainte, les yeux écarquillés. Riquier était étendu face contre terre. Il paraissait inconscient, mais n'avait pas l'air d'avoir été blessé par une lame, d'après ce qu'Aëlis put voir.

« On ne fera aucun mal à mes gens ? demanda-t-elle.

— Je vous l'ai déjà dit. Je n'aime pas me répéter. » Le masque de fête assourdissait la voix, sans toutefois en camoufler l'arrogance.

Aëlis laissa tomber son arbalète. Sans prononcer une autre parole, le chef se tourna et hocha la tête. Caché jusque-là par la forme massive de l'arc, un autre homme apparut, tenant deux chevaux par la bride. Le chef se hissa sur un gros étalon gris tandis qu'à ses côtés l'homme blessé montait maladroitement sur une jument noire. Personne d'autre ne bougea. Il était évident que les autres allaient rester pour s'occuper des corans.

« Qu'allez-vous faire de la jeune fille ? » cria Aëlis.

Le hors-la-loi se retourna. « Je suis fatigué des questions, répondit-il brusquement. Allez-vous venir ou faudra-t-il vous ligoter et vous transporter comme une génisse ? »

Avec une lenteur délibérée, Aëlis fit avancer son cheval. Une fois à côté d'Ariane, elle s'arrêta et dit d'une voix claire : « Sois brave, belle enfant, ils ne te feront pas de mal, ils n'oseront pas. Avec l'aide de Rian, je te reverrai très bientôt. »

Elle avança avec la même lenteur, amazone à la tête haute et aux épaules droites, à l'image de son père. Le chef ne lui accorda aucune attention ; ayant fait tourner sa monture, il partit sans jeter un regard en arrière. L'homme blessé vint se placer derrière Aëlis.

Tous trois avancèrent dans un mélodieux tintement de harnais ; ils passèrent sous l'Arc des Anciens, traversant son ombre glacée pour retrouver le soleil de l'autre côté.

Ils chevauchèrent à travers l'herbe jeune, se dirigeant presque droit vers le nord. Derrière eux, la ligne de la rive du lac Dierne se perdait, bifurquant vers l'est. À leur gauche, les vignes d'Urté s'étalaient sur une vaste superficie. Devant eux, la forêt. Aëlis resta silencieuse et aucun des deux hommes masqués n'ouvrit la bouche. Comme ils s'approchaient des conifères à l'écart de la forêt, Aëlis aperçut la maisonnette d'un charbonnier un peu en retrait du sentier légèrement battu. Il n'y avait personne en vue et on n'entendait aucun bruit dans la lumière du matin, à l'exception de celui de leurs chevaux et des gazouillis des oiseaux.

Le chef s'arrêta. Il ne la regarda pas — il ne lui avait pas accordé un seul regard depuis qu'ils avaient commencé à chevaucher. « Valéry », dit-il, scrutant les abords de la forêt des deux côtés, « tu vas monter la garde pendant un moment, mais commence par trouver Garnoth. Il ne doit pas être loin. Dis-lui de nettoyer et de panser ton épaule. Il y a de l'eau dans le ruisseau.

— Il y a en principe de l'eau dans un ruisseau », riposta l'homme blessé d'une voix profonde au ton étonnamment âpre. Le chef éclata de rire et ce rire se répercuta dans le silence.

« Pour cette blessure, tu ne peux blâmer personne d'autre que toi-même, dit-il. Alors ne m'en fais pas porter la responsabilité. » Il descendit de son cheval, puis regarda Aëlis pour la première fois. Il lui fit signe de descendre. Elle obéit sans se presser. D'un geste exagérément gracieux, presque une parodie étant donné l'endroit où ils se trouvaient, il lui indiqua l'entrée de la maisonnette.

Aëlis jeta un regard circulaire. Ils étaient tout à fait seuls, très loin de tout endroit où quiconque pouvait passer. Le dénommé Valéry, masqué de fourrure comme un loup gris, était déjà parti à la recherche du dénommé Garnoth, probablement le charbonnier. La flèche était toujours fichée dans son épaule.

Aëlis s'avança et pénétra dans la hutte. Le chef des bandits la suivit et referma la porte derrière lui. On entendit le loquet claquer fortement. Il y avait des fenêtres des deux côtés, ouvertes de façon à laisser pénétrer la brise. Aëlis marcha jusqu'au centre de la petite pièce chichement meublée, constatant qu'on l'avait balayée peu de temps auparavant. Elle se retourna.

Bertran de Talair, le fils cadet, le troubadour, retira le masque de faucon qui camouflait son visage.

« Par tous les saints noms de Rian, s'exclama-t-il, jamais de toute ma vie je n'ai connu une femme comme toi. Tu as été magnifique, Aëlis. »

Elle réussit, avec quelque difficulté, à garder une expression sévère malgré l'émotion qui l'étreignit soudain en revoyant le visage de Bertran et, l'espace d'un instant, ce sourire fugitif qu'elle n'avait jamais oublié. Elle s'efforça de regarder froidement la clarté déconcertante des yeux bleus de l'homme qui lui faisait face. Elle n'était pas une fille de cuisine ou une servante d'auberge à Tavernel pour se pâmer dans ses bras.

« Ton homme a une vilaine blessure, dit-elle d'un ton bref. J'aurais pu le tuer. J'avais chargé Brette de te dire que j'allais tirer une flèche au moment de l'attaque. Tu devais ordonner à tes hommes de porter une cotte de mailles sous leurs habits.

— Je les ai avertis », répondit Bertran de Talair en haussant les épaules avec désinvolture. Il s'approcha de la table, jeta son masque et Aëlis vit alors que du vin avait été servi pour eux. Même si cela devenait de plus en plus difficile, elle continua à lutter contre l'envie de lui rendre son sourire, ou même d'éclater de rire.

« Je le leur ai dit, c'est la vérité, répéta Bertran de Talair en prenant la bouteille de vin. Valéry a préféré s'en abstenir. Il n'aime pas les armures. Il prétend que cela entrave le mouvement. Il ne deviendra jamais un bon coran, mon cousin Valéry. » Il hocha la tête d'un air ironiquement chagriné, puis la regarda de nouveau par-dessus son épaule. « Le vert te va bien, comme les feuilles à un arbre. Je n'arrive pas à croire que tu sois ici avec moi. »

Elle avait l'impression de sourire, malgré tout. Elle s'efforça néanmoins de poursuivre cette conversation ; il y avait là un véritable problème : elle aurait facilement pu tuer cet homme, Valéry. « Mais tu as choisi de ne pas lui expliquer *pourquoi* il devait se protéger, pas vrai ? Tu ne lui as pas dit que j'allais tirer. Même si tu savais que c'est lui qui se trouverait à tes côtés. »

Il ouvrit doucement la bouteille et lui sourit. « Oui, c'est vrai, c'est vrai. Pourquoi tous les de Barbentain sont-ils si intelligents ? C'est injuste. Cela rend la vie terriblement difficile à tous les autres, tu sais. J'ai cru que cela lui servirait de leçon. À présent, Valéry doit savoir qu'il doit m'écouter sans poser de question quand je suggère quelque chose.

— J'aurais pu le tuer », répéta Aëlis.

Bertran versait le vin dans deux gobelets. Elle vit qu'il s'agissait de gobelets en argent, sertis de pierres précieuses, tout à fait incongrus dans cette cabane. Elle se demanda si le charbonnier était payé. Chacun de ces gobelets valait davantage que ce que l'homme pouvait espérer gagner dans toute une vie.

Bertran vint vers elle, lui offrant du vin. « J'ai fait confiance à ton tir », dit-il simplement. Sa tenue simple, veste et guêtres brunes, lui seyait bien, mettant en valeur son teint basané et la teinte cuivrée de ses cheveux. Ses yeux étaient vraiment extraordinaires ; presque tous les de Talair avaient ces yeux. Chez les femmes, cette nuance de bleu avait, depuis des générations, brisé des cœurs en Arbonne et au-delà. Aëlis supposa que c'était aussi le cas chez les hommes.

Elle ne prit pas le gobelet qui lui était tendu. Pas encore. Elle était la fille de Guibor de Barbentain, comte d'Arbonne, qui régnait sur cette contrée.

« Tu as fait confiance à mon tir au point de risquer la vie de ton cousin ? demanda-t-elle. Ton propre cousin ? Une confiance certes déraisonnable. J'aurais facilement pu te blesser, toi aussi. »

Bertran changea d'expression. « Tu m'as blessé, Aëlis. À la fête d'hiver. Je porterai cette blessure toute ma vie, j'en ai peur. » Il avait parlé d'un ton grave, contrastant nettement avec ce qui venait de se passer. « Tu m'en veux vraiment ? N'as-tu pas conscience de ton pouvoir dans cette pièce ? » Il la fixa de ses yeux bleus, candides et clairs comme ceux d'un enfant. Ses paroles et sa voix étaient un baume et une musique pour l'âme assoiffée d'Aëlis.

Elle prit le vin et leurs doigts se frôlèrent. Il ne fit toutefois pas d'autre mouvement vers elle. Ils burent tous deux une gorgée, en silence. C'était évidemment du vin de Talair, provenant des vignes de sa famille sur les rives est du lac.

Elle lui sourit enfin, interrompant pour l'instant son interrogatoire, et se laissa tomber sur l'unique banc de la maisonnette. Il s'assit sur un petit tabouret de bois, penché vers elle, tenant des deux mains le gobelet entre ses longs doigts de musicien. Il y avait un lit contre le mur du fond, elle en avait eu conscience dès le moment où elle avait pénétré dans la pièce, sachant également qu'il était peu probable que le charbonnier en possédât un dans ce pavillon.

Urté de Miraval devait à présent être loin, à l'ouest, dans ses bois préférés, faisant écumer ses chevaux et ses chiens à la poursuite d'une bête, cerf ou sanglier. Les rayons du soleil tombaient obliquement par la fenêtre qui s'ouvrait sur l'est, baignant le lit de lumière. Aëlis vit le regard de Bertran suivre le sien dans cette direction, puis elle le vit détourner les yeux.

Elle comprit alors, soudainement étonnée de cette découverte, qu'il n'était pas aussi sûr de lui qu'il le paraissait. Ce qu'il venait de dire était donc peut-être vrai, ces paroles qu'on retrouvait si souvent dans les chansons des troubadours : c'était elle, dame de haut rang, femme depuis longtemps désirée, qui détenait le véritable pouvoir dans cette pièce. *Même les oiseaux au-dessus du lac...*

« Que vont-ils faire d'Ariane et des corans ? » demanda-t-elle, consciente du danger que représentaient pour elle le vin pur et l'excitation. Les cheveux de Bertran étaient ébouriffés après avoir été comprimés par le masque, et son visage rasé de près semblait intelligent, juvénile et quelque peu insouciant. Quelles que fussent les règles de l'amour courtois, cet homme ne devait pas être toujours facile à subjuguer. Elle le savait depuis le début.

Comme pour en témoigner, il fronça les sourcils, ayant retrouvé son équilibre. « Ils poursuivront bientôt leur route vers Talair. Mes hommes doivent avoir à présent retiré leurs masques et s'être fait connaître. Nous avons apporté du vin et de la nourriture pour déjeuner sur l'herbe. Ramir était là, l'as-tu reconnu ? Il avait sa harpe et j'ai écrit une ballade la semaine dernière au sujet d'un enlèvement simulé près de l'arc. Mes parents vont désapprouver, de même que ton mari, j'imagine, mais personne n'a été blessé, sauf Valéry par toi, et personne ne pourra vraiment me croire capable de te molester ou de te déshonorer. L'Arbonne sera sous le choc de notre histoire pendant à peu près un mois, pas davantage. Tout a été soigneusement pensé, conclut-il avec fierté.

— Bien sûr », murmura-t-elle. *À peu près un mois, pas davantage ? Pas si vite, mon seigneur.* Elle tentait d'imaginer comment sa mère aurait agi dans une telle situation. « Comment as-tu réussi à te faire aider de Brette à Miraval ? » reprit-elle pour gagner du temps.

Il sourit. « Brette de Vaux et moi avons été élevés ensemble. Nous avons connu différentes... aventures. J'ai pensé que je pourrais lui faire confiance pour...

— Pour une autre aventure, mon seigneur ? » Aëlis avait à présent une ouverture. Elle se leva. Tout compte fait, il ne lui semblait plus essentiel de penser à sa mère. Elle savait exactement ce qu'elle devait faire. Elle en avait rêvé pendant ces longues nuits de l'hiver qui venait de passer. « Un sujet facile pour une autre chanson de taverne ? »

Bertran se leva lui aussi, gauchement, renversant un peu de vin. Il posa le gobelet sur la table et elle vit sa main trembler.

« Aëlis, dit-il d'une voix basse et ardente, ce que j'ai écrit l'hiver dernier était la vérité. Tu ne dois jamais te sous-estimer. Ni avec moi ni avec aucun autre être vivant. Je crains que ceci ne soit pas une aventure... » Il hésita, puis poursuivit : « On dirait que le désir de mon cœur est sur le point de se concrétiser.

— Quoi ? » demanda-t-elle, s'obligeant à rester calme malgré son émoi. « Boire une coupe de vin avec moi ? Quelle délicatesse ! Ton cœur a des désirs bien modestes ! »

Il cligna les yeux, stupéfait, mais son regard changea alors, ses yeux étincelèrent et son expression fit chanceler Aëlis. Elle essaya de le cacher. Il avait pris ses paroles au pied de la lettre. Elle perdit soudain son assurance. Elle aurait voulu trouver un endroit où poser son verre de vin. Elle le but plutôt d'un seul trait et laissa tomber le gobelet vide dans la paille répandue sur le sol. Elle n'avait pas l'habitude du vin pur ni de se trouver seule avec un homme dans un lieu quelconque.

Prenant une longue inspiration pour apaiser les palpitations de son cœur, Aëlis dit : « Nous ne sommes pas des enfants, nous ne sommes pas non plus des gens de basse extraction dans ce pays, et je peux boire une coupe de vin avec un grand nombre d'hommes différents. » Elle s'obligea à soutenir son regard avec ses yeux sombres. Elle déglutit, puis poursuivit d'une voix claire : « Nous allons faire un enfant aujourd'hui, toi et moi. »

Elle vit Bertran de Talair pâlir. « Il a peur maintenant », songea-t-elle. Il avait peur d'elle, de ce qu'elle était et de la vitesse déconcertante à laquelle évoluait la situation.

« Aëlis », commença-t-il, luttant visiblement pour reprendre ses esprits, « tout enfant que tu porteras, en tant que duchesse de Miraval et en tant que fille de… »

Le jeune homme se tut. Il s'arrêta parce qu'elle avait levé les bras au moment même où il avait ouvert la bouche et qu'elle avait, avec des gestes soigneux et délibérés, commencé à dénouer ses cheveux.

Bertran resta silencieux, son visage exprimant à la fois le désir, l'étonnement et la conscience aiguë des conséquences de ce qui était en train de se passer. Cette conscience, Aëlis devait l'apaiser. Malgré sa jeunesse, Bertran était un homme trop perspicace ; évaluant les conséquences, il pourrait faire volte-face, même maintenant. Elle retira de ses cheveux la dernière longue épingle d'ivoire et secoua la tête pour laisser sa chevelure retomber en cascade dans son dos. *Chevelure provoquant le désir.* Ainsi le chantaient tous les poètes.

Le poète qui se trouvait devant elle, d'une lignée presque aussi fière que la sienne, dit alors, avec un certain désespoir : « Un enfant. En es-tu certaine ? Comment sais-tu qu'aujourd'hui, maintenant, nous… »

Aëlis de Miraval, fille du comte d'Arbonne, sourit, du sourire antique de la déesse, des femmes centrées sur leurs propres mystères. « Messire Bertran, dit-elle, j'ai passé deux années sur l'île de Rian dans la mer. Nous n'y pratiquons peut-être que peu de magie, mais si cette magie ne concerne pas des domaines comme celui-ci, que peut-elle concerner ? »

Et, sans même penser à ce que sa mère aurait fait, sachant alors aussi sûrement qu'elle connaissait les multiples facettes de son propre désir qu'il était temps de se taire, Aëlis commença à dénouer les cordons de soie qui retenaient sa robe verte sur sa poitrine. La soie retomba sur ses hanches. La jeune femme baissa les bras et se tint devant lui, attendant, s'efforçant de maîtriser sa respiration même si cela était soudain devenu difficile.

Les yeux de Bertran exprimaient l'avidité, une sorte de respect mêlé de crainte et un désir manifeste. Ils dévoraient ce qui s'offrait à eux. Mais Bertran ne bougea pas encore. Même maintenant, malgré le vin et la passion qui couraient dans ses veines, comprit-elle : de même qu'elle n'était pas une fille de taverne, il n'était pas non plus un coran ivre à minuit dans un coin de la salle chez un quelconque baron. Il était fier, lui aussi, il connaissait intimement le pouvoir et paraissait saisir encore de façon trop aiguë les répercussions que pourrait avoir cet instant.

« Pourquoi est-ce que tu le hais tant ? » demanda doucement Bertran de Talair, sans quitter des yeux les seins pâles, ronds et satinés d'Aëlis. « Pourquoi est-ce que tu hais tant ton mari ? »

Elle connaissait la réponse à cette question. Elle la connaissait comme ces incantations psalmodiées sans relâche sur l'île par les prêtresses de Rian pendant les nuits étoilées, accompagnées par le chant des vagues.

« Parce qu'il ne m'aime pas », répondit-elle.

Elle tendit alors les mains, dans un geste étrangement désarmant, debout à demi nue devant lui, fille de son père, chemin vers le pouvoir pour son mari, héritière de l'Arbonne, mais essayant de formuler sa propre réponse aujourd'hui, maintenant, dans cette pièce, à la froideur du destin.

Il fit un pas en avant, le seul pas nécessaire, et la prit dans ses bras, la souleva, puis la porta jusqu'au lit qui n'était pas celui du charbonnier et la coucha là où tombaient, obliques, les rayons du soleil, chauds, brillants et éphémères.

Première partie

Le printemps

Chapitre 1

l n'y avait que peu de vent, heureusement. Un pâle clair de lune tombait sur la mer qui grossissait doucement autour de l'esquif. Ils avaient choisi une nuit de lune. Malgré les risques, ils auraient besoin de voir où ils allaient lorsqu'ils accosteraient. Huit rames, se soulevant et retombant le plus silencieusement possible, les propulsaient contre le courant en direction des faibles lumières de l'île, plus proche maintenant et tellement plus dangereuse.

Blaise voulait six hommes, sachant par expérience qu'on réussit mieux des missions comme celle-ci en misant sur une action furtive et rapide plutôt que sur le nombre. Mais, Arbonnais superstitieux, les corans du domaine de Mallin de Baude avaient insisté pour être huit. Ainsi, si tout se passait bien, ils seraient neuf au retour. Ici, en Arbonne, neuf était le chiffre consacré à Rian et c'était en direction de l'île de Rian qu'ils ramaient à présent. Un mauvais prêtre de la déesse les avait même bénis au cours d'un simulacre de cérémonie. Ses hommes l'observant, Blaise s'était agenouillé à contrecœur pour permettre au vieillard ivre de poser sur sa tête ses mains noueuses, marmonnant des paroles inintelligibles censées favoriser leur voyage.

Ridicule, songeait Blaise en ramant avec énergie, se rappelant comment il avait été obligé de céder sur ces questions. En vérité, toute cette expédition nocturne avait un arrière-goût absurde. On pouvait néanmoins se faire tuer aussi facilement en participant à une escapade insensée en compagnie de fous que dans une aventure glorieuse aux côtés d'hommes que l'on respectait et en qui l'on pouvait avoir confiance.

Et pourtant il avait été embauché par messire Mallin de Baude pour entraîner les corans de son domaine et, pendant les premiers mois passés en Arbonne, il avait convenu à ses propres desseins de servir un baron de rang inférieur tandis qu'il évaluait calmement la situation dans ce pays où l'on vénérait une déesse et qu'il perfectionnait sa connaissance de la langue. Il ne pouvait nier non plus — comme Mallin aurait pu le souligner — que la mission de ce soir l'aiderait à stimuler la force de combat des corans... si jamais ils s'en sortaient indemnes.

Mallin n'était pas dénué d'ambition, et il n'était pas non plus sans mérites. Selon Blaise, c'était sa femme qui constituait le problème. Soresina. De même que les coutumes totalement aberrantes de l'amour courtois ici, en Arbonne. Si Blaise avait de bonnes raisons de n'éprouver aucune attirance particulière pour le mode de vie qui prévalait chez lui au Gorhaut, rien pourtant dans le nord ne lui avait paru aussi peu pratique que cette culture matriarcale des troubadours et de leurs ménestrels, geignant des chansons d'amour pour l'épouse d'un seigneur ou d'un autre. Par Corannos, ce n'était même pas l'amour des jouvencelles qu'ils célébraient ! On aurait dit qu'en Arbonne une femme devait être mariée pour devenir un véritable objet de passion. Maffour, le plus bavard des corans du domaine, avait commencé à le lui expliquer, un jour ; Blaise n'avait pas trouvé cela assez intéressant pour l'écouter. Le monde était plein de choses qu'il fallait connaître pour survivre ; il n'avait pas besoin de se farcir la cervelle avec les détails insignifiants d'une culture aussi franchement idiote.

De l'autre côté, les lumières de l'île se rapprochaient. À la proue de l'embarcation, Blaise entendit l'un des corans — Luth, bien sûr — prier d'une voix basse et nerveuse. Derrière sa barbe, Blaise fit une moue dégoûtée. Il aurait bien volontiers laissé Luth derrière lui sur la terre ferme. Cet homme serait presque inutile ici, bon seulement à garder l'esquif lorsqu'ils accosteraient, si toutefois il pouvait arriver à le faire sans se mouiller de peur aux cris des hiboux, à la vue d'une étoile filante ou en entendant le vent souffler dans les feuilles. C'était Luth qui, le premier, sur la rive, avait commencé à parler des monstres marins qui gardaient les abords de l'île de Rian, énormes créatures bossues et écailleuses avec des dents de la taille d'un homme.

Comme le vit Blaise, les véritables périls étaient d'une nature plus prosaïque, sans pourtant être moins graves : flèches et lames maniées par les prêtres et prêtresses de Rian montant la garde contre les hommes faussement bénis qui venaient en cachette, la nuit, à l'île sacrée de la déesse pour accomplir une mission personnelle.

Il s'agissait en vérité d'une mission très précise : persuader un troubadour appelé Évrard de rentrer au château de Baude et de renoncer à l'exil qu'il s'était lui-même imposé, en proie à une indignation pleinement justifiée.

Tout à fait ridicule, songea de nouveau Blaise en ramant, sentant une écume salée lui arroser la barbe et les cheveux. Heureusement que Rudel n'était pas là. Il lui était facile d'imaginer les commentaires de son ami portezzain à propos de cette escapade. En esprit, il pouvait presque entendre le rire de Rudel et son évaluation acerbe et dévastatrice de la situation actuelle.

En soi, l'histoire était simplement la conséquence tout à fait naturelle de la stupidité des rites de l'amour courtois en usage ici dans le sud. Blaise ne s'était pas gêné pour le dire dans la grande salle du château de Baude. Il savait que ce genre de propos ne lui attirait pas beaucoup de sympathie. Cela lui était égal ; on ne l'avait pas beaucoup aimé chez lui non plus pendant les derniers temps ayant précédé son départ du Gorhaut.

Pourtant, comment un honnête homme pouvait-il réagir devant ce qui s'était passé au château de Baude le mois dernier ? Évrard de Lussan, qui avait la réputation d'être un troubadour de talent modeste — et Blaise n'était certainement pas dans une position lui permettant de comparer les gribouillages d'un homme à ceux d'un autre —, avait choisi d'établir, pour une saison, sa résidence à Baude, dans les collines au sud-ouest. Conformément aux coutumes du pays, cela avait contribué à accroître la renommée de messire Mallin de Baude : les barons de rang inférieur vivant dans des châteaux éloignés recevaient rarement la visite de troubadours de petite ou de grande réputation. Jusque-là, Blaise pouvait comprendre.

Mais bien sûr, une fois installé au château, Évrard devait naturellement tomber amoureux de Soresina et commencer à écrire des aubades, des liensennes et des odes sibyllines à son sujet. Selon la tradition, c'était précisément pour cela qu'il était venu, mais Blaise avait observé que le troubadour poursuivait un autre but moins romantique, celui de recevoir un bon salaire mensuel versé à partir des profits de la vente de la laine de Mallin à la Foire de Lussan l'automne précédent. Comme le voulait une autre coutume, Évrard utilisait un nom fictif pour l'élue de son cœur, mais tous les voisins du château et, curieusement, tous les gens d'une certaine importance en Arbonne semblaient savoir qu'Évrard de Lussan, le troubadour, avait été conquis par la grâce et la beauté de Soresina de Baude dans son château des hauts plateaux, sur la route des défilés de montagnes et de l'Arimonda.

Mallin était enchanté ; cela faisait aussi partie du jeu. Un troubadour passionnément épris et exaltant l'épouse du baron donnait du relief aux visions de puissance et de largesse chéries par Mallin.

Soresina éprouvait bien entendu un trouble indescriptible. Elle était vaniteuse, jolie et assez stupide, selon l'opinion désapprobatrice de Blaise, pour avoir précipité ce genre de crise qu'ils devaient à présent affronter. Il avait la conviction que si ce n'avait pas été cet incident précis, ç'en aurait été un autre. Chez lui aussi, on trouvait des femmes comme Soresina, mais au Gorhaut on les tenait fermement en main. Pour commencer, leurs maris n'invitaient pas d'étrangers dans leurs châteaux expressément pour qu'ils les courtisent. Maffour avait eu beau s'efforcer de lui expliquer les règles strictes de la Cour d'amour, Blaise savait reconnaître une tentative de séduction quand il en était le témoin.

Tout en n'éprouvant manifestement aucun intérêt vraiment romantique à l'égard du poète installé depuis peu chez eux — ce qui était plus que rassurant pour son mari —, Soresina fit néanmoins en sorte d'encourager Évrard de toutes les façons possibles malgré les contraintes imposées par les espaces toujours bondés d'un petit château de baron.

Blonde comme les blés, l'épouse de Mallin avait un corps plein, un rire communicatif et venait d'une famille beaucoup plus distinguée que celle de son mari, ce qui ajoutait toujours du combustible aux feux de la passion d'un troubadour, comme le loquace Maffour l'avait expliqué à Blaise. Celui-ci n'avait pu s'empêcher de rire tant le procédé lui paraissait artificiel. Facile d'imaginer les commentaires sarcastiques de Rudel.

Entre-temps, la saison printanière tant célébrée dans le sud arriva en Arbonne ; des fleurs sauvages multicolores apparaissaient du jour au lendemain dans les prés et les hautes collines entourant le château de Baude. On racontait que les neiges se retiraient du défilé de la montagne vers l'Arimonda. Les vers du poète gagnaient en chaleur et en passion au rythme de la saison, de même que les voix vibrantes des ménestrels qui avaient commencé à affluer à Baude, sachant reconnaître une aubaine quand ils en voyaient une. Plus d'un des corans et serviteurs du château eurent une raison intime de remercier le troubadour et les chanteurs pour l'atmosphère érotique qu'ils avaient créée, les intermèdes amoureux se multipliant dans la cuisine, les champs et la grande salle.

Malheureusement pour Évrard, sa courte taille, ses dents jaunes et sa calvitie précoce desservirent sa cause. Et pourtant, d'après la grande tradition, c'était pour leur art et leur dévouement à toute épreuve plutôt que pour leur stature et leur chevelure que les troubadours étaient censés être aimés par les dames gracieuses et cultivées.

Soresina de Baude ne semblait, hélas ! guère se soucier de la grande tradition, de cette partie-là du moins. Elle aimait que ses hommes ressemblent aux corans guerriers du passé glorieux, comme elle l'avait confié à Blaise peu de temps après son arrivée, levant ingénument les yeux vers sa silhouette haute et musclée, puis baissant et détournant le regard avec une timidité assurément feinte. Habitué à ce genre d'attitude, Blaise n'avait été ni surpris ni tenté. Il était payé par Mallin et, dans ce domaine, il avait établi son propre code.

Un peu plus tard au cours de ce même printemps, Évrard de Lussan entreprit toutefois quelque chose d'entièrement différent. Un soir, après avoir ingurgité une quantité considérable de vin rouge de Miraval avec les corans, le petit troubadour décida enfin de traduire la fougue de ses vers en une action d'une passion plus fruste.

Enflammé par l'interprétation fervente d'une de ses ballades par un ménestrel un peu plus tôt au cours de la soirée, le troubadour avait quitté sa couche pendant la nuit et titubé dans les couloirs et les escaliers sombres et silencieux jusqu'à la porte de la chambre de Soresina qui, malheureusement pour toutes les personnes concernées, n'était pas verrouillée. Jeune, en bonne santé, d'assez grande taille et plutôt pressé de concevoir des héritiers, Mallin venait de quitter son épouse et de regagner ses propres appartements situés à proximité.

Ivre, transporté par ses vers, le poète était entré dans la chambre plongée dans l'obscurité, il avait trouvé son chemin jusqu'au lit à baldaquin et planté un baiser fiévreux sur les lèvres de la femme assoupie et repue qu'il s'efforçait de rendre célèbre dans toute l'Arbonne ce printemps-là.

À la suite de l'incident, on émit plusieurs opinions sur la façon dont Soresina aurait dû réagir. Ariane de Carenzu, reine de la Cour d'amour depuis que la comtesse, sa tante, lui avait transmis le titre, avait proclamé qu'une séance serait convoquée plus tard au cours de l'année pour discuter de la question. Entre-temps, tous les hommes, toutes les femmes que Blaise croisait à l'intérieur comme à l'extérieur du château paraissaient avoir réfléchi sur ce que lui-même considérait comme un événement tout à fait prévisible, absolument trivial.

Soresina avait crié, une réaction bien naturelle ou très malheureuse, selon le point de vue. Arrachée à un rêve postcoïtal et reconnaissant celui qui se trouvait dans sa chambre, elle avait maudit son admirateur abasourdi et hébété d'une voix que la moitié du château avait pu entendre, le traitant comme un paysan rustre et mal élevé méritant d'être fouetté publiquement.

En retour, Évrard de Lussan, blessé jusqu'au fond de son âme trop sensible, avait quitté le château avant le lever du soleil et s'était dirigé vers le plus proche sanctuaire de la déesse où il avait reçu bénédiction et consécration. Il s'était ensuite rendu jusqu'à la côte, avait pris le bateau pour l'île de Rian où il s'était retiré de la société rude et ingrate des femmes et des châteaux capables d'abuser ainsi de l'infinie générosité de son art.

En sûreté dans l'île, loin des tempêtes et des luttes terribles du monde, il avait commencé à guérir et à se divertir en composant des hymnes à la déesse et des satires indéniablement spirituelles sur Soresina de Baude. Il ne la désignait pas par son nom, bien entendu — les règles sont les règles —, mais comme il utilisait à présent celui-là même qu'il avait inventé pour exalter la finesse et l'élégance de sa silhouette et l'éclat ténébreux de son regard, personne en Arbonne ne pouvait ignorer de qui il s'agissait. Ainsi que, sérieusement ébranlé, Mallin l'avait laissé entendre à Blaise, les étudiants de Tavernel avaient appris les chansons et y avaient ajouté des couplets de leur cru.

Après quelques semaines, sa femme faisant de plus en plus l'objet de plaisanteries, son château étant sur le point de devenir synonyme de manières rustiques, et les lettres de conciliation qu'il avait envoyées à Évrard étant restées sans réponse, messire Mallin de Baude avait décidé d'entreprendre une action radicale.

Pour sa part, Blaise se serait probablement arrangé pour tuer le rimailleur. Même de rang mineur, Mallin de Baude faisait tout de même partie de la noblesse alors que, aux yeux de Blaise, Évrard n'était rien de plus qu'un parasite ambulant. Un conflit, même une simple dispute entre deux hommes pareils, aurait été inconcevable au Gorhaut. Mais on se trouvait en Arbonne, une société gouvernée par des femmes où les troubadours jouissaient d'un pouvoir qu'ils n'auraient jamais pu rêver de posséder ailleurs.

Mallin ordonna alors à Blaise et à ses corans d'aller clandestinement, de nuit, à l'île de la déesse et de ramener Évrard. Bien sûr, le baron ne pouvait pas mener l'expédition en personne, bien que Blaise le respectât suffisamment pour croire que c'était ce qu'il aurait préféré. Mallin devait cependant prendre quelque distance vis-à-vis de l'escapade au cas où elle tournerait mal. Il devait être en mesure d'affirmer que ses corans avaient conçu ce projet à son insu et sans son consentement, puis se rendre en hâte à un temple de Rian pour accomplir les gestes de repentir appropriés. Selon Blaise, cela pouvait s'expliquer par le fait que, cette saison-là, le chef des corans de Baude se trouvait être un mercenaire du Gorhaut qui, de toute évidence, ne vénérait pas Rian ; rien d'étonnant alors à ce qu'il eût pu perpétrer un tel sacrilège. Blaise n'en parla à personne. Cela ne le dérangeait même pas ; c'était simplement dans l'ordre des choses à un certain niveau des affaires du monde et il en avait une vaste expérience.

Languissante et atterrée devant les conséquences de son cri instinctif et de son explosion de colère, Soresina avait été énergiquement instruite de la conduite à suivre au retour d'Évrard par une succession de dames des châteaux voisins, davantage familiarisées avec les manières des poètes.

Mais il fallait auparavant que Blaise et ses corans parviennent à l'île. Qu'ils trouvent Évrard. Que celui-ci accepte de revenir. Que les monstres marins des cauchemars de Luth ne surgissent pas devant leur esquif, gigantesques et terrifiants dans la pâle clarté lunaire, pour les entraîner dans la mort au fond de l'eau noire.

« En direction de ces pins », marmonna Hirnan qui se tenait à la proue. Il jeta un regard par-dessus sa large épaule vers l'ombre de l'île qui se dessinait. « Et pour l'amour de Corannos, silence, à présent.

— Luth, chuchota Blaise, à partir de maintenant jusqu'à notre retour sur le continent, si jamais tu émets le moindre son, je te tranche la gorge et te jette par-dessus bord. »

Luth déglutit, plutôt bruyamment. Blaise décida de ne pas le tuer pour ça. Comment un homme pareil pouvait-il avoir été consacré guerrier de l'Ordre de Corannos ? Blaise n'arrivait pas à le comprendre. Ce type savait se servir d'un arc, de même que d'une épée et d'un cheval, mais même ici, en Arbonne, on devait sûrement savoir que ces talents ne suffisaient pas pour être un coran du dieu. Il n'y avait donc plus de normes ? Ce monde corrompu et dégénéré avait-il perdu toute fierté ?

Hirnan regarda de nouveau par-dessus son épaule. Ils étaient à présent très près de la côte. Les pins se profilaient autour d'eux sur la rive ouest de l'île, loin des plages sablonneuses de la rive nord et des lumières qui, plus loin, indiquaient les trois temples et les résidences. Étant déjà venu ici — sans expliquer pourquoi et Blaise n'avait pas insisté pour le savoir —, Hirnan avait affirmé qu'il était impossible d'accoster l'une de ces plages du nord sans être repéré. Les serviteurs de Rian gardaient leur île ; par le passé, ils avaient effrayé davantage qu'un simple esquif de corans à la recherche d'un poète.

Ils devaient tenter d'accoster un lieu plus difficile, là où les pinèdes menaient non au sable, mais aux falaises rocailleuses et aux rochers dans la mer. Ils avaient apporté de la corde et chacun des corans, même Luth, savait comment se tenir sur un rocher. Le château de Baude était perché haut dans une campagne sauvage, au sud-ouest. Les hommes qui servaient là connaissaient bien les falaises et les rochers.

La mer, c'était autre chose. Seuls Hirnan et Blaise se sentaient à l'aise sur l'eau et c'était à présent à Hirnan qu'incombait la responsabilité de les conduire suffisamment près de la rive, au milieu de pierres effilées et sombres, pour qu'il leur soit possible d'accoster. En privé, Blaise lui avait confié que s'ils ne pouvaient trouver mieux qu'une simple paroi rocheuse, ils n'avaient réellement aucune chance. Pas la nuit, avec la nécessité d'un silence absolu et avec un poète à ramener. De plus...

« Baissez les rames ! » siffla-t-il. Au même instant, Maffour, à côté de lui, grogna les mêmes paroles. Les huit rameurs retirèrent vivement leurs avirons de l'eau et restèrent assis, immobiles, tandis que l'esquif glissait silencieusement en direction de l'île. On entendit de nouveau le son, plus proche à présent. Sans bouger, penché pour passer inaperçu, Blaise scruta les ténèbres, cherchant, à la faveur du clair de lune, à distinguer le bateau qu'il avait entendu.

Puis il le vit, un navire sombre à une seule voile se découpant contre le ciel étoilé, effleurant l'eau autour de l'île. Dans la barque, les huit hommes retinrent leur souffle. Ils se trouvaient sur la trajectoire du voilier et en même temps très près, dangereusement près en vérité, de la côte rocailleuse. Dans cette faible lumière, on était presque assuré qu'une personne regardant dans leur direction ne verrait que la masse sombre de l'île. Blaise savait d'ailleurs que les gardes regarderaient probablement de l'autre côté. Il détendit ses doigts crispés sur la rame au moment où le petit navire passait à côté d'eux en poursuivant sa route, contre le vent, si beau dans la clarté lunaire.

« La déesse soit louée ! » murmura Luth qui se trouvait à l'avant de l'embarcation à côté d'Hirnan.

Se maudissant de ne pas l'avoir fait s'asseoir à côté de lui, Blaise lança un regard furibond par-dessus son épaule et vit la main d'Hirnan agripper férocement le bras de son compagnon dans un ultime effort pour le faire taire.

« Aïe ! » dit Luth. À voix haute. Sur la mer. Par une nuit très calme.

Blaise ferma les yeux. Il y eut un moment de silence tendu, puis : « Qui va là ? Au nom de Rian, révélez votre identité ! » demanda sèchement une voix masculine sur le voilier.

Cherchant furieusement une issue, Blaise vit que l'autre bateau avait déjà commencé à tourner. Deux possibilités s'offraient à présent à eux. Ils pouvaient battre en retraite en ramant frénétiquement et espérer que les gardes les perdent de vue dans l'obscurité de la mer. Personne ne connaissait leur position exacte ; il était possible qu'on ne puisse ni les voir ni les identifier. Mais le continent était loin et huit rameurs avaient peu de chances d'échapper à un voilier s'ils étaient poursuivis. En outre, Blaise savait que d'autres bateaux pouvaient venir à la rescousse.

Quoi qu'il en fût, il détestait battre en retraite.

« Seulement des pêcheurs, Votre Grâce, cria-t-il d'une voix hésitante, haut perchée. Il n'y a que mes frères et moi à la pêche au poisson-lanterne. Nous sommes vraiment désolés de nous être aventurés aussi loin. »

Il chuchota ensuite avec rage : « Vite, jetez trois cordes à la mer ! Faites semblant de pêcher. Hirnan, toi et moi nous allons dans l'eau. » Tout en parlant, il avait commencé à retirer ses bottes et son épée. Hirnan l'imita sans poser de question.

« Il est interdit de venir aussi près de l'île de la déesse sans permission. Vous êtes passibles de la malédiction de Rian. » La voix forte résonnait de l'autre côté, hostile et pleine d'assurance. Le garde-côte continuait à tourner. Il allait foncer sur eux dans un moment.

« Nous ne devons pas tuer, chuchota anxieusement Maffour à côté de Blaise.

— Je le sais, siffla Blaise. Fais ce que je t'ai dit. Offre-leur une dîme. Allons-y, Hirnan. »

Sur ces dernières paroles, il fit passer ses jambes par-dessus bord et se glissa sans bruit sur un côté de la barque. De l'autre côté, avec exactement les mêmes mouvements, Hirnan l'imita. La nuit, au début du printemps, l'eau était glaciale.

La voix contrite de Maffour traversa les ténèbres : « En vérité, Excellences, comme vous l'a dit mon frère, nous n'avions pas l'intention de transgresser la loi. Nous serons heureux d'offrir une dîme sur nos prises aux saints serviteurs de la déesse Rian. »

Il y eut un silence sur l'autre bateau, comme si quelqu'un était en train d'évaluer cette soudaine tentation. Blaise ne s'y était pas attendu. Il distingua à sa droite la tête sombre d'Hirnan qui barbotait dans sa direction. Il fit un signe et les deux hommes se mirent à nager calmement vers le voilier.

« Vous êtes fous ? » Cette deuxième voix était celle d'une femme, aussi froide que l'eau de l'océan. « Vous pensez réparer votre faute en offrant des poissons ? »

Blaise grimaça. Les prêtresses de la déesse étaient toujours plus intransigeantes que les prêtres ; il avait appris cela, malgré le peu de temps passé en Arbonne. Il entendit que l'on frottait une pierre et, un instant plus tard, jurant en silence, il vit une lanterne allumée sur le voilier. Une lueur orangée tomba sur l'eau, heureusement très faible. Priant pour que les six corans dans la barque aient le réflexe de garder la tête inclinée et de cacher leur visage, Blaise fit signe à Hirnan d'approcher. Puis, se mouvant en silence dans la mer, il mit sa bouche près de l'oreille de son compagnon et lui expliqua ce qu'ils devaient tenter de faire.

Tenant la lanterne élevée pendant que Maritte guidait leur bateau, Roche le prêtre scrutait les ténèbres. Même avec la flamme, même avec la pâle et cireuse clarté de la lune, il était difficile de voir clairement. L'embarcation dont ils se rapprochaient était certainement l'une de celles qu'utilisaient les pêcheurs de la grève et il arrivait à distinguer leurs filets d'un côté. Et pourtant, cette rencontre avait quelque chose d'insolite. Pour commencer, l'équipage semblait trop nombreux. Il comptait au moins cinq hommes. Où allaient-ils mettre leurs prises ? Roche avait grandi près de la mer et savait comment on pêchait le poisson-lanterne. Il était aussi friand de ce mets rare et délicat et c'est pourquoi il avait été honteusement tenté par la dîme offerte. Née dans la montagne, Maritte n'avait pas de telles faiblesses. Roche se demandait d'ailleurs parfois si quelque chose pouvait la tenter. Il ne se sentirait pas particulièrement malheureux lorsque leurs rondes communes se termineraient une semaine plus tard, quoiqu'il ne pût prétendre regretter les trois nuits obligatoires passées au lit avec elle. Il se demandait si elle avait conçu un enfant de lui et à quoi il pourrait bien ressembler.

Vraiment, cela n'avait pas l'air d'un bateau de pêche. Il y avait trop d'hommes dedans, sans doute parce qu'ils craignaient de s'aventurer si près de l'île. Roche savait que cela se produisait trop souvent. Les eaux profondes entourant l'île de Rian abondaient en poisson-lanterne. Quel dommage, pensait-il parfois — conscient qu'une telle pensée frôlait l'hérésie —, que tout ce poisson, toute cette faune sur l'île ou alentour fussent consacrés à la déesse dans son incarnation de chasseresse et ne pussent donc être chassés par aucun être humain !

On ne pouvait vraiment blâmer les pêcheurs arbonnais de céder occasionnellement à l'attrait de ce goût raffiné et de tenter alors leur chance un peu plus près de l'île qu'ils ne l'auraient dû. Roche se demanda s'il aurait le courage de se tourner vers Maritte pour lui faire part de cette pensée dans l'esprit de la compatissante Rian. Il y renonça. Il pouvait imaginer sa réponse ; née dans la montagne, Maritte était aussi dure que le roc. Mais un peu plus tendre dans le noir, figurez-vous, étonnamment adoucie par la passion et ce qui s'ensuit. Les trois nuits en avaient valu la peine, décida-t-il, quelle que fût son attitude actuelle.

En vérité, les paroles que Maritte prononça d'une voix soudain rude furent celles-ci : « Roche, ces gens-là ne sont pas des pêcheurs. Ce ne sont pas des filets mais des cordes. Il faut que nous... »

Cela s'arrêta là, hélas ! et Roche n'entendit rien d'autre. Au moment même où il se penchait vivement pour regarder de plus près l'esquif, Roche de l'île sentit son corps tiré hors de leur petit bateau, la lanterne s'envolant de sa main pour s'éteindre dans l'eau en sifflant.

Il essaya d'appeler à l'aide, mais il entra en contact avec l'eau et le choc lui coupa le souffle. Ensuite, comme il cherchait désespérément à respirer, il se retrouva englouti sous une vague, avala une gorgée d'eau salée et se mit à hoqueter et à tousser. Une main le retenait par-derrière et il se sentait comme pris dans l'étau d'un forgeron. Roche toussa, s'étrangla, toussa encore et finit par rejeter l'eau de ses poumons.

Il retrouva son souffle puis, comme si cela avait constitué un signal patiemment attendu, il reçut sur le côté de la tête un coup avec le manche d'un poignard qui lui fit tout à fait oublier la fraîcheur de l'eau ou la beauté du clair de lune sur la mer. Avant que tout ne devînt noir, il eut le temps de prendre conscience qu'il n'avait pas entendu un son du côté de Maritte.

Tandis qu'avec l'aide d'Hirnan il hissait le prêtre inconscient dans le bateau, Blaise eut peur un bref instant que le coran, soucieux de ne pas commettre d'erreur, n'eût tué la femme en la frappant. Après avoir, avec quelque difficulté, grimpé sur le voilier, il fut rassuré. Pendant quelques jours, elle aurait sur la tempe une bosse grosse comme un œuf de corfe, mais Hirnan était irréprochable. Blaise prit le temps de poser la main sur l'épaule de son compagnon en signe d'approbation ; ce genre de geste avait de l'importance avec les hommes que l'on commandait. Il avait aussi quelque expérience de la chose, des deux côtés de l'équation.

Le voilier était propre, bien entretenu et bien équipé, ce qui signifiait qu'il avait beaucoup de cordages. Il y avait également des couvertures pour se protéger du froid de la nuit et une quantité de nourriture qui aurait pu surprendre si le prêtre n'avait pas été aussi grassouillet. Blaise dépouilla l'homme inconscient de sa chemise détrempée et l'emmaillota dans l'une des couvertures. Ils ligotèrent et bâillonnèrent l'homme et la femme, sans toutefois trop serrer afin de ne pas les blesser, puis conduisirent le bateau en direction de leur propre barque.

« Maffour, dit Blaise toujours à voix basse, prends le commandement. Suivez-nous. Nous allons trouver un endroit pour accoster. Luth, si tu préfères, tu peux te tuer maintenant avant que je t'attrape. Ce sera peut-être plus agréable. » Il eut la satisfaction d'entendre Luth gémir de détresse. Le pauvre le croyait. À côté de Blaise sur le voilier, Hirnan fit entendre un grognement amusé. Avec une certaine surprise, Blaise reconnut en lui-même cette sensation un jour familière de partager compétence et respect avec un autre homme dans l'accomplissement d'une mission quelque peu dangereuse.

Dangereuse, oui, c'était encore plus évident à présent, étant donné la façon dont ils avaient traité les deux personnes consacrées à Rian. Mais l'escapade de cette nuit était stupide, l'opinion de Blaise à ce sujet n'ayant pas changé du simple fait qu'ils venaient de triompher de leur premier obstacle. Frissonnant et trempé, frottant ses bras pour se réchauffer, il prit conscience, presque contre son gré, qu'il avait apprécié le moment qui venait de passer.

Et, comme cela semble souvent se produire, le fait de surmonter une crise inclinait peut-être la chance, le destin ou le dieu Corannos — ou les trois à la fois — à favoriser l'étape suivante d'une entreprise difficile. Quelques instants plus tard, Hirnan fit entendre un nouveau grognement, de satisfaction cette fois, et aussitôt après Blaise comprit pourquoi. Glissant vers l'est, aussi près de la grève qu'il l'osait, Hirnan les avait conduits devant une petite crique cernée de rochers. Blaise aperçut, au-dessus, des arbres à la cime argentée dans le clair de lune et la pente douce d'un plateau au-dessous aboutissant à une courte falaise qui descendait vers la mer. Les plages leur étant interdites, c'était là un endroit presque idéal pour accoster. La crique leur permettrait d'abriter et de cacher les deux bateaux, et des hommes habitués aux pentes raides des sentiers de chèvres au-dessus des oliviers près de Baude n'auraient aucun problème à grimper sur le plateau.

Hirnan guida prudemment les deux bateaux dans la crique. Sur le voilier, il se hâta de descendre la voile et se prépara à jeter l'ancre. Dans la barque, Maffour enroula en silence l'un des cordages autour de ses épaules, sauta sur le rocher le plus proche, puis escalada agilement la petite paroi de la falaise jusqu'au plateau. Il attacha la corde à un pin et la laissa tomber pour ses compagnons. « Voilà deux hommes de valeur », songea Blaise, constatant que, depuis qu'il séjournait dans ce pays, il n'avait pas consacré beaucoup de temps à évaluer les corans de Mallin de Baude. Dans son for intérieur, il reconnut que Mallin avait eu raison sur un point au moins : pour réellement éprouver le courage d'un homme, il fallait une tâche comportant un vrai danger.

Hirnan finit de jeter l'ancre et se tourna vers Blaise en haussant les sourcils d'un air interrogateur. Blaise regarda les deux prêtres ligotés sur le voilier. Tous deux étaient inconscients et le resteraient sans doute encore un bon moment. « Nous allons les laisser ici, dit-il. Il n'y aura pas de problème. »

Les hommes de la barque avaient déjà commencé à monter sur le plateau à l'aide de la corde de Maffour. Blaise et Hirnan regardèrent grimper le dernier, puis Hirnan sauta prudemment sur un rocher glissant et encore sur un autre avant d'atteindre la corde ; il se hissa ensuite prestement sur la paroi de la falaise. Blaise fit de même. Le sel de la corde mouillée lui érafla les paumes.

Sur le plateau, il posa solidement les pieds sur la terre ferme pour la première fois depuis qu'il avait quitté le continent. Il éprouva une sensation étrange, comme si la terre tremblait au-dessous de lui. Ils se trouvaient sur l'île de Rian, illicitement consacrés, songea soudain Blaise. Aucun des autres ne paraissait toutefois avoir réagi et, un instant plus tard, il se sourit à lui-même d'un air désabusé : il venait du Gorhaut, Dieu merci, et on ne vénérait pas Rian dans le nord. Le moment était mal choisi pour céder aux superstitions qui avaient affligé Luth toute la soirée.

Sans un mot, le jeune Giresse lui tendit ses bottes et son épée, et Thiers en fit autant pour Hirnan. Réfléchissant rapidement, Blaise s'appuya contre un arbre pour enfiler ses bottes et boucler le ceinturon de son épée. Lorsqu'il leva les yeux, il vit sept hommes tendus qui le fixaient, attendant les ordres. Il sourit.

« Luth, j'ai décidé de te laisser la vie sauve pour que tu puisses continuer à ennuyer encore un peu le monde, dit-il d'une voix suave. Tu vas rester ici avec Vanne pour garder les deux bateaux. Si les deux prêtres ont l'air de vouloir se réveiller, je veux que vous leur fassiez perdre connaissance de nouveau. Mais cachez-vous le visage si vous devez descendre. Avec beaucoup de chance, aucun d'entre nous n'aura été reconnu une fois notre mission accomplie. Comprenez-vous ? »

Ils en avaient tout l'air. Luth parut presque comiquement soulagé de la tâche qui lui était assignée. Au clair de lune, on voyait bien que Vanne luttait pour cacher sa déception — un bon signe, en vérité, s'il regrettait de ne pas participer à l'étape suivante de leur périple. Mais Blaise n'allait pas laisser Luth effectuer une tâche tout seul, même une tâche simple. Il leur tourna le dos.

« Hirnan, j'imagine que tu pourras trouver les quartiers des invités une fois que nous aurons atteint le complexe du temple ? » Le coran aux cheveux roux hocha la tête. « Alors, pars devant, reprit Blaise. Je te suis et Maffour ferme la marche. Nous avancerons l'un derrière l'autre. Aucune parole à moins que ce ne soit essentiel. Nous nous toucherons pour nous avertir. Compris ?

— Une question : comment allons-nous trouver Évrard une fois sur place ? demanda calmement Maffour. Il doit y avoir de nombreux logements dans le complexe.

— En effet », murmura Hirnan.

Blaise s'était posé la même question. Il haussa cependant les épaules ; ses hommes devaient ignorer ce qui le préoccupait. « Je suppose qu'il dispose de l'un des plus grands. Nous chercherons ceux-là, dit-il. Alors Maffour pourra entrer et le réveiller par un baiser», ajouta-t-il en esquissant tout à coup un sourire. Des rires fusèrent. Derrière lui, Luth gloussa bruyamment, mais réussit à se maîtriser avant que Blaise ne se tournât vers lui.

L'atmosphère se détendit. Blaise attendit que les rires cessent, puis il regarda Hirnan. Sans un mot, le coran se tourna et pénétra dans la forêt de l'île sacrée de la déesse. Blaise lui emboîta le pas et entendit les autres s'aligner derrière lui. Il ne regarda pas en arrière.

La forêt était plongée dans l'obscurité. On entendait toutes sortes de bruits: le vent dans les feuilles, les couinements des petits animaux, le claquement rapide et inquiétant d'ailes d'oiseaux se posant sur de hautes branches. Les pins et les chênes cachaient la lune, sauf ici et là lorsqu'un rayon pâle et argenté tombait obliquement à travers le sentier, étrangement beau, rendant les ténèbres encore plus denses dès qu'ils l'avaient dépassé. Blaise s'assura que son épée se trouvait toujours dans son fourreau. En cas d'attaque, ce serait un terrain étroit et difficile. Il se demanda si certains gros félins vivaient dans l'île de Rian; il en avait l'impression, ce qui n'était guère rassurant.

Se faufilant autour des racines et sous les branches, Hirnan parvint enfin à une piste rude traversant la forêt d'est en ouest et Blaise commença à respirer plus calmement. Il était étonnamment conscient de l'endroit où ils se trouvaient. Il n'était pas vraiment superstitieux, mais il y avait quelque chose dans cette forêt qui, plus que la perspective de rencontrer un fauve ou un sanglier, lui donnait envie de la quitter au plus vite. En fait, il prit conscience que cela s'appliquait à toute l'île: plus tôt ils en partiraient et plus il serait content. C'est alors qu'un quelconque oiseau — très certainement un hibou ou un corfe — se posa sur la branche d'un arbre juste devant lui avec un bruit léger et précipité d'ailes battant l'air. Blaise se dit que Luth aurait souillé son vêtement. Se refusant à lever les yeux, il continua à avancer, suivant la silhouette obscure d'Hirnan qui marchait vers l'est en direction des temples de la déesse que l'on vénérait ici dans le sud comme une chasseresse et une mère, comme une amante et une épouse, et comme celle qui, sombre et inexorable sous la lune, convoquait et organisait la mort. «Si nous avons plus de chance que nous le méritons», songea mélancoliquement Blaise du Gorhaut, plus inquiet qu'il n'aurait voulu le reconnaître, même face à lui-même, « peut-être qu'il sera dehors en train de chanter à la lune. »

C'était exactement ce que faisait Évrard de Lussan. En vérité, il était rare que les troubadours chantent leurs propres chansons, l'interprétation musicale étant considérée comme un art moins prestigieux que la composition. C'étaient les ménestrels qui le faisaient, s'accompagnant de divers instruments. Mais aucun ménestrel ne se trouvait en ce moment dans l'île de Rian, et Évrard avait toujours trouvé utile, lorsqu'il écrivait, d'entendre ses paroles et une mélodie en train de prendre forme, même avec sa voix de fausset. Et puis il aimait composer la nuit.

Ils l'entendirent alors qu'ils approchaient des terrains du sanctuaire, émergeant de l'obscurité de la forêt sous la clarté lunaire et apercevant des lanternes au loin. Blaise constata qu'il n'y avait pas de murs autour des quartiers des invités au sud du complexe du temple bien qu'une haute palissade de bois entourât les bâtiments intérieurs où devaient dormir les prêtres et les prêtresses. Il ne semblait pas y avoir de gardes sur les remparts derrière ces murs, du moins on n'en voyait pas. Une lumière argentée tombait sur les temples, donnant aux trois dômes un éclat doucement nacré.

Ils n'avaient pas besoin d'aller dans cette direction. À l'extrême sud-est du complexe, pas très loin de l'endroit où ils se trouvaient, il y avait un jardin. Des palmiers se balançaient dans la brise douce qui portait vers eux l'odeur des roses, des anémones et de la lavande précoce. De même qu'une voix.

Grande déesse éblouissante, montre-toi favorable
Aux paroles de mon cœur
Qu'elles trouvent en ton amour un havre et un sanctuaire.
T'appartiennent les arbres de la forêt, l'écume de la mer
Et toujours la lune qui luit dans les cieux.

Il y eut une brève pause méditative, puis :

Et la lune qui luit là-haut.

Un autre silence plein de rumination, et de nouveau la voix d'Évrard :

T'appartiennent la lune et les étoiles là-haut
Les arbres de la forêt, l'écume dans la lumière.

Voyant qu'Hirnan le regardait d'un air ironique, Blaise haussa les épaules. « Mallin veut qu'il revienne, murmura-t-il. Ne me regarde pas comme ça. » Hirnan sourit.

Blaise passa derrière son compagnon et, restant dans l'ombre à l'orée de la forêt, il commença à se faufiler vers le jardin, là où la voix fluette continuait de tester des variantes du même sentiment. Blaise se demanda si le clergé et les autres invités de Rian aimaient voir leur sommeil perturbé par ce gazouillis nocturne, si cela se produisait toutes les nuits. Connaissant Évrard de Lussan, il en avait l'impression.

Ils atteignirent l'extrémité sud du bois. À présent, bien visible depuis les murs, il n'y avait, entre eux et les haies et palmiers du jardin, qu'une étendue d'herbe que la lune rendait argentée. Blaise se laissa tomber sur le sol, se rappelant d'une façon étrangement vivante avoir effectué ce genre de manœuvre en Portezza, avec Rudel, lorsqu'ils avaient assassiné Engarro di Faenna.

Et voilà qu'à présent il allait chercher un poète boudeur et irascible pour le compte d'un baron mineur d'Arbonne afin que l'épouse de celui-ci pût baiser le front dégarni du poète — et Dieu savait quoi d'autre encore — et lui dire combien elle regrettait de s'être mise à crier lorsqu'il l'avait attaquée dans son lit.

On était bien loin de la Portezza. Du Gorhaut. Du genre d'actions justifiant l'engagement d'un homme. Étrange engagement, en vérité, puisque Blaise détestait presque tout au Gorhaut, sa patrie, et qu'il pouvait compter sur les doigts d'une main les Portezzains de la noblesse à qui il faisait confiance.

« Thiers et Giresse, attendez ici, chuchota-t-il par-dessus son épaule aux deux plus jeunes. Pas besoin d'être six pour ceci. Sifflez comme un corfe s'il y a un problème. Nous vous entendrons. Maffour, tu sais ce qu'il faut dire. Franchement, j'aime autant que ce soit toi qui parles. Une fois dans le jardin, je te ferai un signe et tu t'avanceras. Nous ne serons pas loin. »

Il n'attendit pas la réponse. À ce stade de l'aventure, tout homme quelque peu digne de ce nom saurait aussi bien que lui ce qu'il avait à faire et si, aux yeux de Blaise, cette mission avait un sens, c'était parce qu'elle allait lui permettre de commencer à se faire une idée de ce que valaient les sept Arbonnais qu'il entraînait.

Sans jeter un regard en arrière, il se mit à avancer à quatre pattes dans l'herbe humide et froide vers la haie qui marquait l'entrée du jardin. On entendait encore Évrard à l'intérieur ; il ânonnait à présent quelque chose à propos des étoiles et des vagues crêtées d'écume blanche.

Irrité par cet individu, par lui-même, par la nature même de sa mission, Blaise rampa pratiquement, avec un manque de professionnalisme flagrant, dans le dos d'une prêtresse debout, à demi cachée, à côté du palmier le plus proche de l'allée. Blaise ignorait si elle se trouvait là à titre de garde du corps ou d'admiratrice du poète. Ce n'était pas le moment d'approfondir ces nuances. Un bruit de sa part pouvait tous les tuer.

Heureusement, elle accordait toute son attention à la silhouette du poète psalmodiant à proximité. Blaise distinguait Évrard assis sur un banc de pierre à l'extrémité d'une pièce d'eau du jardin, regardant de l'autre côté, en communion avec lui-même, avec les eaux immobiles ou avec n'importe quoi qui fût susceptible d'inspirer un poète.

Faisant fi de toute délicatesse, Blaise se redressa vivement, attrapa la femme par-derrière et lui couvrit la bouche avec sa main. Elle aspira de l'air, cherchant à crier, et il resserra son étreinte sur sa bouche et sa gorge. Il ne devait pas tuer. Quelles que fussent les circonstances, il n'aimait pas tuer inutilement. Agissant en silence comme le lui avaient enseigné les assassins de Portezza, Blaise maintint la femme qui se débattait, la privant d'air jusqu'à ce qu'il la sentît s'affaisser lourdement contre lui. Avec prudence — car il pouvait s'agir là d'une vieille ruse —, il desserra son étreinte. La prêtresse ne l'avait cependant pas trompé ; elle était inerte dans ses bras. C'était une femme robuste au visage étonnamment juvénile. La regardant, Blaise se dit qu'elle ne devait pas être une sentinelle. Il se demanda comment elle avait réussi à sortir du complexe. Il pouvait se révéler utile de le savoir. Il ne prévoyait toutefois pas revenir ici de sitôt, sinon jamais.

Déposant soigneusement la prêtresse sous le palmier, il fit un signe de tête à Maffour pour lui indiquer d'entrer dans le jardin. S'approchant en silence, Hirnan et Thulier commencèrent à ligoter la femme dans la pénombre.

La gloire t'appartient, ô brillante Rian, alors que nous, simples mortels,
Avançons humblement dans l'ombre de ta lumière éblouissante,
Cherchant un doux réconfort...

« Qui va là ? cria Évrard de Lussan sans se retourner, plus contrarié qu'inquiet. Vous savez tous qu'il ne faut pas me déranger quand je travaille.

— Nous le savons, Votre Grâce », répondit doucement Maffour en venant se placer à côté de l'homme.

Caché par les buissons, Blaise se rapprochait furtivement ; il frémit en entendant l'onctueuse flatterie du titre. Évrard n'y avait pas plus droit que Maffour, mais Mallin avait donné des instructions explicites à celui de ses corans qui s'exprimait le mieux.

« Qui êtes-vous ? » demanda Évrard d'un ton sec en se retournant vivement pour regarder Maffour au clair de lune. Blaise se rapprocha encore en rampant, tentant de se glisser de l'autre côté du banc. Il pensait savoir ce qui allait se passer.

« Maffour de Baude, Votre Grâce, porteur d'un message de messire Mallin lui-même.

— Il me semblait bien que je vous reconnaissais », dit Évrard, hautain. « Comment osez-vous venir ainsi perturber mes pensées et mon art ? » Rien à propos de l'impiété, de la transgression ou de l'affront infligé à la déesse dont il était en train de faire l'éloge, songea sardoniquement Blaise en s'arrêtant près d'une petite statue.

« Je n'ai rien à dire à votre baron ou à sa rustaude d'épouse et je ne suis pas d'humeur à écouter le banal message qu'ils ont ficelé à mon intention, fit Évrard d'un ton seigneurial.

— Je suis venu de loin et j'ai dû surmonter bien des dangers, reprit Maffour avec suffisance. Le message de Mallin de Baude est profondément sincère et il n'est pas long. Ne me ferez-vous pas l'honneur de l'écouter, Votre Grâce ?

— L'honneur ? répéta Évrard d'un ton plaintif. Qui, dans ce château, pourrait prétendre à quelque honneur que ce soit ? Je leur ai accordé une grâce qu'ils ne méritaient aucunement. J'ai conféré à Mallin la dignité qu'il demandait, par ma présence chez lui, par mon art. » Il parlait dangereusement fort. « La réputation qu'il était en train d'acquérir en Arbonne, c'est à moi qu'il la devait. Et en retour, en retour...

— En retour, pour une raison qui m'échappe, il désire encore votre compagnie », dit Blaise en s'avançant vivement. Il en avait entendu plus qu'assez.

Comme Évrard le regardait en écarquillant les yeux, essayant de se lever, Blaise se servit du manche de son poignard pour la deuxième fois cette nuit-là, l'abattant avec une force soigneusement calculée sur le crâne chauve du troubadour. Maffour se hâta d'attraper l'homme qui s'effondrait.

« Un grand soulagement, croyez-moi, dit Blaise avec ferveur à Hirnan et Thulier qui les rejoignaient.

— Facile à imaginer. Pourquoi avoir attendu si longtemps ? » grogna Hirnan.

Blaise sourit aux trois hommes. « Quoi ? Interrompre le moment de gloire de Maffour ? Je voulais vraiment entendre ce discours.

— Alors je vous le réciterai sur le chemin du retour, dit Maffour d'un ton acide. En n'omettant aucun des " Votre Grâce ".

— Épargne-nous ça », fit Hirnan. Il se pencha et, sans effort, mit le corps du petit troubadour sur son épaule.

Toujours souriant, Blaise ouvrit cette fois la marche, sans une parole, se dirigeant vers le sud du jardin, loin des lumières du sanctuaire, des murs et des dômes du temple, puis, contournant prudemment le jardin, il retourna dans le refuge de la forêt. S'il s'agissait là de corans d'un baron de rang inférieur, pensait-il, et qu'ils avaient cette désinvolture et cette compétence — à l'exception d'un seul —, il allait devoir, une fois sur le continent, réévaluer sérieusement les hommes d'Arbonne, même avec leurs troubadours, leurs ménestrels et la femme qui gouvernait leur pays.

L'exception en question était, sans l'ombre d'un doute, en train de vivre la nuit la plus cauchemardesque de sa vie.

Pour commencer, il y avait les bruits. Même à l'orée de la forêt, les bruits de la nuit parvenaient aux oreilles aux aguets de Luth, provoquant des vagues de panique se succédant dans une progression interminable.

Ensuite, il y avait Vanne. C'est-à-dire pas exactement Vanne, mais plutôt son *absence*, car l'autre coran, désigné pour monter la garde avec lui, ne cessait d'abandonner Luth pour descendre, à l'aide de la corde, vérifier l'état des deux prêtres sur le voilier, puis aller dans les bois écouter si leurs compagnons revenaient ou s'il se passait quelque événement indésirable. Ces incursions l'obligeaient à laisser Luth seul pendant de longs moments pour affronter des bruits et des mouvements équivoques dans l'obscurité du plateau ou des bois, sans personne auprès de qui chercher un réconfort.

En vérité, se disait Luth — et il en aurait fait le serment dans un temple de la déesse —, il n'était pas un lâche, même s'il savait que tous les hommes le penseraient en le voyant cette nuit. Mais il *n'était pas* un lâche : qu'on le place sur un rocher escarpé au-dessus du château de Baude un jour de tempête, des bandits détalant sur les pentes avec les moutons du baron, et Luth les poursuivrait avec acharnement, sûr de lui, agile sur les rochers et capable de se servir de son arc ou de son épée une fois les voleurs attrapés. Il l'avait fait l'été précédent avec Giresse et Hirnan. Il avait abattu un homme cette nuit-là, tirant une flèche dans l'obscurité et c'était lui qui avait guidé les deux autres avec le troupeau sur les pentes traîtresses.

Après ce qui était arrivé cette nuit, ils n'allaient probablement pas s'en souvenir ou se donner la peine de le dire aux autres. Si jamais ils survivaient. Si jamais ils parvenaient à quitter l'île. Si jamais…

Qu'est-ce qui se passait ?

Son cœur faisant des bonds comme un frêle bateau frappé par une vague contraire, Luth aperçut Vanne sur le plateau, revenant d'une autre inspection dans la forêt. Celui-ci lui jeta un regard étrange, mais ne dit rien. Luth savait qu'ils ne devaient pas parler. Il trouvait leur silence forcé presque aussi angoissant que les bruits nocturnes de la forêt.

Parce qu'il n'y avait pas que les bruits, il n'y avait pas que la nuit. On se trouvait dans l'île de Rian, lieu saint, et les huit hommes étaient ici sans avoir reçu une consécration adéquate, sans que personne leur en eût donné le droit — sauf un ex-prêtre ivrogne qui avait déformé les paroles rituelles — et, avant même d'avoir mis le pied sur terre, ils avaient rudoyé un prêtre et une prêtresse consacrés à la déesse.

Le problème de Luth était très simple, si du moins on pouvait qualifier cela de problème : il croyait profondément dans les pouvoirs de la déesse. Il avait une grand-mère dévote et superstitieuse qui adorait Rian et Corannos, ainsi qu'une variété de lares et de dieux saisonniers, et qui en connaissait juste assez à propos de la magie et des sortilèges pour que le petit-fils qu'elle laissait derrière elle devînt une proie livrée sans défense à la terreur dans un endroit comme celui où ils se trouvaient en ce moment. Si l'idée de perdre la face devant les autres corans, son baron et ce grand mercenaire nordique efficace et sardonique que Mallin avait engagé pour les conduire et les entraîner ne l'avait pas tant angoissé, Luth aurait certainement trouvé un moyen d'éviter la mission pour laquelle il avait été désigné.

Il aurait dû le faire, songea-t-il, consterné. Le prestige que cet abandon lui aurait coûté n'était rien comparativement à l'humiliation connue cette nuit. Il serait désormais un objet de risée. Qui aurait cru que ce simple acte de piété, cette invocation rendant grâce à la sainte Rian, aurait pu lui causer tant d'ennuis ? Comment un homme originaire des montagnes aurait-il pu savoir à quel point un son — une prière murmurée ! — pouvait porter loin sur la mer ? Et Hirnan lui avait *vraiment* fait mal en lui pinçant violemment le bras. Le plus âgé des corans était un homme costaud, presque autant que le nordique barbu, et ses doigts avaient été comme des griffes de fer. Hirnan aurait dû penser avant d'agir, se dit Luth, essayant de se sentir outragé par l'injustice de toute cette affaire.

Il bondit de nouveau de côté, trébucha et faillit tomber. Il agrippait déjà son épée lorsqu'il reconnut Vanne qui était arrivé près de lui. Il tenta, sans grand succès, de faire en sorte que son geste parût lui avoir été dicté par une élémentaire prudence. Le visage absolument inexpressif, Vanne lui fit signe et Luth pencha la tête vers lui.

« Je vais aller jeter un nouveau coup d'œil sur eux », dit-il, comme Luth, au désespoir, l'avait deviné. « Rappelle-toi, siffle comme un corfe si tu as besoin de moi. Je ferai de même. » Sans broncher, s'efforçant de ne pas avoir l'air implorant, Luth hocha la tête.

Avec souplesse, Vanne traversa le plateau, saisit la corde et se glissa de l'autre côté. Luth regarda la corde vibrer quelques instants, puis se détendre une fois que Vanne eut atterri sur les rochers en bas. Il marcha jusqu'à l'arbre où Maffour avait attaché la corde et s'agenouilla pour jeter un œil avisé sur le nœud. Il était bien solide, jugea-t-il, il tiendrait encore.

Il se redressa et recula. Et heurta quelque chose.

Le cœur battant, il pivota sur lui-même. Lorsque, ce faisant, il vit qui était là, tout le sang de ses veines sembla se dessécher et se transformer en une poudre aride. Il plissa les lèvres et essaya de siffler. Comme un corfe.

Il ne réussit à produire aucun son. Ses lèvres étaient sèches comme de la poussière, comme la mort. Il ouvrit la bouche pour crier, mais la referma d'un coup sec lorsqu'une dague incurvée, sertie de pierres précieuses, à la lame démesurément longue se leva et vint se poser contre sa gorge.

Sur le plateau, les silhouettes étaient revêtues de soie et de satin écarlate et argenté comme pour une cérémonie. La plupart étaient des femmes, huit au moins, mais il y avait aussi deux hommes. C'était cependant une femme qui tenait la lame en forme de croissant contre sa gorge. Même si elle était masquée, Luth l'avait deviné d'après les courbes de son corps sous la tunique. Ils étaient tous masqués, d'ailleurs. Et chacun des masques représentait un animal ou un oiseau prédateur. Loup et chat sauvage, hibou et faucon, et un corfe aux plumes d'argent avec des yeux dorés scintillant dans le clair de lune.

« Viens », ordonna la prêtresse tenant la dague à Luth du château de Baude. Sa voix était froide et lointaine, c'était la voix d'une déesse dans la nuit. Une déesse de la chasse, dans son sanctuaire profané. Luth vit qu'elle portait un masque de loup avant de s'apercevoir que les extrémités de ses gants étaient en forme de griffes de loup. « Pensiez-vous réellement pouvoir venir ici à notre insu ? » demanda-t-elle.

« Non, voulut répondre Luth d'une voix bouleversée. Non, je n'ai jamais pensé que nous pourrions le faire. J'étais sûr que nous serions attrapés. »

Il ne dit rien. Il semblait avoir perdu l'usage de la parole, le silence pesant comme une charge de pierres sur sa poitrine. Terrifié, le cerveau paralysé, Luth sentit la lame caresser presque amoureusement sa gorge. La prêtresse fit un geste de sa main griffue. En réponse, les pieds de Luth, comme s'ils avaient une volonté propre, le conduisirent en titubant dans la nuit de la forêt de Rian. Il était entouré de prêtresses parfumées, femmes masquées comme des bêtes de proie, portant de soyeuses robes rouge et argenté dans les ténèbres, avec une lune pâle à présent invisible, comme l'espoir.

Traversant la forêt sur le chemin du retour, Blaise sentit la même vibration sous les semelles de ses bottes, comme si le sol de cette île avait vraiment un pouls, un cœur qui battait. Ayant accompli leur mission, ils marchaient à présent plus vite, conscients que l'on pourrait remarquer l'absence de la prêtresse du jardin et qu'on pourrait la retrouver n'importe quand. Blaise était resté en arrière pour laisser Hirnan, portant le poète inconscient, les guider à nouveau, puisqu'il semblait doté d'un sens de l'orientation infaillible dans les ténèbres de la forêt.

Ils quittèrent le sentier forestier et commencèrent à se diriger vers le nord au milieu des arbres touffus qui les entouraient, sentant craquer feuilles et petites branches sous leurs pas. La lune ne les éclairait plus, mais leurs yeux s'étaient habitués à l'obscurité et ils connaissaient le chemin. Blaise reconnut un vieux chêne tordu, vision insolite au milieu des pins et des cèdres.

Ils sortirent peu après des bois et débouchèrent sur le plateau. La lune était haute dans le ciel et la corde de Maffour était toujours nouée autour de l'arbre, leur permettant de descendre vers la mer et de s'échapper.

Ni Vanne ni Luth n'étaient cependant en vue.

Pressentant le désastre, Blaise se précipita vers le bord du plateau et regarda en bas.

Le voilier était parti et avec lui les deux prêtres ligotés. Leur propre embarcation était toutefois encore là et le corps de Vanne y était allongé.

À côté de Blaise, Maffour jura violemment et se hâta de se laisser glisser le long de la corde. Il sauta sur les rochers puis dans la barque et se pencha sur l'homme étendu.

Il leva la tête. « Il va bien. Il respire. Inconscient. Je ne vois pas où il a pu recevoir un coup. » Sa voix exprimait de l'étonnement et, pour la première fois, une pointe de véritable appréhension.

Blaise se redressa, jeta un regard circulaire sur le plateau à la recherche d'un signe de Luth. Les autres corans s'étaient regroupés et se tenaient dos à dos. Ils avaient tiré leurs épées. On n'entendait aucun son ; la forêt même semblait être devenue silencieuse, constata Blaise en frissonnant légèrement.

Il prit une décision.

« Hirnan, emmène-le dans la barque et descendez-y tous. J'ignore ce qui s'est passé, mais il est préférable de ne pas s'attarder ici. Je vais jeter un coup d'œil rapide, mais si je ne trouve rien, il faudra repartir. » Il leva vivement les yeux vers la lune pour essayer d'évaluer quelle heure il pouvait être. « Détachez la barque et laissez-moi quelques minutes pour regarder. Si vous m'entendez faire le cri du corfe, mettez-vous à ramer de toutes vos forces et n'attendez pas. Autrement, usez de votre jugement. »

Hirnan eut l'air de vouloir protester, mais il n'ouvrit pas la bouche. Évrard de Lussan jeté sur son épaule comme un sac de grain, il se dirigea vers la corde et descendit, suivi des autres corans. Blaise n'attendit pas qu'ils fussent tous descendus. Conscient du danger comme d'une présence tangible à l'intérieur de son être, il tira son épée et pénétra seul dans les bois de l'autre côté du plateau.

Il décela presque aussitôt une odeur. Ce n'était pas celle d'un chat sauvage ou d'un ours, d'un renard, d'un blaireau ou d'un sanglier, mais plutôt un parfum qui flottait dans l'air. L'odeur était plus forte à l'ouest, à l'opposé du chemin qu'ils avaient emprunté.

Blaise s'agenouilla pour examiner le sol de la forêt dans la quasi-obscurité. Il aurait voulu que Rudel fût avec lui et ce pour de nombreuses raisons, mais en partie parce qu'il ne connaissait personne qui fût plus doué que lui pour suivre une piste la nuit.

On n'avait cependant pas besoin d'être un expert pour s'apercevoir qu'un groupe de personnes étaient passées ici peu de temps auparavant et que la plupart, sinon toutes, étaient des femmes. Blaise jura à voix basse et se releva, scrutant les ténèbres, incertain de la conduite à suivre. Il détestait mortellement laisser un homme derrière lui, mais un grand nombre de prêtres et de prêtresses se trouvaient sans l'ombre d'un doute quelque part dans les bois devant lui. « Quelques minutes », avait-il dit à Hirnan. Avait-il le droit de mettre la vie des autres en péril en essayant de retrouver Luth ?

Il respira profondément, conscient une fois de plus de cette pulsation du sol de la forêt. Il savait qu'il avait peur ; seul un fou n'aurait pas eu peur à présent. Et pourtant, Blaise du Gorhaut croyait en une vérité très simple : on n'abandonnait pas un compagnon sans tenter de le retrouver. Il continua à avancer dans le noir, suivant l'odeur évanescente d'un parfum dans la nuit.

« Admirable », fit une voix immédiatement devant lui. Blaise suffoqua et leva son épée, cherchant à discerner quelque chose dans l'obscurité. « Admirable mais pas du tout sage, poursuivit la voix avec une calme autorité. Retourne d'où tu viens. Tu ne retrouveras pas ton compagnon. Au-delà de ce point, seule la mort t'attend, cette nuit. »

On entendit un bruit de feuilles froissées et Blaise aperçut la silhouette sombre d'une femme de haute taille debout en face de lui. Des arbres se dressaient de chaque côté d'elle, comme pour l'encadrer. Il faisait très noir, beaucoup trop pour qu'il pût voir son visage, mais la tranquille assurance de sa voix disait clairement qu'un malheur était arrivé à Luth. La femme n'avait cependant pas touché Blaise ; personne d'autre n'avait bondi pour l'attaquer. Et Vanne, dans l'esquif, n'avait pas été blessé.

« J'aurais honte de moi-même si je partais sans avoir essayé de le retrouver », dit Blaise, tentant toujours de distinguer les traits de son interlocutrice.

Il l'entendit rire. « Honte, répéta-t-elle d'une voix moqueuse. Ne sois pas aussi bête, nordique. Crois-tu vraiment que vous auriez pu agir comme vous l'avez fait sans notre permission ? Nieras-tu avoir senti que la forêt était consciente de vos faits et gestes ? Penses-tu réellement que vous avez bougé sans qu'on le sache, sans qu'on vous voie ? »

Blaise déglutit avec difficulté. Son épée levée lui parut tout à coup une chose malheureuse, voire ridicule. Il la baissa lentement.

« Pourquoi ? demanda-t-il. Pourquoi alors ? »

Elle rit de nouveau, d'une voix profonde et grave. « Tu veux connaître mes raisons, nordique ? Tu veux comprendre la déesse sur son propre territoire ? »

Mes raisons.

« Vous êtes donc la grande prêtresse », dit-il, déplaçant ses pieds, sentant toujours la profonde pulsation de la terre. Elle ne répondit pas. Il déglutit de nouveau. « Je voudrais seulement savoir où mon homme est parti. Pourquoi vous l'avez enlevé.

— Un pour un, dit-elle calmement. Aucun de vous n'avait été consacré pour venir ici. Vous êtes venus prendre un homme qui l'était. Nous l'avons permis pour des raisons personnelles, mais Rian exige d'être payée. Toujours. Sache-le, nordique. Rappelle-toi cette vérité tant que tu resteras en Arbonne. »

Rian exige d'être payée. Luth. Pauvre Luth balourd et terrifié. Luth. Blaise scruta l'obscurité, espérant voir cette femme, s'efforçant de trouver des mots qui pourraient sauver la vie de l'homme qu'ils avaient perdu.

Et alors, comme si elle lisait dans ses pensées, comme si la forêt et elle les connaissaient intimement, la femme leva une main et, un instant plus tard, elle tenait un flambeau qui illuminait l'espace restreint où ils se trouvaient. Il ne l'avait pas vue ni entendue frotter une pierre.

Elle rit de nouveau, puis, regardant la silhouette haute et fière, les traits aristocratiques, finement ciselés, Blaise s'aperçut, avec un frisson irrépressible, qu'elle n'avait plus d'yeux. Elle était aveugle. Posé sur son épaule, un hibou blanc, monstre de la nature, observait Blaise avec des yeux fixes.

Sans vraiment comprendre pourquoi il faisait cela, mais conscient tout à coup d'être entré dans un domaine pour lequel il était bien mal équipé, Blaise rengaina son épée. La femme cessa de rire ; elle sourit.

« C'est bien, dit doucement la grande prêtresse de Rian. Je suis contente de voir que tu n'es pas fou.

— De voir ? » s'étonna Blaise qui regretta aussitôt ses paroles.

Cela n'eut pas l'air de la déranger. L'énorme hibou blanc ne bougea pas. « Mes yeux ont représenté le prix à payer pour accéder à quelque chose de beaucoup plus important. Je te vois très bien sans eux, Blaise du Gorhaut. C'est toi qui as besoin de lumière, pas moi. Je connais la courbe de la cicatrice le long de tes côtes, la couleur actuelle de tes cheveux, et celle que tu avais la nuit d'hiver où tu es né et où ta mère est morte. Je sais comment bat ton cœur, pourquoi tu es venu en Arbonne et où tu te trouvais avant de venir.

Je sais qui sont tes ancêtres et je connais ton histoire, beaucoup de tes souffrances, toutes tes guerres et tes amours. Et je sais quand tu as fait l'amour pour la dernière fois. »

Elle bluffait, pensa Blaise avec rage. *Tous* les prêtres faisaient ça, même ceux de Corannos, dans son pays. Ils cherchaient tous à en imposer avec des incantations divinatoires comme celles-ci.

« Parlez-moi donc de cette dernière fois », osa-t-il demander d'une voix rude.

Elle répondit sans hésiter. « C'était il y a trois mois. La femme de ton frère, dans votre ancienne maison familiale. Tard dans la nuit, dans ton propre lit. Tu es parti avant l'aube pour le voyage qui t'a conduit jusqu'à Rian. »

Blaise s'entendit émettre un grognement bizarre, comme s'il avait reçu un coup de poing. Il n'avait pu s'en empêcher. Ce qu'il venait d'entendre était si inexorablement exact qu'il se sentit soudain étourdi, comme si le sang se retirait de sa tête.

« Dois-je poursuivre ? » demanda-t-elle en esquissant un mince sourire, tenant haut la torche enflammée pour qu'il pût la voir. Sa voix exprimait à présent quelque chose de nouveau, une sorte de volupté impitoyable devant son propre pouvoir. « Tu ne l'aimes pas. Tu détestes simplement ton frère et ton père. Ta mère parce qu'elle est morte. Toi-même un peu aussi, peut-être. Veux-tu en entendre davantage ? Veux-tu que je prédise ton avenir comme une vieille à la Foire d'automne ? »

Elle n'était pas vieille. Plus tout à fait jeune, elle était grande et belle avec une chevelure parsemée de fils gris. Elle connaissait des choses que tout le monde devait ignorer.

« Non ! réussit à prononcer Blaise. Ne faites pas ça ! »

Il craignait son rire, sa voix moqueuse, mais elle resta silencieuse tout comme la forêt autour d'eux. Même la torche brûlait à présent sans faire de bruit, constata Blaise. Le hibou ouvrit soudain ses ailes comme pour s'envoler, mais se posa seulement de nouveau sur son épaule.

« Alors va-t'en », dit la grande prêtresse, non sans une certaine douceur. « Nous t'avons permis de prendre l'homme que tu étais venu chercher. Va-t'en avec lui. »

Blaise savait qu'il devait obéir. Il devait faire exactement ce qu'elle lui demandait. Il se passait des choses qu'il était loin de pouvoir comprendre. Mais il avait conduit sept hommes dans ce lieu.

« Luth, dit-il brusquement. Qu'est-ce qu'on lui fera ? »

Un bruit étrange, comme un sifflement, se fit entendre et Blaise comprit que c'était l'oiseau. La prêtresse répondit : « On lui arrachera le cœur pendant qu'il est toujours vivant et on le dévorera. » Elle parlait d'une voix neutre, sans intonation. « On fera bouillir son corps dans une cuve très ancienne et on l'écorchera. Sa chair sera coupée en morceaux à des fins de divination. »

Pris de nausée, Blaise sentit ses poils se hérisser de dégoût et d'horreur. Il recula involontairement, puis l'entendit rire encore d'un rire puéril, vraiment amusé.

« Je ne pensais pas avoir été aussi convaincante, reprit-elle en secouant la tête. Crois-tu que nous sommes aussi sauvages ? Vous nous avez enlevé un homme vivant et nous faisons de même. Il sera consacré serviteur de Rian et vouera sa vie au service de la déesse pour réparer sa transgression et la vôtre. D'ailleurs, cet homme est davantage un religieux qu'un coran, tu le sais autant que moi. Je te l'ai dit, nordique : nous avons autorisé cette affaire. Cela se serait passé de façon tout à fait différente si nous l'avions décidé ainsi, tu peux me croire. »

Lavé de son inquiétude comme par un jet d'eau, Blaise lutta contre une envie soudaine et étrange de s'agenouiller devant cette femme qui incarnait une déesse que ses compatriotes ne vénéraient pas.

« Merci, dit-il d'une voix qui lui parut rude et maladroite.

— Il n'y a pas de quoi », répondit-elle avec désinvolture. Il y eut un silence, comme si elle évaluait quelque chose. Immobile sur son épaule, le hibou le regardait fixement. « Ne surestime pas notre pouvoir, Blaise. Ce qui s'est passé, ce soir. »

Il cligna les yeux, stupéfait. « Que voulez-vous dire ?

— Ici, sur cette île, tu te trouves au cœur même de notre puissance. Nous nous affaiblissons à mesure que nous nous éloignons d'ici ou de l'autre île dans le lac intérieur. Contrairement à ses serviteurs mortels, comme moi, Rian est sans limites. Et on ne peut jamais contraindre la déesse. »

Après avoir tissé un voile de pouvoir, de magie et de mystère, voilà qu'elle le soulevait pour lui permettre de voir derrière. Et elle l'avait appelé par son nom.

« Pourquoi ? » demanda-t-il, étonné. « Pourquoi me dites-vous cela ? »

Elle sourit presque tristement. « C'est congénital, j'imagine. Mon père avait l'habitude de prendre des risques avec les gens. On dirait que j'ai hérité de lui ce trait de caractère. Nous aurons peut-être bientôt besoin l'un de l'autre. »

S'efforçant d'absorber tout cela, Blaise posa la seule question qui lui vint à l'esprit. « Qui était-il ? Votre père ? »

Elle hocha la tête, de nouveau amusée. « Nordique, tu es venu en Arbonne pour diriger des hommes. Je pense que tu devras te débarrasser de ton amertume et devenir plus curieux, mais cela sera peut-être long. Avant de venir ici, tu aurais dû savoir qui est la grande prêtresse de l'île de Rian. Je suis Béatrice de Barbentain, mon père était Guibor, comte d'Arbonne, ma mère est Cygne qui nous gouverne à présent. Je suis la dernière de leurs enfants encore en vie. »

Blaise commençait vraiment à craindre de s'effondrer tellement il était secoué par tout cela. « La barque, songea-t-il. Le continent. » Il éprouvait l'urgent besoin de s'éloigner de cet endroit.

« Va », dit-elle comme si elle lisait encore dans ses pensées. Elle leva légèrement la main et la torche disparut aussitôt. Dans l'obscurité qui les enveloppa soudain, Blaise l'entendit dire de sa voix du début, la voix d'une prêtresse consciente de son pouvoir : « Une dernière chose, Blaise du Gorhaut. Une leçon, si tu es capable de l'apprendre : on atteint trop vite les limites de la colère et de la haine. Rian exige d'être payée pour tout, mais l'amour lui appartient aussi, dans l'une de ses plus anciennes incarnations. »

Blaise se tourna alors, trébuchant sur une racine dans le noir. Il quitta la forêt, appréciant le clair de lune comme une bénédiction. Il traversa le plateau et se rappela qu'il devait dénouer la corde de Maffour et l'enrouler autour de lui. Trouvant des prises sur la paroi rocheuse, il descendit la falaise jusqu'à la grève. Ses compagnons le virent car la lune était haute et pâle. Il était sur le point de partir à la nage, presque content à la pensée de sentir de nouveau le choc de l'eau glacée, quand il s'aperçut qu'ils ramaient vers lui. Il les attendit. Ils s'approchèrent des rochers et, aidé de Maffour et de Giresse, Blaise grimpa dans la barque. Il vit qu'Évrard de Lussan gisait à l'arrière de l'esquif, toujours inconscient. Vanne était cependant assis à l'avant, l'air quelque peu étourdi. Blaise ne fut pas étonné.

« Ils ont gardé Luth, expliqua-t-il d'un ton bref à ses hommes qui l'interrogeaient du regard. Un homme contre un homme. Mais ils ne lui feront aucun mal. Je vous en dirai plus long une fois sur le continent, mais partons d'ici, au nom de Corannos. J'ai terriblement soif et nous sommes loin d'être arrivés. »

Il sauta jusqu'à son banc et dénoua la corde autour de sa taille. Maffour revint s'asseoir auprès de lui. Ils saisirent leurs rames et, sans prononcer une autre parole, reculèrent calmement hors de la crique dénichée par Hirnan, puis firent tourner leur embarcation en direction de la terre, vers l'Arbonne, ramant à un rythme régulier dans la nuit immobile et sereine.

À l'est, peu de temps après, bien avant qu'ils n'eussent atteint la grève, le croissant de la lune bleue sortit de la mer pour remplacer la lune argentée qui se couchait à présent à l'ouest, transformant la lumière du ciel et de l'eau, des rochers et des arbres de l'île qu'ils venaient de quitter.

Chapitre 2

Certains matins, comme aujourd'hui, elle s'éveillait en se sentant étonnamment jeune, heureuse d'être en vie pour voir le printemps. Cette brève illusion de vitalité était parfois néfaste, car sa disparition — elle disparaissait toujours — rendait Cygne trop douloureusement consciente qu'elle était couchée toute seule dans le grand lit. Elle et Guibor avaient, selon l'ancienne manière, partagé une chambre et un lit jusqu'à la toute fin, un peu plus d'un an auparavant. Arbonne avait observé un deuil d'une année pour son comte et les cérémonies commémoratives s'étaient déroulées il y avait à peine un mois.

En réalité, c'était très vite passé, une année, et Cygne souffrait encore en se rappelant les rires intimes ou la grâce publique, le son d'une voix ou la résonance d'un pas, la pénétration d'un esprit curieux ou les signes bien connus d'une passion enflammée capable d'attiser la sienne, de l'entretenir.

Leur passion avait duré jusqu'à la fin, se dit-elle, couchée seule dans le lit, laissant le matin descendre lentement sur elle. Même avec tous leurs enfants depuis longtemps adultes ou décédés, avec une nouvelle génération de courtisans à Barbentain, et de ducs et barons plus jeunes prenant le pouvoir dans les forteresses autrefois gouvernées par les amis — et les ennemis — de leur jeunesse et de leur maturité. Avec les nouveaux chefs des cités-États de Portezza, un roi jeune et imprudent au Gorhaut et un monarque imprévisible, quoique moins jeune, en Valensa loin au nord. Tout changeait dans le monde, songea-t-elle : les joueurs sur l'échiquier et la forme même de l'échiquier. Et même les règles du jeu qu'elle et Guibor avaient pendant tant d'années joué ensemble contre eux tous.

Certains matins de l'année qui venait de s'écouler, à son réveil, elle s'était sentie vieille et transie jusqu'aux os, se demandant si elle n'avait pas vécu trop longtemps, si elle n'aurait pas dû mourir avec son époux bien-aimé, avant que le monde ne se mît à changer autour d'elle.

Une telle attitude était faible et indigne. Elle le savait, même les matins où lui venaient ces pensées glacées, et elle le savait de façon encore plus claire à présent, avec les oiseaux à sa fenêtre qui chantaient pour accueillir le retour du printemps en Arbonne. Le changement et le caractère transitoire des choses faisaient partie du monde créé par Corannos et Rian. Toute sa vie, elle avait accepté et glorifié cette pensée ; il serait à présent futile et avilissant de se plaindre.

Elle se leva et posa les pieds sur le tapis doré. Une des deux filles qui dormaient près de la porte de sa chambre se précipita aussitôt vers elle avec sa robe du matin — elles l'attendaient. Elle sourit à la jeune fille, enfila la robe et se dirigea vers la fenêtre, tirant elle-même les rideaux pour regarder vers l'est le soleil levant.

Le château de Barbentain était construit sur une île dans le fleuve ; en bas, au-delà des rochers dont les pierres dégringolaient et des falaises rébarbatives qui protégeaient le château, Cygne pouvait voir miroiter et scintiller le fleuve qui courait vers le sud, haut torrent printanier, traversant les vignes, la forêt et les prés, la ville, le hameau et la hutte du berger solitaire, dépassant le château, le temple et l'affluent jusqu'à Tavernel et la mer.

Le fleuve Arbonne avait donné son nom au pays qu'il irriguait, ce sud chaud, bien-aimé, toujours convoité, chanté par ses troubadours et ses ménestrels, célébré dans tout le monde connu pour sa fertilité et sa culture ainsi que pour la beauté et la grâce de ses femmes.

Non, elle-même n'avait pas été la moindre de ces femmes à l'époque révolue de sa fougueuse jeunesse. Les nuits de musique, un pouvoir à multiples facettes dans chacun de ses regards, chacun de ses haussements de sourcils tandis que la lumière des bougies nimbait d'un éclat chaud l'assemblée dorée, argentée, étincelante, et que toutes les chansons parlaient d'amour et presque toujours d'elle.

Cygne de Barbentain, comtesse d'Arbonne, se tenait immobile à la fenêtre de sa chambre en ce matin de printemps, contemplant le fleuve du pays qu'elle gouvernait dans la lumière du soleil, et les deux autres femmes dans la pièce, attendant pour la servir, étaient toutes deux beaucoup trop jeunes pour pouvoir même espérer comprendre le sourire qui éclairait son visage.

En fait, sans vraiment savoir pourquoi, Cygne pensait à sa fille. Pas à Béatrice qui exerçait son pouvoir dans son propre domaine sur l'île de Rian dans la mer ; non, pas à Béatrice, sa dernière enfant vivante, mais à Aëlis, la benjamine, morte depuis si longtemps.

Même les oiseaux sur le lac
Chantent mon amour
Et même les fleurs sur la rive
S'épanouissent pour elle.

Vingt-deux, non, vingt-trois ans maintenant que le jeune Bertran de Talair — qui était alors *très* jeune — avait écrit ces lignes pour Aëlis. Chose étonnante, on les chantait encore, malgré tous les vers composés par les troubadours depuis, malgré la nouvelle versification et les harmonies de plus en plus complexes à la mode aujourd'hui. Plus de deux décennies après avoir été composée, la chanson de Bertran pour Aëlis morte depuis tant d'années était encore entendue en Arbonne. En général au printemps, songea Cygne qui se demanda si c'était cette association d'idées qui, dans son demi-sommeil, lui avait rappelé Aëlis. L'esprit se comportait parfois bizarrement et la mémoire faisait mal au moins aussi souvent qu'elle guérissait ou apaisait.

Comme il fallait s'y attendre, Cygne pensa ensuite à Bertran et à l'effet qu'avaient eu sur lui les formes imprévisibles de la mémoire et de la perte pendant ces vingt et quelques années. Quelle sorte d'homme serait-il devenu, se demanda-t-elle, si les événements d'autrefois avaient tourné différemment ? Même s'il était difficile, voire impossible, d'imaginer comment ils auraient pu bien tourner. Comme Guibor l'avait dit une fois, la pire tragédie pour l'Arbonne, sinon pour les gens vraiment concernés, avait été la mort de Girart de Talair : si le frère de Bertran avait vécu assez longtemps pour gouverner le duché et engendrer des héritiers, le fils cadet, le troubadour, n'aurait jamais pris le pouvoir à Talair, et l'inimitié des deux grands châteaux sur les rives du lac ne serait peut-être pas devenue cette énorme réalité qu'elle était en Arbonne.

Avec des si..., songea Cygne. Il était séduisant et facile — une nuit d'hiver devant un feu, ou l'été, au milieu du bourdonnement des abeilles et du parfum des herbes dans le jardin du château — de s'interroger sur les disparus, d'imaginer ce qui pourrait se passer s'ils étaient toujours en vie. Elle le faisait tout le temps : avec ses fils, avec Aëlis, avec Guibor lui-même depuis son décès. Elle se reprochait de laisser son esprit suivre ce chemin, même s'il était inévitable. Comme Anselme de Cauvas l'avait un jour écrit, *mémoire, moisson et tourment de mes jours*.

Elle n'avait pas vu Bertran depuis un certain temps, songea-t-elle, s'efforçant de ramener ses pensées vers le présent, et il y avait très longtemps qu'Urté de Miraval n'était pas venu à Barbentain. Tous deux avaient envoyé des messages et des représentants — Urté, son sénéchal, et Bertran, son cousin Valéry — au premier anniversaire du décès de Guibor. Des échauffourées avaient éclaté parmi leurs corans, des hommes étaient morts, semblait-il, ce qui se produisait fréquemment entre Miraval et Talair, et les deux ducs ne s'étaient alors pas sentis capables ou désireux de quitter leurs châteaux, même pour pleurer leur comte défunt.

Cygne se demanda, et ce n'était pas la première fois qu'elle s'interrogeait à ce sujet depuis un mois, si elle n'aurait pas dû exiger leur présence. Elle savait qu'ils seraient venus, Bertran rieur et ironique, Urté mécontent mais obéissant, et qu'ils se seraient tenus loin l'un de l'autre pendant toute la durée des cérémonies, comme le leur permettait la dignité de leur rang.

Mais elle n'avait pas eu envie de leur donner cet ordre, même si Roban l'avait pressée de le faire. Le chancelier considérait que, en obligeant les deux plus influents à venir, elle aurait affirmé publiquement son autorité sur les ducs et les barons hargneux d'Arbonne. Il importait de le faire dès le début de son propre règne, lui avait dit Roban, surtout avec ce qui se passait dans le nord et le traité de paix conclu entre le Gorhaut et la Valensa.

Il avait presque sûrement raison, Cygne le savait, en particulier pour ce qui était de la nécessité d'envoyer un message clair dans le nord, au roi du Gorhaut et à ses conseillers. Pourtant, on aurait dit qu'elle répugnait à se servir du premier anniversaire de Guibor — surtout du *premier* — dans un but aussi carrément politique. Ne pouvait-elle pas, cette fois, se remémorer son mari en compagnie de ceux qui s'étaient présentés de leur plein gré à Barbentain et à Lussan ? Ariane et Thierry de Carenzu, Gaufroy de Ravenc et sa jeune épouse, Arnaut et Richilde de Malmont, sa sœur et son beau-frère, pratiquement les derniers de sa génération, avec Urté, à gouverner encore dans les grands châteaux. Ceux-ci étaient tous venus, de même que presque tous les ducs et barons de moindre importance et une foule d'Arbonnais : corans sans terre, artisans des villes, membres du clergé du dieu et prêtres et prêtresses de Rian, fermiers des prairies, pêcheurs de la mer, bergers des collines situées à proximité du Götzland ou de l'Arimonda ou des versants des montagnes bloquant, au nord, les vents du Gorhaut, charretiers, forgerons et charrons, meuniers et marchands d'une douzaine de villes, et même certains jeunes gens de l'université, bien que les étudiants turbulents de Tavernel fussent reconnus pour leur aversion envers toute forme d'autorité.

Et tous les troubadours étaient venus à Barbentain.

C'était ce qui l'avait le plus touchée. Si l'on exceptait Bertran de Talair, tous les troubadours et les ménestrels d'Arbonne étaient venus se rappeler leur seigneur, offrir leurs nouvelles complaintes et jouer de la musique douce et triste pour marquer le premier anniversaire de son décès. Pendant trois jours, on avait entendu de la poésie et de la musique dont une grande partie était particulièrement raffinée et venait du cœur.

Dans un tel état d'esprit, alors que tant de personnes étaient venues de leur plein gré pour partager chagrin et souvenirs, Cygne n'avait pas eu envie d'obliger qui que ce fût à être présent, même les deux plus puissants — et par conséquent les plus dangereux — hommes de son pays. Comment aurait-on pu la blâmer de refuser que la dispute entre Miraval et Talair ternît l'esprit de la commémoration et de ses rituels ?

Si la question continuait à l'obséder, c'était parce qu'elle savait comment Guibor IV aurait agi à sa place. Dans des termes ne laissant aucune place à l'ambiguïté, son mari aurait exigé leur présence pour un événement analogue, qu'il s'agît d'un deuil ou d'une célébration, à Barbentain ou dans les temples du dieu ou de la déesse à Lussan au bord du fleuve.

D'autre part — et, à cette pensée, le sourire sur son visage encore charmant s'élargit presque imperceptiblement —, s'il s'était agi de son deuil à elle plutôt que celui de Guibor, Bertran de Talair serait venu avec les autres à Barbentain pour le premier anniversaire, peu importaient les querelles, la crue du fleuve, le feu ou le mildiou des vignes. Il aurait été là, elle le savait. Il était troubadour et elle, Cygne de Barbentain, avait instauré la Cour d'amour et modelé, avec sa propre personnalité, le monde élégant et gracieux ayant permis l'épanouissement des poètes et des chanteurs.

Sa fille Aëlis avait peut-être inspiré une passion à Bertran de même que la chanson du printemps de sa jeunesse encore chantée vingt ans plus tard, et sa nièce Ariane avait beau régner à présent sur la Cour d'amour, il n'en restait pas moins qu'une vingtaine de troubadours importants et deux fois plus qui ne l'étaient pas avaient, avec fougue et exaltation, écrit pour Cygne plus de cent vers et chacune des chansons écrites pour chacune des nobles dames d'Arbonne était, du moins en partie, une chanson pour elle.

Mais c'était une pensée indigne, se dit-elle avec une ironie désabusée, secouant la tête. Un signe de sénilité, de mesquinerie, d'entrer ainsi en compétition, même en esprit, avec Ariane, les autres dames d'Arbonne et sa pauvre fille, depuis si longtemps disparue. Ne se sentait-elle plus aimée ? se demanda-t-elle, tout en sachant que c'était en partie vrai. Guibor était mort. La cour qu'elle gouvernait à présent faisait partie du monde ; il ne s'agissait plus d'une cour simulée, stylisée, conçue pour l'amour et consacrée à ses nuances. Il y avait des différences, d'énormes différences qui avaient radicalement modifié ses relations avec le monde.

Le mois dernier, elle aurait dû ordonner aux deux ducs de se présenter ; comme d'habitude, Roban avait eu raison. Et c'eût peut-être même été bon pour elle, de la même façon étrange et légèrement douloureuse que toujours, de revoir Bertran. Quoi qu'il en fût, il n'était pas sage de rester trop longtemps sans lui rappeler qu'elle le surveillait et attendait certaines choses de lui. Aucun être vivant n'aurait sincèrement pu prétendre exercer une grande influence sur le duc de Talair et ce qu'il choisissait de faire, mais Cygne pensait en avoir un peu. Pas beaucoup, mais un peu et ce pour plusieurs raisons, dont la plupart avaient trait aux événements survenus vingt-trois ans auparavant.

On racontait qu'il se trouvait actuellement au château de Baude, dans les collines du sud-ouest. La situation s'était — pour le moment — stabilisée entre Talair et Miraval, et Cygne pouvait facilement imaginer combien l'histoire d'Évrard de Lussan et de Soresina de Baude avait dû paraître irrésistible à Bertran dans sa quête interminable et extravagante.

Quel savoureux potin ! Béatrice lui avait déjà écrit une lettre pour lui raconter comment Mallin de Baude avait fait enlever le poète affligé sur l'île de Rian. Cygne savait que cette nouvelle aurait dû la choquer — comme elle aurait *certainement* dû choquer Béatrice —, mais cette suite d'événements avait quelque chose de si cocasse ! D'ailleurs, le poète n'était plus le bienvenu sur l'île au moment où les corans l'avaient kidnappé.

Bien sûr, la plupart des Arbonnais ne connaîtraient jamais cette histoire. Mallin ne voulait certes pas voir la rumeur de son impiété se répandre — c'était indubitablement pour cette raison qu'il n'avait pas conduit lui-même la mission — et Évrard de Lussan n'avait pas davantage envie que tout le monde sût qu'il avait été assommé et transporté comme un sac de farine jusqu'au château dont il s'était enfui en proie à une si grande indignation.

Par ailleurs, l'histoire de la contrition très publique de Soresina, de l'accueil à bras ouverts et à genoux qu'elle avait réservé au poète faisait certainement le tour des villes et des châteaux. Évrard allait s'arranger pour que cette partie au moins de l'anecdote fût connue. Cygne se demanda s'il avait fini par coucher avec Soresina. C'était possible, mais sans grande importance. Dans l'ensemble, bien que ce fût peu probable, il semblait que tout finissait bien pour tout le monde.

Cette pensée optimiste n'avait certes pas compté pour beaucoup dans les états d'âme et les caprices de messire Bertran de Talair qui, pour des motifs connus de lui seul, faisait au jeune couple sans doute bien intimidé l'honneur de lui rendre visite au château de Baude. Mallin de Baude avait la réputation d'être un homme ambitieux ; il voulait s'élever, faire partie des cercles et conseils des grands de ce monde et non pas rester confiné dans son domaine familial au milieu des moutons, des chèvres et des oliveraies. Eh bien, les grands de ce monde, l'un d'entre eux du moins, allaient maintenant à lui. Mallin était probablement sur le point de découvrir ce que son rêve impliquait.

Cygne secoua la tête. Il y avait quelque chose de fou là-dedans, elle en était sûre. Les escapades les plus fantasques de Bertran avaient souvent eu lieu au printemps ; elle s'en était rendu compte autrefois. D'un autre côté, elle supposait qu'il était préférable pour lui de poursuivre le but qui l'avait amené dans ces hauts pâturages à proximité des cols arimondains que de penser à tuer comme il l'avait fait plus tôt la même année.

Quoi qu'il en fût, elle n'avait pas vraiment de temps à perdre à ressasser ces histoires. C'était Ariane qui gouvernait désormais la Cour d'amour. Cygne devait s'occuper du Gorhaut, du dangereux traité signé au nord et de beaucoup d'autres choses encore. Et elle était maintenant seule pour le faire, avec seulement le souvenir — *moisson et tourment de mes jours* — de Guibor pour la guider le long des chemins de plus en plus étroits de la politique.

La nouvelle mode chez les jeunes troubadours et les nobles — Cygne pensait même qu'Ariane pourrait l'approuver — consistait à écrire et à affirmer qu'il était vulgaire, de mauvais goût sinon réellement impossible pour une femme d'aimer son mari. L'amour véritable devait découler de choix faits librement et, dans leur société, le mariage n'avait jamais rien à voir avec la liberté.

Le monde était en train de changer. Guibor se serait moqué avec elle de ce nouveau concept et il aurait dit exactement ce qu'il en pensait. Ensuite, il l'aurait peut-être prise dans ses bras, elle aurait caressé ses cheveux et, dans le cercle intime, enchanté et désormais brisé de leur amour, ils auraient prouvé aux jeunes qu'ils avaient tort en ceci comme en tant d'autres choses.

Cygne se détourna de la fenêtre, de la vue du fleuve au-dessous, des souvenirs du passé, et adressa un signe de tête aux deux jeunes filles. Il était temps de s'habiller et de descendre. Roban devait l'attendre avec tous les besoins actuels et impérieusement urgents, noyant — comme une crue du fleuve — les chuchotements des voix d'hier, à tout jamais perdues.

❖

Il n'y avait, bien entendu, pas de lumière à l'endroit où il avait décidé de monter la garde, même si les murs de la cage de l'escalier étaient garnis de supports pour les torches. Mais éclairer ce lieu aurait constitué un gaspillage ; personne n'avait à venir ici après la tombée de la nuit.

Blaise s'installa sur l'un des bancs dans le coin de la fenêtre la plus proche du palier de l'étage. Il pouvait voir l'escalier et entendre les mouvements tout en restant hors de la vue de quiconque monterait. Certains auraient préféré se faire voir, monter même la garde à la lueur d'un flambeau afin que leur fonction fût connue et que les audacieux fussent ainsi dissuadés de monter. Blaise pensait différemment : selon lui, il était préférable que de pareils desseins fussent découverts. Si quelqu'un prévoyait de monter aux appartements de Soresina de Baude, il voulait être en mesure de le voir et de connaître son identité.

Même si, en vérité, il connaissait parfaitement celui qui risquait de faire une tentative cette nuit. Mallin de Baude le connaissait aussi et c'était pourquoi Blaise montait la garde. Hirnan, également discret et digne de confiance, se trouvait à l'extérieur des murs sous la fenêtre de la baronne.

Bertran de Talair avait, depuis vingt ans, une réputation de séducteur exceptionnellement déterminé, ingénieux... et favorisé par la chance. Si le duc troubadour de Talair arrivait jusqu'au lit de Soresina, il ne serait pas reçu de la même façon qu'Évrard de Lussan un peu plus tôt cette année-là, Blaise en était convaincu.

Ce souvenir suscita chez lui une certaine amertume. Il s'appuya contre le mur et posa ses pieds bottés sur le banc devant lui. Il savait qu'il était imprudent de s'installer trop confortablement quand on montait la garde la nuit, mais il en avait l'habitude et ne pensait pas risquer de s'endormir. À une époque, il avait gardé un certain nombre de choses différentes y compris, justement, les quartiers des femmes dans plus d'un château. Garder les femmes, en réalité les emprisonner pour la nuit, faisait partie de la routine au Gorhaut. Là-bas, on n'encourageait pas les poètes à courtiser et à exalter les femmes du pays comme le voulait la subversive coutume arbonnaise. Les seigneurs du Gorhaut savaient comment protéger leurs biens.

Blaise avait même éprouvé un sentiment de satisfaction dont il s'était efforcé de ne rien laisser paraître quand, après avoir regardé pendant une semaine leur invité célèbre et distingué faire du charme à son épouse, Mallin de Baude avait demandé à son mercenaire nordique d'assurer sans faire de bruit la protection des appartements de Soresina pendant la dernière nuit que passerait messire Bertran au château. Le noble le plus célébré de l'Arbonne était un rival autrement plus redoutable qu'un poète chauve et grassouillet comme Évrard. La façon dont Soresina se comportait depuis quelques jours en était la preuve formelle.

Blaise avait accepté la mission et avait réussi à poster Hirnan à l'extérieur sans faire le moindre commentaire, le visage absolument inexpressif. En vérité, il aimait bien Mallin de Baude ; celui-ci aurait baissé dans son estime s'il avait ignoré les légers changements qui s'étaient opérés sous son toit depuis l'arrivée de De Talair, peu de temps après le départ d'Évrard.

Étonnamment — c'était même plutôt amusant —, tout le monde au château de Baude avait paru enchanté des suites du raid sur l'île de Rian. En partie parce que presque personne ne savait qu'il avait eu lieu. Quant aux habitants du château et de la campagne environnante, ils savaient seulement que, après avoir reconsidéré sa position, Évrard de Lussan était retourné au château, escorté, comme cela avait été décidé au préalable, par un groupe des meilleurs hommes de Mallin dirigés par le mercenaire nordique qui les entraînait cette saison-là. Ils n'avaient pas besoin d'en savoir davantage.

Connaissant apparemment la grand-mère de Luth, Hirnan et Maffour avaient été désignés pour aller lui apprendre ce qui était arrivé à l'infortuné coran. À leur retour, Maffour souriait ironiquement et Hirnan hochait sa grosse tête d'un air perplexe : loin de la désespérer, cette nouvelle avait semblé ravir l'aïeule. Quelques années auparavant, elle avait, dans un rêve prémonitoire, vu son petit-fils servant la déesse sur l'île de Rian. Incrédule, Blaise avait haussé les sourcils ; il n'était pas à la veille de comprendre les Arbonnais, si jamais il y parvenait. L'attitude de la femme leur avait tout de même facilité les choses ; il aurait été embarrassant qu'elle se mît à jeter les hauts cris.

Entre-temps, Soresina avait réservé au poète prodigue une réception publique des plus émouvantes. « Quelle comédienne ! »

avait chuchoté Maffour à Blaise alors que, d'un côté de l'avant-cour du château, ils regardaient la jeune baronne s'agenouiller puis se relever pour saluer le troubadour en lui donnant un baiser sur chaque joue et un sur les lèvres.

« Elles le sont toutes », avait répliqué Blaise, les dents serrées. Cependant, lui aussi s'était senti plutôt satisfait ce matin-là, et encore plus lorsqu'il avait compris qu'Évrard, bien qu'il n'allât pas s'attarder au château de Baude — personne n'en avait réellement envie —, avait accepté son enlèvement avec une bonne humeur qui égalait celle de Mallin.

Le poète offrit des vers écrits à la hâte, un enchevêtrement d'images le décrivant en train d'émerger d'une caverne obscure, guidé par une lueur qui se révélait finalement être l'éclat de Soresina de Baude. Il n'utilisa pas, bien sûr, son vrai nom, mais comme c'était le même que d'habitude, tout le monde savait de qui il s'agissait et tout le monde était heureux.

Le troubadour quitta Baude une semaine plus tard. Des écus tintaient dans sa bourse, son estime personnelle était satisfaite et sa réputation s'était quelque peu accrue. Si aucun Arbonnais ne saurait au juste ce qui s'était passé dans ce lointain château du haut pays, il serait toutefois évident que le baron et sa femme avaient à leur tour courtisé Évrard de Lussan et l'avaient généreusement récompensé pour l'indulgence dont il avait fait preuve à l'égard de leurs erreurs passées. Cette suite d'événements énigmatiques avait, entre autres choses, subtilement augmenté le pouvoir des troubadours, tant leur propre pouvoir que celui de leurs éloges et de leurs satires. Cela ne plaisait pas beaucoup à Blaise, mais il n'y pouvait rien et, de toute façon, il n'était pas chez lui. Peu importaient, se disait-il, les folies arbonnaises, récentes ou anciennes.

Les corans de Baude passèrent une semaine à parier — et personne ne gagnerait probablement jamais — sur l'ampleur du repentir de Soresina, c'est-à-dire jusqu'où elle avait permis au poète d'aller. Les examinant tous deux avec attention le matin du départ d'Évrard, Blaise avait eu la conviction que rien de fâcheux ne s'était produit ; il n'en dit rien à personne cependant, n'ayant pas l'habitude de parier sur ce genre de choses. Il accepta la bourse que Mallin lui offrit en plus de son salaire mensuel ; le baron faisait tant d'efforts pour jouer son nouveau rôle de noble prodigue que Blaise passa une partie de la matinée à faire des calculs et à se demander combien de temps Mallin pourrait maintenir ce train de vie. Le rang et la position au sein de la hiérarchie coûtaient cher en Arbonne comme partout ailleurs. Blaise se demandait si le baron saisissait vraiment les conséquences que pourrait avoir sa quête d'un statut dans le monde.

L'une de ces conséquences survint une dizaine de jours après le départ d'Évrard, précédée d'un émissaire porteur d'un message qui avait jeté le château de Baude dans un chaos de préparatifs.

Au sommet du sombre escalier, Blaise bougea sur le banc de pierre. Il aurait été agréable, songea-t-il, d'avoir une coupe de vin à boire ici. Il ne s'était pourtant jamais permis une telle complaisance. Il connaissait au moins deux hommes qui étaient morts, ivres et endormis, alors qu'ils auraient dû monter la garde. Il avait lui-même tué l'un des deux.

Le château était plongé dans le silence. Blaise se sentait très seul et très loin de chez lui. Sensation inhabituelle : « chez lui » une expression qui ne voulait plus dire grand-chose depuis très longtemps. Les gens avaient néanmoins encore une signification quelquefois et il n'avait pas encore un seul véritable ami ici, ni personne qui risquait de le devenir pendant le temps qu'il comptait passer au château de Baude. Il se demanda où se trouvait Rudel cette nuit, dans quel pays, dans quelle partie du monde. Penser à son ami le ramena aux villes de Portezza et donc, peut-être inévitablement à cause du silence de la nuit à l'extérieur des appartements des femmes, au souvenir de Lucianna. Blaise secoua la tête. « Les femmes, songea-t-il. A-t-on déjà pu faire confiance à une seule d'entre elles depuis la création du monde ? »

Et cette pensée, qui lui revenait souvent depuis un an, le ramènerait directement chez lui s'il s'y abandonnait, vers son frère et la femme de son frère et à la dernière fois — comme la grande prêtresse de Rian avait réussi à le savoir — où il avait fait l'amour. Non, pas l'amour. La prêtresse savait cela aussi, étrangement. Il s'était senti terriblement ouvert et exposé à son regard aveugle dans la forêt cette nuit-là, et pas très fier, par la suite, de ce qu'elle avait vu en lui. Il se demanda si sa vision était assez profonde, quelle que fût la façon dont elle voyait ces choses, pour atteindre les racines et les sources et comprendre pourquoi les hommes — et les femmes — agissaient comme ils le faisaient.

Blaise n'était pas sûr de comprendre lui-même les événements survenus lors de cette tentative brève et désespérée de rentrer chez lui quatre mois auparavant. Il était parti sur une simple impulsion, du moins l'avait-il cru sur le moment, faisant ses adieux à Rudel au col du Götzland pour retourner vers le Gorhaut et le domaine familial. Il n'y était pas allé depuis un an. Qu'étaient un pays, un foyer ? Il regarda dehors par la meurtrière. La lune bleue, presque pleine, brillait haut dans le ciel. Au Gorhaut, on l'appelait Escoran — « fille du dieu » —, mais ici, on appelait la lune bleue Riannon, en l'honneur de la déesse. On lui donnait un pouvoir en la nommant ainsi, en déterminant sa parenté. Mais la lune n'était-elle pas partout la même, quel que fût le nom que lui donnaient les mortels, baignant de sa lumière étrange et évanescente le paysage à l'est du château ?

La pâle Vidonne — qui portait le même nom partout — ne se lèverait pas avant encore un bon moment. Si quelqu'un devait vraiment venir de l'extérieur et grimper jusqu'à la fenêtre, ce serait bientôt, pendant que l'ombre était dense et que la lune bleue brillait toute seule. La nuit était douce et Blaise en fut content en pensant à Hirnan qui veillait dehors. Il était tout simplement improbable qu'un homme sain d'esprit tente de grimper le mur extérieur du château dans le but d'aller séduire une femme, mais comme ils avaient été désignés pour monter la garde, aussi bien le faire convenablement. Enfant, Blaise voyait déjà les choses ainsi et rien, depuis qu'il était adulte, n'avait justifié qu'il modifiât son attitude.

Il ne pouvait évidemment pas voir Hirnan dehors, mais il apercevait, dans le clair de lune, les collines au loin, les champs où la lavande fleurirait bientôt et la route en lacet qui montait jusqu'au château. La lavande lui rappellerait de nouveau Lucianna s'il n'y prenait pas garde. Blaise se concentra résolument sur la mission à accomplir, sur l'endroit où il se trouvait à présent et sur cette affaire de Bertran de Talair avec toutes ses implications.

Sept jours auparavant, par un matin clair et venteux, alors que le printemps était installé et que les fleurs sauvages brillaient dans le soleil comme un tapis multicolore déroulé pour une famille royale, on avait vu trois chevaux trottant lentement dans le sentier en lacet en direction des grilles du château. Du haut des remparts, une trompette avait retenti par à-coups, la herse avait été levée dangereusement vite, manquant d'estropier l'un des hommes qui maniaient les treuils, et Blaise avait rassemblé dans la cour tous les corans et la majorité des serviteurs. Mallin et Soresina, couverts de bijoux et vêtus de façon somptueuse (une dépense extravagante, car Blaise savait combien coûtait le samit portezzain garni de fourrure et dont la trame portait un fil d'or), s'étaient avancés à cheval à la rencontre du trio.

Blaise avait vu un cheval brun, un gris et un noir, vraiment magnifique. Un ménestrel d'un certain âge montait le cheval brun tandis qu'un coran d'âge moyen et aux larges épaules montait le gris avec l'aisance d'un homme depuis longtemps habitué à être en selle. Entre les deux, tête nue dans le soleil et dans le vent, vêtu d'un vêtement en quelconque futaine brune sans aucun ornement, se tenait le duc Bertran de Talair, venu rendre visite — inexplicablement — au jeune baron et à son épouse remplis, comme il se doit, de confusion.

Contemplant avec une franche curiosité le petit groupe qui pénétrait dans l'avant-cour du château, Blaise vit que de Talair était un homme légèrement plus grand que la moyenne avec un visage maigre et ironique ; il était rasé de près à la mode arbonnaise. D'après ce que lui avaient dit les corans, Blaise savait qu'il avait presque quarante-cinq ans, mais il ne les paraissait pas. Ses yeux étaient vraiment aussi bleus qu'on le racontait et, même à distance, leur couleur déconcertait. Une cicatrice barrait sa joue droite et il portait les cheveux très courts, révélant que le haut de son oreille droite manquait.

Tout le monde semblait savoir d'où lui venaient ces blessures et comment il avait traité en retour le tueur à gages portezzain qui les lui avait infligées. En fait, Blaise connaissait le fils de cet homme. Ils avaient travaillé ensemble au Götzland pendant une saison, deux années auparavant.

Pendant les heures et les jours qui suivirent, à mesure que les événements se succédaient, Blaise comprit vite que le duc avait au moins trois raisons d'être là. La première était évidemment Mallin :

Bertran cherchait à gagner l'allégeance du jeune baron ambitieux dans cette interminable lutte de pouvoir avec Urté de Miraval pour dominer la partie ouest de l'Arbonne, sinon le pays entier. En fait, Hirnan et Maffour l'avaient deviné bien avant l'arrivée du duc.

Ensuite, et de façon presque aussi évidente, Bertran était attiré par Soresina. Jamais marié mais lié, au cours des années, à un nombre considérable de femmes dans plusieurs pays, messire Bertran de Talair semblait éprouver le besoin presque compulsif de découvrir personnellement les charmes de toute beauté célébrée. Les vers d'Évrard de Lussan avaient piqué la curiosité du duc, s'ils n'avaient rien fait d'autre.

Même Blaise, qui n'aimait pas beaucoup Soresina, devait admettre qu'elle était splendide depuis quelque temps, comme si le fait qu'Évrard eût ainsi glorifié ses charmes avait permis à sa beauté blonde de s'épanouir, à ses yeux noirs et brillants de devenir encore plus séduisants, concrétisant ainsi l'image raffinée de ses poèmes. Quelle qu'en fût la cause, la jeune baronne avait quelque chose d'époustouflant cette semaine-là et même les hommes habitués à sa présence perdaient le fil de leurs pensées en entendant sa voix et son rire dans une pièce lointaine.

Blaise aurait passé davantage de temps à se demander comment Bertran de Talair pouvait concilier ces deux choses, soit tenter de cultiver l'amitié de Mallin de Baude tout en essayant de séduire avec autant de ferveur, mais avec un peu plus de discrétion, la jeune et ensorcelante épouse du baron, s'il n'avait pas vite compris qu'il était lui-même la troisième raison de la présence du duc au château.

Le tout premier soir, après le banquet le plus raffiné et cher jamais préparé au château de Baude — il y avait même des cuillers pour le potage au lieu des croûtons habituels —, Bertran de Talair s'était installé confortablement près de ses hôtes pour écouter Ramir, son ménestrel depuis plus de vingt ans, chanter les compositions du duc pendant presque une heure. Et Blaise avait beau désapprouver ce genre de choses, il avait été forcé d'admettre dans son for intérieur que ce récital — que ce fût dû au talent du vieux chanteur ou à celui de Bertran — n'avait strictement rien à voir avec la musique d'Évrard de Lussan, qui avait constitué son premier contact avec les troubadours d'Arbonne.

Et pourtant, Blaise considérait la poésie comme un passe-temps stupide, voire presque ridicule, pour un homme de la noblesse. Pour Évrard et ses semblables, on pouvait le comprendre si l'on était d'une humeur indulgente, la poésie et la musique paraissant être en Arbonne le seul moyen pour les hommes ou même les femmes du peuple d'acquérir une renommée, une fortune modeste ou d'être admis dans la société des grands. Mais le cas de Bertran de Talair était complètement différent: quelle pouvait bien être l'utilité de ces vers et du temps gaspillé à les écrire pour un seigneur reconnu comme l'un des plus grands guerriers des six pays?

Cette question tarabustait encore Blaise, même s'il s'était permis une coupe supplémentaire de vin, lorsqu'il vit de Talair se pencher, poser son gobelet et chuchoter quelque chose à l'oreille de Soresina qui la fit rougir jusqu'à l'encolure de sa robe vert pâle. Bertran se leva alors et Ramir le ménestrel qui, de toute évidence, attendait un tel signe, abandonna aussitôt le tabouret sur lequel il s'était assis pour jouer et tendit sa harpe au moment où de Talair descendait de l'estrade. Le duc n'avait pas cessé de boire de toute la soirée, mais cela n'avait pas l'air de l'affecter.

« Il va jouer pour nous », chuchota Maffour, surexcité, à l'oreille de Blaise. « C'est très rare ! Un très grand honneur ! » Les autres personnes présentes l'ayant également compris, une rumeur s'éleva dans la salle. Blaise fit une grimace en lançant un regard dédaigneux à Maffour: qu'est-ce qu'un coran avait à s'agiter ainsi à propos d'une chose si triviale? Pourtant, jetant un coup d'œil vers Hirnan à côté de Maffour, il remarqua que même l'aîné des corans, habituellement si impassible et flegmatique, regardait le duc avec une indéniable fébrilité. Blaise soupira en prenant de nouveau conscience de la bizarrerie de ce pays et se tourna vers la table d'honneur. Bertran de Talair venait de s'installer sur le tabouret devant la table. Encore une chanson d'amour, songea Blaise après une saison en compagnie d'Évrard. Les regards que le noble invité et son hôtesse avaient commencé à échanger durant le repas ne lui avaient pas échappé. Il avait tort pourtant.

Car ce fut la guerre que leur offrit Bertran de Talair, dans une salle du haut pays en ce début de l'été, au milieu des bougies, des bijoux, de l'or et de la soie tandis que des vases de lavande précoce embaumaient la pièce.

La guerre et la mort dans la glace et l'hiver, les haches, les épées et les massues se heurtant dans un bruit de ferraille, les hennissements des chevaux et les cris des hommes, la neige commençant à tomber en tourbillons, la buée de l'haleine dans l'air glacé du nord, un blême et rouge coucher de soleil et la lumière froide et pâle de Vidonne se levant à l'est au-dessus d'un champ mortuaire.

Et Blaise connaissait ce champ.

Il s'y était battu et avait failli y laisser sa peau. Ici, dans ce sud lointain, dans cette Arbonne gouvernée et façonnée par les femmes, Bertran de Talair leur chantait la bataille du pont Iersen, quand l'armée du roi Duergar du Gorhaut avait vaincu les envahisseurs valensains au cours de l'ultime affrontement d'une année de guerre.

La dernière bataille d'une longue guerre, en vérité, car Adémar, fils de Duergar, et le roi Daufridi de Valensa avaient signé un traité de paix à la fin de l'hiver suivant et mis ainsi fin à un conflit qui durait depuis la naissance de Blaise. Penché à présent en avant, sa main serrant le gobelet, Blaise du Gorhaut écoutait les sons que Bertran tirait de sa harpe en vagues semblables à celles d'une bataille et la voix claire, profonde, mélodieuse et inexorablement accusatrice jusqu'à la fin de la chanson :

La honte alors au printemps pour l'orgueilleux Gorhaut,
Trahi par un jeune souverain et son conseiller,
La douleur pour ceux dont les fils étaient morts,
L'amertume pour les guerriers qui avaient combattu et vaincu
Dans le seul but de voir le butin auquel leur courage leur donnait droit
Rejeté comme du vin mêlé d'eau.

L'humiliation du traité, l'avilissante paix
Qu'Adémar accorda à la Valensa vaincue.
Où donc se trouvaient les véritables héritiers des soldats tombés
Pour la gloire du Gorhaut sur ce champ de glace ?
Comment pourraient-ils cacher leurs épées rutilantes
Quand la victoire avait été remportée ou qu'on y avait renoncé ?
Quelle sorte d'homme, dont le père venait de tomber,

Pouvait anéantir d'un coup de plume un long rêve de gloire ?
Et quel genre de roi déshonoré comme le lâche Daufridi
Pouvait quitter ce champ gelé sans espoir de retour ?
Où donc étaient les hommes du Gorhaut et de Valensa
Quand de faibles monarques et leurs fils, indignes de leurs ancêtres
Mirent fin à la guerre et achetèrent cette pâle paix ?

Bertran de Talair termina en tirant une dernière corde de sa harpe et le son, austère, se répercuta. La salle était plongée dans un silence absolu, une réaction tout à fait différente des rires reconnaissants et des applaudissements qui avaient suivi les hymnes à l'amour et au printemps chantés auparavant par le ménestrel.

Dans ce silence, Blaise du Gorhaut prit douloureusement conscience que son cœur continuait à battre au rythme des rudes accords qu'il venait d'entendre. Des hommes qu'il connaissait depuis toujours étaient morts sur ce champ près du pont Iersen. Blaise était à moins de vingt pas, des corps gelés empilés le séparant de son roi Duergar, quand, désarçonné, une flèche dans l'œil, celui-ci avait crié le nom du dieu, sa voix dominant le champ de bataille comme le géant qu'il avait été.

Cinq mois plus tard, le fils de Duergar, Adémar, devenu roi du Gorhaut, et Galbert, son premier conseiller, primat de Corannos, avaient négocié le traité qui, en échange d'otages, d'or et de la fille du roi Daufridi qu'Adémar épouserait quand elle aurait atteint l'âge requis, donnait à la Valensa toutes les terres au nord du Gorhaut jusqu'au fleuve Iersen. Les champs et les villages que Daufridi et ses soldats n'avaient pu prendre avec leurs épées en trente années de guerre, voilà qu'une saison plus tard ils leur étaient donnés grâce aux paroles onctueuses et à l'hypocrite diplomatie des négociateurs arimondains qu'ils avaient embauchés.

Peu de temps après, Blaise avait quitté sa maison et entrepris le voyage à travers plusieurs pays qui l'avait conduit dans cette grande salle en Arbonne, un an après la signature du traité.

Sa rêverie prit brusquement fin lorsqu'il s'aperçut, avec une vague inquiétude, que Bertran de Talair, qui s'était contenté de hocher la tête quand Blaise lui avait été présenté ce matin-là, le fixait à présent du tabouret bas sur lequel il était assis, une jambe étendue avec grâce. Blaise redressa ses épaules et soutint fermement son regard, content de ce que sa barbe réussissait à cacher. Il n'aurait pas voulu que l'on pût lire dans ses pensées, en ce moment.

Messire Bertran fit calmement courir ses doigts sur les cordes de la harpe. Les notes résonnèrent dans le silence de la grande salle, aussi délicates que le verre, que les fleurs sur la table. D'une voix tout aussi calme quoique très claire, le duc de Talair demanda : « À ton avis, nordique, elle va durer combien de temps, votre paix ? »

Ces paroles dissipèrent certains mystères dans l'esprit de Blaise tout en en faisant surgir d'autres. Il prit une profonde respiration, conscient d'être devenu le point de mire de l'assemblée. Dans la lumière des torches, le regard de Bertran paraissait étrangement bleu, sa grande bouche esquissant un sourire ironique.

« Ce n'est pas ma paix à moi, répliqua Blaise en essayant de prendre un ton désinvolte.

— C'est bien ce que je pensais », reprit vivement Bertran, paraissant satisfait, comme si Blaise avait révélé davantage de choses qu'il n'en avait l'intention. « Je n'avais pas l'impression que tu étais venu jusqu'ici par amour de notre musique ni même de nos femmes, aussi jolies soient-elles. »

Tandis qu'il parlait, les yeux bleus et le sourire — ayant perdu soudain toute trace d'ironie — s'étaient brièvement tournés vers la haute table et la femme qui y était assise. Ses longs doigts s'étaient remis à courir sur les cordes de la harpe. Un instant plus tard, le duc de Talair recommença à chanter et, cette fois, c'était exactement le genre de chanson que Blaise s'était attendu à entendre auparavant. Pourtant, quelque chose avait changé pour lui — et ce n'était pas simplement l'humeur d'un soir —, et il ne savait pas comment réagir cette fois devant un seigneur arbonnais chantant en ses propres mots la gloire qu'on recherchait dans les yeux noirs d'une femme.

Le lendemain, les corans de Baude firent une démonstration dans les champs du village entourant le château, chargeant avec des lances un pantin de bois qui se balançait, conçu — comme partout — pour ressembler à un racoux des contes pour enfants, avec un visage blanc et des cheveux noirs comme jais. Mallin avait accordé un jour de congé aux villageois et aux travailleurs agricoles afin qu'ils pussent se joindre aux gens du château pour acclamer les soldats. Blaise, prudemment satisfait des hommes qu'il avait entraînés, veillait à se montrer compétent sans ostentation. Dans trois des quatre charges, il balança convenablement le racoux en arrière sur sa base par un coup de lance au point mort de son petit bouclier. La quatrième fois, il s'arrangea pour le rater, seulement de peu, afin que son adversaire, construit avec intelligence, ne pût tourner sur lui-même — il était conçu pour cela — et lui assener un coup d'épée de bois derrière la tête lorsqu'il passerait à côté de lui au galop. S'il convenait de ne pas avoir l'air prétentieux dans ce genre de situation, il ne fallait quand même pas aller jusqu'à se faire désarçonner et mordre la poussière. Blaise se rappela qu'au Gorhaut certains racoux portaient de véritables épées, en fer et non en bois. Quelques hommes entraînés par Blaise à cette époque avaient reçu de vilaines blessures, ce qui, bien entendu, amenait les jeunes gens à mieux maîtriser leurs aptitudes au combat. Mais ici, en Arbonne, les hommes avaient trop de distractions, trop de choses plus douces à penser ou à apprendre.

Au moment du concours de tir à l'arc, Valéry, le cousin de Bertran, se joignit à eux sur le champ de tir et Blaise fut obligé d'admettre qu'il n'avait jamais rencontré dans le nord un archer, même pas son ami Rudel en Portezza, qui fût capable de se mesurer à cet homme, quelles que fussent les distractions offertes en Arbonne. Blaise put rivaliser avec Valéry de Talair à quarante pas et Hirnan en fit autant. Ils parvinrent encore à avoir le même nombre de points que leur invité à soixante pas, au grand plaisir de Mallin, mais lorsque les marques furent reculées à quatre-vingts pas, au milieu des hurlements de la foule en liesse, Valéry, qui était pourtant loin d'être un jeune homme, ne parut aucunement troublé et continua à atteindre le centre écarlate de la cible avec chacune de ses flèches, en visant calmement et en tirant sans effort. À cette distance, Blaise fut bien content de réussir à placer ses flèches n'importe où sur les cibles tandis qu'Hirnan, fronçant furieusement les sourcils, n'en fut même pas capable. Blaise soupçonnait que le cousin de Bertran aurait tiré aussi bien à cent pas s'il l'avait voulu, mais Valéry était trop poli pour suggérer une pareille distance. La démonstration prit donc fin et tous trois furent chaleureusement applaudis.

Le lendemain, ils allèrent à la chasse. Vêtue de brun et de vert comme une dryade de légende, Soresina fit voler un nouveau faucon pour la première fois et fut joliment ravie lorsque l'oiseau lui rapporta un lièvre bien gras débusqué dans les plateaux au nord du château. Un peu plus tard, au milieu des champs, les rabatteurs levèrent, dans des battements d'ailes sonores, une multitude de corfes et de cailles pour leur groupe. Connaissant bien les règles tacites de la chasse dans ce genre de compagnie, Blaise veilla à ne pas tirer avant d'être absolument certain que ni Mallin ni le duc ne visait la même proie. Il attendit que chacun des deux nobles ait abattu plusieurs oiseaux pour se permettre, à la toute fin, d'en tuer deux avec une paire de flèches rapides décochées dans la ligne du soleil.

Il y eut une tempête le troisième soir, ce genre de cataclysme survenant souvent dans la montagne pendant l'été. Des éclairs sillonnaient le ciel, semblables aux lances blanches de Corannos, puis la voix tonitruante du dieu se fit entendre, suivie de la pluie. Le vent hurlait sauvagement comme si un esprit avait hanté les murailles de pierre du château, fouettant les carreaux des fenêtres comme pour les traverser de force. On avait cependant allumé un feu et des flambeaux dans la grande salle, et les murs et les fenêtres étaient assez solides pour résister aux éléments déchaînés. Ramir le ménestrel chanta de nouveau pour eux, sa voix couvrant les bruits de l'extérieur et créant une chaleureuse atmosphère d'intimité et de solidarité. Blaise lui-même dut convenir que, dans certains cas, la musique et le soin apporté au bien-être physique avaient leur valeur. Il pensa cependant aux habitants des hameaux avoisinants dans leurs maisonnettes de bois délabrées, et aux bergers dans les montagnes avec leurs troupeaux, fouettés par la pluie. Il alla se coucher de bonne heure et tira la courtepointe jusqu'à son menton, rendant grâce à Corannos pour ces petits bienfaits de l'existence.

Après la tempête, une aube fraîche et venteuse se leva comme si, dans la violence de la nuit, le début de l'été avait été ramené en arrière. Bertran et Valéry insistèrent pour accompagner les hommes du château de Baude qui allaient aider les bergers à localiser dans la boue tous les moutons du baron que la tempête avait dispersés et à les ramener, tâche ingrate mais nécessaire. Les moutons et leur laine représentaient la base économique des aspirations de Mallin de Baude et ses corans n'étaient jamais autorisés à nourrir l'illusion d'être au-dessus des travaux qui y étaient reliés.

Après que les hommes eurent grimpé pendant deux heures les pentes raides jusqu'aux hauts pâturages, la presque totalité de la journée fut consacrée à cette tâche difficile et parfois même dangereuse. Tard dans l'après-midi, Blaise, jurant pour des raisons qui lui paraissaient tout à fait suffisantes, gravit maladroitement un défilé glissant en tenant dans ses bras un agneau mouillé et tremblant ; dans l'herbe devant lui, il aperçut alors Bertran de Talair, confortablement adossé au tronc d'un olivier. Il n'y avait personne d'autre en vue.

« Tu ferais mieux de mettre ce petit à terre avant qu'il te pisse dessus, dit le duc avec bonne humeur. J'ai une fiasque de brandy arimondain si tu en as envie.

— Il a déjà pissé, répondit Blaise d'un ton acerbe en déposant l'agneau bêlant sur le sol. Et non, merci. Je travaille mieux avec l'esprit clair.

— Le travail est fini. Selon votre coran aux cheveux roux — Hirnan, n'est-ce pas ? —, il reste trois ou quatre bêtes qui ont réussi à grimper au sommet de ce plateau et à redescendre vers la vallée au sud, mais les bergers sont capables de s'en occuper tout seuls », ajouta-t-il en tendant la fiasque.

Poussant un soupir, Blaise se laissa tomber à côté de l'arbre et accepta l'alcool. Une seule gorgée lui fit comprendre qu'il ne s'agissait pas de simple brandy arimondain. Il passa la langue sur ses lèvres et haussa les sourcils d'un air interrogateur. « Vous apportez du séguignac dans une fiasque quand vous poursuivez des moutons sur une colline ? »

Le visage intelligent et étrangement jeune de Bertran de Talair s'épanouit dans un sourire. « Je vois que tu connais le bon brandy, murmura-t-il avec un calme trompeur. Mes prochaines questions seront : comment et pourquoi ? Tu fais de gros efforts pour avoir l'air d'un mercenaire quelconque, sachant manier l'arc et l'épée, à embaucher comme la moitié des hommes du Götzland. Mais je t'ai observé attentivement pendant la chasse. Tu n'as rien abattu avant la fin malgré une demi-douzaine d'occasions faciles pour un homme capable d'atteindre une cible à quatre-vingts pas. Tu faisais trop attention à ne pas nous surpasser, Mallin de Baude et moi. Sais-tu ce que ton attitude m'apprend, nordique ?

— Je n'en ai aucune idée.

— Oui, tu le sais. Elle m'apprend que tu as l'expérience de la cour. Vas-tu me révéler qui tu es, nordique ? »

Prenant soin de composer son expression, Blaise rendit la belle fiasque et s'installa plus confortablement dans l'herbe, essayant de gagner du temps. À côté d'eux, l'agneau broutait avec plaisir, paraissant avoir oublié les bêlements de terreur qu'il avait poussés quelques instants auparavant. Des cloches d'alarme avaient beau résonner dans la tête de Blaise pour l'inciter à la prudence, il ne pouvait s'empêcher d'être intrigué et même un peu amusé par l'approche directe du duc.

« Je ne crois pas, répondit-il avec franchise. Mais j'ai fréquenté plus d'une cour par le passé, tant au Götzland qu'en Portezza. Et je me demande vraiment pourquoi il vous importe de savoir qui je suis.

— C'est simple. Je désire t'embaucher et je préfère connaître le passé des hommes qui travaillent pour moi. »

Blaise n'arrivait pas à suivre, tout cela allait trop vite pour lui. « J'ai déjà été engagé, répondit-il. Vous vous rappelez ? Mallin de Baude, un jeune baron d'Arbonne. Jolie femme. »

Bertran éclata de rire. L'agneau leva la tête et les regarda un instant avant de retourner à ses occupations. « Vraiment, dit-il, tu fais mentir la réputation de ton pays avec des plaisanteries pareilles : chacun sait que les Gorhautiens n'ont aucun sens de l'humour. »

Blaise esquissa un mince sourire. « Chez nous, on dit la même choses des Götzlandais. Et les Valensains sentent le poisson et la bière, les Portezzains sont tous des menteurs et presque tous les hommes d'Arimonda couchent ensemble.

— Et de l'Arbonne, qu'est-ce que vous dites ? » demanda posément Bertran de Talair.

Blaise secoua la tête. « Je ne suis pas allé dans mon pays depuis longtemps, répondit-il en tergiversant.

— À peu près quatre mois. Je l'ai vérifié. Ce n'est pas très long. Alors, qu'est-ce qu'on dit de nous ? » Ses mains tenaient la fiasque sans la serrer. Le soleil de la fin de l'après-midi faisait briller ses cheveux châtains coupés court. Il ne souriait plus.

Blaise non plus. Il soutint le clair regard bleu aussi directement qu'il le put. Après un long moment, il parla, dans le silence de la haute prairie : « On dit que c'est une femme qui vous gouverne. Que vous avez toujours été gouvernés par les femmes. Et que Tavernel, à l'embouchure du fleuve Arbonne, possède un port naturel idéal pour le transport et le commerce dans le monde entier.

— Et Adémar du Gorhaut, entouré par la Valensa au nord et la féminine Arbonne au sud, ne possède, hélas ! aucun port de mer abrité. Pauvre roi ! Qu'es-tu venu faire ici, Blaise du Gorhaut ?

— Je cherche fortune. Le mystère est moins grand que vous ne pourriez être tenté de le croire.

— On n'amasse pas une grande fortune à poursuivre des moutons dans ces collines pour un baron sans importance. »

Blaise sourit. « C'était un début, dit-il. Le premier contrat qui m'a été offert. La possibilité de me perfectionner dans votre langue, d'attendre les événements. C'est pour ces raisons que j'ai cru bon de quitter les villes de Portezza pendant quelque temps.

— Tes propres raisons ? Ou celles d'Adémar du Gorhaut ? Se pourrait-il qu'un espion se cache derrière cette barbe, jeune nordique aux yeux verts ? »

Ce soupçon avait toujours été possible. Blaise fut étonné de se sentir aussi calme à présent que l'accusation avait été formulée. Il fit un geste et de Talair lui tendit de nouveau la fiasque de brandy. Blaise en but une gorgée et essuya sa bouche du revers de sa main. Ce séguignac était vraiment exceptionnel.

« Sûrement. Des renseignements de la plus haute importance à recueillir ici », dit-il, se trouvant, inexplicablement, d'humeur à plaisanter. « Je suis convaincu qu'Adémar paiera un bon prix pour connaître le nombre exact de moutons dans ces collines. »

Bertran de Talair sourit encore et changea de position, appuyé à présent sur un coude, ses jambes bottées allongées devant lui. « Ce n'est peut-être qu'un début, comme tu dis. Une entrée en scène dans nos conseils.

— Et j'ai réussi à vous inciter à m'offrir un poste en m'arrangeant pour tirer maladroitement à la chasse. Très rusé de ma part. Vous me donnez trop de crédit, mon seigneur.

— Peut-être. Combien Mallin te paie-t-il ? »

Blaise indiqua la somme. Le duc haussa les épaules d'un air indifférent. « Je t'offre le double. Quand peux-tu commencer ?

— Mon salaire couvre encore deux semaines de travail.

— Très bien. Je t'attendrai à Talair trois jours après cette date. »

Blaise leva la main. « Je tiens à préciser un point. J'ai dit la même chose à Mallin de Baude. Je suis un mercenaire et non un vassal. Pas de serments. »

Bertran sourit de nouveau d'un air moqueur et nonchalant. « Mais bien sûr. Il ne me serait jamais venu à l'esprit de te demander de jurer quoi que ce soit. Je me demande pourtant ce que tu feras si Adémar vient au sud ? Me tuer pendant mon sommeil ? Se pourrait-il que tu sois aussi un assassin ? »

C'était trop près de la vérité. Blaise se sentit mal à l'aise et songea soudain à la grande prêtresse de Rian sur son île dans la mer. Il regarda ses mains, se rappelant Rudel, une nuit sans lune dans la Faenna portezzaine, le jardin d'un palais dans cette ville dangereuse, les lucioles, l'odeur des oranges, la dague dans sa main.

Il secoua lentement la tête, ramenant sa pensée en Arbonne, à ce haut plateau et à cet homme troublant et perspicace qui l'observait à présent avec ses yeux bleus si vifs.

« Je ne suis pas davantage un tueur à gages pour Adémar que je ne le serai pour vous », répondit prudemment Blaise à Bertran de Talair. Il hésita, puis ajouta : « Pensez-vous vraiment qu'il pourrait venir dans le sud ?

— Qu'il *pourrait* ? Par le saint nom de Rian, pour quoi d'autre aurait-il conclu avec la Valensa cette paix que je m'évertue à saper dans mes chansons ? Notre comte disparu, une femme vieillissante à Barbentain, aucun héritier évident en vue, des vignes, des terres à céréales et un merveilleux port. Des hommes qui passent leurs journées à écrire des chansons et à languir comme de jeunes blancs-becs après la main fraîche d'une femme sur leur front pendant la nuit… Bien sûr qu'Adémar va chercher à nous envahir. »

Blaise sentit son humeur se modifier, la fatigue agréable suivant une dure journée de travail chassée par ces paroles comme des nuages par les vents de la montagne. « Pourquoi m'embaucher, alors ? Pourquoi courir ce risque ?

— J'aime courir des risques, répondit Bertran de Talair d'un air presque penaud. C'est un vice, j'en ai bien peur. » Blaise se rappela que la grande prêtresse avait dit sensiblement la même chose.

Bertran changea de nouveau de position. Il se redressa et but une dernière gorgée de séguignac avant de reboucher la fiasque. « Tu finiras peut-être par nous apprécier plus que tu ne le penses. Tu te trouveras peut-être une épouse, ici. Nous t'apprendrons peut-être même à chanter. Pour être franc, on m'a tué un homme au printemps et, par les temps qui courent, les bons soldats se font rares, comme tu t'en doutes. Conduire un raid fructueux sur l'île de Rian si peu de temps après ton arrivée a représenté un véritable exploit.

— Comment savez-vous cela ? »

Bertran sourit, mais sans moquerie cette fois ; Blaise éprouva la sensation bizarre d'être capable de deviner l'effet que pouvait avoir ce sourire sur une femme convoitée par le duc. « Tuer un corfe à la chasse, c'est à la portée de n'importe qui, poursuivit de Talair comme s'il n'avait pas été interrompu par Blaise. J'ai besoin d'un homme qui sait quand ne pas en tuer. Même s'il refuse de me dire comment il l'a appris ou qui il est. » Il hésita pour la première fois, regardant au loin vers l'ouest, vers l'Arimonda au-delà des montagnes. « De plus, pour une raison quelconque, tu m'as fait penser à mon fils ces derniers jours. Ne me demande pas pourquoi. Il est mort à la naissance. »

Il se leva brusquement. Blaise l'imita, à présent sérieusement troublé. « Je pensais que vous ne vous étiez jamais marié, dit-il.

— Et c'est vrai, répondit Bertran avec insouciance. Pourquoi ? Tu crois qu'il est temps ? continua-t-il en souriant maintenant d'un air sardonique et distant. Une femme pour réchauffer mes vieux os la nuit, des enfants pour me réjouir le cœur à l'heure de mon déclin ? Drôle d'idée ! Nous pourrions en discuter sur le chemin du retour ? »

Tout en parlant, il avait commencé à marcher vers son cheval et Blaise fut donc forcé de l'imiter. Il faisait à présent plus froid ; le soleil s'était caché derrière une masse grise que le vent charriait rapidement. Y songeant après coup, Blaise se retourna et vit que l'agneau les suivait. Il enfourcha sa monture et se mit en route. Depuis la crête, ils pouvaient apercevoir Mallin et les autres rassemblés à l'est au-dessous d'eux. Au loin, au-delà des prés, des bois et des autres hommes, on distinguait le château et les champs de lavande dans l'ombre derrière.

Tout en descendant pour rejoindre les autres, Bertran de Talair décida de soulever une question sans aucun rapport avec les bienfaits du mariage, tardif ou autre, ou les consolations d'une vieillesse paisible.

Et voilà que, comme il fallait s'y attendre, la lueur d'une bougie apparut dans le tournant de l'escalier sous la niche de la fenêtre où Blaise montait la garde. « Il n'essaie même pas de se cacher », songea-t-il, mécontent. Il entendit quelqu'un monter d'un pas tranquille et régulier. Tel que promis, bien que Blaise ne l'eût pas vraiment cru sur la colline.

« J'imagine que, durant ma dernière nuit ici, tu vas monter la garde à l'extérieur des appartements de la baronne. Je n'ai pas l'intention d'y aller avant ça, d'ailleurs... sinon, cela deviendrait trop compliqué. Et puis ce ne serait pas vraiment convenable. Non, j'attendrai la fin de mon séjour, c'est toujours mieux ainsi. Je peux compter sur ta discrétion, n'est-ce pas ? » avait dit Bertran de Talair en descendant la pente dans l'air glacial.

Pendant un long moment, Blaise avait dû lutter pour maîtriser sa colère. « Je vous suggérerais de ne pas trop y compter, avait-il finalement répondu. J'ai accepté votre offre de service, mais mon travail ne débute que dans deux semaines. Pour l'instant, c'est Mallin de Baude qui me paie et il serait préférable que vous ne l'oubliiez pas.

— Quelle loyauté ! » s'était exclamé Bertran de Talair en regardant droit devant lui.

Blaise avait secoué la tête. « De la conscience professionnelle, avait-il rétorqué en s'efforçant de rester calme. Une réputation de duplicité m'enlèverait toute valeur sur le marché.

— Cela n'a aucun rapport. Ta réputation ne sera pas ternie par ce qui va se passer dans cet escalier sombre. Deux personnes seulement seront au courant : toi et moi, avait dit de Talair d'un ton calme et sérieux. Dis-moi, nordique, voudrais-tu imposer tes propres valeurs concernant l'amour et la nuit à tous les êtres humains que tu rencontres ?

— Pas vraiment. Mais je me les impose à moi-même. »

Le duc l'avait regardé en souriant. « Alors, nous ferons sans doute une rencontre intéressante dans quelques nuits. » Il avait de nouveau envoyé la main à Mallin au bas de la côte et éperonné son cheval pour faire avec le baron et ses hommes le reste du trajet vers le château.

Et voilà qu'il était là, sans même avoir tenté de le tromper ou de se cacher. Blaise se leva et quitta la niche de la fenêtre pour se diriger vers l'escalier. Il vérifia qu'il avait bien son épée et sa dague et attendit, les jambes fermement écartées. Dans le tournant de l'escalier, la lueur de la flamme devenait de plus en plus brillante, puis Blaise aperçut la bougie. Ensuite, dans le cercle de la lumière, venait Bertran de Talair vêtu de bourgogne et de noir avec une chemise blanche ouverte sur la gorge.

« Je suis venu pour faire une rencontre intéressante, dit doucement le duc en souriant derrière la flamme.

— Pas avec moi, répondit Blaise d'un air sombre.

— Ma foi, non, pas précisément avec toi. Je n'ai pas l'impression que nous souffrons outre mesure du vice arimondain. J'ai pensé qu'il serait peut-être amusant de voir si je pouvais faire mieux dans la chambre au sommet de cet escalier que le pauvre Évrard il y a quelque temps. »

Blaise secoua la tête. « Je pensais vraiment ce que je vous ai dit dans les collines. Je ne vais pas vous juger, ni vous ni la baronne. Je suis une épée à louer, ici ou ailleurs dans le monde. Actuellement, Mallin de Baude me paie pour garder cet escalier. Auriez-vous l'obligeance de redescendre, mon seigneur, avant que la situation s'envenime ?

— Redescendre ? s'exclama le duc en faisant un geste avec la bougie. Après avoir perdu une heure à me pomponner et plusieurs jours à attendre ce qui arrivera peut-être cette nuit ? J'ai passé l'âge d'être excité par la tentation pour ensuite me retirer docilement. Tu es sans doute trop jeune pour comprendre ces choses. Mais j'imagine que tu as tes propres leçons à apprendre ou peut-être à te rappeler. Écoute-moi, nordique : dans des domaines comme celui-ci, un homme peut être prévenu, même moi, bien qu'on ait pu te dire le contraire, mais une femme d'esprit en fera à sa guise, même au Gorhaut, et plus particulièrement en Arbonne. »

Il éleva la bougie en parlant, et une lueur orangée les éclaira tous les deux.

Blaise eut tout juste le temps de remarquer l'efficacité de cette lumière avant d'entendre un froufrou de vêtements tout près de lui. Il se tourna trop tard et ouvrit la bouche pour crier lorsqu'un coup l'atteignit à la tempe, assez fort pour le faire reculer en titubant jusqu'au siège de la fenêtre, un moment étourdi. Et ce moment fut évidemment plus que suffisant pour permettre à Bertran de Talair de grimper les trois marches qui les séparaient, une dague incurvée dans une main et la bougie levée dans l'autre.

« C'est difficile, chuchota le duc à l'oreille de Blaise, extrêmement difficile de protéger ceux qui ne veulent pas de protection. Une leçon pour toi, nordique. »

Il était parfumé et son haleine fleurait la menthe. Le regard embrouillé et pris de vertige, Blaise aperçut plus loin la silhouette d'une femme dans l'escalier. Sa longue chevelure blonde était dénouée et tombait dans son dos. Elle portait une robe de nuit en soie et, à la lueur de la bougie et de la lune qui brillait dans la meurtrière, Blaise vit qu'elle était blanche comme celle d'une jeune épouse, icône innocente. Ce fut tout ce qu'il réussit à voir ; il n'eut pas non plus le temps de bouger ou de crier car Bertran de Talair le frappa d'un coup de dague précis et puissant derrière la tête, et Blaise perdit alors toute conscience du clair de lune, des icônes et de la douleur.

Lorsqu'il se réveilla, il était allongé sur le sol de pierre de la niche de la fenêtre, appuyé contre l'un des bancs. Poussant un grognement, il se tourna pour regarder dehors. Dans sa phase décroissante, la pâle Vidonne luisait à présent très haut dans la fenêtre, baignant le ciel nocturne de sa lumière argentée. Les nuages ayant été balayés, Blaise distingua de faibles étoiles autour de la lune.

Il leva une main et se toucha la tête avec précaution. Il aurait un œuf de corfe à l'arrière du crâne pendant quelques jours, de même qu'une vilaine ecchymose juste au-dessus de l'oreille droite. Il grogna de nouveau et, au même instant, il comprit qu'il n'était pas seul.

« Le séguignac est sur le banc au-dessus de toi, dit calmement Bertran de Talair. Fais attention, j'ai laissé la fiasque ouverte. »

Le duc était assis de l'autre côté de la cage d'escalier, adossé au mur intérieur au même niveau que Blaise. Le clair de lune qui entrait par la fenêtre tombait sur ses vêtements en désordre et ses cheveux ébouriffés. Les yeux bleus étaient toujours aussi clairs, mais Bertran paraissait plus vieux. Il y avait des rides dont Blaise ne se souvenait pas au coin de ses yeux, et des cernes noirs au-dessous.

Incapable de penser à ce qu'il y avait lieu de dire ou de faire, Blaise leva la main — en faisant attention comme le duc le lui avait recommandé — et trouva la fiasque. Le séguignac glissa dans sa gorge comme un feu distillé, vivifiant ; Blaise avait l'impression de le sentir atteindre ses extrémités, redonnant vie à ses bras et à ses jambes, à ses doigts et à ses orteils. Il avait cependant atrocement mal à la tête. S'étirant avec précaution — tout mouvement était douloureux —, il traversa la cage d'escalier et tendit la fiasque au duc. Bertran la prit sans prononcer une parole et but.

Ce fut alors le silence dans l'escalier. Luttant contre la douleur causée par deux coups qu'il avait reçus à la tête, Blaise essaya d'éclaircir ses idées. Bien sûr, il pouvait à présent crier et sonner l'alarme. Mallin lui-même, de sa propre chambre au bout du couloir, arriverait sans doute le premier.

Mais quelles en seraient les conséquences ?

Blaise soupira et accepta le séguignac que le duc lui passait de nouveau. La fiasque luisait faiblement dans le clair de lune. Elle était ornée de dessins compliqués, très probablement l'œuvre d'un maître forgeron du Götzland, et devait avoir coûté plus que le salaire mensuel de Blaise ici à Baude.

Il ne servait plus à rien de crier à présent, et il le savait. Comme l'avait dit Bertran, Soresina avait décidé de faire à sa guise. Tout était consommé et, à moins que lui, Blaise, ne sonnât l'alarme et ne réveillât le château, les conséquences seraient minimes pour tout le monde.

C'était seulement la malhonnêteté de tout cela qui le dérangeait, l'image — encore une — d'une femme fourbe et d'un homme cherchant avidement et oisivement son plaisir aux dépens d'un autre. C'était comme s'il avait espéré de Bertran de Talair autre chose que cette image de séducteur blasé déployant toute son énergie à conquérir pour une nuit une femme aux cheveux blonds mariée à un autre homme.

Mais Blaise ne sonnerait pas l'alarme. Il savait que Bertran et Soresina avaient compté sur cela. Que l'on pût présumer aussi facilement de sa conduite le mettait en rage, mais il n'était pas suffisamment offensé pour changer d'idée dans le seul but de les contrarier. Des gens mouraient quand on se permettait ce genre de chose.

Il avait mal à l'arrière et sur le côté de la tête, deux marteaux rivalisant l'un avec l'autre pour voir lequel arriverait à le faire souffrir le plus. Le séguignac lui fit cependant du bien ; cette boisson, décida-t-il avec sagesse en s'essuyant la bouche, pourrait vraiment soulager bien des peines, bien des pertes.

Il se tourna vers le duc pour le lui dire, mais s'arrêta, interdit, en voyant son visage. Il avait perdu son masque, le visage balafré, ironique, mondain du seigneur troubadour de Talair.

« Vingt-trois ans », dit Bertran de Talair un instant plus tard, à moitié pour lui-même, contemplant la lune dans la fenêtre. « Je n'aurais vraiment pas cru vivre aussi longtemps. Dieu sait pourtant, tout comme la douce Rian, combien j'ai essayé, mais en vingt-trois ans je n'ai jamais rencontré une femme capable de l'égaler ou de me la faire oublier, même pour une nuit. »

Se sentant désespérément dépassé par tout cela, Blaise éprouva l'espace d'un instant un sentiment inattendu de pitié envers Soresina de Baude dans la chambre au-dessus, avec sa chevelure dénouée et sa chemise de nuit en soie blanche. Incapable de trouver quelque chose à dire et soupçonnant que, de toute façon, rien de ce qu'il pourrait dire ne répondrait aux paroles qu'il venait d'entendre, il se contenta de lui passer de nouveau le séguignac.

Un instant après, la main baguée de messire Bertran se tendit dans le clair de lune. De Talair prit une longue gorgée, puis trouva le bouchon quelque part dans ses vêtements et le posa sur la fiasque. Il se leva lentement, presque solide sur ses pieds et, sans se donner la peine d'allumer une autre bougie, se mit à descendre l'escalier en colimaçon sans une autre parole, un autre regard. Il était déjà devenu invisible dans le noir avant de disparaître au premier tournant. Blaise entendit son pas tranquille s'éloigner, puis il n'entendit plus rien. Il n'y avait plus que le silence et la lumière de la lune passant dans la fenêtre étroite, laissant les étoiles derrière.

Chapitre 3

Assis sur son trône, Adémar, roi du Gorhaut, se détourna lentement du combat certes divertissant, mais fort salissant qui opposait un chien mutilé avec soin et les trois chats qu'on avait lancés contre lui. Sans accorder la moindre attention à la femme à demi nue qui était agenouillée devant lui sur les dalles et lui suçait le sexe, il dévisagea l'homme qui venait de parler, interrompant ce double plaisir.

« Nous ne sommes pas sûrs de vous avoir bien compris », dit le roi de sa voix exceptionnellement aiguë. Il avait cependant parlé sur un ton que, après un peu plus d'un an, la cour avait appris à reconnaître. La cinquantaine d'hommes rassemblés dans la salle d'audience du palais royal à Cortil rendirent grâce à Corannos de ne pas être la cible de ce regard et de ce ton. La poignée de femmes présentes pensaient peut-être différemment, mais, au Gorhaut, les femmes ne comptaient pas.

Avec une désinvolture étudiée qui ne trompa personne, le duc Ranald de Garsenc prit sa chope de bière et but longuement avant de répondre. Comme le remarquèrent les plus attentifs des courtisans, et c'était tout à son honneur, sa main ne tremblait pas lorsqu'il reposa la lourde chope. Regardant le roi de l'autre côté de la table à tréteaux, il éleva la voix : « Je vous ai entendu parler de l'Arbonne, ce matin. J'ai simplement dit : pourquoi n'épousez-vous pas la chienne ? Elle est veuve, elle n'a pas d'héritier, qu'est-ce qui pourrait être plus simple ? »

Les larges mains sans bague du roi s'abaissèrent distraitement pour d'abord se croiser dans les longs cheveux noirs, puis entourèrent un bref instant la gorge infatigable de la fille agenouillée devant lui. Il ne baissa cependant pas les yeux sur elle. Plus loin, le vieux chien de chasse était tombé ; il était couché sur le flanc, son corps déchiqueté pantelant, du sang coulant de ses nombreuses blessures. Jeûnant depuis cinq jours, les chats se mirent à le dévorer avidement. Adémar esquissa un mince sourire, puis une moue soudaine de dégoût lorsque les entrailles du chien commencèrent à se répandre sur le sol. Il agita la main et des serviteurs bondirent pour saisir les quatre bêtes et les emporter hors de la pièce. Affamés et dérangés, les chats poussèrent des cris stridents qui continuèrent à résonner après que les portes à l'extrémité de la pièce eurent été fermées derrière eux. L'odeur du sang et du poil mouillé se mêlait à celles de la fumée des feux et de la bière renversée sur les tables où, par tradition, les grands seigneurs du Gorhaut étaient autorisés à s'asseoir et à boire en présence de leur suzerain.

Ce dernier ferma les yeux à cet instant précis. Son corps robuste et bien découplé se raidit, et son visage pâle et barbu exprima une sorte de contentement étonné. La salle parut plongée dans un silence contraint, les courtisans examinant avec attention leurs ongles ou les poutres au plafond. Poussant un soupir, Adémar se pencha en arrière sur son trône. Lorsqu'il ouvrit de nouveau les yeux, ce fut pour contempler, comme il le faisait toujours quand cette volupté particulière atteignait son paroxysme, les femmes de la cour, formant un petit groupe près des fenêtres à la gauche du trône. Les plus discrètes d'entre elles regardaient fixement le sol ou au loin. Une ou deux étaient visiblement déconcertées. Une ou deux autres rougirent elles aussi, mais pour des raisons différentes, semblait-il, car elles regardaient hardiment Adémar dans les yeux. Cachant le bas du corps du roi avec le sien, la jeune fille rajusta les vêtements d'Adémar et lissa avec soin sa culotte et ses chausses, puis releva la tête, attendant l'autorisation de se retirer.

Affalé sur le trône, Adémar du Gorhaut la regarda pour la première fois. D'un doigt indolent, il traça le contour de ses lèvres. Il esquissa le même sourire fugace que précédemment. « Occupe-toi du duc de Garsenc, dit-il. L'ex-champion de mon père semble avoir grandement besoin des attentions d'une femme convenable. » Le visage inexpressif, la jeune fille se leva et se dirigea d'une démarche gracieuse vers l'homme qui avait interrompu le plaisir du monarque un instant auparavant. On entendit des rires rauques dans la pièce et Adémar y répondit en souriant. Près de la fenêtre, une femme se détourna soudain pour regarder le paysage gris et embrumé. Adémar du Gorhaut le remarqua. Peu de choses lui échappaient, comme sa cour avait eu l'occasion de s'en apercevoir pendant la brève période de son règne.

« Ma dame Rosala, dit-il, ne nous tournez pas le dos. Nous convoitons le soleil de votre visage par un jour aussi sombre. Et votre mari sera peut-être content de vous donner l'occasion d'apprendre un nouveau truc. »

Grande, blonde et manifestement enceinte, la femme appelée Rosala attendit un long moment avant d'obéir et de se retourner vers l'assemblée. Elle hocha la tête comme il se devait en réponse aux paroles du roi, mais demeura muette. L'autre fille s'était à présent glissée sous la table et on la vit s'installer devant le duc de Garsenc. Le visage de ce dernier s'était empourpré. Il évita de regarder du côté de la salle où son épouse se tenait au milieu des femmes. Les yeux pétillants de plaisir et de malice, quelques petits courtisans s'étaient approchés et, simulant un intérêt intense, ils observaient ce qui se passait sous la table. Les yeux fixés devant lui, Ranald ne regardait personne. Le roi s'était déjà offert ce genre de distraction, mais jamais aux dépens d'un seigneur de haut rang. Adémar montrait son pouvoir, ou la crainte qu'il inspirait, en traitant ainsi un homme qui, autrefois, avait pourtant été le champion du roi au Gorhaut.

« Épouser la chienne », répéta lentement le roi, comme s'il savourait les syllabes sur sa langue. « Épouser la comtesse d'Arbonne. Quel âge a-t-elle, à présent, Cygne de Barbentain ? Soixante-cinq, soixante-dix ans ? Ce que vous me suggérez là est stupéfiant… quelqu'un sait-il si elle est capable de se servir convenablement de sa bouche ? »

Plusieurs hommes et une des femmes près de la fenêtre gloussèrent sottement. Aucun des ambassadeurs étrangers ne se trouvait ce jour-là dans la pièce, heureusement, étant donné le sujet abordé maintenant. Rosala de Garsenc avait blêmi, mais son beau visage carré ne trahit aucune émotion.

De l'autre côté de la pièce, son mari attrapa brusquement sa chope. Cette fois, il renversa de la bière en l'approchant de ses lèvres. Il s'essuya la moustache avec sa manche et dit : « Quelle importance ? Quelqu'un pourrait-il imaginer que je parlais d'autre chose que d'un mariage de raison ? » Il s'arrêta un instant et baissa presque involontairement les yeux avant de reprendre : « Vous épousez la vieille bique, l'expédiez dans un château au nord et vous emparez de l'Arbonne pendant qu'elle succombe à une fièvre quelconque ou à ce que le dieu choisira de lui envoyer. Ensuite, vous épousez la fille de Daufridi de Valensa. Elle aura peut-être même atteint l'âge voulu, à ce moment-là. »

Adémar s'était tourné sur son siège et le regardait fixement. Ses yeux pâles étaient indéchiffrables au-dessus de sa barbe blonde. Il resta silencieux, mâchouillant d'un air songeur une extrémité de sa longue moustache. On entendit du bruit à l'extrémité de la salle, amplifié par le silence qui s'était installé autour du trône. Les grandes portes s'ouvrirent et les gardes laissèrent entrer quelqu'un. Un homme de très haute taille, vêtu d'une robe bleu foncé, fit son apparition et s'avança d'un air important. Le visage d'Adémar s'éclaira. Il sourit comme un enfant espiègle et jeta un bref regard à Ranald de Garsenc qui, ayant également vu celui qui entrait, arborait une expression tout à fait différente.

« Mon cher primat, s'écria le roi d'une voix à présent manifestement malicieuse, vous arrivez juste à temps pour constater combien nous apprécions notre cousin, votre fils, et ses conseils avisés. Notre bien-aimée damoiselle Belote est même en train de le satisfaire, avec l'entière approbation de son épouse. Vous joindrez-vous à cette affaire de famille ? »

Galbert de Garsenc, primat de Corannos au Gorhaut, premier conseiller du roi, dédaigna de regarder son fils. Sans paraître remarquer l'atmosphère réjouie qui régnait dans la pièce ni le ton cassant utilisé par le roi, il s'arrêta à quelques pas du trône, présence imposante et formidable, et inclina son large et lisse visage devant Adémar. « Quels conseils, Sire ? » demanda-t-il simplement. Bien qu'il eût parlé avec calme, sa voix profonde et sonore emplit la grande salle.

« Quels conseils en vérité ! Le duc Ranald vient tout juste de nous suggérer d'épouser la comtesse d'Arbonne, de l'expédier dans le nord et de prendre possession de ses terres baignées de soleil lorsque la décrépitude l'aura fait succomber dans quelque lamentable pestilence. Auriez-vous par hasard conçu ensemble ce projet, votre fils et vous ? »

Galbert, le seul homme rasé dans la pièce, se retourna et regarda son fils pour la première fois pendant que le roi prononçait ces dernières paroles. Bien que très pâle, Ranald de Garsenc soutint sans broncher le regard de son père. Esquissant un rictus de mépris, Galbert se tourna de nouveau vers le roi.

« Non, répondit-il d'une voix forte. Bien sûr que non, mon seigneur. Jamais je ne concevrais un projet avec cette sorte d'homme. Mon fils n'est bon qu'à renverser de la bière sur lui et à se compromettre avec des souillons de taverne. »

Le roi du Gorhaut éclata de rire, produisant un son curieusement joyeux et aigu dans la pièce sombre, aux poutres noires. « Des souillons de taverne ? Par le saint nom de notre dieu ! Quelle façon de parler de sa noble épouse, mon seigneur Galbert ! La femme qui porte votre petit-fils ! Vous ne pensez sûrement pas… »

Le roi s'interrompit, hilare, au moment où une chope de bière vola à travers la pièce et atteignit le primat de Corannos au milieu de sa vaste poitrine. Galbert recula en titubant et faillit tomber. À la longue table, Ranald se leva et rentra vivement son membre en demi-érection dans son vêtement. Deux gardes s'avancèrent enfin, mais s'arrêtèrent sur un signe du roi. Respirant avec effort, Ranald de Garsenc pointa un doigt tremblant en direction de son père.

« La prochaine fois, je pourrais te tuer, s'écria-t-il d'une voix frémissante. La prochaine fois, ce pourrait être un poignard. Souviens-t'en si tu tiens à la vie. Si tu parles encore de moi une seule fois en ces termes dans un endroit où je pourrais t'entendre, cela pourrait signifier ta mort et, pour cet acte, je me soumettrai au jugement de Corannos au moment de quitter ce monde. »

Un silence stupéfait s'ensuivit. Même dans une cour habituée à ce genre d'éclats, particulièrement de la part du clan de Garsenc, ces paroles eurent un effet désenivrant. La somptueuse tunique bleue de Galbert était maculée de bière brune. Il dévisagea son fils avec un mépris glacé, au moins aussi féroce que la rage passionnée de Ranald, puis se retourna vers le roi. « Allez-vous permettre un tel assaut sur la personne de votre primat, Sire ? Une attaque à ma personne constitue une insulte au dieu qui nous gouverne. Resterez-vous assis en laissant ce sacrilège impuni ? » La voix profonde restait posée, sonore et sobrement affligée.

Adémar ne répondit pas tout de suite. Il s'appuya contre le lourd dossier de bois de son trône, se caressant la barbe d'une main. Le père et le fils étaient toujours debout, rigides et exaltés. La haine qu'ils éprouvaient était forte et tangible, et semblait encore plus dense que la fumée des feux.

« Pourquoi, dit finalement Adémar du Gorhaut d'une voix paraissant encore plus aiguë et plaintive comparée à celle, très grave, du primat, la possibilité que j'épouse Cygne de Barbentain est-elle une idée si stupide ? »

Le duc Ranald se rassit brusquement, ses lèvres esquissant un mince sourire vindicatif. Il bougea avec impatience un genou pour devancer la femme qui, sous la table, cherchait à reprendre docilement sa tâche. Il remarqua que, à l'autre bout de la pièce, sa femme s'était remise à contempler le paysage, tournant le dos au roi et à la cour. Il avait commencé à pleuvoir. Ranald regarda un instant le profil de Rosala, et ses traits prirent tout à coup une expression bizarre. Après un moment, il leva sa chope et but encore.

« Je me demande lequel des deux je méprise le plus », pensa Rosala de Garsenc à cet instant précis, observant la pluie froide et régulière qui tombait obliquement sur les landes enveloppées de brume à l'est.

Cette pensée n'était pas nouvelle. Rosala avait vraiment passé beaucoup de temps à essayer de déterminer si elle détestait davantage l'homme capricieux et habituellement ivre que le feu roi Duergar l'avait forcée à épouser, ou le père de son mari, le rusé et dangereux primat obsédé par le dieu Corannos. Et si, comme aujourd'hui, elle laissait dériver sa pensée, il lui était facile d'inclure dans cette triste compagnie le fils de Duergar, désormais le roi Adémar du Gorhaut. En partie à cause de la gêne qu'elle éprouvait sans cesse en sa présence, certaine qu'après la naissance de l'enfant qu'elle portait actuellement elle aurait à subir les assauts très particuliers du monarque. Elle ne savait pas pourquoi il l'avait choisie entre toutes, pourquoi sa façon d'être semblait l'avoir captivé — plus probablement excité, pensait-elle parfois —, mais le regard pâle d'Adémar était sans équivoque, de même que la façon dont il s'attardait sur elle, surtout à cette heure dangereuse de la nuit à Cortil après toute la bière ingurgitée autour des tables de banquet et avant que les femmes ne fussent autorisées à se retirer.

Elle était peut-être injuste, mais si elle méprisait son mari, c'était entre autres parce qu'il remarquait le regard du roi fixé sur elle et se retournait avec indifférence vers son gobelet de dés ou sa chope. Pendant les premiers mois de leur mariage, Rosala s'était dit qu'il aurait dû manifester davantage de fierté. Elle comprit toutefois que les seules personnes capables de provoquer chez Ranald quelque chose qui ressemblât à de la passion ou à de l'esprit étaient son père et son frère. Une vieille histoire, lugubre. Rosala avait parfois l'impression d'y avoir toujours été mêlée ; il était difficile de se souvenir d'une époque où elle n'avait pas été étroitement mêlée aux brûlants griefs familiaux des seigneurs de Garsenc. La situation était différente chez elle, à Savaric, mais elle en était partie depuis longtemps.

Le vent se leva, soufflant de l'est, charriant des gouttelettes, puis la pluie arriva en rafales dans la fenêtre, frappant son visage et le corsage de sa robe. Le froid ne la dérangeait pas, elle l'accueillit même avec plaisir, mais elle devait désormais songer à son enfant. Elle s'éloigna à contrecœur de la fenêtre et se retourna vers la salle enfumée et bondée, pour entendre le père de son mari aborder la question des mariages forcés et de la conquête du sud brillant et chaud.

« Vous connaissez les raisons aussi bien que moi, Sire, de même que tous les hommes présents dans cette salle les connaissent, sauf un peut-être, dit-il en jetant à Ranald un regard oblique rempli d'un total mépris. Même les femmes le comprennent lorsque mon fils dit une bêtise. Même les femmes. » À côté de Rosala, Adèle de Sauvan, une femme vénale et corrompue, veuve depuis peu, sourit. Rosala s'en aperçut et détourna les yeux.

« Pour épouser la comtesse d'Arbonne », poursuivit Galbert, sa voix modulée emplissant la pièce, « nous aurons besoin de son consentement. Et elle ne le donnera pas. Jamais. Si, pour une raison quelconque, peut-être rendue folle par la concupiscence féminine, elle le donnait, elle serait déposée et écartée du trône par l'assemblée des ducs d'Arbonne avant que le mariage puisse avoir lieu. Croyez-vous que les seigneurs de Carenzu, de Malmont ou de Miraval nous regarderaient sans bouger réclamer leurs terres ?

Même une femme devrait être capable de voir l'absurdité d'une telle idée. À votre avis, Sire, que ferait le seigneur troubadour d'Arbonne à ce moment-là ? Pensez-vous que Bertran de Talair permettrait que ce mariage ait lieu ?

— Il est interdit de prononcer ce nom ici ! » interrompit Adémar du Gorhaut en se penchant brusquement en avant. Deux taches d'un rouge insolite colorèrent ses joues au-dessus de sa barbe.

« C'est ainsi que cela doit être », répondit Galbert d'une voix apaisante, comme s'il s'était attendu à cette réaction. « J'ai autant de raisons que vous, Sire, de détester ce faiseur de projets et ses manières païennes et discordantes. »

Rosala sourit intérieurement tout en veillant à ne laisser paraître aucune émotion. Il y avait un peu plus d'un mois que la dernière chanson du duc de Talair était parvenue à la cour du Gorhaut. Elle se souvenait de cette soirée-là : du vent et de la pluie, comme maintenant, un barde tremblant au visage blafard obéissant à l'ordre d'Adémar et chantant d'une voix grinçante les vers du duc de Talair :

La honte alors au printemps pour l'orgueilleux Gorhaut,
Trahie par un jeune souverain et son conseiller.

Et d'autres paroles, beaucoup d'autres, pires encore, marmonnées par la voix à peine audible du chanteur terrifié pendant que dehors le vent soufflait sur les landes :

Où donc étaient les hommes du Gorhaut et de la Valensa,
Quand de faibles monarques et leurs fils, indignes de leurs ancêtres,

Mirent fin à la guerre et achetèrent cette pâle paix ?

Le souvenir des visages éclairés par les flambeaux qui l'entouraient ce soir-là parvint presque à réchauffer le cœur de Rosala. Les expressions du roi, de Galbert, les regards furtifs échangés dans la salle par les seigneurs et les corans récemment dépossédés tandis que la musique révélait la force des paroles, malgré la voix timide du chanteur. Si le barde, un jeune trouvère du Götzland, eut la vie sauve, c'était presque certainement dû à la présence de l'ambassadeur de son pays dans la grande salle de Cortil ce soir-là et à l'indéniable nécessité de rester en paix avec le roi Jörg du Götzland comme l'exigeait la conjoncture actuelle. Rosala avait sans peine deviné ce que le roi aurait aimé faire à la fin du récital.

Ce dernier se pencha de nouveau rapidement en avant, se soulevant presque de son trône, les joues en feu, et dit : « Personne n'a autant de raisons que nous, Galbert. Ne vous exaltez pas vous-même. »

Le primat hocha doucement la tête. Une fois de plus, la voix riche envahit la pièce ; elle était si chaleureuse, si bienveillante qu'on pouvait aisément être trompé par elle et prendre cet homme pour ce qu'il n'était pas. Rosala le savait, comme presque tout ce qu'il y avait à savoir sur lui.

« Ce n'est pas en mon propre nom que je prends ombrage, Sire, reprit Galbert. Moi-même, je ne suis rien, rien du tout. Mais pour vous et pour les habitants de six pays, je représente la voix du dieu au Gorhaut. Et le Gorhaut est le cœur de la terre, le lieu où Corannos des Anciens est né avant que l'homme commence à marcher et que la femme tombe dans sa déchéance. En m'insultant, on s'attaque au dieu le plus grand et cela ne doit pas être toléré. Et ce ne le sera pas, car le monde entier connaît votre courage et vos idées sur le sujet, Sire. »

Rosala trouva fascinant de voir comment Galbert avait, simplement et sans effort, opéré ce revirement de situation. Adémar hocha la tête, de même qu'un certain nombre d'hommes dans la salle. Son mari but, mais c'était prévisible. L'espace d'un instant, Rosala eut pitié de lui.

« Nous aurions cru, dit lentement le roi, que Daufridi de Valensa partagerait notre position à l'égard de cette provocation. Peut-être discuterons-nous de la question de Bertran de Talair la prochaine fois que nous recevrons son ambassadeur. »

« Daufridi possède à présent toutes nos terres au nord du Iersen », songea amèrement Rosala, sachant que d'autres personnes avaient la même pensée. Il pouvait se permettre de tolérer les insultes de l'Arbonne. L'ancien domaine de sa famille le long du fleuve Iersen se trouvait maintenant sur la nouvelle frontière nord du Gorhaut ; jamais auparavant Savaric n'avait été aussi exposé. Et dans cette pièce, certains avaient été dépossédés, leurs terres et leurs châteaux appartenant désormais à la Valensa, cédés par traité, abandonnés dans la paix après avoir été sauvés dans la guerre. Le roi Adémar était entouré d'hommes avides, ambitieux, exaspérés ; il faudrait bientôt les apaiser, quelle que fût la crainte que leur inspirait à présent le roi.

« Tout cela est si terriblement clair », songea Rosala, son visage pâle, comme un masque, ne révélant aucun sentiment.

« Quoi qu'il en soit, reprit Galbert, soulevez la question avec l'ambassadeur valensain. Je pense que nous sommes capables de nous occuper nous-mêmes de ce minable rimailleur, mais ce serait une excellente idée de préciser certains autres points et de conclure des arrangements avant qu'une autre année se soit écoulée. »

Rosala vit son mari lever la tête et regarder le roi, non son père.

« Quels points ? » demanda le duc Ranald, sa voix forte résonnant dans le silence. « Qu'est-ce qu'il faut préciser ? » Rosala dut alors faire un effort pour se rappeler que son mari avait jadis été le guerrier le plus célèbre du Gorhaut, le champion du père d'Adémar. Il y avait très longtemps dc cela, et Ranald de Garsenc avait bien mal vieilli.

Adémar resta silencieux, mâchouillant sa moustache. Ce fut le père de Ranald qui répondit, et sa voix magnifique avait un léger accent de triomphe. « Tu l'ignores ? » demanda-t-il, haussant exagérément les sourcils. « Quand on donne si libéralement des conseils futiles, on peut sûrement résoudre ce casse-tête. »

Ranald se renfrogna mais n'insista pas. Rosala savait qu'il ne comprenait pas ; de nouveau, elle éprouva un élan imprévu de sympathie à son égard pendant le dernier soubresaut de ce combat interminable avec son père. Elle soupçonnait Ranald d'être le seul ici à être mystifié par ce jeu muet entre le primat et le roi. Le propre père de Rosala était, à son époque, un maître en diplomatie, détenant un poste clé au sein des conseils du roi Duergar. Seule Rosala, avec un de ses frères, avait atteint l'âge adulte. Elle avait beaucoup appris, beaucoup plus que les femmes élevées au Gorhaut et c'était en grande partie à cause de cela qu'elle souffrait à présent, piégée au sein de la famille de Garsenc et de ses haines.

Mais elle comprenait les choses, elle était capable de les voir, presque trop clairement. S'il ne buvait pas trop, Ranald voudrait sans doute connaître son avis, ce soir, lorsqu'ils se retrouveraient seuls. Elle connaissait le ton dur et autoritaire qu'il emploierait, le mépris avec lequel il se hâterait de la contredire si jamais elle lui répondait, et elle savait aussi qu'ensuite il s'en irait pour réfléchir à ses propos. Elle était consciente de détenir un pouvoir nébuleux, celui dont tant de femmes s'étaient servies pour poser leur marque, comme un sceau sur une lettre, sur les événements de leur époque.

Mais ces femmes possédaient deux choses qui faisaient défaut à Rosala. Elles voulaient, parfois même passionnément, agir et manœuvrer au milieu de la fièvre et de l'éclat des événements à la cour, et disposaient d'un véhicule plus puissant et plus digne que Ranald de Garsenc ne le serait jamais, dans lequel investir leur sagesse et leur esprit.

Rosala ignorait ce qu'elle dirait à son mari s'il lui demandait son opinion cette nuit. Elle s'attendait à ce qu'il le fît. Et elle était presque convaincue de connaître les desseins de son père ; plus encore, elle prévoyait même que le roi les approuverait. Adémar était guidé, comme un étalon rétif par un maître dresseur, vers une destination à laquelle Galbert aspirait depuis fort longtemps. Le roi Duergar du Gorhaut n'était pas homme à se laisser influencer par ses courtisans, y compris et peut-être même surtout par les membres de son clergé — et c'est pourquoi le primat n'avait véritablement accédé au pouvoir qu'à l'instant précis où une flèche valensaine, volant dans le crépuscule hivernal, s'était fichée dans l'œil de Duergar au cours de cette lugubre et froide bataille du pont Iersen un an et demi auparavant.

Et maintenant, Duergar était mort et son corps avait été brûlé sur le bûcher funéraire ; son fils, le bel Adémar, régnait désormais à Cortil et un traité de paix avait été signé au nord, déshéritant le quart des habitants du Gorhaut, qu'ils fussent ou non de rang élevé. La suite, il suffisait de prendre le temps d'ouvrir les yeux pour la voir. Instinctivement, par un mouvement de recul semblable au réflexe d'une bête sauvage devant une flamme, Rosala se retourna vers la fenêtre. C'était le printemps au Gorhaut, mais la pluie grise ne semblait pas vouloir cesser et le froid humide pénétrait jusque dans les os.

Le temps serait plus chaud en Arbonne, elle le savait, plus chaud et plus clément et une lumière beaucoup plus bienveillante éclairerait le ciel. En Arbonne gouvernée par une femme, avec sa Cour d'amour, ses vastes terres riches et baignées de soleil, ses ports abrités et accueillants sur la mer au sud et cette hérésie de la déesse Rian régnant aux côtés du dieu et non pas accroupie dans une attitude servilement féminine sous sa poigne de fer.

« Nous avons encore beaucoup de points à discuter avant l'été, dit Galbert de Garsenc, et c'est à vous, Sire, qu'il incombera justement de prendre les décisions nécessaires et d'en porter le lourd fardeau. » Sa voix s'enfla alors ; Rosala demeura figée à la fenêtre. Elle savait ce qu'il était sur le point de dire, où il entraînait le roi, où il les entraînait tous.

« Mais en tant que primat de Corannos sur cette ancienne et sainte terre où le dieu est né, je vous dirai ceci, Sire, ainsi qu'à toutes les personnes rassemblées ici. Grâce à votre grande sagesse, le Gorhaut connaît la paix au nord pour la première fois depuis la naissance de la plupart de ceux qui sont ici. Nous n'avons plus à prendre haches et épées pour défendre nos frontières et nos champs des attaques de la Valensa. Sous le règne du roi Adémar, ce pays connaît plus de fierté et de puissance que jamais au cours de notre longue histoire et nous assurons encore et toujours la sainte administration du pouvoir du dieu dans six pays. Dans ces salles marchent les descendants des premiers corans — les premiers membres de la confrérie du dieu — qui ont foulé le sol des collines et des vallées du monde connu. Et ce sera peut-être à nous, si vous en décidez ainsi, Sire, qu'incombera une mission punitive digne de nos grands ancêtres. Digne des plus grands bardes ayant jamais élevé la voix pour célébrer la puissance de leur époque. »

« Oh ! Quelle intelligence ! songea Rosala. Quelle subtilité, mon seigneur ! » Elle garda les yeux fixés sur le paysage derrière la fenêtre, la brume roulant au-dessus des landes. Elle aurait voulu être dehors, seule sur un cheval, même sous la pluie, même avec l'enfant qui se développait dans son ventre, loin de cette salle enfumée, de ces voix, de ces rancœurs et de ces désirs amers, loin des mielleuses manipulations du primat.

« Derrière les montagnes dressées au sud, on se moque de Corannos, poursuivit Galbert d'une voix vibrante de passion. Ces gens vivent sous le brillant soleil du dieu, le cadeau le plus gracieux qu'il accorde à l'homme, et ils se moquent de sa souveraineté. Ils l'avilissent en érigeant des temples en l'honneur d'une femme, une déesse immonde de la nuit et de la magie, et avec des rites féminins souillés de sang. Par cette hérésie, ils mutilent et blessent notre bien-aimé Corannos. Ils le dépouillent de sa virilité, du moins le croient-ils. » Il baissa de nouveau la voix, prit un ton de confidence, les notes nuancées d'un autre type de pouvoir. Toute la pièce était maintenant avec lui, comme engluée dans les rets d'un sortilège, Rosala le sentait. Même les femmes à côté d'elle se penchèrent légèrement en avant, les lèvres entrouvertes, attendant la suite.

« C'est ce qu'ils pensent, insista Galbert de Garsenc d'une voix douce. Un jour, notre jour, si nous en sommes dignes, ils connaîtront leur folie, leur interminable et éternelle folie, et plus jamais on ne se moquera du saint Corannos dans les terres du fleuve Arbonne. »

Il n'éleva pas la voix pour conclure, le temps n'était pas encore venu. Ce n'était qu'une première déclaration, une entrée en matière, un instrument dont le son assourdi résonnait au milieu de la fumée par un printemps tardif et froid alors que dehors tombait une pluie oblique et que la brume envahissait les landes.

« Nous allons nous retirer », dit finalement le roi de sa voix haut perchée, brisant le silence. « Nous nous entretiendrons en privé avec notre primat du dieu. » Il se leva de son trône, grand et bel homme dont la prestance commandait le respect, et ses courtisans firent la génuflexion comme des épis de blé dans le vent.

« C'est tellement clair, songea Rosala en se redressant. Ce qui s'en vient est tellement évident. »

« Dites-moi, ma chère, murmura Adèle de Sauvan se matérialisant près de son coude, avez-vous des nouvelles de votre beau-frère le grand voyageur ? »

Rosala se raidit. C'était une erreur, elle s'en rendit compte aussitôt. Elle s'efforça de sourire aimablement, mais Adèle était passée maître dans l'art de prendre les gens au dépourvu.

« Pas récemment, j'en ai peur, répondit calmement Rosala. La dernière fois que nous avons entendu parler de lui, il se trouvait toujours à Portezza, mais il y a déjà quelques mois de cela. Il ne nous donne pas souvent de ses nouvelles. Quand il le fera, je veillerai à lui faire part de votre inquiétude. »

Ce n'était qu'un faible sarcasme et Adèle, une étincelle dans ses yeux sombres, se contenta de sourire. « Je vous en prie, répondit-elle. Je crois que Blaise intéresse toutes les femmes. Quel homme accompli, ce Blaise, égal à son père, rivalisant même avec lui, comme je me le dis parfois. » Elle fit une pause, juste assez longue. « Mais sûrement pas avec votre cher époux », ajouta-t-elle avec l'expression la plus affable que l'on pût imaginer sur son visage.

Deux autres femmes s'approchèrent alors, épargnant heureusement à Rosala la nécessité de formuler une réponse. Elle attendit assez longtemps pour satisfaire aux exigences de la courtoisie, puis s'éloigna de la fenêtre. Elle eut froid tout à coup et très envie de s'en aller. Elle ne pouvait toutefois le faire sans Ranald et elle vit, avec un bref assaut de désespoir, qu'il avait rempli sa chope et que ses dés et sa bourse se trouvaient devant lui sur la table.

Rosala se dirigea vers le feu le plus proche et resta immobile, le dos à la flamme. Elle repensa à ce court et inquiétant échange de paroles avec Adèle. Elle ne put s'empêcher de se demander ce que savait cette femme, si toutefois elle savait quelque chose. Ce n'était que pure malice, décida-t-elle enfin, cette malice irréfléchie et naturelle qui caractérisait Adèle de Sauvan même avant la mort de son mari au pont Iersen en même temps que le roi Duergar. L'instinct du sang, quelque chose du prédateur.

Rosala pensa soudain, d'une façon involontaire et terrifiante, aux chats affamés et au chien agonisant, déchiqueté. Elle frissonna. Ses mains se posèrent instinctivement sur son ventre, formant comme un berceau pour l'enfant qui prenait forme en elle, comme un abri contre le monde qui l'attendait.

❖

La lumière était une chose extraordinaire, cette façon que le soleil avait d'individualiser chaque chose d'une façon vivante et immédiate dans un ciel d'un bleu profond, d'animer chacun des arbres, des oiseaux prenant leur essor, des renards fonçant, des brins d'herbe. Ici, tout paraissait plus que ce qu'il n'était, plus aigu, plus brillamment défini. En cette fin de l'après-midi, la brise soufflait de l'est, atténuant la chaleur de la journée ; même le son qu'elle produisait dans les feuilles rafraîchissait. Quoique, si l'on y réfléchissait, cette pensée fût ridicule : en Arbonne, le bruit du vent dans les feuilles était exactement le même qu'au Gorhaut ou au Götzland. Mais ici, en Arbonne, on était porté à imaginer ce genre de choses.

Un troubadour, songeait Blaise en chevauchant par un après-midi ensoleillé, aurait sans doute été en train de chanter, de composer ou de concocter quelque pensée complètement inintelligible basée sur le langage symbolique des fleurs. Il y avait certes des fleurs à profusion. Un troubadour aurait bien sûr connu le nom de chacune d'elles. Blaise l'ignorait, en partie parce qu'ici, en Arbonne, poussaient des variétés de fleurs sauvages de couleurs extravagantes qu'il n'avait jamais vues auparavant, même dans les célèbres campagnes vallonnées entre les villes de Portezza.

Sans cette fois rechigner devant cette pensée, il reconnut la splendeur du pays. Il n'était pas d'une humeur maussade, cet après-midi-là ; la lumière était trop bienveillante et le paysage dans lequel il chevauchait vraiment trop resplendissant en ce début d'été. Des vignes s'étalaient à l'ouest et, plus loin, on voyait une forêt touffue. Les seuls bruits étaient ceux du vent, du gazouillis des oiseaux et du tintement régulier du harnais sur son cheval et le poney qui portait son bagage à côté. Devant lui, Blaise apercevait à intervalles réguliers le scintillement bleu de l'eau d'un lac. Si les indications qu'on lui avait données à l'auberge la nuit dernière étaient justes, il s'agissait du lac Dierne et le château de Talair serait bientôt en vue, niché sur la rive nord. Il devait pouvoir, sans forcer l'allure, l'atteindre avant la fin du jour.

Difficile de ne pas être de bonne humeur aujourd'hui, quoi que l'on pût penser du pays, de la famille et de la situation mondiale qui lentement se détériorait. Tout d'abord, son départ de Baude quatre jours auparavant s'était fait dans un climat très cordial. Pendant quelque temps, il avait craint que Mallin ne prît mal sa décision de se joindre aux rangs des corans de Bertran de Talair, mais le jeune seigneur paraissait presque s'être attendu à ce que Blaise lui annonçât cette nouvelle deux jours après le départ de Bertran, et même — du moins Blaise en avait-il eu l'impression — s'en réjouir.

Cela pouvait s'expliquer par des raisons terre à terre. À l'abri du besoin, Mallin n'était cependant pas un homme riche et les frais occasionnés par son désir d'occuper une place d'honneur sur les hauts remparts du monde avaient sans doute commencé à devenir trop lourds. Après avoir dépensé des sommes faramineuses pour recevoir le troubadour seigneur de Talair, Mallin de Baude n'était peut-être pas contre certaines mesures d'économie, et les capitaines mercenaires saisonniers comme Blaise du Gorhaut coûtaient cher.

Le matin du départ de Blaise, Mallin avait appelé sur lui la bénédiction du dieu et de la déesse Rian ; après tout, on était en Arbonne. Blaise accepta celle du dieu avec gratitude et la seconde de bonne grâce. Il s'étonna lui-même d'éprouver tant de regret en faisant ses adieux au baron et aux corans qu'il avait entraînés, Hirnan, Maffour et les autres. Il ne s'était pas attendu à ce que ces hommes lui manquent et on aurait dit que cela allait se produire, du moins pendant quelque temps.

Soresina avait changé au cours des derniers jours et cela était plus troublant. En vérité, et Blaise ne pouvait pas le nier, la dame du château de Baudc, qui avait toujours eu conscience de son pouvoir de séduction, avait acquis davantage de dignité et de grâce pendant cette brève période. Plus précisément la brève période ayant suivi le séjour de Bertran de Talair dans le haut pays. Était-il possible qu'une seule nuit avec le duc ait pu provoquer cette transformation ? Cette pensée horrifiait Blaise, mais il ne pouvait nier la courtoisie sereine avec laquelle Soresina le traitait, ni l'élégance de son maintien aux côtés de son mari pendant la période entre le départ de Bertran et le sien. Rien dans son expression ou dans son attitude ne laissait soupçonner ce qui s'était passé dans l'escalier au-dessous de ses appartements quelques jours auparavant. Elle paraissait parfois songeuse, presque grave, comme si un changement intérieur s'était produit dans ses rapports avec le monde.

Soresina était avec Mallin lorsque le baron et ses corans accompagnèrent Blaise une partie du chemin le matin où il quitta les plateaux de l'ouest. Elle lui avait tendu sa joue à baiser, non seulement sa main. Après une brève hésitation, Blaise s'était penché de côté sur sa selle et l'avait embrassée.

Soresina avait levé les yeux vers lui pendant qu'il se redressait. Il se rappela le regard dont elle l'avait gratifié peu de temps après son arrivée, lui disant combien elle aimait les hommes à l'ancienne mode, les guerriers coriaces. Ce sentiment était encore présent — elle était, après tout, la même femme. Quelque chose de neuf se lisait pourtant dans son expression.

« J'espère que quelque part en Arbonne une femme réussira à vous convaincre de raser cette barbe, dit-elle. Elle pique, Blaise. Faites-la repousser, s'il le faut, à votre retour au Gorhaut. »

Elle souriait en parlant, tout à fait détendue, et Mallin de Baude, visiblement fier d'elle, rit et serra le bras de Blaise pour un dernier au revoir.

Blaise avait souvent dit adieu au cours des dernières années, songeait-il à présent, trois jours après le matin du départ, chevauchant au milieu des fleurs sauvages multicolores et parfumées, longeant des vignes où l'on commençait à distinguer des touches de vert et de violet, l'eau bleutée que le soleil faisait miroiter devant lui semblant lui faire signe. Trop d'adieux peut-être, mais cela faisait partie de la vie qu'il avait choisi de vivre, ou qui lui avait été imposée par sa naissance et le rang de sa famille, de même que les lois, écrites ou non, qui guidaient le pays du Gorhaut à travers un monde semé d'écueils.

S'il avait éprouvé du regret, de la colère face aux revirements du destin, une authentique douleur en Portezza la dernière fois qu'il y était allé, c'était pourtant sa situation actuelle qui, en bout de ligne, lui donnait le plus de satisfaction : n'avoir de compte à rendre à aucun homme — ni à aucune femme certainement —, sauf à celui pour lequel il travaillait selon les termes d'un contrat honorablement et librement conclu. Sa vie n'avait pas grand-chose d'inhabituel car, dans leur monde, c'était en général celle que menaient les fils cadets de familles nobles. Le fils aîné se mariait, engendrait d'autres enfants et héritait les terres — férocement gardées, scrupuleusement indivisées —, les biens de famille et tous les titres qui avaient été accordés par un monarque et qui n'avaient pas encore été repris par un autre comme cela se passait souvent au Gorhaut. Les filles de ces maisons constituaient une monnaie d'échange, souvent essentielle ; richement dotées, on les donnait en mariage pour consolider des alliances, accroître ses terres et prétendre ou accéder à un rang supérieur pour la famille.

Il restait donc peu pour les fils cadets. Ceux-ci posaient un problème et ce depuis longtemps : les domaines morcelés devenant de plus en plus réduits, le système d'héritage avait été modifié. Dépourvus de terres et de biens et par conséquent incapables de faire un mariage utile, forcés de quitter le domaine familial à cause de frictions, par fierté et simplement par mesure de protection, plusieurs entraient dans le clergé de Corannos ou devenaient corans du domaine d'un autre seigneur de rang élevé. D'autres encore suivaient un troisième chemin moins prévisible, quittant le pays où ils étaient nés et parcourant le monde, seuls sur des routes toujours dangereuses ou plus souvent au sein de groupes petits ou grands, cherchant fortune. En temps de guerre, on les retrouvait sur les champs de bataille ; en temps, plus rares, de paix, ils fomentaient eux-mêmes la lutte, rongeant infatigablement ce moment paisible, s'estropiant et s'assommant mutuellement au cours des tournois qui, avec les foires commerciales, se déplaçaient d'une ville à une autre du monde connu.

Ce modèle ne s'appliquait pas seulement au Gorhaut. À une certaine époque, jusqu'à ce qu'il devînt duc lorsque son frère aîné était mort sans enfant, Bertran de Talair avait été au nombre de ces vagabonds, l'un des plus célèbres, portant à la fois une harpe et une épée, pour devenir, plus tard, un élégant troubadour sur les champs de bataille et aux tournois du Götzland, de la Portezza et de la Valensa humide au nord.

Des années plus tard, Blaise du Gorhaut était devenu, pour différentes raisons, un homme semblable, depuis le jour où il avait été consacré coran par le roi Duergar lui-même.

Il était parti de chez lui avec son cheval, son armure, ses armes et son aptitude à s'en servir. Ses talents lui avaient permis de beaucoup voyager et d'amasser de l'argent dont une grande partie se trouvait en Portezza, à la banque de la famille de Rudel. Cette vie avait fait de Blaise un homme voyageant seul sous le soleil de l'été en Arbonne, libre et non entravé par les liens qui semblaient séduire tant d'hommes de sa connaissance.

Il aurait méprisé la question et la personne qui la lui aurait posée, mais si on le lui avait demandé aujourd'hui, Blaise aurait répondu qu'il n'était pas malheureux malgré toute l'amertume qu'il laissait derrière, tant chez lui que dans les cités dangereuses de Portezza. Il aurait affirmé savoir à quel genre d'avenir il aspirait et, en ce qui concernait l'avenir immédiat, il ressemblait au présent : chevaucher dans tout pays qui se trouverait sur sa route. Il aurait dit que l'endroit lui importait peu. En continuant à bouger, on ne risquait guère de s'enraciner, de former des liens, d'aimer des gens... sachant ce qui se passait quand les hommes et les femmes qu'on avait aimés se révélaient différents de ce qu'on avait cru. Quoique, cette dernière pensée, il ne l'aurait jamais formulée à voix haute, même si on l'avait questionné avec persévérance.

Surmontant la dernière d'une série de corniches, Blaise vit clairement, pour la première fois, les eaux bleues du lac Dierne. Il distingua un îlot au milieu du lac avec trois rubans de fumée blanche montant des feux qui y brûlaient. Il s'arrêta un instant, embrassant du regard le paysage qui s'offrait à ses yeux, puis poursuivit sa route.

Personne ne l'avait averti d'agir autrement, personne ne l'avait mis en garde, il n'avait lui-même posé aucune question et ce fut pourquoi, en quittant cette arête, Blaise prit ce qui était de façon évidente la route la plus directe, la moins montagneuse, et se dirigea droit vers le nord, vers le lac et ce qui allait être sa destinée.

Le sentier battu longeait la rive ouest du lac Dierne ; à intervalles réguliers, on voyait les bornes des Anciens, certaines encore debout, d'autres tombées dans l'herbe, témoignant toutes en silence que cette route avait été construite longtemps auparavant. L'île n'était pas très loin — un bon nageur aurait pu couvrir la distance — et, depuis la route, Blaise pouvait à présent voir que les trois rubans de fumée blanche étaient soigneusement espacés sur la ligne médiane de l'île. Après une saison passée en Arbonne, même lui savait assez de choses pour comprendre qu'il s'agissait des feux sacrés destinés à Rian. Qui d'autre que les prêtres de la déesse aurait allumé des feux au milieu du jour dans la chaleur du début de l'été ?

Regardant plus attentivement l'eau bleue et scintillante, il aperçut une poignée de bateaux ancrés ou tirés sur le sable de la plage la plus proche. L'un des bateaux, avec une voile blanche, louvoyait sur le lac, au gré du vent. Blaise se rappela alors la grande prêtresse avec son hibou dans les ténèbres de la nuit sur l'autre île de Rian, dans la mer. Après un moment, il regarda le paysage baigné de soleil au loin et poursuivit son chemin.

Il passa à côté d'une cabane où l'on gardait du bois sec et du bois d'allumage pour les feux servant à avertir les prêtresses quand les riverains avaient besoin d'elles, qu'il s'agît d'aider aux accouchements, de soigner les malades ou d'assister les mourants. Blaise résista à l'envie de faire un signe pour conjurer le sort.

Il aperçut l'arc un peu plus loin sur la route.

Il fit de nouveau arrêter son cheval. Le poney trottant péniblement derrière avec ses biens et son armure les heurta, puis pencha placidement la tête pour brouter l'herbe le long de la route. Blaise fixait du regard l'arrogant et imposant monument de pierre. Le soldat en lui en comprit aussitôt toute la signification et il éprouva un sentiment où se mêlaient admiration et inquiétude.

Des silhouettes étaient gravées au sommet de l'arc et il devait y avoir des frises aussi sur les côtés. Blaise n'avait pas besoin de s'approcher pour les étudier; il savait parfaitement ce que l'art du sculpteur y avait exprimé. Il avait déjà vu des arcs semblables au nord de la Portezza, au Götzland, deux au Gorhaut près des cols de montagnes, ce qui semblait être le point le plus au nord où les Anciens s'étaient établis.

L'arc massif témoignait clairement du caractère de ceux qui l'avaient érigé. Alors que les bornes le long des routes droites parlaient de continuité et du flot ordonné et réglé de la société dans un monde désormais révolu, les arcs de triomphe comme celui-ci n'exprimaient rien d'autre que la domination, l'anéantissement brutal de quiconque s'était trouvé ici avant la conquête des Anciens.

Blaise avait pris part à de nombreuses guerres tant pour son pays que pour sa propre bourse en tant que mercenaire, et il avait connu tant la victoire que la défaite sur des champs de bataille dispersés un peu partout. Un jour, près du pont Iersen bordé de givre, il s'était battu dans la glace et les rafales de neige après l'horrible mort de son roi; leur victoire en un crépuscule hivernal avait, au printemps suivant, été transformée en défaite par un traité de courtisans élégamment rédigé. C'était à ce moment-là qu'il avait changé, se disait-il. Ce traité avait modifié pour toujours le cours de sa vie.

L'arc qui se dressait ici au bout d'une rangée d'arbres disait une dure vérité que, en sa qualité de soldat, Blaise savait être aussi valide maintenant qu'elle l'avait été des siècles auparavant : lorsqu'on a vaincu un peuple, lorsqu'on l'a conquis et occupé, il ne faut jamais lui permettre d'oublier le pouvoir qu'on détient ni les conséquences de la résistance.

Ce qui arrivait lorsque les arcs demeuraient tandis que ceux qui les avaient érigés avec arrogance étaient depuis longtemps morts et réduits en poussière était une question pour les philosophes nourris de lait et pour les troubadours, non pas pour un soldat, pensa Blaise.

Il détourna la tête, inquiet et inexplicablement en colère. Et ce ne fut qu'à ce moment-là que, s'arrachant à la contemplation de l'arc, Blaise s'aperçut, un peu tard, qu'il n'était plus seul sur cette rive du lac Dierne sous un soleil qui déclinait vers l'ouest.

Ils étaient six, vêtus de chausses et de tuniques vert foncé. Cette livrée signifiait qu'ils n'étaient probablement pas des hors-la-loi, ce qui était déjà une bonne chose. Il y avait toutefois quelque chose de moins rassurant : trois d'entre eux pointaient vers lui leur arc armé d'une flèche, prêts à tirer avant même que des paroles de salutation ou de défi n'eussent été échangées. De plus mauvais augure encore, celui qui, de toute évidence, était le chef, assis sur son cheval en avant des autres, était un Arimondain à la peau sombre, musclé et moustachu. Son expérience dans plusieurs pays et en particulier un duel à l'épée qu'il préférait oublier, sauf pour la leçon qu'il en avait tirée, avaient amené Blaise à se montrer extrêmement prudent face aux guerriers basanés du pays chaud et sec s'étendant à l'ouest au-delà des montagnes. Surtout lorsqu'ils apparaissaient à la tête d'hommes visant sa poitrine avec leurs arcs.

Blaise tendit ses mains nues et éleva la voix dans le vent. « Je vous salue, corans. Je suis un voyageur sur la grand-route d'Arbonne. Je n'avais l'intention d'offenser personne et j'espère ne pas l'avoir fait. » Il se tut, aux aguets, tenant ses mains tendues et bien visibles. Il avait un jour vaincu quatre hommes au cours d'un tournoi à Aulensburg, mais à présent ils étaient six, et ils avaient des flèches.

L'Arimondain tira ses rênes d'un coup sec et son cheval, un magnifique pur-sang noir, avança nerveusement de quelques pas. « Les corans guerriers transportant une armure offensent parfois par le seul fait d'exister, répondit-il. Au service de qui travailles-tu ? » Il parlait fort bien l'arbonnais avec à peine une trace d'accent. De toute évidence, il n'était pas un étranger dans ce pays. Il avait aussi le don de l'observation. L'armure de Blaise était bien enveloppée dans une étoffe sur le poney ; l'Arimondain avait dû la reconnaître par sa forme.

Mais Blaise était également habitué à observer les hommes, surtout dans ce genre de situation et, du coin de l'œil, il vit l'un des archers se pencher en avant en entendant la question, comme si tout dépendait de la réponse.

Blaise chercha à gagner du temps. Il n'avait pas la moindre idée de ce qui se passait. Les hors-la-loi sur les grands chemins étaient une chose, mais il était évident que ces hommes-là étaient entraînés et tout aussi évident qu'ils contrôlaient cette partie de la route. Il regretta de ne pas avoir étudié plus attentivement la carte avant de quitter Baude. Il aurait été utile de savoir à qui appartenaient ces terres. Il aurait dû se renseigner davantage à l'auberge la veille.

« Je voyage en paix sur une route ouverte, répondit-il. Je n'avais pas l'intention d'empiéter sur le terrain d'autrui. Si tel est votre grief, je me ferai un plaisir de payer un droit de passage.

— J'ai posé une question, dit sèchement l'Arimondain. Réponds-y. »

En entendant ce ton, Blaise sentit sa bouche se dessécher en même temps que montait en lui une colère familière. Il avait son épée, et son arc était à portée de sa main dans le carquois de la selle, mais si les trois hommes se tenant derrière l'Arimondain savaient tirer, il ne servirait pas à grand-chose d'essayer de se battre. Il songea à trancher la corde qui attachait le poney à son cheval gris et à partir au galop, mais il détestait presque autant l'idée de laisser son armure derrière lui que celle de fuir devant un Arimondain.

« Je n'ai pas l'habitude d'expliquer mes affaires personnelles à des étrangers me visant avec leur arc », répondit-il.

L'Arimondain sourit lentement, comme si ces paroles représentaient un cadeau inespéré. Il fit un geste de la main gauche, négligent et gracieux. Les trois archers tirèrent leurs flèches. Un instant plus tard, poussant un grognement bizarre, le poney de Blaise s'affaissa derrière lui. Il avait deux flèches dans le cou et une juste un peu plus bas, près du cœur. Le poney était mort. Les archers avaient déjà encoché trois autres flèches.

Se sentant blêmir, Blaise entendit l'Arimondain éclater de rire. « Dis-moi, demanda nonchalamment ce dernier, vas-tu conserver ce que tu appelles tes habitudes une fois nu et ligoté face contre terre pour servir mon plaisir comme un garçon loué pour une heure ? » Les deux autres hommes, ceux qui n'avaient pas d'arc, s'étaient, sans apparemment avoir reçu d'instructions, déplacés dans des directions opposées, barrant les deux chemins par où Blaise aurait pu fuir. Blaise vit que l'un d'eux arborait un large sourire.

« J'ai posé une question », répéta doucement l'Arimondain. Le vent était tombé et sa voix résonna dans l'air immobile. « C'est le cheval qui sera tué si je n'obtiens pas de réponse. Au service de qui voyages-tu, nordique ? »

C'était sa barbe, évidemment ; elle l'étiquetait comme une marque sur un voleur ou les tuniques bleues des prêtres de Corannos. Blaise prit une longue inspiration et, s'efforçant de maîtriser sa colère, il chercha un abri dans l'ombre des grands — comme Rudel l'avait dit une fois.

« Messire Bertran de Talair m'a embauché pour une saison », répondit-il.

Ils abattirent le cheval.

Mais Blaise avait remarqué le geste crispé de l'un des archers la première fois que la question avait été posée et, tout en parlant, il avait libéré ses jambes des étriers. Il se laissa tomber à côté de l'étalon qui hurlait et, du même mouvement, tira son arc et le cheval agonisant vers lui afin d'être protégé par son corps. Tirant en position presque couchée, il tua le coran qui se trouvait le plus au nord, puis, se tournant, il atteignit au cou celui qui gardait le sentier au sud avant que les trois archers n'eussent eu le temps de décocher une autre volée de flèches. Ensuite il s'aplatit sur le sol.

Deux flèches frappèrent de nouveau son cheval tandis que la troisième sifflait au-dessus de sa tête. Blaise se redressa sur un genou et tira deux fois, très vite. Un archer mourut en hurlant comme le cheval et l'autre tomba en silence, une flèche dans la gorge. Le troisième homme hésita, la bouche ouverte de consternation. Blaise lui décocha sa cinquième flèche et l'atteignit à la poitrine. Il vit du sang clair tacher la tunique vert foncé avant que l'homme ne tombât.

Tout devint soudain extrêmement silencieux.

L'Arimondain n'avait pas bougé. Son superbe pur-sang noir se tenait immobile comme une statue, mais ses naseaux étaient grands ouverts.

« À présent, tu as commis une offense, dit l'homme à la peau sombre d'une voix toujours aussi soyeuse et douce. Je constate que tu es capable de tirer quand tu es caché. Approche à présent et on verra si tu es un homme au milieu des hommes avec une épée. Je vais descendre de cheval. »

Blaise se leva. « Je le ferais si je te considérais comme un homme », dit-il. Sa propre voix lui parut étrangement caverneuse. Des coups familiers battaient dans sa tête, et sa colère était toujours présente. « Je veux ton cheval. Je penserai à toi avec plaisir en le montant. » Sur ces mots, il décocha sa sixième flèche et atteignit l'Arimondain en plein cœur.

L'impact fit violemment basculer l'homme qui s'accrocha à ses dernières secondes de vie sous le soleil brillant. Blaise le vit alors tirer une dague, une de ces armes méchamment incurvées et serties de pierres précieuses venant de son propre pays, et la plonger dans la gorge de son étalon noir en même temps qu'il commençait à tomber de sa selle.

L'homme toucha terre pendant que son cheval se dressait haut sur ses pattes de derrière, hennissant de rage et de terreur. Il descendit, puis se releva immédiatement, hurlant, ruant avec ses sabots. Blaise prit une dernière flèche et la tira, avec un regret farouche, pour mettre fin aux souffrances de la superbe bête. L'étalon tomba, roula sur un côté. Ses pattes ruèrent une dernière fois, puis il s'immobilisa.

Blaise s'avança, contournant son propre cheval mort. Dans la clairière, le silence semblait irréel, brisé seulement par le bruit des montures des archers qui s'ébrouaient nerveusement et celui de la brise qui recommençait à souffler. Blaise constata que tous les oiseaux s'étaient tus.

Peu de temps auparavant, il s'était imaginé que le vent de l'Arbonne chuchotant dans les arbres et les vignes parlait de fraîcheur et de bien-être, de la grâce facile dans la chaleur du sud. À présent, six cadavres gisaient dans l'herbe au bord de la route. Un peu plus loin, se dessinant en silence au bout d'une allée d'ormes, l'arc massif les regardait tous, gardant ses secrets, portant lui aussi le poids du combat et de la mort sur ses frises sculptées autrefois.

La colère de Blaise commença à s'estomper, le laissant désorienté et nauséeux comme toujours après la bataille. Guerroyant depuis tant d'années, Blaise se laissait rarement impressionner pendant le combat, mais ensuite il se sentait pendant un long moment fragile, s'efforçant de composer avec ce dont il était capable une fois submergé par la fureur. Il regarda l'Arimondain dans l'herbe et hocha la tête. Il eut envie, un instant, de marcher jusqu'à cet homme et de le découper en pièces afin de faciliter la tâche des charognards. Il déglutit et se détourna.

Il vit alors un petit bateau avec une voile blanche accoster la rive rocailleuse du lac, de l'autre côté de la route. Il y eut un son râpeux lorsque l'embarcation monta sur la grève, et Blaise vit deux hommes aider une femme à descendre. Son cœur donna un grand coup. De grande taille, la femme portait une robe rouge frangée d'argent, et un hibou était posé sur son épaule.

Puis, regardant plus attentivement, avec un regard qui n'était pas faussé par le souvenir ou la peur, Blaise s'aperçut qu'il ne s'agissait pas de la grande prêtresse de l'île de Rian dans la mer. Celle-ci était beaucoup plus jeune, elle avait les cheveux bruns et, manifestement, des yeux pour voir. Son oiseau n'était pas blanc non plus, comme celui de l'autre île. C'était néanmoins une prêtresse, et les personnes qui l'accompagnaient, deux hommes et une femme, faisaient elles aussi partie du clergé de Rian. Le bateau était l'un de ceux qu'il avait vus louvoyant dans la brise un peu plus tôt. Derrière eux, sur l'île, les trois rubans de fumée montaient toujours dans le ciel d'été.

« Vous avez de la chance », dit la femme en traversant d'une démarche assurée le sable et le gravier pour venir se placer devant lui, dans l'herbe au bord de la route. Elle parlait d'une voix douce, mais ses yeux, tandis qu'elle l'évaluait d'un regard soutenu, restaient indéchiffrables. Elle avait de longs cheveux qui lui pendaient dans le dos, ni couverts ni attachés. Blaise se laissa passivement examiner, se souvenant que, malgré sa cécité, la grande prêtresse avait lu clairement en lui. Il regarda l'oiseau posé sur l'épaule de celle-ci et sentit renaître l'angoisse ressentie dans la forêt de l'île. C'était presque injuste ; le contrecoup du combat le laissait vulnérable devant ce genre de choses.

« J'imagine que oui, répondit-il d'une voix s'efforçant d'être calme. Je ne m'attendais pas à l'emporter contre six. On dirait que le dieu m'a favorisé. » Cette dernière phrase représentait un vague défi.

Elle ne mordit pas à l'hameçon. « Ainsi que Rian. Nous pouvons attester que vous avez été attaqué le premier.

— Attester ? »

Elle esquissa alors un sourire et ce sourire lui rappela également la grande prêtresse dans sa forêt la nuit. « Vous auriez été bien inspiré de vous renseigner davantage sur la situation dans cette partie du monde, Blaise du Gorhaut. »

Le ton qu'elle employa ne lui plut pas et il ignorait à quoi elle faisait allusion. Il se sentait de plus en plus mal à l'aise ; il était incroyablement difficile de traiter avec les femmes de ce pays.

« Comment savez-vous mon nom ? »

Encore ce sourire supérieur, énigmatique, mais cette fois il s'y attendait. « Est-ce que vous pensiez être libéré de la déesse après avoir été autorisé à quitter vivant l'île de Rian ? Nous vous avons marqué, nordique. Remerciez-nous.

— Pourquoi ? Parce que vous me suivez ?

— Nous ne vous suivons pas. Nous vous attendions. Nous savions que vous alliez venir. Quant à vous dire pourquoi… Écoutez à présent ce que vous auriez dû apprendre vous-même. Il y a deux semaines, la comtesse de Barbentain a proclamé cette ordonnance : dans le cas de nouveaux meurtres perpétrés par les corans de Talair ou de Miraval, la propriété de la partie attaquante serait cédée à la couronne. Les troubadours et le clergé propagent la nouvelle, et tous les seigneurs d'Arbonne ont été cités par leurs noms et sont officiellement obligés d'imposer cet édit par la force au besoin. Aujourd'hui, vous coûteriez peut-être à messire Bertran une partie de ses terres si nous n'étions pas ici pour prendre votre défense. »

Blaise fronça les sourcils, un peu par soulagement, un peu parce qu'il aurait vraiment dû savoir cela avant. « Vous me pardonnerez de ne pas exprimer de désarroi, dit-il. Je dois admettre que ma vie ne vaut pas ses vignes, peu importe le montant des gages qu'il se propose de me payer. »

La prêtresse éclata de rire. Elle était plus jeune qu'il ne l'avait d'abord pensé. « Ne vous préoccupez pas d'obtenir notre pardon... du moins pour ceci. Mais il en va autrement pour Bertran de Talair. Il avait de bonnes raisons de croire qu'un coran expérimenté éviterait toute provocation avant même d'être arrivé à son château. Vous ne l'avez peut-être pas remarqué, mais il y a un chemin à l'est qui contourne le lac et qui ne passe pas sur les vignes de Miraval. »

La situation, Blaise dut l'admettre, commençait à se clarifier. En vérité, s'il avait su que ces terres appartenaient à Urté de Miraval — ou s'il s'était donné la peine de le demander —, il aurait certainement emprunté l'autre chemin. Tout le monde savait, même Blaise bien qu'il ne fût en Arbonne que depuis peu, que, pour des raisons remontant apparemment à des années auparavant, les seigneurs actuels de Miraval et de Talair ne s'aimaient pas beaucoup.

Blaise haussa les épaules pour cacher son embarras. « J'avais chevauché tout le jour et ce chemin me paraissait plus facile. Et je croyais que la comtesse d'Arbonne assurait la sécurité sur les routes de son pays.

— Barbentain est loin d'ici et les haines locales outrepassent en général les plus grandes lois. Un voyageur avisé saura où il se trouve, surtout s'il chevauche tout seul. »

Ceci était également vrai, même si dit avec arrogance par quelqu'un de si jeune. Blaise essaya de ne pas s'arrêter sur cette arrogance. Les membres de tous les clergés semblaient avoir en commun ce trait de caractère. Un de ces jours, il tenterait néanmoins de comprendre pourquoi il lui répugnait tant de prêter attention aux ragots, ou même à la géographie et aux divisions de la terre ici en Arbonne.

Derrière la prêtresse, il vit que l'on tirait trois autres petits bateaux sur la grève. Des prêtres et des prêtresses de Rian en débarquèrent et marchèrent dans l'herbe jusqu'aux cadavres. Ils soulevèrent les corps et les transportèrent dans les bateaux.

Par-dessus son épaule, Blaise jeta un regard à l'Arimondain gisant à côté de son cheval. « Dites-moi, Rian sera-t-elle heureuse d'accueillir celui-ci ? demanda-t-il en se retournant vers la prêtresse.

— Elle l'attend comme elle nous attend tous », répondit-elle d'une voix posée, sans sourire. « L'accueil et la grâce sont d'autres questions. » Ses yeux noirs soutinrent le regard de Blaise jusqu'à ce qu'il le détournât pour regarder au loin, plus loin que l'île dans le lac, là où l'on apercevait le château sur la rive nord.

Elle suivit son regard. « Vous pouvez venir avec nous, si vous le voulez », proposa-t-elle, contre toute attente. « À moins que vous ne préfériez prendre un de leurs chevaux. »

Blaise secoua la tête. « Le seul qui en valait la peine a été tué par son cavalier. » Il ressentit tout à coup un plaisir amer. « J'accepterai votre offre avec reconnaissance. Ne semble-t-il pas approprié... que j'arrive au château de Talair dans un bateau de la déesse ?

— Plus approprié que vous ne le pensez », répondit-elle sur un tout autre ton.

Elle fit un signe et deux des prêtres s'avancèrent pour prendre l'armure et les biens de Blaise sur le poney mort. Blaise lui-même prit sa selle sur sa monture et, suivant la haute et mince silhouette de la prêtresse, il marcha dans l'herbe et sur les galets jusqu'à son bateau.

Ils embarquèrent également son attirail, puis le bateau fut poussé de la grève et se mit à voguer sur les eaux du lac Dierne, le vent de l'ouest soufflant dans sa voile et le soleil à présent très bas derrière.

Comme ils approchaient du château, Blaise constata d'un regard avisé et approbateur qu'il était bien défendu, posé sur un rocher escarpé au-dessus du lac, entouré d'eau de trois côtés et d'une douve profonde creusée au nord. Un petit groupe d'hommes étaient descendus à leur rencontre sur l'embarcadère. Un autre bateau était déjà arrivé sur lequel se trouvaient deux prêtres et une prêtresse. Les nouvelles avaient donc dû les précéder. Une fois à proximité de la rive, Blaise reconnut Valéry, le cousin de Bertran. Puis, chose étonnante, Bertran en personne s'avança pour attraper le cordage lancé par le prêtre qui se tenait à la proue.

Après s'être accroupi pour amarrer leur bateau à un anneau de fer fixé sur le quai de bois, le duc de Talair se redressa et regarda Blaise d'un air inexpressif. Rien dans son regard ne pouvait laisser soupçonner l'étrange intimité de leur dernière conversation nocturne. Vingt-trois ans, se rappela soudain Blaise. « Bien plus longtemps que je ne pensais vivre » avaient été les derniers mots prononcés par cet homme dans l'obscurité d'un escalier, parlant d'une femme connue jadis.

« Bienvenue à Talair », dit Bertran. Sa balafre était bien visible dans la lumière. Comme au cours de son séjour à Baude, il portait une tenue de coran conçue pour l'extérieur. Il était tête nue et le vent ébouriffait ses cheveux. Il esquissait un mince sourire, tel un rictus. « Comment se sent-on quand on s'est fait un ennemi avant même de se présenter ?

— J'ai ma part d'ennemis », répondit doucement Blaise. Il se sentait à présent plus calme ; le trajet sur le lac et le souvenir de ce sombre escalier à Baude avaient eu raison de son humeur combative. « Un de plus ou un de moins ne font pas une grande différence. Le dieu me prendra quand il sera prêt, ajouta-t-il en élevant un peu la voix pour que quelqu'un d'autre l'entendît. Croyez-vous vraiment que le duc de Miraval me tiendra rigueur d'avoir défendu ma vie alors que j'étais attaqué ?

— Urté ? C'est possible, dit Bertran. Mais ce n'était pas à lui que je pensais. » Il parut un instant sur le point de donner des explications, mais préféra se tourner et se mit à marcher en direction du château. « Viens, dit-il par-dessus son épaule, de la viande et des boissons nous attendent à l'intérieur. Ensuite, nous t'aiderons à choisir un cheval dans l'écurie. »

Valéry, homme aux épaules larges et aux cheveux grisonnants, s'avança et lui tendit une main. Après un moment d'hésitation, Blaise la saisit et se hissa sur le quai. Trois autres hommes avaient déjà sorti son attirail. Blaise se retourna vers le bateau. La corde avait été détachée et la petite embarcation recommençait à glisser sur l'eau. La jeune prêtresse était dos à lui, mais alors, comme si elle savait qu'il la regardait, elle se tourna vers lui.

Elle ne dit pas une parole et Blaise non plus tandis que le bateau s'éloignait de la grève. Sa chevelure brillait dans la lumière encore chaude du soleil couchant. Sur son épaule, le hibou regardait fixement vers l'ouest. « Plus approprié que vous ne le pensez », avait-elle dit sur cette rive ouest, répondant avec une sobriété pesante à une tentative d'ironie. Propos sibyllins. À l'intérieur de Blaise, une étincelle de colère se ralluma soudain. Il n'avait pas l'intention de lui dire au revoir ni de la remercier, mais il la regarda encore un peu avant de lui tourner impassiblement le dos.

Valéry l'attendait. Le cousin de Bertran arborait une expression désabusée.

« Six hommes ? demanda-t-il. Il est juste d'affirmer que tu n'es pas arrivé paisiblement.

— Cinq, plus un giton d'Arimonda », répondit laconiquement Blaise. Sa fureur avait cependant presque disparu et il se sentait plus fatigué qu'autre chose. « Je chevauchais tranquillement, et sur la route. Ils ont abattu mon cheval.

— L'Arimondain, murmura Valéry en regardant le bateau qui s'éloignait. Rappelle-moi de te parler de lui plus tard.

— Pourquoi vous donner cette peine ? demanda Blaise. Il est mort. »

L'espace d'un instant, Valéry le regarda curieusement, puis il haussa les épaules. Il se tourna et commença à marcher. Blaise lui emboîta le pas. Les deux hommes franchirent le quai, puis gravirent l'étroit sentier qui montait en pente de plus en plus raide jusqu'au château de Talair. Ils arrivèrent aux lourdes portes, qui étaient ouvertes, et pénétrèrent dans la cour au son de la musique.

Deuxième partie

Le cœur de l'été

Chapitre 1

Lisseut marchait d'un pas vif dans les rues bondées, répondant joyeusement aux salutations de personnes qu'elle connaissait et de quelques autres qu'elle ne connaissait pas. Tout lui rappelait pourquoi elle raffolait tant du Carnaval d'été à Tavernel : les couleurs, la foule et la lumière, le fait de savoir qu'une saison de tournées finissait et que la suivante ne commencerait pas tout de suite... Le cœur de l'été était un temps béni entre tous, pivot et axe de l'année, intervalle où tout semblait en suspens, où tout pouvait arriver et où tout était permis. Une fois la nuit tombée, songeait-elle, cela se vérifiait de multiples façons.

Une silhouette masquée, vêtue de vert et de jaune clair, bondit devant elle, bras tendus ; faisant entendre un grondement moqueur incompatible avec son costume d'oiseau, l'individu quémanda un baiser pendant que les badauds s'esclaffaient. Lisseut fit un pas de côté, se dégageant de son étreinte. « Cela porte malheur d'embrasser une chanteuse avant le coucher du soleil », cria-t-elle pardessus son épaule. Elle avait déjà dit cela deux années auparavant et on avait paru la croire. Et comme, après le coucher du soleil, elle se trouvait habituellement en compagnie d'amis, elle était ainsi protégée de quiconque viendrait lui réclamer son dû.

Non pas que ce genre de réclamation pût constituer un sérieux problème. Pas ici, non, et pas pour elle — trop de gens la connaissaient à présent et, même auprès des étudiants les plus chahuteurs, les ménestrels et les troubadours jouissaient d'un statut particulier, surtout en période de carnaval. C'était peut-être un temps de débauche, mais il comportait ses hiérarchies et ses règles.

Comme elle traversait la place du Temple, là où les dômes argentés du principal sanctuaire de Rian faisaient face aux tours carrées et dorées de celui de Corannos, une brise soufflant du sud lui apporta du port une odeur saline presque oubliée. Lisseut sourit, heureuse d'être de nouveau près de la mer après une longue saison de tournées — l'hiver et le printemps — à l'intérieur des terres et dans les montagnes. Une fois de l'autre côté de la place, des bonnes odeurs de cuisson lui parvenant soudain, elle réalisa qu'elle n'avait pas mangé depuis midi sur la route. On oubliait facilement la faim quand on avait si hâte d'arriver en ville, sachant combien d'amis perdus de vue depuis un an arriveraient le même jour ou le lendemain. Mais ces odeurs lui rappelèrent qu'elle avait l'estomac dans les talons. Elle pénétra vivement dans une boutique d'où elle sortit un instant plus tard croquant dans une cuisse de poulet, en veillant à ne pas laisser la graisse tacher sa tunique neuve.

Elle s'était offert cette tunique après le grand succès connu au printemps dans les collines de l'est. Cela avait été, de loin, sa meilleure tournée. Tout d'abord au temple même de la déesse pendant deux semaines, ensuite au noble château de Gaufroy de Ravenc où ce dernier s'était montré plus que généreux à son égard et à celui d'Alain de Rousset, le troubadour avec qui elle faisait équipe cette saison-là. Elle avait même pu se reposer dans une chambre pour elle toute seule car, de toute évidence, messire Gaufroy préférait les charmes d'Alain aux siens. Cela convenait à Lisseut ; la poésie brillante d'Alain, sa propre interprétation et ce qui se passait la nuit dans les appartements du seigneur avaient incité celui-ci à faire preuve d'une générosité exceptionnelle au moment de leur départ.

Lorsque, quelques jours plus tard, elle s'était brièvement séparée d'Alain dans la ville de Rousset — il avait prévu de passer quelque temps avec sa famille avant de se rendre à Tavernel et elle devait se produire au sanctuaire de Corannos près de Gavela —, il l'avait complimentée sur son travail et invitée à se joindre à lui pour le même circuit un an plus tard. Comme c'était un homme d'un commerce facile et qu'elle trouvait ses chansons bien construites sinon très inspirées, elle avait accepté sans hésitation. Si d'autres troubadours offraient à un ménestrel un matériel plus riche, plus difficile — Jourdain, Aurélien et sûrement Rémy d'Orreze —, l'attitude sympathique et détendue d'Alain avait son importance, de même que ses talents nocturnes avec certains prêtres et seigneurs dans les temples et les châteaux. Lisseut considérait cette demande comme un honneur; après trois années sur les routes, c'était la première fois qu'on lui proposait de renouveler un contrat, et les ménestrels d'Arbonne se battaient et complotaient pour recevoir de telles offres de troubadours mieux connus. Elle et Alain allaient signer le contrat au Palais de la confrérie avant la fin du carnaval. De nombreux contrats seraient négociés et conclus cette semaine; c'était l'une des raisons pour lesquelles la presque totalité des musiciens s'arrangeaient pour être présents.

Il y avait d'autres raisons, bien sûr; à l'instar de tous les rites du milieu de l'été, le carnaval était consacré à Rian et, la déesse étant la patronne et la protectrice de toute la musique en Arbonne, elle était aussi celle des artistes itinérants qui arpentaient les chemins poussiéreux en composant et en chantant des chansons d'amour. L'on venait au Carnaval de Tavernel au moins autant pour rendre hommage à Rian que pour autre chose.

Cela dit, il fallait avouer que ce carnaval était aussi l'époque la plus folle, la plus libre et la plus agréable de l'année pour quiconque n'était ni en deuil, ni handicapé, ni mort.

Lisseut termina sa cuisse de poulet, s'arrêta pour s'essuyer les mains, avec beaucoup de soin, sur le tablier d'un gros marchand de fruits souriant et lui acheta une orange. Pour attirer la chance, elle la frotta vivement sur la fourche du fruitier, provoquant les rires grivois de la foule et un grognement de désir feint de la part de l'homme. Riant elle aussi, heureuse d'être en vie, d'être jeune et d'être une chanteuse en Arbonne pendant l'été, Lisseut poursuivit sa route vers le port et là, à la première intersection, elle aperçut l'enseigne familière et bien-aimée de *La Liensenne* qui se balançait au-dessus de la rue.

Comme d'habitude, elle avait l'impression de rentrer à la maison. En réalité, sa maison à elle se trouvait à Vézet, plus à l'est sur la côte, avec ses célèbres plantations d'oliviers; et pourtant ceci, la « Taverne de Tavernel » qui avait inspiré Anselme de Cauvas des années et des années auparavant, était comme un deuxième foyer pour les musiciens d'Arbonne. Marotte, le propriétaire, avait servi de substitut de père et de confident à la moitié des jeunes bardes et poètes, y compris à Lisseut elle-même la première fois qu'elle avait quitté ses parents et sa maison pour suivre son oncle troubadour sur les routes, comptant sur sa voix et sa musique pour gagner son pain et sur les astuces de sa mère pour rester en vie. Cela faisait déjà plus de quatre ans. Le temps avait paru beaucoup plus long. Portant la main à son chapeau à plume, elle salua en souriant le joueur de luth de l'enseigne — il était censé représenter Folquet de Barbentain, le premier comte troubadour —, hocha la tête pour répondre au gros clin d'œil que lui adressait l'un des six hommes qui jouaient à lancer des pièces de monnaie contre le mur, et entra.

Elle comprit son erreur au moment même où elle la commettait.

Elle la comprit avant même que le cri de joie strident de Rémy n'assaillît ses oreilles, dominant le chahut, avant d'entendre Aurélien, debout à côté de Rémy, prononcer « Neuf ! » d'un ton inexorable comme le destin, avant de voir la foule des musiciens hilares et rubiconds tenant un Arimondain dégoulinant et moustachu la tête en bas au-dessus d'une maudite cuve d'eau et se préparant à l'y plonger de nouveau malgré ses furieuses protestations. Avant même également que la couvée de joueurs ne se presse d'entrer, gloussant de plaisir.

Par le saint nom de Rian, elle connaissait pourtant cette tradition ! Où avait-elle donc la tête ? Comme une imbécile heureuse, elle avait même salué les badauds qui, dehors, attendaient qu'entrât le neuvième pour pénétrer à leur tour en toute sécurité dans l'établissement. Lisseut, amicale et simplette, hochant joyeusement la tête en se dirigeant vers le bain forcé que seuls les ignorants étaient censés subir.

Et voilà que Rémy, injustement splendide, ses cheveux lustrés tombant en bouclettes sur son front ruisselant de sueur, ses yeux bleus pétillants de plaisir, voilà donc qu'il s'approchait d'un pas vif, suivi d'Aurélien, de Jourdain, de Dumars et même — quelle perfidie ! — du visage rieur d'Alain, son partenaire d'hier, entourés d'une bonne douzaine d'autres, y compris Élisse de Cauvas qui se réjouissait autant que l'on pouvait s'y attendre de ce rebondissement inattendu. Lisseut reconnut le sourire moqueur d'Élisse et, furieuse, elle se maudit encore une fois pour sa stupidité. Parcourant fébrilement la salle des yeux à la recherche d'un allié, elle aperçut Marotte derrière le comptoir et l'appela à son secours de toute la force de sa voix si estimée.

Le sourire fendu jusqu'aux oreilles, son substitut de père secoua la tête. Il ne l'aiderait pas. Pas pendant le Carnaval d'été de Tavernel. Lisseut se retourna vivement vers Rémy et lui adressa son sourire le plus enjôleur.

« Bonjour, mon chou, commença-t-elle sur un ton suave. Et comment s'est passé... »

Elle n'alla pas plus loin. Se déplaçant avec sa grâce habituelle, Rémy d'Orreze, son ancien amant — l'ancien amant de toutes les femmes, comme quelqu'un l'avait dit un jour, sans amertume cependant —, esquivant adroitement le geste instinctif qu'elle avait fait pour se protéger, plaça une épaule au niveau de la taille de Lisseut et la souleva sans lui laisser le temps de formuler quelque raison peu convaincante d'être exemptée du bain forcé. Devant et derrière, une douzaine de paires de mains se hâtèrent de lui prêter assistance pour porter Lisseut dans les airs, telle une créature de sacrifice chez les Anciens, vers la cuve placée à côté du comptoir.

« Tous les ans ! » se disait Lisseut, maintenue trop fermement pour tenter de se débattre. « On fait ça chaque maudite année ! Où donc avais-je la tête ? »

Au milieu du chaos qui l'entourait, elle remarqua qu'Aurélien était déjà retourné à la porte pour reprendre le décompte. Rémy la tenait par la taille et la chatouillait à présent, ce qui était impardonnable car il aurait dû mieux la connaître. Pestant, gloussant involontairement, Lisseut sentit son coude heurter quelque chose avec force et, une seconde plus tard, elle eut l'immense et immoral plaisir de voir Élisse reculer en titubant, jurant comme un soldat et portant la main au côté de sa tête. C'était sûrement la sainte Rian qui avait guidé son coude puisque Élisse était la seule personne dans la salle qu'elle avait vraiment voulu frapper ! Ma foi, à l'exception de Rémy, peut-être. Elle avait souvent envie de frapper Rémy d'Orreze. Comme plusieurs d'entre eux quand ils n'étaient pas en train d'écouter avec une vive attention quelque ménestrel à la mode chantant sa plus récente composition.

Lisseut vit la cuve au-dessous d'elle. Elle sentit qu'on la retournait. Son chapeau à plume, également neuf, et qui avait coûté cher, tomba. Il allait sans aucun doute être piétiné par la foule compacte qui criait d'une voix rauque. Le décor s'inversa rapidement, lui laissant néanmoins le temps de voir son prédécesseur arimondain, trempé jusqu'aux os, se faire jeter dehors sans plus de cérémonie. Emplissant ses poumons de l'air de la taverne et continuant à se maudire pour son étourderie, Lisseut ferma les yeux tandis qu'on la plongeait dans l'eau.

Ce n'était pas de l'eau.

« Marotte ! hurla-t-elle, crachotant et bafouillant lorsqu'on la remonta enfin. Marotte, tu sais ce qu'il a fait ? Ce n'est pas...

— Descendez-la ! » ordonna Rémy qui se tordait de rire. Lisseut aspira frénétiquement avant d'être de nouveau submergée.

Ils lui laissèrent un bon moment la tête dans la cuve. Lorsqu'elle refit surface, elle eut besoin de toute sa force pour se tordre le cou en direction du comptoir et croasser : « C'est du vin, Marotte ! Du Cauvas pétillant ! Il utilise...

— Descendez-la ! » cria de nouveau Rémy, mais Lisseut avait eu le temps d'entendre Marotte pousser un hurlement outragé.

« Quoi ? Du Cauvas ? Rémy, je vais t'écorcher vif ! Es-tu en train de plonger les gens dans mon meilleur... ? »

Immergée, les oreilles bouchées, Lisseut n'en entendit pas davantage, mais une légère sensation de satisfaction rendit la dernière plongée plus facile à supporter. Elle prit même une rapide gorgée de vin avant d'être remontée pour la troisième et dernière fois. Le Cauvas doré pétillant n'était pas un vin que les jeunes ménestrels avaient souvent l'occasion de déguster, même s'il fallait admettre que se faire plonger la tête la première dans une pleine cuve après un Arimondain huilé et parfumé n'était pas le mode de consommation préféré des connaisseurs.

Lisseut fut sortie de la cuve juste à temps pour voir Marotte, le visage empourpré, affronter Rémy de l'autre côté du comptoir.

« Dîme de carnaval, Marotte », disait l'adorable troubadour aux cheveux blonds, les yeux pétillants de malice. « Cette semaine, tu feras plus d'argent qu'il ne t'en faudra pour couvrir la dépense.

— Espèce d'imbécile, c'est un sacrilège ! » protesta Marotte, l'air aussi outragé que pouvait l'être un véritable amateur de bons vins. « Sais-tu ce que coûte le vin de Cauvas ? Et combien de bouteilles as-tu gaspillées ? Par le saint nom de Rian, comment as-tu réussi à pénétrer dans ma cave ?

— Vraiment, Marotte, rétorqua Rémy avec une moue exagérément hautaine et dédaigneuse, pensais-tu vraiment qu'un cadenas suffirait à m'empêcher d'entrer ? » Certaines personnes éclatèrent de rire.

« Sept ! » dit sèchement Aurélien, sa voix grave couvrant les rires qui fusaient dans la pièce. Dans l'expectative, tout le monde — y compris Lisseut qui s'épongeait vigoureusement le visage avec une serviette que l'un des serveurs avait eu la gentillesse de lui apporter — se tourna vers la porte. Un jeune étudiant rouquin entra, cligna un peu les yeux en voyant tous ces regards curieux braqués sur lui et se dirigea vers le comptoir d'une démarche incertaine. Il commanda une chope de bière. Personne ne s'occupa de lui. On surveillait l'entrée.

L'attente fut de courte durée. La huitième personne était un coran d'âge moyen, aux épaules larges et à l'air compétent. Plusieurs des clients de la taverne le connaissaient très bien, même Lisseut. Mais avant qu'elle n'ait eu le temps d'entrevoir ce qui allait arriver et d'en comprendre l'énormité, l'homme suivant, le neuvième, avait déjà franchi la porte.

« Oh ! mon Dieu ! » murmura Marotte l'aubergiste, faisant contre son habitude appel à Corannos. Dans le silence qui était soudain tombé, sa voix résonna très fort.

Le neuvième était le duc Bertran de Talair.

« Neuf », dit Aurélien. La confirmation était inutile. Il parlait d'une voix assourdie, presque respectueuse. « Mais je ne pense pas vraiment... », commença-t-il.

Rémy d'Orreze s'avançait déjà, son beau visage luisant, une étincelle d'hilarité sauvage dans ses yeux bleus sous ses boucles mouillées.

« Qu'on le hisse ! cria-t-il. Nous connaissons tous les règles : le neuvième est plongé dans la cuve au nom de Rian ! Qu'on saisisse le duc de Talair ! »

Valéry, le coran, cousin et vieil ami de Bertran, fit un pas de côté, faisant un large sourire en comprenant ce qui se passait. Se mettant à rire, le duc lui-même leva les deux mains pour devancer Rémy qui approchait rapidement. Jourdain, déjà très ivre, était juste derrière Rémy avec Alain, Élisse et une poignée d'autres qui suivaient d'un pas plus prudent. La bouche ouverte de stupéfaction, Lisseut comprit alors que Rémy allait vraiment le faire : il allait poser les mains sur l'un des hommes les plus puissants d'Arbonne pour le plonger dans une cuve remplie d'eau. Non, se corrigea-t-elle, une cuve remplie de vin, du vin pétillant de Cauvas, follement cher. Rémy — ce fou, ce maudit, cet adorable, cet impossible Rémy — allait le faire.

Il l'aurait fait si, derrière Bertran, un autre homme à la barbe roussâtre et dont les traits indiquaient sans l'ombre d'un doute qu'il était originaire du Gorhaut, bien qu'il portât les couleurs de Talair, bleu sur bleu, ne s'était pas alors avancé, pointant son épée vers la poitrine de Rémy.

Rémy fonçait à une allure trop téméraire et étourdie sur le plancher glissant pour pouvoir s'arrêter. De l'endroit où elle se trouvait à côté de la cuve, Lisseut, portant les mains à sa bouche, vit distinctement toute la scène. Bertran eut à peine le temps de prononcer un nom que l'homme avait déjà écarté son épée. Mais la pointe avait éraflé le bras gauche de Rémy.

Du sang coula. L'homme avait eu l'intention de faire couler le sang, Lisseut en était presque certaine. Elle vit son ancien amant s'immobiliser gauchement, en titubant, et agripper son bras au-dessous de l'épaule. Lorsqu'il retira sa main, elle était tachée de rouge. Lisseut ne pouvait voir son expression, mais il était facile de l'imaginer. Les musiciens et les étudiants rassemblés dans *La Liensenne* firent entendre un grognement collectif de colère. Établie en même temps que l'université, la règle interdisant de lever une épée dans les tavernes avait contribué à assurer sa survie. Et malgré ses manières impossibles, Rémy d'Orreze était l'un des leurs. Un des chefs de file, en vérité, tandis que le grand type qui l'avait fait saigner avec son épée venait du Gorhaut.

Dans ce moment de tension, la scène de la taverne à deux doigts de tourner au vinaigre, Bertran de Talair éclata de rire.

« Vraiment, Rémy, dit-il, ce n'était pas une très bonne idée, même si Valéry avait peut-être envie de suspendre son jugement assez longtemps pour me voir plonger dans la cuve. » Il lança un regard oblique en direction de son cousin qui, étonnamment, rougit. Le barbu n'avait pas encore rengainé son épée. Il le fit maintenant, sur un signe de De Talair.

« Je pense que c'est peut-être ce qu'Aurélien essayait de te dire », poursuivit messire Bertran. Le grand Aurélien aux cheveux sombres était demeuré à côté du comptoir, près de Lisseut. Il restait silencieux, observant la scène avec une attention soutenue.

« Vous connaissez les règles du carnaval », riposta intrépidement Rémy, relevant la tête. « Et ce rustre nordique que vous avez engagé vient de violer les lois de la ville de Tavernel. Dois-je le dénoncer au sénéchal ?

— Sans doute, répondit Bertran d'une voix insouciante. Et dénonce-moi par la même occasion. J'aurais dû informer Blaise des lois concernant les épées avant d'entrer. Dénonce-nous tous les deux, Rémy. »

Ce dernier fit entendre un rire caverneux. « Cela arrangerait vraiment les choses que je poursuive le duc de Talair devant les tribunaux. » Il se tut un instant, respirant avec difficulté. « Un bon jour, il vous faudra prendre une décision, Bertran : ou vous êtes l'un des nôtres ou vous êtes un duc d'Arbonne. Quoi qu'il en soit, vous devriez être à présent plongé dans la cuve, et vous le savez. »

Véritablement amusé, ignorant l'impertinence de Rémy qui l'avait nommé sans lui donner son titre, de Talair rit de nouveau. « Tu n'aurais jamais dû abandonner tes études, mon cher. Un peu plus de rhétorique t'aurait fait le plus grand bien. Ce que tu viens de dire constitue la plus fausse dichotomie que j'aie jamais entendue. »

Rémy secoua la tête. « Nous sommes dans le vrai monde et non pas dans le domaine nébuleux des érudits. Dans le vrai monde, il faut faire des choix. »

Lisseut vit que de Talair n'avait plus du tout l'air amusé et, même à cette distance, elle fut glacée par son expression. C'était comme si l'humeur tolérante du duc venait de franchir une limite.

« Est-ce que tu vas m'expliquer comment les choses se passent dans la réalité ? demanda-t-il froidement à Rémy d'Orreze. Vraiment ? Avec les deux Arimondains que je vois ici et une tablée de Portezzains inconnus, un Götzlandais au comptoir et la déesse sait combien d'autres à l'étage dans les chambres de Marotte... tu vas me dire que dans le vrai monde, tel que tu choisis de le concevoir, un duc d'Arbonne aurait à présent dû se laisser plonger dans un baril rempli d'eau ? Si je suis parfois capable de supporter l'insolence, je crains ne pas pouvoir m'y complaire. Réfléchis, mon garçon. Dégrise-toi un peu et sers-toi de ta tête.

— Ce n'est pas de l'eau», dit quelqu'un. Un rire gêné tomba dans le morne silence qui avait suivi les paroles du duc. Lisseut vit la nuque de Rémy s'empourprer. Elle regarda Aurélien qui la fixait aussi. Ils échangèrent un regard plein d'appréhension et d'inquiétude.

«Il a rempli la cuve avec du Cauvas doré, mon seigneur», ajouta Marotte qui s'affairait derrière son comptoir, s'efforçant d'alléger l'atmosphère. «Si vous voulez qu'il saigne de nouveau, c'est avec plaisir que je me porte volontaire.

— Une pleine cuve de Cauvas?» s'écria messire Bertran. Il avait recommencé à sourire, venant à la rescousse de l'aubergiste. «Si c'est vrai, j'ai peut-être agi avec trop de précipitation. J'aurais peut-être dû m'y laisser plonger.» Des éclats de rire soulagés fusèrent et Lisseut s'aperçut qu'elle respirait plus facilement. «Allons, Rémy, reprit le duc, laisse-moi nous acheter une bouteille pendant que Blaise panse ton bras blessé.

— Non, merci», rétorqua Rémy avec raideur. Lisseut connaissait bien son orgueil; elle secoua la tête, exaspérée. «Je vais m'en occuper moi-même.» Il se tut un instant. «De toute façon, pendant le carnaval, je préfère boire avec d'autres musiciens qu'avec des ducs d'Arbonne.»

La tête haute, il tourna le dos à Bertran, traversa la pièce et franchit la porte à côté du comptoir en direction des chambres à l'arrière de l'auberge. Il passa près de Lisseut sans même lui accorder un regard. Un instant plus tard, Aurélien s'excusa auprès de Bertran par une grimace penaude, haussa les épaules en passant à son tour devant Lisseut et sortit à la suite de Rémy, s'arrêtant au passage pour prendre le pichet d'eau et les serviettes que lui tendait Marotte.

Très intéressant, pensa Lisseut. Dix minutes plus tôt, Rémy d'Orreze dominait complètement cette salle, il était dans son élément et c'était lui qui donnait le ton à cette fin d'après-midi de carnaval. Et voilà que tout à coup il ne paraissait être rien de plus qu'un jeune blanc-bec éméché et ses dernières paroles avaient été plus puériles qu'autre chose malgré toute l'orgueilleuse dignité de sa sortie. Elle comprit qu'il avait dû s'en rendre compte lui aussi, ce qui expliquait le ton offensé qui avait enflé sa voix à la fin.

Elle eut vraiment pitié de lui, et pas à cause de sa blessure qui semblait superficielle. Elle savait parfaitement combien Rémy détesterait savoir qu'elle avait éprouvé ce sentiment. Souriant intérieurement, Lisseut se promit de le lui dire plus tard — une première revanche pour sa tunique fichue et son chapeau écrabouillé. L'art de Rémy pouvait susciter le respect et l'admiration ; son humour fantasque et son esprit créatif leur avaient également procuré à tous des soirées mémorables, mais cela ne voulait pas dire qu'il n'y avait pas de place pour de petites vengeances.

Portant ses regards vers le duc, Lisseut vit le coran barbu du Gorhaut qui observait sans cacher son mépris la salle bondée de musiciens. Elle regretta soudain que ce fût lui qui eût blessé Rémy. Personne n'aurait dû avoir le droit de tirer son épée contre un troubadour dans cette taverne pour ensuite arborer une telle expression, surtout pas un étranger et plus particulièrement un étranger venu du Gorhaut. *Jusqu'à ce que meure le soleil et que tombent les lunes, l'Arbonne et le Gorhaut ne vivront pas en harmonie côte à côte.* Un dicton répété par son grand-père puis par son père, souvent au retour de la Foire d'automne à Lussan, malgré les profits que lui rapportait la vente de ses olives et de son huile aux nordiques.

Sentant sa colère monter, Lisseut fixa ce grand coran, souhaitant qu'une personne présente lui dît quelque chose. Il avait l'air insupportablement suffisant et les considérait avec condescendance de toute sa hauteur. Seul Aurélien était aussi grand que lui, mais il était parti avec Rémy et, malgré son intelligence sans prétention, le maigre musicien n'aurait pas été de taille à affronter le nordique. Haussant rapidement les épaules comme elle le faisait souvent, Lisseut s'avança.

« Tu es arrogant, dit-elle au nordique, et tu n'as aucune raison d'avoir l'air si content de toi. Si ton seigneur néglige de te le dire, l'un de nous doit le faire : l'homme que tu as blessé était peut-être frivole en ce moment, d'humeur à fêter le carnaval, mais il vaut deux fois plus que toi avec ou sans cette épée que tu as illégalement levée, et le monde se souviendra de lui bien longtemps après que, toi, tu seras oublié et réduit en poussière. »

Surpris, le mercenaire — Blaise, comme le duc l'avait appelé — cligna les yeux. De près, il paraissait plus jeune que Lisseut ne l'avait d'abord pensé et ses yeux avaient vraiment une expression légèrement différente de ce qu'elle avait cru voir depuis le comptoir. Elle n'était pas certaine du nom qu'il fallait donner à cette expression, mais ce n'était pas précisément de l'arrogance. Bertran de Talair souriait et, chose étonnante, Valéry aussi. Devant leurs regards, Lisseut se rappela tout à coup qu'elle était trempée jusqu'à la taille, que ses cheveux étaient emmêlés, que sa blouse neuve était probablement affreuse à voir et qu'elle collait à sa peau plus que la décence ne le permettait. Elle se sentit rougir et espéra que ce serait mis sur le compte de la colère.

« Et voilà, Blaise, disait le duc. Réduit en poussière et oublié. Une preuve supplémentaire — si toutefois tu en avais besoin — du caractère terrible de nos femmes, particulièrement quand on les a tenues la tête en bas. Qu'est-ce qu'on lui ferait au Gorhaut, à celle-ci ? Raconte-nous. »

Le coran barbu resta longtemps silencieux à contempler Lisseut. Ses yeux avaient une étrange couleur noisette, presque verte à la lueur de la lampe. Puis il parla, à contrecœur semblait-il, mais clairement. « Pour s'être adressée de cette façon à un coran consacré au dieu dans un endroit public, dit-il, elle serait dévêtue jusqu'à la taille et fouettée sur la poitrine et sur le dos par les officiers du roi. Après, si elle avait survécu, l'homme insulté serait autorisé à l'utiliser à sa guise. Son mari, si elle en avait un, aurait le droit de divorcer sans aucune conséquence juridique ou religieuse. »

Il s'ensuivit un silence figé, empreint d'un goût de mort, évoquant les glaciers du nord lointain. On était infiniment loin de l'atmosphère du carnaval. *Jusqu'à ce que meure le soleil et que tombent les lunes…*

Lisseut se sentit soudain faible, les genoux flageolants, mais elle s'obligea à soutenir le regard du nordique. « Qu'est-ce que tu fais ici, alors ? » demanda-t-elle d'un ton dur, posant sa voix comme elle avait si difficilement appris à le faire auprès de son oncle. « Pourquoi ne retournes-tu pas là où tu peux traiter ainsi les femmes qui expriment leur opinion ou prennent la défense de leurs amis ? Là où tu pourrais m'utiliser comme bon te semble sans que personne s'y oppose ?

— En effet, Blaise, ajouta Bertran de Talair toujours aussi inexplicablement jovial. Pourquoi n'y retournes-tu pas ? »

Un instant plus tard, le grand homme étonna Lisseut. Sa bouche se tordit dans un sourire ironique et désabusé. Il secoua la tête. « L'homme qui paie mon salaire m'a demandé d'expliquer ce qu'on te ferait au Gorhaut, répondit-il avec une douceur inattendue. Je crois que messire Bertran voulait s'amuser : il a assez voyagé pour connaître les lois en vigueur au Gorhaut ainsi qu'en Valensa et au Götzland — elles sont sensiblement les mêmes. Incidemment, ai-je dit que je les approuvais ?

— Tu ne les approuves pas ? » insista Lisseut, consciente que nulle part ailleurs que dans cette salle, au milieu de ses amis, elle n'aurait pu se montrer aussi agressive.

Le dénommé Blaise esquissa une moue pensive avant de répondre ; Lisseut comprit finalement qu'il n'était pas un rustre nordique à l'esprit obtus.

« Le duc de Talair vient d'humilier un troubadour qui, selon toi, sera célèbre bien après que j'aurai moi-même sombré dans l'oubli. Il l'a pour ainsi dire traité d'écolier ivre et sans éducation. J'imagine que cela a dû lui faire plus mal que l'égratignure causée par mon épée. Penses-tu comme moi qu'il faut parfois affirmer son autorité ? Sinon, as-tu le courage de diriger à présent ta fureur contre le duc ? Je représente une cible facile, étranger dans cette pièce bondée de gens de ta connaissance. Est-ce que cela explique en partie pourquoi tu m'attaques ainsi ? Est-ce que cela te paraît juste ? »

Il était, contre toute attente, brillant, mais il n'avait pas répondu à sa question.

« Tu n'as pas répondu à sa question », dit Bertran de Talair.

Blaise du Gorhaut sourit de nouveau avec la même expression blasée ; Lisseut eut l'impression qu'il s'était presque attendu à ce que le duc prononçât ces paroles. Elle se demanda depuis combien de temps ils se connaissaient. « Je suis ici, non ? répondit-il posément. Si j'approuvais ces lois, je serais maintenant chez moi, pas vrai, très probablement marié à une femme bien disciplinée et très probablement en train de comploter l'invasion de l'Arbonne avec le roi et tous les corans du Gorhaut. » Il avait délibérément haussé le ton à la fin. Du coin de l'œil, Lisseut vit les Portezzains échanger des regards rapides dans leur coin, près du mur le plus proche.

« Ça va, Blaise, coupa Bertran, tu as dit ce que tu avais à dire. Je pense que ça suffit à présent. »

Blaise se tourna vers lui. Lisseut se rendit alors compte que les yeux de Blaise n'avaient jamais quitté les siens même si la dernière phrase, quelle que fût sa signification, s'adressait de façon évidente au duc. « C'est aussi mon avis, répondit doucement le grand coran. Je crois que c'est plus que suffisant.

— Qu'est-ce qui est suffisant ? demanda une voix pleine d'assurance à la porte. Est-ce que quelque chose se termine trop tôt ? Aurais-je raté un divertissement ? »

Blaise savait que, lorsque Bertran de Talair pâlissait, la cicatrice sur sa joue devenait très apparente. Il avait déjà été témoin du phénomène, mais jamais à ce point. Le duc s'était raidi sous l'effet du choc ou de la rage, mais il ne se tourna pas. Valéry fit cependant volte-face, se déplaçant de façon que son corps fût entre Bertran et la porte.

« Qu'est-ce que vous faites ici ? » demanda le duc, tournant le dos à son interlocuteur. Sa voix était aussi froide qu'une nuit d'hiver. Blaise s'en aperçut et alla se placer à côté de Valéry. Gauchement, la foule d'hommes et de femmes dégagea le chemin, laissant voir, comme un lever de rideau sur une scène, l'homme debout à l'entrée de la taverne.

Blaise vit qu'il était imposant, vêtu d'un habit somptueux en satin vert foncé garni de fourrure blanche, même en plein été. Âgé d'une soixantaine d'années, les cheveux coupés ras comme ceux d'un soldat, il ne paraissait pas lourd malgré sa corpulence. Il se tenait très droit et arborait un air arrogant.

« Ce que je fais ici ? » répéta-t-il d'un ton moqueur. Il avait une voix inoubliable, profonde et sonore. « N'est-ce pas ici qu'on trouve les chanteurs ? N'est-ce pas le carnaval ? Un homme ne peut-il pas rechercher le réconfort et le plaisir de la musique à cette époque de l'année ?

— Vous détestez les musiciens », interrompit brutalement Bertran de Talair en mordant dans ses mots. Il ne s'était pas encore tourné. « Vous tuez les chanteurs, vous vous rappelez ?

— Seulement les impertinents, rétorqua l'autre avec indifférence. Seulement ceux qui oublient où ils se trouvent et chantent ce qu'ils ne devraient pas chanter. D'ailleurs, cela fait très longtemps. Les hommes peuvent sûrement changer à mesure qu'ils se dirigent vers leurs tombes. L'âge nous adoucit. » Sa voix n'exprimait cependant rien de doux. Blaise percevait plutôt de l'ironie sauvage et trempée dans l'acide.

Et tout à coup, il sut qui était cet homme.

Il évalua rapidement du regard les trois corans vêtus de vert qui encadraient le nouvel arrivant. Sans égard aux lois de Tavernel, tous trois portaient des épées et avaient l'air de savoir s'en servir. Blaise revit en un éclair un sentier près du lac Dierne, six cadavres dans l'herbe au printemps. La foule avait reculé, laissant un espace libre autour des deux groupes, près de la porte. Blaise avait conscience que la femme mince et brune qui l'avait accosté se tenait toujours juste derrière lui.

« Je n'ai pas l'intention de plaisanter avec vous », reprit posément Bertran. Il tournait encore le dos à la porte et à l'homme imposant qui était là, les yeux gris pleins de hargne. « Une fois de plus, je vous demande ce que vous faites ici, mon seigneur de Miraval ? »

Urté de Miraval, silhouette massive dans l'embrasure de la porte de *La Liensenne*, ne répondit rien. Il porta plutôt sur Blaise le regard lourd de ses yeux enfoncés. Ignorant la question de Bertran comme si elle lui avait été posée par un quelconque fermier, il observa Blaise avec curiosité. Puis il sourit, bien que ses yeux n'eussent rien perdu de leur cruauté.

« À moins que je ne me trompe grandement, dit-il, et je ne crois pas que ce soit le cas, voici le nordique qui est si libre de faire couler le sang des autres hommes avec son arc. » Les corans qui l'accompagnaient bougèrent un peu. Comme Blaise le constata, ce mouvement libérait suffisamment d'espace pour leur permettre de tirer leur épée.

« Vos corans ont abattu mon poney et mon cheval, expliqua calmement Blaise. Je n'avais aucune raison de croire qu'ils n'avaient pas l'intention de me tuer aussi.

— Ils l'auraient fait », admit Urté de Miraval, presque amusé. « Est-ce une raison pour que je te pardonne six morts ? Je ne le crois pas. Et même si j'en avais envie, il y a une autre partie offensée dans cette affaire. Un homme qui sera extrêmement heureux de savoir que tu es ici ce soir. Il se peut qu'il se joigne à nous plus tard, ce qui pourrait être intéressant. Il arrive tant d'accidents au milieu des foules du carnaval ; c'est là un des aspects regrettables de la fête, vous ne trouvez pas ? »

Si Blaise saisit la menace évidente, il en ignorait cependant l'origine. Voyant Valéry se raidir, il comprit que celui-ci la connaissait.

« Une loi a été décrétée concernant les meurtres entre gens de Miraval et de Talair, dit sèchement le cousin de Bertran à côté de Blaise. Vous le savez, mon seigneur.

— En effet, de même que mes six hommes tombés au champ d'honneur. Si seulement notre bien-aimée comtesse de Barbentain pouvait promulguer des lois nous protégeant des mésaventures susceptibles de se produire par une nuit tapageuse dans la ville. Est-ce que ce ne serait pas agréable, rassurant même ? » Ses yeux quittèrent Valéry pour se poser sur Blaise et continuèrent à le fixer. Il avait le regard prédateur d'un chat sauvage.

C'est alors que Bertran de Talair se tourna enfin pour affronter l'homme à la porte.

« Vous ne faites peur à personne, dit-il simplement. Il n'y a en vous rien d'autre que de l'amertume et de la rancœur. Même les raisins de vos vignes en ont le goût. Une dernière fois, mon seigneur de Miraval, car je ne permettrai pas que cet échange se poursuive : pourquoi êtes-vous ici ? »

La question demeura de nouveau sans réponse, du moins l'homme à qui elle était posée ne répondit-il pas. Au lieu de cela, une femme qui était jusque-là cachée par la silhouette massive d'Urté de Miraval entra, couverte d'une mante à capuchon ; elle contourna Urté de Miraval et s'avança dans la pièce.

« Oh ! mon Dieu, mon Dieu, mon Dieu, s'exclama-t-elle. Je ne voulais pas du tout que cela se passe comme ça. » Si ces paroles exprimaient le regret et la détresse, il en allait tout autrement de son ton. Dans cette voix traînante, Blaise perçut l'ennui et la frustration ainsi qu'un certain pouvoir. « Pas une autre, se dit-il. Pas une autre de ces femmes. »

La stupéfaction et un autre genre de colère firent étinceler les yeux de Bertran de Talair.

« Ariane, qu'avez-vous l'impression de faire exactement ? S'agit-il d'un jeu ? Si oui, vous vous êtes surpassée. »

Ariane. Ariane de Carenzu, reine de la Cour d'amour. La femme ainsi apostrophée leva une main ornée de bagues et abaissa son capuchon, secouant sa chevelure d'un mouvement de tête désinvolte.

« Elle est pourtant mariée, songea stupidement Blaise. Elle devrait avoir les cheveux attachés, même en Arbonne. » Ils ne l'étaient pas. Elle avait une opulente chevelure aile de corbeau qui, pendant qu'il la regardait, tomba en vagues dans son dos, libérée du capuchon qui l'avait jusqu'alors retenue prisonnière. On entendit des murmures confus et excités dans la pièce. En voyant la femme qui se tenait debout à côté d'Urté de Miraval, temporairement incapable, en fait, d'en détacher son regard, Blaise crut comprendre pourquoi.

« Surpassée ? demanda-t-elle calmement. Je ne pense pas pouvoir permettre ce genre de langage même de la part d'un ami, Bertran. Je ne savais pas qu'il fallait vous demander l'autorisation de venir à *La Liensenne*.

— Vous n'avez pas besoin de mon autorisation. Et vous savez aussi…

— Je sais seulement que le duc de Miraval a eu la gentillesse de m'inviter à me joindre à lui ce soir pour goûter aux plaisirs du carnaval et que j'ai été heureuse d'accepter. J'aurais également cru, à tort évidemment, que deux nobles seigneurs d'Arbonne pouvaient, du moins ce soir, mettre de côté leur querelle insignifiante, et du moins assez pour se montrer polis en présence de femmes et par une nuit dédiée à la déesse.

— Une querelle insignifiante ? » répéta Bertran d'un ton incrédule.

Urté de Miraval éclata de rire. « La situation est en train de devenir extrêmement ennuyeuse, dit-il. J'étais venu pour entendre la musique de cette saison à Tavernel et non pour discuter dans le cadre d'une porte avec un dégénéré furibond. Les chansons de qui allons-nous entendre ce soir ? »

Il y eut un bref silence, puis : « Les miennes, répondit Alain de Rousset d'une voix claire. Vous entendrez mes chansons, si vous le désirez. Lisseut, aurais-tu la bonté de chanter pour nous ? »

D'un certain point de vue, cela n'avait rien de si étonnant. Ce fut du moins ce que Lisseut pensa, beaucoup plus tard, lorsqu'elle eut le temps de réfléchir plus calmement aux événements de cette nuit agitée. Rémy et Aurélien étaient tous deux sortis de la salle, et Bertran n'allait certes pas faire chanter ses propres vers à la demande d'Urté de Miraval ; Alain avait plus d'ambition que la plupart des troubadours présents et autant que n'importe qui le droit de se faire connaître ; en outre, comme elle venait de terminer une saison de tournées avec lui, il était parfaitement logique qu'il lui demandât de chanter.

Cette réflexion claire ne lui vint cependant que par la suite. Sur le coup, Lisseut n'eut qu'une pensée : elle venait d'être honteusement plongée la tête la première dans une cuve de vin doré de Cauvas, une flaque s'agrandissait sous ses pieds, ses vêtements étaient fichus, ses cheveux, trempés, et c'était dans cet état resplendissant qu'on lui demandait de chanter — pour la première fois — en présence des deux personnages les plus puissants d'Arbonne, dont l'un d'eux se trouvait être le troubadour le plus célèbre de son époque.

Elle fit entendre un léger bruit de déglutition, espérant aussitôt que personne ne l'avait entendu. Le grand coran du Gorhaut se tourna toutefois vers elle et l'observa d'un air ironique derrière sa barbe rousse et touffue. Elle lui rendit furieusement son regard et ce bref sursaut de rage réussit à calmer sa terreur. D'un geste qui se voulait désinvolte, elle lança au barbu la serviette qu'elle tenait encore et se tourna vers Alain.

« J'en serais honorée », répondit-elle d'une voix aussi calme que possible. Le visage d'Alain, qui combattait manifestement ses propres angoisses, ne l'aida pas beaucoup à se détendre. Elle comprenait, bien sûr : le troubadour saisissait à bras-le-corps cette chance inattendue d'accroître sa renommée — et il lui offrait la possibilité d'en faire autant. À un moment comme celui-ci, chanter à *La Liensenne* pendant le Carnaval d'été devant les ducs de Talair et de Miraval et l'actuelle reine de la Cour d'amour... Lisseut cligna les yeux et avala sa salive. Si elle réfléchissait trop aux conséquences possibles de ce qui était sur le point de se produire, elle allait se rendre malade.

Heureusement, elle concentra ensuite son attention sur le visage de Marotte, et l'encouragement ravi qu'elle lut dans l'expression de l'aubergiste était exactement ce dont elle avait besoin. Quelqu'un lui apporta une harpe, un autre plaça un tabouret bas et un coussin sur le sol à l'endroit habituel, près des cabines du mur de gauche, et ce fut ainsi que Lisseut se retrouva assise là, accordant la harpe tout en arrangeant le coussin pour être à l'aise.

Même si elle ne dégoulinait plus, elle était encore mouillée et n'avait pas eu un instant pour se préparer. Levant les yeux, elle vit le duc Bertran avancer, un mince sourire aux lèvres. Ce sourire n'atteignait toutefois pas ses yeux. Urté de Miraval se trouvant dans la pièce, Lisseut doutait que messire Bertran pût vraiment être amusé par quoi que ce fût. Le duc retira sa cape légère et la drapa lâchement autour des épaules de Lisseut.

« Sinon, tu vas attraper froid, dit-il doucement. Si tu la laisses drapée de cette façon, elle ne t'encombrera pas les mains. » C'était la première fois qu'il lui adressait la parole. Tournant le dos, il s'éloigna et alla prendre place sur l'une des trois chaises capitonnées que Marotte s'était hâté de placer près de la scène. Lisseut eut tout juste le temps de réaliser qu'elle portait en ce moment la cape bleu nuit du duc de Talair avant qu'Alain de Rousset, les joues rouges d'excitation, ne vînt lui murmurer à l'oreille : « "La Chanson du jardin", je pense. Chante-la, ne la crie pas, Lisseut. »

Lisseut entendit à peine cet avertissement que les troubadours donnaient depuis toujours à leurs ménestrels. Elle nota cependant le fait que, en choisissant cette chanson, Alain lui faisait un autre cadeau. Elle lui sourit, avec assurance espéra-t-elle. Il hésita quelques secondes comme s'il allait ajouter quelque chose, mais il se retira lui aussi, la laissant seule dans cet espace réservé à la musique.

Lisseut pensa à son père comme elle le faisait toujours quand elle avait besoin de trouver sérénité et assurance, puis elle regarda l'assistance qui se calmait peu à peu et dit, en posant soigneusement sa voix : « Voici une liensenne du troubadour Alain de Rousset. Je chante ce soir en l'honneur de la déesse et de la dame Ariane de Carenzu qui nous accorde la grâce de sa présence. » Cela valait mieux, se dit-elle, que d'essayer d'établir quelque ordre de préséance. Elle avait toutefois conscience, très conscience, de porter la cape de messire Bertran. Il s'en dégageait un fugace parfum que Lisseut n'eut pas le temps de reconnaître. Elle comprit, comme toujours avant de chanter — une pensée évanescente mais aussi réelle que les pierres d'un mur — que c'était pour des moments comme celui-ci, précédant la musique, qu'elle vivait, que c'était alors qu'elle se sentait le plus vivante.

Elle commença par la harpe seule comme Gaétan, le frère de son père, le lui avait enseigné des années auparavant, afin de laisser l'auditoire se tranquilliser puis, quand le silence fut assez profond, elle chanta.

Lorsque tu vins dans mon jardin,
Lorsque tu vins m'avouer ton amour,
La seule lune qui brillait dans le ciel
Avait plus d'éclat que le soleil
Et mon cœur baignait dans une lumière blanche.

Lorsque tu me pris dans tes bras,
Pour me chuchoter les mots de ton désir,
Les parfums du jardin
Furent mes vêtements dans le noir
Et le jour, une lointaine rumeur de désespoir.

Si elle n'était pas brillante, la chanson était du moins bien construite. Alain connaissait son métier et il était encore assez jeune pour pouvoir mûrir. Ce que cette chanson avait de particulier cependant — le cadeau —, c'était qu'elle avait été composée pour une voix de femme. Cela n'était pas fréquent, ce qui expliquait pourquoi les chanteuses d'Arbonne consacraient une grande partie de leur temps à transposer des mélodies écrites pour des voix masculines et ignoraient dans la mesure du possible le fait que la plupart des thèmes ne s'appliquaient pas à elles.

Dans cette pièce, Alain avait modifié un grand nombre d'éléments de la liensenne traditionnelle, donnant un point de vue féminin aux paroles tout en conservant suffisamment de motifs familiers pour que le public reconnût ce qu'il entendait et évaluait. Lisseut joua très peu d'accords afin de servir le mieux possible la chanson, en toute simplicité. Il s'agissait, comme la plupart des liensennes classiques, d'un long morceau, sinon l'auditoire aurait rechigné et se serait plaint de l'absence d'éléments attendus. Dans ce type de chanson, le troubadour devait arriver à utiliser tous les motifs familiers et à les rendre vivants, renouvelés de toutes les façons permises par son art. Lisseut chanta le lever de la deuxième lune, la menace habituelle d'un regard implorant et jaloux, un couplet banal quoique d'une grande finesse sur les trois fleurs qui protégeaient traditionnellement les amoureux, un autre sur l'ami fidèle montant la garde de l'autre côté du mur, rompant la magie du moment en les avertissant du lever du soleil, et les adieux des deux amants.

C'était un travail honnête et professionnel, et Lisseut savait que le public était avec elle. Même ici, avec un auditoire aussi profondément connaisseur, elle savait, comme cela se produisait parfois au milieu d'un spectacle, qu'elle rendait justice aux paroles et à la musique d'Alain. Elle gardait pourtant quelque chose en réserve pour la fin, là où, s'étonnant lui-même, Alain de Rousset avait dépassé les platitudes sur l'amour triomphant et capable de tout supporter qui constituaient la conclusion habituelle des liensennes ; il avait atteint l'intégrité plus douloureuse de l'art.

Lorsque tu viendras me dire adieu,
Lorsque tu viendras me dire que tu te maries,
Fais ceci pour moi
En souvenir de l'amour,
Apporte un baume pour mon cœur brisé.

En commençant, elle avait regardé un instant Bertran de Talair, puis le coran barbu derrière lui, mais elle termina en regardant audessus de la tête des auditeurs en direction de la porte qui se trouvait à côté du comptoir et par laquelle Rémy et Aurélien étaient sortis. Une reprise des notes d'ouverture, comme un écho du passé, un accord pour la sentinelle, un autre pour les nuits du jardin disparues et elle avait fini.

Blaise trouva que, couverte de la cape bleue de Bertran, la fille châtaine n'avait plus l'air exaltée mais plutôt délicate et fragile. Son visage révélait davantage d'intelligence que de véritable beauté, mais même Blaise ne pouvait douter de la pureté de sa voix et il fut un instant ému par la tristesse inattendue à la toute fin de la chanson. S'il ignorait que cette note mélancolique représentait une innovation, il pouvait néanmoins en entendre la sonorité, et le sens des paroles entraîna son esprit sur des chemins inhabituels. Pas longtemps, bien sûr : il n'était nullement, de par son passé ou son expérience, porté sur ce genre de chose, mais l'espace d'un instant, pendant qu'il regardait la femme mince assise sur le tabouret bas et couverte de la cape de Bertran de Talair, Blaise du Gorhaut vit clairement dans son esprit une femme dans un jardin qui pleurait un amour perdu.

« Oh ! C'est merveilleux ! » s'écria Ariane de Carenzu d'une voix étrangement mélancolique, bien éloignée du ton autoritaire du début. Ses mots résonnèrent dans le silence ayant suivi les derniers accords de la harpe, et la tension qui régnait dans la pièce s'en trouva relâchée comme celle de la corde d'un arc. Blaise prit une longue inspiration et constata avec une certaine surprise que la plupart des gens qui l'entouraient faisaient de même.

On aurait indubitablement entendu d'autres cris d'approbation, des applaudissements pour acclamer la chanteuse et l'auteur de la chanson si, à ce moment précis, la porte ne s'était pas ouverte avec fracas, laissant entrer les sons rauques de la rue sombre. Blaise se tourna vivement et aperçut la personne qui se tenait là. Ce fut alors que la forme et la nature de la soirée se transformèrent complètement.

Il regardait l'homme qu'il avait tué sur son cheval noir près du lac Dierne.

Chapitre 2

Ce n'était évidemment pas lui. Ce n'était pas le même homme ; les morts restent morts, même en Arbonne, même en plein carnaval. Mais la peau sombre et l'air arrogant étaient identiques ; la taille et la corpulence, le corps musclé et menaçant correspondaient en tout point au souvenir que Blaise avait gardé de l'Arimondain depuis cet après-midi-là près du lac, à proximité de l'Arc des Anciens.

Et l'individu le regardait avec une expression où se mêlaient la haine et une joie féroce.

À côté de Blaise, Valéry murmura du coin de la bouche : « J'avais l'intention de t'en parler. J'aurais dû le faire. Son frère, né le même jour. Fais très attention. »

Blaise prit note de cette recommandation sans quitter des yeux l'Arimondain près de la porte. L'homme portait la livrée verte de Miraval et lui aussi avait une arme, une épée à la lame incurvée fabriquée dans son pays.

Urté de Miraval se leva sans hâte, ainsi que Bertran, de l'autre côté d'Ariane. Celle-ci demeura assise, mais elle tourna son siège de façon à regarder vers la porte par-dessus son épaule.

« Quzman, dit le duc de Miraval, je me demandais où tu étais passé pendant tout ce temps. Tu vois, tel que je te l'ai promis, voici un coran du Gorhaut que tu as exprimé le désir de rencontrer.

— Je le vois », répondit l'Arimondain. Il parlait d'une voix grave, presque musicale. Il sourit. « C'est un grand plaisir pour moi. Dans mon pays, nous avons coutume de dire qu'il faut s'occuper rapidement des assassins sans quoi l'herbe verte blanchit après leur passage. M'accompagneras-tu dehors ou est-ce que tu te bats seulement à distance ?

— Ce n'était pas un meurtre, coupa Valéry sans laisser à Blaise le temps de répliquer. Les prêtres et prêtresses de l'île de Rian ont été témoins de la scène et nous ont raconté leur version des faits. »

L'homme appelé Quzman n'eut pas l'air d'avoir entendu. Son sourire avait quelque chose de troublant, comme si tout son être était concentré sur Blaise. Une fois, dans un château du Götzland, Blaise avait vu un homme en regarder un autre de cette façon et la mort avait suivi avant la fin de la nuit. Et voilà que, en réponse à la nudité de ce défi, Blaise sentit sa propre fureur se rallumer. Il se souvint de l'affrontement près du lac, des laides paroles voluptueusement prononcées par l'Arimondain sur son cheval noir.

« Tu as l'air vraiment désespéré », dit-il à l'homme près de la porte, parlant d'une façon détendue, presque nonchalante, comme auraient parlé son ami Rudel ou même Bertran de Talair. « Dis-moi, est-ce ton frère ou ton amant que j'ai tué ? Ou est-ce que cela revient au même ?

— Prends garde ! » chuchota de nouveau Valéry d'un ton pressant. Mais Blaise avait eu le temps de voir le sourire de l'Arimondain se figer en quelque chose de brutal et d'artificiel, un rictus, comme celui de la mort.

« Tu as une langue fourchue d'assassin, nordique, dit Urté de Miraval. Je ne vois pas pourquoi nous devrions supporter qu'elle s'agite librement en notre présence pour ensuite aller rapporter des histoires d'espion à Adémar du Gorhaut. »

On ramenait donc cela, à présent. C'était à prévoir.

« C'est absurde, riposta calmement Bertran de Talair. Et en ce qui concerne le meurtre, cet homme a été pris à partie pendant qu'il chevauchait paisiblement sur la grand-route de la comtesse. Son poney et son cheval ont été abattus et six lâches à votre service ont essayé de le tuer. Je ne prononcerais pas aussi facilement le mot "meurtre", mon seigneur de Miraval. Je m'interrogerais plutôt sur la compétence de mes corans si c'étaient mes six tueurs qui avaient été abattus par un seul homme.

— Paroles, dit Quzman d'Arimonda avec mépris. Des paroles et des poses, les déplorables vices d'Arbonne. Cet homme et moi pouvons conclure cette affaire tout seuls dehors et personne d'autre n'a besoin de s'en mêler. À moins qu'il n'ait vraiment peur. Et quant à la nouvelle loi que vous avez mentionnée… »

Il avança de deux pas dans la pièce avec la grâce d'un félin et s'agenouilla devant Urté. « Mon seigneur, des affaires concernant l'honneur de ma famille m'obligent à vous demander l'autorisation de démissionner pendant quelque temps afin que mes actes n'aient pas de conséquences sur vos propres affaires. M'accordez-vous cette autorisation ?

— Il n'en est pas question », répondit une voix claire et froide, venant de la seule personne dans cette pièce qui pouvait, en ce moment, tenter d'exercer son autorité.

Tous se tournèrent vers elle. Ariane de Carenzu n'avait pas pris la peine de se lever ni même de se tourner pour faire face aux hommes. Elle regardait toujours par-dessus son épaule, avec désinvolture, sa chevelure noire tombant sur le dossier de sa chaise. Ses paroles n'avaient pourtant rien de désinvolte. « J'interdis ce duel au nom de la comtesse d'Arbonne. Tout homicide entre gens de Talair et de Miraval doit être payé par une terre. Cette loi a été proclamée et affichée, et on ne peut pas la contourner par des tours de passe-passe de ce genre. Je ne permettrai pas que l'on se moque de la comtesse. Et je ne laisserai pas ternir ainsi cette nuit consacrée à la déesse. Je vous tiendrai tous deux pour strictement responsables de la conduite de vos hommes, mes seigneurs.

— Bien sûr, mais s'il quitte mon service…, commença Urté de Miraval.

— Il a besoin de votre consentement et vous ne le lui donnerez pas. »

Cette femme parlait d'une voix tranchante et autoritaire, le ton simple d'une personne habituée à commander. Même après avoir passé deux mois en Arbonne, Blaise trouvait déconcertant de voir deux ducs accepter ainsi qu'une femme affirmât son pouvoir.

Il ouvrit la bouche pour parler, plein de rage, mais reçut un coup de coude dans les côtes. « Ne fais pas ça », marmonna Valéry comme s'il lisait dans ses pensées.

C'était sans doute ce qu'il avait fait, songea Blaise, et cela n'avait pas dû être difficile de suivre le cheminement de sa pensée. Blaise avait insisté pour n'être lié à Bertran de Talair par aucun serment de féodalité. Il était un mercenaire. Il pouvait mettre fin à son contrat en tout temps, renoncer à son salaire et se retrouver aussitôt désengagé et libre de se battre contre l'Arimondain, sans avoir d'autorisation à demander à quiconque, y compris à cette femme aux cheveux noirs qui prenait des poses même si elle était seulement reine de la Cour d'amour des troubadours.

Il prit une longue inspiration, soutint un instant le regard de Valéry et se tint coi. Il jeta un regard circulaire sur la pièce. Personne d'autre ne semblait avoir eu le courage de bouger. Un peu étonné, il constata que la fille à la harpe, toujours couverte de la cape bleue de Bertran, le regardait fixement de l'autre côté de la salle. Si, à cette distance, il était incapable de déchiffrer son regard, il pouvait néanmoins le deviner. Elle s'était précipitée pour défendre l'honneur du troubadour qu'il avait blessé. Elle serait par conséquent ravie que l'Arimondain le transperçât de son épée incurvée et sertie de joyaux.

Il leva les yeux. À l'étage supérieur de l'auberge, des hommes et des femmes s'étaient rassemblés près des balustrades, d'abord pour écouter la musique et ensuite pour voir ce qui avait suivi. La plupart des visages étaient cachés par les poutres traversières ; il ne voyait qu'une suite de jambes, coupées au tronc, qui s'alignaient dans le couloir au-dessus de lui. Un public plutôt insolite composé de pieds, de mollets et de cuisses dans des chausses multicolores.

« Tu es venu ici porter un message, je crois », poursuivit Ariane de Carenzu, rompant le silence qui avait suivi ses dernières paroles. Elle s'adressait à l'Arimondain, Quzman. « C'est au sujet des bateaux sur le fleuve ? »

L'homme la regarda. Il était resté agenouillé devant Urté de Miraval. Tous deux étaient grands et d'une beauté exceptionnelle ; cette pose aurait pu être sculptée en relief sur le mur de pierre d'une chapelle de Corannos au Gorhaut.

« Oui, répondit finalement l'homme à la peau sombre. C'est au sujet des bateaux.

— On va commencer maintenant ?

— Oui. » Il s'adressait à cette femme sans utiliser ni titre ni formule de courtoisie.

« Alors c'est ainsi que vous vous battrez en duel pour notre plaisir au carnaval, décida la dame de Carenzu en esquissant un vif sourire à la fois radieux et teinté d'une malice capricieuse.

— Un jeu ? » demanda l'Arimondain avec dérision. L'assistance parut soulagée, comme si ces paroles lui donnaient un avant-goût de la suite des événements. Blaise vit Bertran se détourner vivement pour camoufler un sourire.

« Presque tout est un jeu », répondit doucement Ariane, d'un ton plutôt respectueux. Tous nous le jouons jour et nuit jusqu'à ce que la déesse vienne nous chercher. Mais écoutez-moi encore, ajouta-t-elle calmement, si un homme de l'un ou l'autre de vos camps mourait ce soir, je considérerais cela comme un meurtre et le rapporterais à la comtesse.

— Je ne suis pas allé sur le fleuve depuis des années », dit Bertran comme s'il s'agissait d'une remarque sans conséquence. Il semblait, sans trop de succès, lutter pour cacher son envie de rire.

Urté de Miraval l'entendit. « Et moi, des décennies », ajouta-t-il, mordant à l'hameçon. « Mais malgré cela et mes vingt années de plus, je vous vaincrai, mon seigneur de Talair, dans toute action qu'un homme peut accomplir parmi les hommes sans se déshonorer. »

Sur ces paroles, Bertran éclata de rire. Avec une ironie cinglante que Blaise ne saisit pas tout à fait, il demanda : « Seulement parmi les hommes ? Dans les circonstances, c'est là une concession prudente, mon seigneur. »

Urté de Miraval rejeta la tête en arrière comme s'il avait été cravaché. Blaise constata que c'était la première fois qu'il perdait sa contenance et il se demanda pourquoi. Des paroles entendues des semaines auparavant lui revinrent vaguement en mémoire : une femme était à l'origine du conflit qui opposait ces deux hommes.

« Bertran, commença sèchement Ariane de Carenzu, je ne crois pas que…

— Ça suffit, Ariane ! Vous avez imposé votre volonté ici et nous tenons compte de vos désirs. N'abusez pas ; c'est une faute. Je vous l'ai dit quand vous êtes entrée et je vous l'avais déjà dit avant. » Lorsque Bertran pivota pour lui faire face, ses yeux bleus étaient implacables et exprimaient à présent clairement son autorité. « Nous jouerons des jeux ce soir sur le fleuve pour votre plaisir. Personne ne sera tué, tel que vous l'avez ordonné. Contentez-vous de ce que vous pouvez contrôler. Le passé ne fait pas partie de votre domaine.

— Non, en effet», ajouta tout bas Urté de Miraval, se maîtrisant à nouveau parfaitement. Blaise fut obligé de se pencher pour l'entendre. «Les morts ne sont pas votre domaine. Ni les hommes ni les femmes. Ni même les enfants. Ni même les enfants, s'il faut en parler.»

Pour une raison quelconque, ces paroles firent réagir Bertran de Talair. Il se détourna de la femme aux cheveux noirs pour regarder dans les yeux l'autre duc. Un silence de mort tomba soudain sur la pièce, comme si une menace véritable irradiait de l'endroit où se tenaient les deux hommes.

«S'il faut en parler?» murmura enfin Bertran, sa propre voix presque inaudible. «Oh! Il le faut, vous pouvez me croire, mon seigneur.»

Tandis que les deux hommes fermaient leurs regards de façon à exclure toute autre personne présente dans la taverne, dans le monde, Blaise du Gorhaut réalisa, un peu tard, que la haine à l'œuvre ici, le poids tangible de ce qui s'était produit entre eux dans le passé, était d'une profondeur et d'une nature infiniment plus considérables que ce qu'il avait cru comprendre. À côté de lui, Valéry marmonna quelque chose que Blaise n'arriva pas à saisir.

«Venez», ajouta Bertran s'arrachant à cette contemplation glacée et d'un ton tout à coup exagérément cérémonieux, «partons d'ici. Allons dans la clarté des deux lunes estivales mêlées faire du sport sur le fleuve pour amuser la reine de la Cour d'amour.»

Il se dirigea vers la porte sans regarder derrière lui. Valéry lui emboîta rapidement le pas. Blaise fit encore des yeux le tour de la taverne. Ariane arborait à présent une expression bizarre; pour la première fois, elle paraissait vulnérable. Les gens commençaient à bouger, secouant la tête, clignant vaguement les yeux comme s'ils se libéraient du sort que leur avait jeté un enchanteur. À l'étage, des jambes se déplaçaient, moulées dans des chausses noir et blanc, blanc et bleu, couleur de blé et fauve, rouge et or, vert pâle et vert forêt, couleurs brillantes d'un temps de réjouissances.

Perdu dans sa contemplation, Blaise réfléchissait aux paroles qui venaient d'être prononcées, harcelé par une idée, puis il suivit la foule jusqu'à la porte et dans la rue bruyante. Tout en marchant, il passa très près de Quzman l'Arimondain, plus près que nécessaire en fait. Il s'obligea à le faire en souriant.

Valéry attendait à l'extérieur, près de la porte. Un homme et une femme portant des masques de corbeau et de renard heurtèrent Blaise en titubant, riant aux éclats. L'homme avait à la main une fiasque de vin débouchée, et la tunique de la femme était presque entièrement déboutonnée. L'espace d'un moment, ses seins apparurent dans la lumière des lanternes suspendues devant la porte de *La Liensenne*. On entendait des rires devant et derrière eux, ainsi qu'une cacophonie continuelle de crécelles qu'on faisait tournoyer, qu'on cognait et qu'on frappait.

« Il n'y a rien de la sorte au Gorhaut, j'imagine », dit Valéry d'un ton cordial comme s'il ne s'était rien passé de particulier dans la taverne. Blaise appréciait le caractère calme et détendu du cousin de Bertran. Juste devant eux, le duc marchait au milieu d'un groupe de musiciens.

« Pas vraiment », répondit Blaise laconiquement tout en essayant de ne pas paraître critiquer. Qu'est-ce qu'il devait dire à Valéry ? Qu'il considérait cet exercice de lascivité nocturne inspiré par la déesse comme avilissant et vulgaire, indigne d'un homme aspirant à servir son pays et son dieu ?

« Je voulais te dire qu'il y avait deux Arimondains », reprit Valéry après un silence. Autour d'eux, le tapage continuait de plus belle ; un jeune garçon passa en courant, faisant frénétiquement tournoyer une crécelle en forme de tête de taureau. Deux femmes se penchèrent dangereusement d'une fenêtre au-dessus d'eux et échangèrent en riant des plaisanteries grivoises avec les gens qui marchaient dans la rue bondée.

« Bien sûr, répondit sèchement Blaise. Pourquoi ne pas l'avoir fait ? »

Valéry lui lança un rapide coup d'œil. « Ça n'avait pas l'air de t'intéresser, dit-il d'un ton aimable quoique sans équivoque. Rien n'avait vraiment l'air de t'intéresser. Je me demande parfois pourquoi tu voyages. La plupart des hommes quittent leur pays pour apprendre des choses sur le vaste monde. Cela ne semble pas être ton cas. »

Un autre genre de coup de coude dans les côtes. « Certains partent seulement pour partir », répondit simplement Blaise.

Après un moment, Valéry hocha la tête. Il abandonna le sujet. Tournant à droite, il suivit Bertran et les troubadours dans une ruelle obscure menant loin de la mer.

« Comment t'en tires-tu avec des petits bateaux sur l'eau ? demanda-t-il.

— Passablement bien, répondit Blaise avec prudence. Qu'est-ce que nous sommes censés faire exactement ? »

Valéry de Talair le lui expliqua. Ensuite, une fois que Valéry eut terminé, qu'ils furent parvenus au fleuve et que Blaise vit la scène — les gens, les lumières suspendues comme des étoiles scintillantes qui seraient descendues, les lanternes et les visages aux fenêtres des maisons des marchands le long du fleuve, les cordages traversant l'eau et retenant les radeaux, les petits bateaux qui attendaient et d'autres qui descendaient le courant vers la mer invisible, d'autres encore qui avaient déjà chaviré, des hommes nageant à côté —, cela lui parut si puérilement frivole qu'il ne put s'empêcher de rire.

« Oh ! Corannos, dit-il d'un ton neutre, quel pays ! »

Mais ils avaient alors rattrapé les autres, les troubadours et les ménestrels parmi la foule qui se pressait au bord du fleuve, et Bertran de Talair se retourna pour le regarder.

« Nous connaissons cela », dit-il, sa voix égale couvrant le vacarme. « Et toi ? »

Si le fleuve, la mer et la nuit étaient consacrés à Rian de même que la fête du milieu de l'été, le carnaval constituait toutefois aussi une époque où l'ordre du monde était inversé — parfois dans le vrai sens du terme, comme dans une cuve d'eau, ou de vin doré de Cauvas, songea avec regret Lisseut. En Arbonne, la déesse était célébrée cette nuit-là au milieu des rires, du tapage, du vin coulant à flots et d'unions en d'autres temps interdites dans l'obscurité de ruelles sordides, dans l'herbe ou dans des lits — les portes restant, cette nuit, déverrouillées.

Dans la ville de Tavernel, on fêtait aussi le carnaval, et ce depuis des temps immémoriaux, avec le concours des bateaux et des anneaux sur le fleuve, ici où l'Arbonne se jetait dans la mer après son long périple au sud des montagnes du Gorhaut.

Contente d'avoir encore la cape à capuchon que le duc Bertran avait oublié ou négligé de lui réclamer, Lisseut essaya sans grand succès de retrouver l'état d'esprit fébrile et plein d'espoir qui l'avait menée à *La Liensenne* plus tôt dans la journée. C'était toujours le carnaval, elle était toujours entourée d'amis et elle avait même obtenu — sans avoir toutefois eu le temps de bien s'en imprégner — ce qui semblait être un succès spectaculaire. Mais la présence de la haine, tant nouvelle qu'ancienne, était à présent trop forte pour que Lisseut pût retrouver sa gaîté du début. En regardant la lugubre silhouette d'Urté de Miraval et l'Arimondain trop soigné qui marchait à ses côtés, elle ne put réprimer un frisson, même couverte de la cape.

« Vous tuez les chanteurs, vous vous rappelez ? » C'est ce que messire Bertran avait dit au duc de Miraval. Lisseut ignorait si c'était la vérité ; si ce l'était, cela s'était par conséquent produit avant sa naissance et personne n'en parlait. Mais Urté ne l'avait pas nié. « Seulement ceux qui chantent ce qu'ils ne devraient pas chanter », avait-il répondu, imperturbable.

Des rires incongrus attirèrent son attention vers le fleuve et elle ne put s'empêcher de sourire. Jourdain, qui se vantait de sa forme athlétique encore plus que Rémy, s'était frayé un chemin à travers la foule jusqu'au bord de l'eau et, retirant prudemment ses bottes coûteuses, il était de toute évidence sur le point d'être le premier de leur groupe à tenter l'épreuve des bateaux.

À l'instar de Jourdain, Lisseut jeta un coup d'œil vers le ciel et vit qu'il n'y avait aucun nuage pour obscurcir l'une ou l'autre des deux lunes et que cela durerait encore un bon moment. Elle savait que c'était important. Il était déjà suffisamment difficile d'agripper les anneaux dans un bateau-jouet qui tournait et ballottait sans devoir lutter en plus avec le problème d'être incapable de les voir.

« Tu ne préférerais pas qu'on te plonge dans la cuve ? cria Alain de Rousset en sécurité sur la rive. C'est un moyen plus facile de te mouiller ! »

Des rires fusèrent. Jourdain riposta par des paroles très impolies tout en se concentrant pour embarquer et s'installer dans la minuscule embarcation qui tanguait et que deux hommes retenaient près du quai. Il saisit le court aviron plat que lui tendait l'un d'eux, regarda encore une fois les deux lunes — l'une qui était dans sa phase croissante et l'autre qui venait juste d'être pleine — et hocha brusquement la tête.

On laissa aller le bateau. Sous les cris d'encouragement, Jourdain fut propulsé comme un bouchon de liège dans le courant rapide du fleuve.

« Dix pièces de cuivre qu'il ne réussit pas à attraper les trois anneaux ! hurla Alain.

— Tenu ! dit Élisse qui couchait avec Jourdain cette saison-là.

— Je renchéris de dix », ajouta vivement Lisseut, surtout pour parier contre Élisse. « Es-tu capable de tenir le pari ?

— Plus que capable, répliqua Élisse en secouant sa chevelure dorée. J'ai fait la tournée avec de vrais troubadours ce printemps. »

C'était un sarcasme si franchement envieux, si stupide que Lisseut pouffa de rire. L'expression affligée d'Alain montrait qu'il ne voyait pas les choses tout à fait de la même façon. Lisseut serra son bras et continua à le tenir ainsi pendant qu'ils regardaient Jourdain affronter le fleuve.

Qu'il fût ivre ou non, il manœuvra sans trop de problème à travers le courant jusqu'au premier radeau et, sans effort apparent, il se redressa pour cueillir gracieusement la couronne de feuilles d'olivier qui avait été nouée sur une perche et pendait au-dessus de l'onde. La prêtresse qui se trouvait sur ce radeau indiqua qu'il avait réussi en levant vivement sa torche. Des cris d'approbation se firent entendre sur les rives du fleuve. La foule était massée des deux côtés jusqu'à la dernière corde qui traversait le courant, et il y avait presque autant de spectateurs penchés aux fenêtres des hautes maisons.

Pagayant avec vigueur, inclinant son corps d'un côté de l'embarcation, Jourdain la fit pivoter, essayant de traverser le courant avant que celui-ci ne l'entraînât plus loin que le deuxième radeau. Il y parvint avec peine, eut un instant pour reprendre son équilibre, se leva pour atteindre la deuxième couronne, qui était évidemment placée plus haut, et l'attrapa. Il faillit glisser, retomba en arrière dans son bateau et tomba presque par-dessus bord. Mais une autre torche fut brandie et l'exploit fut salué par une nouvelle salve d'applaudissements.

Cette mauvaise manœuvre coûta cependant un temps précieux à Jourdain et, une fois qu'il se fut redressé et qu'il eut repris l'aviron, Lisseut le vit, même à cette distance, décider rapidement d'éviter le troisième radeau qui flottait près de l'autre rive et descendre le courant pour se diriger droit vers le quatrième. C'était le nombre de couronnes qui comptait et non pas l'ordre dans lequel on les attrapait.

Il avait commis une erreur. Descendant ainsi le courant, le minuscule bateau de Jourdain, qui ressemblait à une coquille de noix sur l'Arbonne déchaînée, accéléra de façon spectaculaire en approchant du quatrième radeau amarré.

« Veux-tu nous payer tout de suite ? » demanda Alain à Élisse.

Malgré le pari, Élisse se crispa d'angoisse en voyant Jourdain, descendant le fleuve à toute allure, se lever courageusement lorsqu'il heurta le radeau amarré. Il tendit les bras pour attraper la couronne qui lui échappait.

Il ne réussit même pas à s'en approcher. Avec un bruit qu'on entendit jusqu'à l'embarcadère de départ, ses pieds glissèrent sous lui, le bateau changea de direction et, semblant défier les lois de l'attraction terrestre, Jourdain resta suspendu horizontalement au-dessus du fleuve, baignant dans la clarté lunaire l'espace d'un moment avant de plonger dans l'Arbonne. L'eau qui jaillit comme une fontaine éclaboussa le prêtre sur le radeau, de même que les personnes rassemblées là pour regarder la compétition.

Jourdain faillit éteindre le flambeau, mais il était très loin de la couronne. Deux hommes sautèrent rapidement du radeau pour lui prêter secours — on avait déjà vu des gens se noyer au cours de ce jeu — et Lisseut respira plus facilement en les voyant tirer Jourdain vers l'un des bateaux ancrés près de la grève. De loin, ils le virent faire un geste de la main presque gracieux pour indiquer qu'il était hors de danger.

« Quelle est la meilleure performance jusqu'à présent ? » demanda posément Bertran de Talair, rappelant aussitôt à Lisseut pourquoi ils se trouvaient là.

« Un homme a réussi à attraper les quatre, mon seigneur », répondit le batelier le plus proche, accroupi à l'extrémité de l'embarcadère. « Mais comme il est tombé au tout début de la traversée de la corde, personne n'a encore réussi à terminer la course.

— Très bien, dit le duc de Talair en s'avançant au bout du quai. Avec votre permission, mon seigneur, ajouta-t-il en se tournant vers Urté, je vais vous offrir une cible à votre mesure. »

Urté fit un geste négligent indiquant son accord. Sans prendre la peine de retirer ses bottes, Bertran resta immobile pendant que les bateliers manœuvraient rapidement pour mettre le prochain bateau en position. Lisseut vit que Valéry et le coran barbu du

Gorhaut s'étaient placés à côté de lui. Des murmures qui allaient en s'amplifiant se firent entendre le long des rives du fleuve, annonçant ce qui était sur le point de se produire.

Lisseut leva les yeux en même temps que la plupart des personnes qui se trouvaient sur le quai. Un banc de nuages soufflés par un vent d'est masquait la face de la blanche Vidonne et allait bientôt également obscurcir la lumière bleutée de Riannon.

« Laisse-moi y aller en premier, dit Valéry de Talair en devançant le duc dans la pénombre. Attends les lunes. Comme personne ne m'a lancé de défi, peu importe si je rate mon coup. » Il retira vivement son épée et la tendit à l'un des bateliers. Il regarda pardessus son épaule et Lisseut était assez près pour l'entendre dire : « Fais comme moi, Blaise. Si tu dépasses le troisième radeau, efforce-toi de ralentir avant d'atteindre le quatrième — à moins, bien sûr, que tu n'apprécies le goût de l'eau du fleuve. »

Cela fit rire l'Arimondain à côté d'Urté. Ce rire n'avait rien d'agréable, comme le pensa Lisseut en lui jetant un rapide regard. Cet homme la terrifiait. Elle se retourna vers le fleuve, espérant que l'Arimondain ne l'avait pas remarquée lorsqu'elle l'avait fixé.

Valéry était dans le bateau, l'aviron plat à la main. « Si je me mouille, ce sera ta faute, dit-il à Bertran avec un sourire.

— Bien sûr, répondit son cousin. C'est toujours ma faute. »

Puis le bateau s'éloigna, emporté sur les vagues hautes et rapides du fleuve. Un instant plus tard, s'efforçant de voir dans la pénombre, Lisseut comprit quelque chose à propos des aptitudes masculines : si Jourdain le troubadour était un athlète très doué dans la force de la jeunesse, Valéry de Talair était pour sa part un coran professionnel entraîné et endurci, et très expérimenté.

Il attrapa la première guirlande sans effort, faisant tourner son bateau presque avant que la prêtresse n'ait eu le temps de lever la torche et que les acclamations n'aient retenti le long de la rive. Le deuxième anneau, qui avait précipité la descente de Jourdain vers une immersion dans le fleuve, fut pris avec presque autant de facilité et, contrairement au troubadour, Valéry garda à la fois son équilibre et le contrôle de l'embarcation, pagayant énergiquement contre le courant tandis qu'un deuxième flambeau était levé derrière lui et que des hurlements approbateurs résonnaient sur chacune des rives.

« Ils pensent que c'est le duc », dit soudain le petit Alain, et Lisseut réalisa que c'était la vérité. On s'était passé le mot que messire Bertran allait participer à la course avant que les nuages n'apparaissent et que Valéry ne prenne sa place. Ces cris et hurlements étaient ceux que les habitants de Tavernel réservaient à leurs favoris, et le duc troubadour de Talair avait été l'un de ceux-là pendant la plus grande partie de sa vie.

Entre-temps, approchant du troisième radeau amarré, Valéry se leva agilement dans son bateau qui tanguait — et cette dangereuse prouesse sembla facile — et s'étira pour attraper la troisième guirlande de feuilles d'olivier avec le bout de la perche. Il retomba dans le bateau et se remit à pagayer furieusement, le corps penché en avant tandis que les gens massés sur les rives, aux fenêtres et dans les bateaux amarrés près de la grève frappaient du pied et rugissaient pour marquer leur enthousiasme.

L'angle arrière du quatrième et dernier radeau était de loin le plus critique et Valéry déployait tous ses efforts pour ne pas être entraîné par le courant plus loin que la couronne ; c'était là que, ayant sauté pour attraper la guirlande, Jourdain était tombé à l'eau. Valéry se propulsa vers le côté amont du radeau, laissa son embarcation tourner avec le courant, puis se dressa lestement et, sans hâte ni précipitation apparente, il prit son aviron, le leva le long de la perche suspendue haut au-dessus du radeau et du fleuve, et délogea l'anneau de feuilles d'olivier tandis que son bateau tanguait au-dessous.

Ce fut ainsi que Lisseut vit la scène ; elle se trouvait loin en amont, des nuages passaient à toute allure, obscurcissant la clarté des lunes, des hommes et des femmes l'entouraient, se bousculant et criant tandis que le prêtre de Rian brandissait triomphalement son flambeau vers le ciel au loin, le long de l'Arbonne. Elle regarda par hasard le coran gorhautien : un sourire inconscient, une expression de plaisir presque enfantine se dessinaient sur son visage, lui donnant tout à coup un aspect différent, moins austère et imposant.

« Mon cousin aussi vaut six hommes... non, une douzaine ! » commenta joyeusement Bertran de Talair, ne s'adressant à personne en particulier. Il y eut un mouvement au sein des corans vêtus de vert de Miraval. Se sentant remarquablement perspicace à ce moment-là, Lisseut n'eut pas l'impression que messire Bertran avait parlé en l'air — presque toutes les paroles que les deux ennemis prononçaient en présence l'un de l'autre étaient des poignards verbaux. Ariane, ses cheveux remontés et cachés sous son capuchon, dit à Urté de Miraval quelque chose que Lisseut ne put entendre, puis elle alla se placer à côté de Bertran afin de mieux voir Valéry achever la course.

La corde traversant le fleuve constituait la dernière épreuve. La corde passait dans un trou percé au centre d'un énorme bouclier rond, suspendu exactement au milieu du fleuve. Quel que fût le côté du bouclier sous lequel passait son bateau, le concurrent devait sauter, saisir la corde et se tirer à la force de ses poignets au-dessous, au-dessus ou autour du bouclier — une prouesse en soi —, puis se rendre jusqu'à la rive opposée.

Tous les hommes qui avaient réussi cet exploit jusqu'à présent devaient posséder une agilité et une force hors du commun. En général, les cordes traversant le fleuve ne leur faisaient pas peur. Mais celle-ci était différente. Pour commencer, elle avait été soigneusement et malicieusement recouverte de cire d'abeille. Juste avant d'être tendue au-dessus de l'eau, elle avait été aussi enduite de l'huile d'olive la plus pure provenant des célèbres plantations et presses des collines situées avant Vézet. On l'avait ensuite tendue au-dessus de l'Arbonne de façon qu'elle penchât juste assez bas au milieu pour obliger l'infortuné aventurier qui avait, grâce à son habileté, réussi à se rendre jusque-là à avancer ses mains glissantes le long d'une pente qui montait sans pitié jusqu'à la plate-forme funestement éloignée sur la rive, là où l'attendaient triomphe et gloire.

Depuis trois ans qu'elle assistait à ce concours sur le fleuve pendant le carnaval d'été, Lisseut n'avait jamais vu personne s'en approcher ; elle n'avait même jamais vu personne traverser le bouclier. Elle avait toutefois vu un certain nombre d'individus d'une grâce indéniable prendre un air comiquement désemparé en gigotant pour passer au travers du bouclier, ou se retrouver tristement suspendus, comme s'ils étaient épinglés par les lunes brillantes, incapables de bouger tandis que leurs jambes s'agitaient désespérément au-dessus du fleuve tumultueux.

Tout cela avait cependant un sens, Lisseut le savait ; pendant le carnaval, tout avait un sens, même les activités apparemment les plus triviales ou licencieuses. Tous les renversements, tous les revirements de cette nuit consacrée à la déesse, comme suspendus hors des rythmes et de la routine du reste de l'année, trouvaient leur plus pure représentation dans ces images, éclairées par les torches et les lunes, d'hommes doués rendus impuissants et ineptes, forcés soit de rire de leur posture ridicule, soit, s'ils n'avaient pas assez d'humour pour prendre part à l'hilarité générale, de supporter les hurlements moqueurs de la foule.

Personne toutefois ne se moquait de Valéry de Talair cette nuit-là et lui-même n'avait rien de risible pendant qu'il dirigeait son minuscule bateau vers le bouclier. Une fois près de la corde, il se leva de nouveau et, sans aucune hésitation, d'un mouvement net, précis, économe, il se hissa à gauche du bouclier. Ramenant ses genoux sur sa poitrine comme un acrobate se produisant à un banquet, il profita de son élan pour pirouetter en arc de cercle, après quoi il relâcha la corde glissante qu'il agrippait de façon précaire et revint en arrière, de l'autre côté du bouclier — comme si c'était la chose la plus simple, la plus naturelle du monde.

Tout en savourant à l'avance un échec comique, les habitants de Tavernel et les personnes rassemblées dans la ville à l'occasion du carnaval savaient reconnaître l'excellence lorsqu'ils en étaient témoins. Ils réagirent par un tonnerre d'applaudissements devant cette maîtrise et cette élégance. Les cris et les vivats faisaient mal aux oreilles. De retour à l'embarcadère, Lisseut, entendant un éclat de rire ravi et étonné à côté d'elle, se retourna à temps pour voir que le coran barbu du Gorhaut ne cachait plus ses sentiments et que son visage exprimait un plaisir total. Il surprit cependant son regard cette fois et, l'espace d'un instant, ses yeux croisèrent ceux de la jeune fille avant de se détourner rapidement, comme s'il était gêné d'avoir été observé. Lisseut faillit dire quelque chose, mais changea d'idée. Elle se retourna pour voir comment Valéry s'en tirait avec la corde.

Ce fut ainsi que, par un effet d'optique, un angle, une lueur de torche loin le long du fleuve noir, elle vit comment la flèche — ornée d'une plume blanche, se souviendrait-elle, blanche comme l'innocence, comme l'hiver au milieu de l'été, blanche comme la mort — tomba du sommet du long arc de cercle qu'elle décrivit pour atteindre le coran à l'épaule, l'entraînant, mou et impuissant, dans le fleuve au milieu des rires transformés en hurlements.

Du coin de l'œil, Blaise la vit aussi. Mû par son instinct professionnel, il remarqua même les deux maisons de marchands en bois foncé, le long de la rive, d'où aurait pu être tirée une flèche suivant un tel angle. À la lueur des flambeaux et grâce à l'évanescente clarté de la lune bleue qui se dégageait à présent des nuages, il distingua aussi, tout comme Lisseut, les plumes blanches. Contrairement à elle, il savait ce que signifiaient ces plumes, et la pensée qui avait commencé à l'obséder dans la taverne un peu plus tôt se concrétisa et prit dans son esprit une dimension terrifiante.

Il s'était mis à courir. C'était une erreur parce que la foule du carnaval se pressait, dense, au bord de l'eau, et la corde d'où était tombé Valéry se trouvait encore très loin sur le fleuve. Poussant et jurant, se servant de ses coudes et de ses poings, Blaise se fraya un chemin dans la masse vocifératrice et bouillonnante. À mi-chemin, il regarda vers le fleuve et vit Bertran de Talair qui pagayait frénétiquement dans l'un des petits bateaux — c'était bien sûr ce que lui-même aurait dû faire. Se maudissant, Blaise redoubla ses efforts. Un individu ivre et masqué grogna un juron et repoussa brutalement Blaise qui jouait des coudes dans la foule. Sans même regarder, déséquilibré par la peur, Blaise lui assena un coup d'avant-bras sur le côté de la tête qui le fit vaciller. Il n'en éprouva même pas de remords et songea — encore un réflexe — qu'il pouvait recevoir un coup de couteau dans le dos. Ces choses arrivaient dans une foule terrifiée.

Lorsqu'il parvint à l'embarcadère près de la corde, les bateliers avaient déjà retiré Valéry de l'eau. Il était étendu sur le quai. Bertran était agenouillé à côté de son cousin en compagnie d'une prêtresse et d'un homme qui semblait être un médecin. La flèche était enfoncée dans l'épaule de Valéry. En fait, la blessure n'était pas mortelle.

Sauf que les plumes et la partie supérieure de la hampe de la flèche étaient blanches. Une fois à l'embarcadère, Blaise vit aussi que la partie inférieure était noire comme de la cendre et il se rappela qu'il avait vu des chausses noir et blanc au-dessus de lui à l'étage de *La Liensenne* lorsque, à la fin du récital de la chanteuse, l'auditoire se préparait à partir. Une nausée le submergea comme une vague bouillonnante.

Valéry avait les yeux ouverts. Bertran avait posé la tête de son cousin sur ses genoux et tentait de le rassurer en lui murmurant des paroles apaisantes. Le médecin, un homme maigre au nez aquilin et aux cheveux grisonnants attachés sur la nuque par un ruban, parlait laconiquement avec la prêtresse en observant la flèche noir et blanc d'un air résolu. Il plia les doigts.

« Ne la retirez pas », dit calmement Blaise en venant se placer devant les quatre personnes.

Le médecin lui jeta un regard courroucé. « Je connais mon métier, rétorqua-t-il d'un ton sec. Ceci est une blessure dans la chair. Plus tôt nous retirerons la flèche, plus tôt nous pourrons soigner et recoudre les chairs. »

Blaise se sentit soudain fatigué. Valéry avait légèrement tourné la tête et le regardait. Il avait l'air paisible, quelque peu interrogateur. S'obligeant à soutenir le regard du coran, Blaise reprit d'une voix très douce : « Si vous tirez la hampe, vous allez déchirer davantage les chairs et le poison se répandra plus vite. Vous pouvez également vous tuer. Sentez la flèche, si vous le voulez. La pointe est enduite de syvaren, de même que la partie inférieure, très probablement », conclut-il en regardant le médecin.

Le visage de l'homme exprima une terreur animale. Il recula involontairement. Au même instant, poussant un petit cri féroce de protestation, Bertran leva les yeux sur lui. Il avait blêmi et l'horreur se lisait dans ses yeux. Le cœur rempli de chagrin et d'une rage terrible qui montait peu à peu en lui comme des nuages s'amoncelant dans le ciel, Blaise se tourna de nouveau vers Valéry. L'expression du coran blessé était restée la même ; il en avait sans doute eu l'intuition, songea Blaise. Le syvaren agissait très vite.

« Ceci m'était destiné, dit Bertran d'une voix enrouée.

— Évidemment », répondit Blaise. Il avait cette certitude, une certitude froide avec un goût de cendre sur la langue.

« Nous n'y sommes pour rien, je puis le jurer par la déesse dans son temple », affirma Urté de Miraval de sa voix profonde. Blaise ne l'avait pas entendu approcher.

Bertran ne leva même pas les yeux. « Laissez-nous, dit-il. Nous nous occuperons de vous plus tard. Vous profanez le sol que vous foulez.

— Je n'utilise pas le poison, insista de Miraval.

— Les Arimondains s'en servent, répliqua Bertran.

— Il est resté tout le temps à l'embarcadère avec nous. »

Blaise le savait et cela le rendait malade. Il ouvrit la bouche pour parler, mais la prêtresse le devança.

« À présent, cessez de vous disputer, ordonna-t-elle. Nous devons le porter à un temple. Quelqu'un va-t-il trouver un moyen de le transporter ? »

Bien entendu, se dit Blaise. On était en Arbonne. Même s'il était un coran, Valéry de Talair ne pouvait mourir dans la sainteté de la maison du dieu. Il retournerait à Corannos au milieu des sombres rites de Rian. Avec un dégoût proche de la colère, Blaise se détourna de la prêtresse ; elle s'était à présent couvert la tête d'un grand capuchon. Blaise vit les yeux de Valéry de nouveau posés sur lui et il crut cette fois comprendre ce qu'il cherchait à lui dire.

Ignorant les autres, même Bertran, il s'agenouilla auprès du moribond sur le quai mouillé. « Que le dieu vous accueille à jamais », dit-il d'une voix voilée, surpris d'avoir tant de difficulté à parler. « Je crois savoir qui a fait ça. Je vais m'occuper de lui en votre nom. »

Sous les lunes et les flambeaux, Valéry était livide et parcheminé. Il hocha une fois la tête avant de fermer les yeux.

Blaise se redressa. Sans regarder personne ni dire un mot de plus, il s'éloigna du quai. Quelqu'un s'écarta pour le laisser passer ; il réalisa seulement plus tard que c'était Quzman, l'Arimondain. D'autres l'imitèrent, mais ce fut à peine si Blaise en eut conscience. Il y avait ces cendres dans sa gorge, et ses yeux étaient embués. Une flèche enduite de syvaren. Des plumes blanches, une hampe noir et blanc. Blaise chercha la rage nécessaire à l'intérieur de lui et la trouva, mais il ne pouvait la maîtriser. Il y avait trop de souffrance, froide et moite, enroulée sur elle-même comme la brume en hiver : la moitié pour Valéry qu'il laissait derrière lui et la moitié pour ce vers quoi il se dirigeait à présent, haute et sombre silhouette semblable à une gravure des Anciens sur une frise au milieu des torches agitées, de la fumée, des bruits et des masques et, oui, au loin, des rires du carnaval.

« Je vais m'occuper de lui en votre nom. » Les dernières paroles dites à un homme à l'agonie, un coran comme lui, membre de l'ancienne et sainte confrérie du dieu, presque un ami ici au milieu de l'étrangeté de l'Arbonne à l'image de la déesse. Et ces paroles avaient probablement été un mensonge, le pire de tous.

Chapitre 3

Si, au milieu des tourbillons d'horreur de cette nuit ou même plus tard, alors qu'elle avait eu le temps de repenser à ces événements dans un endroit tranquille, si donc on avait demandé à Lisseut pourquoi elle avait retiré la légendaire cape bleue de Bertran de Talair, ignoré l'appel insistant d'Alain derrière elle et suivi l'homme appelé Blaise loin de l'embarcadère éclairé par les torches dans le dédale des ruelles sombres et tortueuses qui partaient du fleuve, elle aurait été incapable de répondre.

Cela avait sans doute un rapport avec la façon dont il avait quitté le bassin, la farouche témérité avec laquelle il était passé à côté de l'Arimondain comme si cet homme n'existait pas. Ou peut-être cela était-il dû à l'expression figée qu'elle avait vue sur son visage alors qu'il avait aveuglément foncé dans la foule. Elle avait entendu le mot «poison» ramper comme un serpent depuis l'endroit où Valéry était étendu. On allait à présent l'emporter vers le plus important temple de Rian. Des hommes se hâtaient de préparer une toile de voile et de la tendre entre des perches. Ce serait sur ce brancard qu'ils le transporteraient. La foule s'écarterait en silence au passage de la mort, puis elle recommencerait à crier, encore plus sauvagement qu'auparavant à cause de ce meurtre spectaculaire se mêlant à la folie enivrante du carnaval, un élément à ajouter au souvenir de cette nuit.

Lisseut savait que les troubadours et les ménestrels iraient au temple pour attendre et veiller à l'extérieur des murs, plusieurs pour l'amour de Bertran, certains pour Valéry. Elle avait déjà participé à des veillées mortuaires. Elle n'avait pas envie de cela cette nuit.

Elle suivit le coran gorhautien.

Elle dut se frayer un chemin dans la cohue. Attirés par des rumeurs parlant d'un événement excitant ou catastrophique engendré par le carnaval, les gens se précipitaient vers le fleuve. Se faufilant, Lisseut reconnut des odeurs de vin et de viandes grillées, de noix rôties, de parfums suaves et de sueur humaine. Elle éprouva l'espace d'un instant un sentiment affolant de panique lorsqu'elle se retrouva coincée au milieu d'un groupe d'hommes de la marine marchande du Götzland complètement ivres, mais elle réussit à se dégager de celui qui la serrait de plus près et se hâta de poursuivre sa route, à la recherche de l'homme qu'elle suivait.

La haute taille de celui-ci facilita la tâche de Lisseut. Même dans les ruelles grouillantes de monde, elle parvenait à le distinguer devant elle, marchant dans le sens contraire de la foule, sa chevelure d'un roux flamboyant lorsqu'il passait sous les torches installées sur les murs d'entrepôts délabrés. Ce n'était pas le quartier le plus élégant de Tavernel. Blaise fonçait droit devant lui, paraissant bifurquer au hasard, allant plus vite à mesure qu'il s'éloignait du fleuve et que la foule devenait moins dense. Lisseut fut presque obligée de courir pour ne pas le perdre de vue.

Une chose insolite se passa dans une ruelle obscure et tortueuse : une femme magnifiquement vêtue de soie verte ornée de fourrure et de joyaux, un élégant masque de renard camouflant son visage, alla à la rencontre de Blaise ; il ne ralentit pas l'allure, n'ayant même pas l'air de remarquer sa présence. Pressant le pas, Lisseut songea à ses cheveux mouillés, pendant en mèches, à sa blouse froissée. Trivialités, s'admonesta-t-elle ; une flèche ornée d'une plume blanche et enduite de poison avait été tirée cette nuit, destinée de toute évidence au duc de Talair et non à son cousin qui avait sereinement pris sa place dans le petit bateau sur le fleuve.

Blaise du Gorhaut s'arrêta soudain à un carrefour et regarda autour de lui pour la première fois. Lisseut recula vivement dans l'encoignure d'une entrée de maison. Elle faillit trébucher sur un couple enlacé dans le noir, appuyé contre le mur à côté de la porte. La robe de la femme était retroussée jusqu'à sa taille.

« Oh ! c'est bon », murmura la femme d'une voix traînante et sensuelle, quelque peu amusée, fixant Lisseut d'un regard langoureux. Le masque avait glissé sur ses yeux, et ses cheveux pendaient dans son dos. L'homme rit doucement, la bouche sur la gorge de sa compagne. Tous deux tendirent en même temps les mains ; des doigts minces et des doigts robustes cherchèrent à attirer Lisseut dans leur étreinte. « C'est bon », chuchota de nouveau la femme, les yeux mi-clos. Elle dégageait un parfum de fleurs sauvages.

« Hum, pas vraiment », dit gauchement Lisseut, retenue contre son gré. Elle réussit à se libérer.

« *Alors adieu, amour, adieu pour toujours, ô mon amour.* » La femme fredonna le vieux refrain d'un ton étonnamment plaintif, puis pouffa de rire lorsque l'homme lui susurra quelque chose à l'oreille.

De retour dans la rue, dans les ombres mouvantes créées par la lueur des torches, Lisseut se hâta de mettre le masque de la femme. Il représentait un visage de chat ; cette nuit, la plupart des femmes avaient choisi de porter un masque de chat. Elle aperçut devant elle Blaise qui levait une main pour arrêter un trio d'apprentis. Il leur posa une question. Ils répondirent en riant et en pointant une direction du doigt ; l'un d'eux lui offrit une fiasque. Lisseut vit Blaise hésiter puis accepter. Il pressa la fiasque et un jet de vin foncé gicla au fond de sa gorge. Pour une raison quelconque, Lisseut se sentit mal à l'aise de l'épier ainsi.

Il emprunta la ruelle qu'ils lui avaient indiquée, à droite. Lisseut le suivit, dépassa les apprentis en faisant de longs pas de côté, prête à courir ; il faisait trop sombre ici, l'endroit était trop désert. Elle atteignit la fourche et regarda dans la ruelle de droite. C'était encore plus calme dans cette rue qui montait dans la direction opposée au fleuve et à la place du marché. Les maisons devinrent de plus en plus imposantes, plus manifestement prospères et le chemin était mieux éclairé par des lanternes allumées dans d'élégants candélabres fixés aux murs extérieurs — signe indiscutable de richesse. Penchées à une balustrade de pierre sculptée, deux jeunes filles, sans aucun doute des servantes, appelèrent joyeusement Lisseut. Elle ne s'arrêta pas. Blaise, qui marchait à grandes enjambées, avait déjà tourné à un coin de rue. Elle se mit à courir.

Lorsqu'elle fut parvenue au carrefour suivant et qu'elle eut, comme lui, tourné à droite, Lisseut comprit où ils se trouvaient avant même de voir, sur la place au bout de la rue, la tour décentrée qui se dressait mélancoliquement au-dessus du plus grand des immeubles en pierres rouges.

C'était le quartier des marchands, là où les institutions bancaires et les centres financiers de plusieurs pays avaient leur siège social à Tavernel, le port arbonnais ouvert sur le monde. Cette tour dressée au bout du chemin était un écho délibéré et intimidant de la grande tour de Mignano, la plus importante des cités-États portezzaines, et les palais impressionnants alignés des deux côtés de la rue menant à la place abritaient des contingents de marchands lucides et prudents venus de ces riches cités.

Les bruits du carnaval étaient à présent très loin. Lisseut se glissa sous une arcade, surveillant avec attention Blaise du Gorhaut qui dépassa une entrée puis une autre. Elle le vit finalement s'arrêter, lever les yeux vers les armoiries qui surmontaient deux portes de fer. On voyait de la lumière aux étages supérieurs de cette maison, où se trouvaient sans doute les chambres. La rue était déserte.

Blaise demeura immobile pendant un moment qui parut interminable, comme s'il soupesait un problème difficile, puis il regarda attentivement autour de lui et se glissa dans une allée étroite séparant cette maison et celle qui était située au nord. Lisseut attendit un instant avant de sortir de sa cachette et de le suivre. À l'entrée de l'allée, elle dut retenir son souffle quelques secondes, presque étouffée par l'odeur pestilentielle. S'agenouillant pour se cacher, elle réussit à voir dans l'obscurité le coran du Gorhaut escalader avec agilité le mur de pierre rugueuse derrière la maison où il s'était arrêté. D'autres lumières luisaient doucement derrière ce mur. L'espace d'une seconde, elle vit sa silhouette se profiler avant de disparaître de l'autre côté.

Il était temps de retourner au fleuve. À présent, elle savait où il était allé. Au matin, elle pourrait découvrir à qui appartenait cette maison et rapporter l'incident à qui de droit, le duc Bertran sans doute, ou le sénéchal de la comtesse à Tavernel. Peut-être même Ariane de Carenzu envers qui les hommes de Talair et de Miraval s'étaient engagés à garder la paix cette nuit. Au matin, elle saurait ce qu'il fallait faire ; elle pourrait consulter des amis, Rémy, Aurélien. Il était temps de retourner d'où elle venait.

Enlevant le masque, grinçant des dents, Lisseut parcourut l'allée nauséabonde, dépassa l'endroit où le Gorhautien avait escaladé le mur et trouva par chance un cageot de bois. Il y avait souvent des cageots dans les ruelles. Des rats détalèrent dans plusieurs directions lorsque, prudemment, elle grimpa sur la caisse. De là, il lui fut possible de se hisser au sommet du large mur. Elle s'allongea sur la pierre et resta un long moment sans bouger. Puis, une fois certaine de ne pas avoir été vue ni entendue, elle leva la tête et regarda en bas, là où s'était glissé Blaise.

C'était un jardin élégant, soigneusement entretenu. Un platane se dressait à l'intérieur, juste à côté du mur, et ses branches la camouflaient. C'était important, car Riannon, la lune bleue de la déesse, se dégageait alors de ce qui semblait être le dernier des nuages pour un certain temps. Au-dessus d'elle, à travers l'écran du feuillage, Lisseut pouvait voir les étoiles scintiller dans le ciel d'été.

En bas, sur une pelouse drue, Blaise du Gorhaut se tenait calmement à côté d'un bassin rond au milieu duquel une gerbe d'eau jaillissait d'une fontaine sculptée. Des fleurs avaient été plantées autour de la fontaine et d'autres formaient des motifs dans le reste du jardin. Lisseut reconnut des odeurs d'oranges et de citrons, et de la lavande près du mur situé au sud. Derrière, les rats se bousculaient dans la ruelle humide.

Dans un petit patio, près de la maison, une table avait été dressée; il y avait des viandes, des fromages et du vin. De grandes chandelles blanches étaient allumées.

À cette table, un homme était affalé sur une chaise, les mains nouées derrière la tête, ses longues jambes étendues, son visage dans l'ombre. Blaise le regardait. Il n'avait ni parlé ni bougé depuis qu'elle était arrivée à sa cachette sur le mur. Il lui tournait le dos. Il paraissait lui-même transformé en statue. Le cœur de Lisseut battait la chamade.

« Je dois t'avouer que je me posais des questions », dit nonchalamment l'homme à la table, parlant le portezzain avec une précision élégante et aristocratique. « Je me demandais si tu avais toute ta tête ce soir et si tu viendrais. Mais tu vois, je t'ai accordé le bénéfice du doute — voilà de la nourriture et du vin pour deux, Blaise. Je suis content de te voir. Il y a longtemps. Allons, viens souper avec moi. Après tout, c'est bien une nuit de carnaval, en Arbonne. »

Il se leva alors et se pencha dans la lumière à travers la table en prenant le vin. À la lueur des deux lunes, des bougies et des gracieuses lanternes qui se balançaient sur des trépieds au milieu des arbres, Lisseut vit qu'il était svelte, qu'il avait les cheveux clairs, qu'il était jeune et souriant, que son ample tunique de soie aux manches longues et larges était noire et que ses chausses étaient noir et blanc, comme celles d'Arsenault la Fine Lame dans les spectacles de marionnettes de son enfance — et comme les flèches placées bien en vue dans leur carquois près de la table.

« Je vois que tu te sers toujours de syvaren », dit Blaise du Gorhaut. Il ne s'était pas approché de la table. Il parlait également en portezzain.

L'homme aux cheveux blonds fit une grimace en versant le vin d'une carafe à long goulot. « C'est laid, non ? dit-il d'un air dégoûté. Et tu n'as pas idée comme ça coûte cher, par les temps qui courent. Mais c'est utile, c'est utile parfois. Rends-moi justice, Blaise, j'ai tiré de très loin dans la brise et une lumière incertaine. Je n'avais, bien sûr, rien planifié et j'ai eu une chance incroyable de me trouver dans cette taverne au moment où a été lancé ce défi. J'ai alors dû compter sur le fait que le duc Bertran serait assez habile pour se rendre jusqu'à l'épreuve de la corde. C'est ce que j'ai fait et c'est ce qu'il a été. Que Corannos ait son âme. Allons, tu aurais déjà dû me féliciter de l'avoir touché à cette distance. L'épaule droite, si je ne me trompe pas ? » Il se tourna, souriant, une coupe de vin dans chaque main, et en tendit une à l'autre homme.

Blaise hésita et Lisseut, tous ses sens en alerte, sut qu'il se demandait s'il allait apprendre son erreur à l'assassin.

« C'est vrai que tu as tiré de loin, répondit-il simplement. Mais tu sais que je n'aime pas le poison. On ne l'utilise pas en Arbonne. Si tu ne t'en étais pas servi, on aurait pu croire que l'assassin était l'un des hommes d'Urté de Miraval. Ce n'était pas le cas, si je comprends bien ? »

La question demeura sans réponse. « Si je ne m'en étais pas servi, il n'y aurait pas eu de mort. Il n'y aurait eu qu'un duc à l'épaule blessée et quatre fois plus de gardes. Quant à moi, j'aurais raté un cachet spectaculaire.

— Qu'entends-tu par spectaculaire ?

— Il est préférable que tu l'ignores. Tu serais jaloux. Allons, Blaise, prends ton vin. Je me sens ridicule avec la main tendue comme un mendiant. Es-tu fâché contre moi ? »

Sans se presser, Blaise du Gorhaut marcha dans l'herbe et prit le gobelet qui lui était offert. Le Portezzain éclata de rire et retourna s'asseoir. Blaise resta debout près de la table.

« Dans la taverne, dit-il lentement, tu as dû voir que j'étais avec le duc, que j'étais l'un de ses hommes ?

— Évidemment, et je dois dire que j'ai été surpris. Au tournoi d'Aulensburg — en passant, on s'ennuie de toi au Götzland, on parle beaucoup de toi —, j'avais entendu dire que tu te trouvais en Arbonne ce printemps, mais j'en doutais, je ne savais pas que tu appréciais tant les chansons.

— Je ne les apprécie pas, tu peux me croire. Mais c'est sans importance. Je suis employé par le duc de Talair et tu l'as vu dans la taverne. Est-ce que cela ne signifiait rien pour toi ?

— Cela signifiait certaines choses, mais tu ne les aimeras pas et tu n'as pas envie que je te les dise. Je vois bien que tu m'en veux. Vraiment, Blaise, qu'est-ce que j'étais censé faire, laisser tomber un contrat et renoncer à mes honoraires simplement parce que tu te trouvais par hasard sur place en train d'échanger des insultes avec un giton d'Arimonda ? Si j'ai bien compris, tu as tué son frère ?

— Combien as-tu été payé ? » répéta Blaise sans relever la dernière phrase.

La belle tête blonde était de nouveau dans l'ombre. Il y eut un silence, puis : « Deux cent cinquante mille », répondit calmement le Portezzain.

Lisseut étouffa un petit cri. Elle vit Blaise se raidir, incrédule.

« Personne ne paie une telle somme pour un assassinat », dit-il sèchement.

L'autre homme éclata de rire. « Quelqu'un a cette somme et quelqu'un l'a payée. Déposée à l'avance à notre succursale du Götzland, placée à mon nom sous certaines conditions. Lorsque sera annoncé le triste décès du musicien duc de Talair, les conditions seront levées. Le Götzland », ajouta-t-il, songeur, « est parfois un endroit discret des plus utiles, même si le fait d'avoir une banque familiale l'est encore davantage, je suppose. »

L'homme semblait toujours s'amuser quoique d'une façon un peu sinistre, comme s'il savourait quelque blague intime aux dépens de Blaise. Lisseut se sentait encore étourdie, incapable de se figurer l'importance de la somme qu'il avait mentionnée.

« Tu as été payé en monnaie portezzaine ? »

L'autre rit de nouveau aux éclats, presque un fou rire, et c'était un son incongru dans le calme du jardin. Une lente gorgée de vin. « Tiens, voilà que tu essaies de me soutirer des renseignements, mon cher. Ça n'a jamais été ta force, pas vrai, Blaise ? Tu n'aimes pas le poison et tu n'aimes pas être dupé. Tu es vraiment très mécontent de moi. J'ai vraiment suivi la mauvaise pente depuis que nous nous sommes quittés. Tu ne m'as même pas demandé des nouvelles de Lucianna.

— Qui t'a payé, Rudel ? »

La question était brutale, dure comme un marteau. Blaise déposa sur la table la coupe de vin qu'il n'avait pas encore goûté ; Lisseut la vit trembler un peu. L'autre homme — qui avait à présent un nom — avait dû le remarquer, lui aussi.

« Ne sois pas stupide et ennuyeux, dit le Portezzain. As-tu déjà révélé le nom de tes employeurs ? Est-ce qu'une personne que tu respectes a déjà commis une telle indiscrétion ? D'ailleurs, si quelqu'un sait que je n'ai jamais fait ça pour de l'argent, c'est bien toi. Je suis né pour posséder ces choses et tout ce qu'elles représentent dans six pays, ajouta-t-il tout à coup en désignant d'un geste ample la maison et le jardin, et à moins d'être plus stupide que je ne le prévois de l'être, je mourrai riche parce qu'il se trouve que mon père m'aime. » Il se tut un instant. « Bois ton vin, Blaise, et assieds-toi avec moi comme une personne civilisée afin que nous puissions discuter de nos projets d'avenir.

— Tu n'étais pas très civilisé au Gorhaut, tu te rappelles ? » dit Blaise sur un ton dans lequel perçait quelque chose de nouveau.

L'homme assis s'éclaircit la voix, mais resta silencieux. Blaise n'avait toujours pas bougé.

« Je comprends maintenant, reprit-il à voix si basse que Lisseut pouvait à peine l'entendre. Tu as bu trop de vin et trop vite, n'est-ce pas ? Tu n'avais pas l'intention de me dire tout ça, n'est-ce pas, Rudel ? » Il parlait parfaitement le portezzain, bien mieux que Lisseut.

« Comment peux-tu en être sûr ? J'en avais peut-être l'intention, rétorqua l'autre homme en haussant le ton. Lucianna a coutume de dire que boire du bon vin le soir la rend… »

Blaise secoua la tête. « Non, nous n'allons pas commencer à parler de Lucianna, Rudel. » Il prit une longue inspiration et, étonnamment, reprit son gobelet et but. Il le reposa avec soin sur la table. « Tu m'en as trop dit. Je comprends à présent pourquoi tu trouves tout cela si divertissant. Tu as été payé en argent gorhautien. On t'a offert cette somme insensée pour assassiner le duc de Talair au nom d'Adémar, roi du Gorhaut, mais sur l'ordre et sans aucun doute à l'instigation de Galbert, primat de Corannos au Gorhaut. »

L'autre homme hocha lentement la tête dans l'ombre. « Ton père », ajouta-t-il.

« Mon père. »

Lisseut regarda Blaise s'éloigner de la table et des lumières du patio et se diriger vers la fontaine. Il demeura immobile, contemplant les vaguelettes du bassin. On distinguait à peine son visage.

« J'ignorais que tu travaillais pour de Talair quand j'ai accepté ce contrat, Blaise. C'est évident », reprit le Portezzain d'une voix plus insistante, plus du tout enjouée. « Ils voulaient sa mort à cause de certaines chansons qu'il avait composées.

— Je sais. J'en ai entendu une, répondit Blaise sans quitter le bassin des yeux. Ceci comporte un message. Mon père aime envoyer des messages. Il veut nous dire que personne n'est en sécurité. Personne ne doit essayer de contrecarrer ses plans. Il voulait que tu révèles ton cachet, ajouta-t-il en se retournant brusquement. Si tu ne l'avais pas fait, ils l'auraient fait à ta place, tu peux me croire. Ceci aussi constitue un message. Jusqu'où il est prêt à aller au besoin. Les ressources dont ils disposent. On t'a utilisé, Rudel. »

L'autre homme haussa les épaules sans se départir de son calme. « Nous sommes toujours utilisés. C'est notre profession à tous deux. Les gens nous embauchent pour servir leurs besoins. Mais si tu as raison, s'ils ont vraiment l'intention de s'assurer que tout le monde sache qui a payé pour ceci et combien, alors tu ferais mieux de songer sérieusement à partir avec moi.

— Pourquoi ?

— Réfléchis. Sers-toi de ton intelligence, Blaise. Que va-t-il t'arriver une fois ton secret révélé ? Quand les gens sauront qui tu es et que ton père a fait tuer le duc de Talair pendant que tu étais censé assurer sa protection ? Je crois connaître l'une des principales raisons pour lesquelles tu es venu en Arbonne — et non, nous n'avons pas besoin d'en parler —, mais tu ne peux plus rester ici maintenant. »

Blaise croisa les bras sur sa poitrine. « Je peux m'occuper de ce problème. Je peux te dénoncer. Cette nuit même. Je suis employé par le duc de Talair, je ne ferais que mon devoir. »

Lisseut ne pouvait discerner clairement son visage, mais, en entendant la voix qui émergea de l'ombre, elle comprit que l'homme appelé Rudel était de nouveau amusé.

« Le regretté duc de Talair, cette figure si poétique. Il a écrit une chanson de trop, hélas ! Vraiment, Blaise. Ton père a commandé le meurtre et ton vieux compagnon d'armes l'a exécuté. Ne sois pas bête. C'est toi qui seras blâmé pour ceci. Je suis désolé si mon geste te complique la vie pendant quelque temps, mais la seule chose à faire à présent est de décider où nous aimerions aller. À propos, connais-tu la nouvelle ? Lucianna s'est remariée. Rendrons-nous visite aux nouveaux époux ? »

Il y eut un autre silence, puis : « Où ? » demanda posément Blaise. Lisseut eut l'intuition qu'il posait la question contre son gré.

« À Andoria. Elle a épousé Borsiard, le comte, il y a quinze jours. Mon père était là. Je n'étais pas invité. Toi non plus, bien sûr, mais je pensais que tu avais eu vent de la chose.

— Non.

— Alors, il faut leur rendre visite et nous plaindre. S'il n'est pas encore cocu, tu pourrais y voir. Je l'occuperai pendant ce temps-là.

— Comment ? En empoisonnant quelqu'un ? »

L'homme appelé Rudel se leva lentement. En pleine lumière à présent, on pouvait voir que ses traits s'étaient figés ; il n'avait plus du tout l'air de s'amuser. Il déposa sa coupe de vin. « Lorsque nous nous sommes séparés il y a un an, j'avais l'impression que nous étions des amis, Blaise. Je ne sais pas exactement ce qui s'est passé, mais je n'ai plus cette impression actuellement. Si tu m'en veux seulement à cause de ce qui s'est passé cette nuit, dis-le-moi et explique-moi pourquoi. S'il y a autre chose, j'aimerais le savoir et agir en conséquence. »

Les deux hommes respiraient à présent plus fort. Blaise décroisa ses bras. « Tu as conclu un contrat avec mon père, dit-il. Sachant ce que tu sais, tu l'as fait quand même.

— Pour deux cent cinquante mille pièces d'or du Gorhaut. Vraiment, Blaise...

— Tu as toujours affirmé ne pas faire ça pour l'argent. Tu viens encore de le dire. Ton père t'aime, tu te rappelles ? Tu vas hériter, tu te rappelles ?

— Et tu es jaloux ? Tout comme tu l'es de tout homme proche de Lucianna ?

— Prends garde, Rudel. Oh ! je t'en prie, prends garde.

— Qu'est-ce que tu vas faire ? Me battre ? Pour voir lequel de nous deux tuera l'autre ? De quelle façon stupide vas-tu réagir, Blaise ? J'ignorais totalement que tu étais avec le duc de Talair. Lorsque je l'ai appris, il était trop tard pour me retirer. Tu es aussi professionnel que moi, Blaise. Tu sais que je dis la vérité. J'ai accepté le contrat de ton père parce que c'était de loin la somme la plus importante jamais offerte pour un meurtre. J'étais flatté, je l'admets. Le défi m'a plu. J'ai aimé l'idée de me faire connaître comme le tueur à gages valant cette somme. Vas-tu essayer de me tuer pour ça ? Ou n'est-ce pas plutôt parce que je t'ai présenté ma cousine, laquelle n'a pas voulu changer sa nature simplement parce que tu venais d'apparaître sur la scène et que tu voulais qu'elle change ? Je t'avais expliqué qui étaient Lucianna et sa famille avant que tu fasses sa connaissance. Tu te rappelles ? Ou préfères-tu te cacher dans ta colère, te cacher ici, en Arbonne, de tous ceux que tu connais et oublier ce qui t'a fait souffrir ? Sois honnête avec toi-même et dis-moi quelle fut ma faute, Blaise. »

À plat ventre sur le mur, camouflée par les feuilles du platane, Lisseut entendait des choses qu'elle ne devait pas entendre ; ses mains se mirent à trembler. C'était trop cru, trop profondément intime, et elle regrettait à présent d'être là. Elle épiait ce jardin de la même façon que les audrades vilains et jaloux espionnaient les amants dans toutes les aubades, déterminés à tout détruire par pure méchanceté. On n'entendit, pendant un long moment, que le bruit calme et régulier de la fontaine. Il y avait habituellement des fontaines aussi dans les chansons.

Lorsque Blaise reprit la parole, il parla, contre toute attente, en arbonnais. « Si je suis honnête avec moi-même et avec toi, je te dirai qu'il n'y a sur terre que deux personnes, un homme et une femme, avec lesquelles il semble que je sois incapable de composer et que tu es à présent lié à ces deux personnes, et non plus à une seule. Cela rend les choses... difficiles. Je ne vais pas quitter l'Arbonne, poursuivit-il après avoir pris une longue inspiration. J'aurais l'air d'avouer ma culpabilité et je refuse d'assumer cela. Je vais attendre jusqu'au matin avant de révéler à qui de droit qui a tiré cette flèche. Cela te laisse le temps de t'embarquer sur l'un des navires de ton père. Je vais tenter ma chance ici. »

L'autre homme avança d'un pas ; à la lueur des bougies sur la table, son expression n'avait plus rien de léger ni de rusé. « Nous avons longtemps été des amis et nous avons partagé beaucoup d'aventures. Je serais désolé que nous devenions des ennemis. Tu pourrais même me faire regretter d'avoir accepté ce contrat. »

Blaise haussa les épaules. « C'était un montant considérable. Mon père a coutume d'obtenir ce qu'il désire. T'es-tu demandé pourquoi, parmi tous les tueurs à gages de six pays, il a embauché celui qui avait été mon meilleur ami ? »

Le visage de Rudel changea pendant qu'il y réfléchissait. Il secoua la tête. « Vraiment ? Était-ce la raison ? Je n'y avais pas songé. Vaniteux comme je suis, j'ai simplement cru que c'était parce que, selon lui, j'étais le meilleur, conclut-il en riant doucement mais sans gaîté.

— Il a acheté l'ami que je m'étais fait loin de chez moi, loin de lui. Sois flatté, il a décidé que ton prix serait très élevé.

— Plutôt, oui, quoique j'avoue me sentir à présent un peu moins heureux que tout à l'heure. Mais dis-moi une chose. Je crois savoir pourquoi tu es parti tout seul, mais pourquoi rester, maintenant ? Qu'est-ce que l'Arbonne a pu faire pour t'acheter et te retenir ainsi ? Qui était Bertran de Talair pour que tu tentes le sort de cette façon ? »

Blaise haussa de nouveau les épaules. « L'Arbonne n'a rien fait, réellement. Certainement rien pour m'acheter. Pour te dire la vérité, je n'aime même pas cet endroit. On y vénère trop la déesse à mon goût, comme tu l'as sans doute deviné. Mais j'ai signé un contrat, tout comme toi, poursuivit-il en bougeant un peu. Je vais le remplir aussi honnêtement que possible et, ensuite, je verrai ce que je dois faire. Je n'ai pas l'impression de tenter le sort.

— Alors réfléchis encore, Blaise. Réfléchis bien. Si ton père voulait envoyer un message au monde en faisant assassiner le duc de Talair, comment devons-nous comprendre ce message ? Qu'est-ce que le Gorhaut cherche à nous dire ? Mon père pense que la guerre se prépare, Blaise. Si elle éclate, je crois que l'Arbonne est condamnée.

— C'est possible, répondit Blaise du Gorhaut tandis que Lisseut se sentait devenir blême. Comme je te l'ai dit, je vais voir ce que je dois faire dans quelque temps.

— Il n'y a rien que je puisse faire pour toi ? »

Lisseut distingua une nuance de lassitude amusée dans la voix de Blaise. « Ne laisse pas le vin te rendre sentimental, Rudel. Je vais te dénoncer comme assassin au lever du soleil. Tu ferais mieux de commencer à faire tes propres plans. »

L'autre ne bougea pas. « Il y a une chose… », dit Rudel d'une voix lente, comme s'il se parlait à lui-même. Il hésita. « J'enverrai une lettre aux agents de toutes les succursales de Correze pour leur ordonner de t'accueillir et de te cacher si c'était nécessaire.

— Je n'irai pas. »

Ce fut au tour de Rudel de paraître amusé. « Cet aspect du problème ne dépend pas de moi. Je ne suis pas responsable de ton orgueil. Mais j'écrirai la lettre. J'imagine que tu continues à nous confier ton argent ?

— Bien sûr, répondit Blaise. À qui d'autre pourrais-je faire confiance ?

— C'est bien, dit Rudel Correze. Mon père déteste par-dessus tout voir les investisseurs fermer leurs comptes. Il serait très déçu de moi.

— Je m'en voudrais de lui causer un tel chagrin. »

Rudel esquissa un sourire. « Si je ne t'avais pas vu, Blaise, je serais d'excellente humeur cette nuit, tout à la joie de mon grand succès. Je sortirais même, peut-être, pour me mêler à la foule du carnaval. Au lieu de cela, je me sens curieusement triste et je suis forcé de partir de nuit, ce qui est incompatible avec une bonne digestion. Quel genre d'ami es-tu donc ?

— Un ami qui ne sera jamais un ennemi. Sois prudent, Rudel.

— Toi aussi. L'Arimondain te tuera s'il le peut.

— Je sais. S'il le peut. »

Il y eut un silence, puis : « Un message pour Lucianna ?

— Aucun. Que le dieu te garde, Rudel. »

Blaise fit un pas en avant et les deux hommes se serrèrent les mains. Pendant un instant, Lisseut crut qu'ils allaient s'embrasser, mais ils n'en firent rien. Elle recula silencieusement le long du mur, chercha dans le noir avec ses pieds pour retrouver le cageot et se glissa dans les odeurs de la ruelle. Elle entendit de nouveau détaler les rats tout en pressant le pas en direction de la rue. En quittant la ruelle, elle ramassa le masque qu'elle avait jeté dans la rue et le remit sur son visage. Elle avait en ce moment envie de mettre une barrière entre elle et le monde extérieur et surtout, encore plus qu'avant, elle avait besoin d'un moment de paix et d'un esprit clair pour réfléchir.

Elle ne pensait trouver ni l'un ni l'autre cette nuit.

Elle revint vers la rue déserte jusqu'à la place au bout, passa devant les portes de fer massives, à l'entrée de ce qu'elle savait à présent être le palais arbonnais de la Maison de Correze. Elle connaissait le nom, bien entendu. Tout le monde le connaissait. Elle était tombée sur quelque chose de très important et elle se sentait désemparée.

Un peu plus loin se trouvait l'arcade où elle s'était d'abord cachée lorsque Blaise avait emprunté la ruelle. Elle y retourna, regardant à travers les fentes allongées des yeux de son masque.

Son attente fut de courte durée. Quelques instants plus tard, Blaise du Gorhaut sortit d'un pas vif de la ruelle. Il s'arrêta dans la rue et leva les yeux vers l'austère tour carrée de Mignano. Lisseut savait maintenant pourquoi. Elle savait plus de choses qu'elle n'aurait dû ou même voulu savoir : Mignano était, et ce depuis de nombreuses années, dominé par la famille Delonghi ; la fille unique de Massena Delonghi était une femme appelée Lucianna, mariée deux fois et deux fois veuve prématurément.

Mariée trois fois, corrigea-t-elle. Avec le comte Borsiard d'Andoria à présent. Lisseut se demanda pourquoi un homme riche et puissant désirait épouser Lucianna, connaissant l'ambition de sa famille et sa propre réputation. On disait qu'elle était très belle.

Blaise s'était détourné de la tour et il marchait à présent dans la rue, à grandes enjambées. À la lueur des lanternes, ses cheveux et sa barbe s'enflammaient à nouveau.

Jusqu'au moment où elle prononça son nom, Lisseut ignorait qu'elle allait le faire. Il s'arrêta, porta vivement la main à son épée, puis changea d'idée et laissa retomber sa main sur le côté. Une voix de femme : il n'avait rien à craindre d'une femme. Lisseut sortit de sa cachette et apparut dans la lumière. Elle portait son masque. Levant la main, elle le retira ; son pauvre chignon se dénoua et ses cheveux retombèrent ; elle sentit les mèches frisottées et emmêlées lui tomber dans le visage. Elle pouvait se figurer à quoi elle ressemblait.

« Ah ! dit-il. La chanteuse. » Blaise semblait surpris. Pas beaucoup cependant. Et pas très intéressé non plus. Au moins, il la reconnaissait. « Tu es loin du carnaval, ici. Veux-tu que je te raccompagne là où il y a des gens ? »

Il parlait d'un ton courtois et détaché, un coran du dieu accomplissant son devoir envers une personne dans le besoin. Elle réalisa qu'il ne s'était même pas demandé pourquoi elle était là. Elle n'était qu'une femme arbonnaise, sans doute en difficulté.

Sa mère lui avait toujours dit qu'elle agissait trop sous l'impulsion du moment et qu'un jour elle devrait en payer le prix. Elle l'avait déjà payé, et plus d'une fois. C'était probablement ce qui allait se produire, songea-t-elle tout en commençant à parler.

« Je t'ai suivi, dit-elle. J'étais sur le mur du jardin, sous le platane. J'ai entendu la conversation que tu as eue avec Rudel Correze. Je suis en train d'essayer de voir ce que je vais faire. »

Elle éprouva une légère satisfaction en voyant à quel point il était éberlué ; la stupéfaction se lisait même derrière sa barbe — qui, d'une certaine façon, lui servait de masque, cette nuit. La sensation fut de courte durée. Elle comprit qu'il était tout à fait possible qu'il la tuât à présent. Elle ne pensait pas qu'il le ferait, mais c'était possible.

Elle se prépara mentalement à sa colère. Elle crut la voir monter dans la lumière incertaine, lorsqu'il leva la tête et la fixa. Elle se rappela le coup d'épée qu'il avait donné à Rémy, les six hommes abattus près du lac Dierne. Ses mains restaient toutefois immobiles. Elle vit qu'il réfléchissait aux conséquences de tout cela, l'étonnement et la colère laissant la place à une évaluation purement professionnelle. Il n'était pas long à se ressaisir ; si elle ne l'avait pas vu plus tôt dans le jardin alors qu'il renversait du vin en entendant le nom d'une femme, elle l'aurait pris pour un homme froid et austère.

« Pourquoi ? » demanda-t-il enfin.

Lisseut avait appréhendé cette question. Elle ne connaissait toujours pas la réponse. Elle aurait voulu que ses cheveux fussent bien attachés, que ses vêtements fussent propres et secs. Elle avait l'impression d'être une enfant de la rue. Sa mère aurait tellement honte.

« Tu avais l'air pressé de te rendre quelque part, répondit-elle d'une voix hésitante. La façon dont tu as quitté l'embarcadère. Je crois que j'étais très... irritée contre toi à la taverne. Je voulais... en savoir plus.

— Et à présent, tu en sais plus, dit-il avec davantage de lassitude que de colère. Alors, qu'est-ce que tu comptes faire ? demanda-t-il.

— J'espérais que tu m'aides à trouver la réponse, répliqua Lisseut en regardant le masque de chat dans ses mains. Je t'ai entendu dire que tu allais rester plutôt que de partir avec lui. Je l'ai entendu dire qu'il y aurait peut-être une guerre et je... j'ai appris qui avait payé pour le meurtre. » Elle s'obligea à soutenir son regard.

« Mon père, dit-il brusquement. Oui, continue. »

Lisseut sentit ses sourcils se froncer sous l'effort de concentration. « Je ne suis pas très douée pour ce qui est de me discipliner, mais je ne veux pas foncer dans quelque chose qui dépasse mes capacités.

— Oh ! vraiment ! dit-il, vaguement sarcastique. Quelle modestie ! Davantage de gens devraient penser ainsi. Mais la question qui saute aux yeux est celle-ci : pourquoi me faire confiance ? Pourquoi me parles-tu comme tu le fais dans une rue sombre alors que personne au monde ne sait que nous sommes ensemble ni ce que tu as entendu ? Pourquoi demandes-tu au fils de Galbert de Garsenc ce que tu dois faire ? Tu sais qui il est et, à présent, tu sais qui je suis. Tu sais que mon ami Rudel Correze est l'homme qui a tué Valéry. Tu as espionné et tu as appris des choses importantes. Pourquoi te trouves-tu avec moi maintenant ? Tiens-tu si peu à la vie ou ignores-tu simplement ce qui, dans la réalité, arrive aux gens qui agissent comme toi ? »

Elle déglutit. Il n'était vraiment pas un homme facile. Elle repoussa encore les cheveux qui lui tombaient dans les yeux. Ils étaient misérablement emmêlés.

« Parce que je crois ce que tu lui as dit. Comme tu ne savais pas que j'étais là, tu n'avais aucune raison de mentir. Tu n'as rien à voir avec ce meurtre. Et tu lui as dit que tu ne quitterais pas l'Arbonne et… et puis tu ne lui as pas révélé qu'il avait tué un autre homme que celui qu'il croyait. » Elle sentit son front se détendre lorsqu'elle comprit que tout cela était vrai. C'étaient ses véritables raisons ; elle les découvrait en les énumérant. Elle ébaucha même un sourire. « À mon avis, tu es un nordique barbare incapable d'apprécier ce que la vie offre de meilleur, mais tu n'es pas méchant et je pense que tu disais la vérité.

— Pourquoi est-ce que les gens qui m'entourent cette nuit sont-ils si sentimentaux ? » demanda Blaise d'une voix étrangement songeuse.

Elle éclata de rire. Un instant plus tard, Blaise esquissa un sourire contraint qui parut le surprendre. « Viens, dit-il. Il est préférable qu'on ne nous voie pas dans ce voisinage. On pourrait établir des rapports. » Il recommença à marcher dans la large rue. Il avançait à grandes enjambées sans faire de concession à la taille de Lisseut qui devait marcher à pas rapides et sautillants pour le suivre. En fait, c'était de nouveau irritant et, après un bref instant, elle agrippa sa manche et la tira vigoureusement pour l'obliger à ralentir l'allure.

« Le dieu n'aimerait pas que tu me forces à courir », murmura-t-elle. Il ouvrit la bouche, puis la referma. Le regardant dans les jeux d'ombre et de lumière, elle crut, sans en être vraiment certaine, qu'il avait été sur le point de rire.

Ce fut à ce moment que, malheureusement, la main sur sa manche, elle se rappela que c'était la nuit du carnaval, la veille de la mi-saison. À Tavernel, on prétendait que dormir seul cette nuit-là portait malheur. Elle sentit sa bouche devenir sèche. Elle déglutit et lâcha sa manche. Il ne s'en aperçut même pas et continua à marcher à côté d'elle d'un pas plus raisonnable, avec ses épaules larges et son assurance et la célèbre Lucianna Delonghi quelque part dans son passé. Sans crier gare, l'image du couple enlacé dans le portique sombre revint à l'esprit de Lisseut, très vivante. « Oh ! c'est bon », avait murmuré la femme d'une voix voilée par le désir, et des mains s'étaient tendues vers elle pour l'attirer dans leur intimité.

Lisseut secoua la tête et jura tout bas en respirant profondément l'air de la nuit. Tout cela était la faute de Rémy, bien entendu. Avant lui, de telles images, de telles pensées lui auraient été étrangères. Enfin, presque étrangères.

« Pourquoi le laisses-tu partir ? » demanda-t-elle pour changer le cours de ses pensées, pour rompre le silence. Il y avait à présent davantage de gens autour d'eux ; surtout des couples à cette heure de la nuit, constata-t-elle en se hâtant de chasser cette pensée. « Parce que c'est ton ami ? »

Il baissa les yeux vers elle. Elle se demanda si elle avait parlé d'une voix tendue. Il hésita. Lisseut eut soudain l'impression très nette qu'il n'aurait pas hésité si cela avait été un homme qui lui avait posé cette question. Il répondit cependant : « C'est en partie à cause de cela, bien entendu. Nous avons vécu... bien des choses ensemble. Mais ce n'est pas l'unique raison. Rudel Correze est un homme important. C'est le fils de son père, et son père est un homme très important. S'il était capturé ici, il nous faudrait décider de son sort, et cela pourrait se révéler difficile. Si la guerre éclate, nous aurons besoin des villes de Portezza pour l'argent et peut-être davantage. »

Elle prit un autre risque. Un grand risque. « Nous ? » demanda-t-elle.

Il fit encore quelques pas en silence. « Tu es une femme intelligente, dit-il enfin, et de toute évidence courageuse. » Elle eut envie de faire une révérence moqueuse dans la rue, mais se retint. « Je te suggère de ne pas devenir trop sentimentale à ce sujet. Je suis un coran professionnel à présent sous contrat avec le duc Bertran qui n'est pas mort tandis que l'est un homme que j'avais appris à apprécier. Dans ma profession, il faut s'habituer à ce que des gens qu'on aime meurent, sinon on change de profession. Je pourrais facilement me retrouver à Aulensburg au service de Jörg du

Götzland cet automne et s'il décidait de s'allier au Gorhaut et que la guerre éclatait... eh bien, je serais de retour ici et me battrais pour lui contre vous. Tu dois comprendre cela. Pour l'instant, j'essaie de servir du mieux que je le peux l'homme qui me paie.

— Il n'y a que le salaire qui compte ? Tu ne te battrais pas pour le Gorhaut parce que c'est ton pays ? Seulement pour cette raison, en oubliant l'argent ? » Elle respirait de nouveau avec peine.

Blaise resta un instant silencieux pendant qu'ils continuaient à marcher. Il baissa les yeux sur elle et leurs regards se croisèrent un moment, puis il regarda au loin. « Non, dit-il finalement. Je l'aurais fait. Je l'ai fait, un jour. Je ne le ferais plus. Pas depuis le pont Iersen, ajouta-t-il en respirant lentement. Je suis un coran professionnel. Il n'y a que le salaire qui compte.

— Et cela t'est aussi facile de changer de camp ? Il n'y a aucun attachement qui compte ? Il n'y a personne, aucun principe ?

— Tu as commencé la soirée en m'attaquant, murmura-t-il. Est-ce en train de devenir une habitude ? »

Lisseut se sentit rougir.

« Si tu es juste, poursuivit-il, tu dois reconnaître qu'il y a des principes derrière mes actes. Dans ma profession, les liens sont dangereux. Les sentiments aussi.

— Tu as utilisé ce mot au moins quatre fois ce soir, dit-elle d'un ton plus acerbe qu'elle ne l'aurait voulu. Est-ce le seul que tu connaisses pour décrire l'affection humaine ? »

À la surprise de Lisseut, Blaise se remit à rire. « Si je te concède ce point, est-ce que cela va clore la discussion ? » demanda-t-il.

Il s'arrêta dans la rue. Ils étaient revenus parmi la foule. Quelqu'un bouscula Lisseut en passant à côté d'elle. Blaise posa une main sur son épaule tandis qu'elle se tournait pour le regarder. « Je ne suis pas de taille à discuter avec toi dans la rue ce soir. Je pense que je perdrais. » Il la considéra d'un air neutre, redevenu un professionnel évaluant une situation. « Tu m'as demandé plus tôt ce que tu devrais faire. J'ai l'intention de parler à messire Bertran demain matin. On ne doit pas lui imposer cela cette nuit, c'est évident, je crois, même sans tenir compte de la promesse que j'ai faite à Rudel Correze. Je lui raconterai tout ce qui s'est passé, y compris ma décision de laisser à Rudel la possibilité de s'enfuir. J'espère qu'il approuvera cette décision, peut-être pas tout de suite, mais plus tard. Je lui apprendrai aussi le nom de celui qui a payé pour cette flèche. Je te le promets. Si tu ne me crois pas, tu pourras assister à notre rencontre demain matin. »

C'était plus que ce à quoi elle s'était attendue, beaucoup plus. Elle insista néanmoins : « Tu vas tout lui révéler ? Y compris ton identité ? »

Il ne changea pas d'expression et elle comprit qu'il avait prévu cette question. Il avait déjà commencé à la jauger ; réaliser cela lui fit une impression étrange.

« Si tu insistes, je le ferai. D'ailleurs, je ne peux pas t'empêcher de le dire. Je ne suis pas du genre à tuer les femmes qui en savent trop. Je peux seulement te demander de me laisser juger s'il faut révéler cela et quand, au fur et à mesure que les événements se dérouleront. » Il hésita de nouveau. « Je n'ai pas l'intention de faire du mal à des gens que tu aimes. »

Elle pensa à Rémy et au coup d'épée qu'il avait reçu dans l'épaule. « Bien. Je peux t'accorder cela », répondit-elle hardiment, essayant d'avoir l'air dégagée et expérimentée. « Mais alors, il est préférable que je ne sois pas là quand tu parleras à Bertran, sinon il me convoquera après, seule, et me demandera ce que j'ai entendu d'autre... et je ne suis pas très douée pour le mensonge. » Elle sentait le poids de la main de Blaise sur son épaule.

Il sourit. « Merci. Tu es généreuse.

— Ne deviens pas sentimental », fit Lisseut en haussant les épaules.

Rejetant la tête en arrière, il éclata de rire. Un artisan armé d'une crécelle passa à côté d'eux en courant, produisant un bruit épouvantable. Blaise recula.

« Où veux-tu que je te laisse ? demanda-t-il. À la taverne ? »

Il avait retiré la main de son épaule. C'était la veille de la mi-saison à Tavernel. « Tu n'es pas vraiment obligé de... me laisser. C'est le carnaval et la nuit est encore jeune. Nous pourrions partager une bouteille de vin, si tu veux, et... et si tu as vraiment l'intention de séjourner quelque temps en Arbonne, il faut que tu connaisses certaines de nos coutumes. » Malgré elle, elle regarda au loin, le long de la rue bondée. « On prétend que, à Tavernel, cela... porte malheur de passer cette nuit tout seul. »

Sa mère lui avait toujours dit qu'elle finirait par déshonorer la famille. Son oncle était à blâmer puisque c'était lui qui l'avait amenée dans le vaste monde pour qu'elle devînt chanteuse. Rémy d'Orreze était à blâmer, de même que les rites sacrés de Rian à Tavernel la nuit de la mi-saison.

Se mordant les lèvres, Lisseut entendit son compagnon lui répondre, avec une politesse accablante: « Merci. Pour les deux propositions. Mais je ne suis pas arbonnais et, sincèrement, que cela me porte malheur ou non, un coran que j'admirais est mort ce soir et mes propres coutumes exigent que je veille dans une maison du dieu.

— Toute la nuit ? » Elle le regarda de nouveau. Elle eut besoin de tout son courage.

Il hésita, cherchant ses mots. Lisseut dit alors, tout en sachant qu'elle avait tort: « J'ignore ce qui s'est passé en Portezza, bien sûr, mais je ne suis pas comme ça. Je veux dire que, normalement, je ne... »

Il mit une main sur la bouche de Lisseut. Elle sentit les doigts contre ses lèvres. « Ne dis plus rien, murmura-t-il. Laisse-moi au moins ce qui m'appartient. »

Elle songea qu'il était un nordique barbare. Il avait poignardé Rémy dans le bras. *Jusqu'à ce que tombe le soleil et que meurent les lunes*, avaient coutume de dire son père et son grand-père, *l'Arbonne et le Gorhaut ne vivront pas en harmonie côte à côte.* Ayant retiré sa main, Blaise se retirait en lui-même, derrière son propre masque. C'étaient seulement les dangereuses connotations de cette nuit de carnaval, pensa-t-elle, et la troublante intimité de ce qu'elle avait entendu dans le jardin. D'autres hommes pouvaient lui tenir compagnie, des hommes qu'elle connaissait et en qui elle avait confiance, des hommes de talent, d'esprit et pleins de courtoisie. Ils devaient être de retour à *La Liensenne*, dans les chambres du rez-de-chaussée ou de l'étage, avec le vin et les fromages de Marotte, leurs harpes, leurs luths et leurs chansons, en train de célébrer Rian pendant les dernières heures de cette nuit sacrée de la déesse. Il était très improbable qu'elle dormît seule.

À moins que, finalement, elle n'en eût envie. Se sentant triste tout à coup, Lisseut regarda au loin derrière l'homme qui était avec elle, luttant pour retrouver cet état d'exaltation qui semblait l'avoir quittée quelque part dans cette étrange nuit au milieu de la foule, de la musique, des crécelles, d'une flèche qui avait volé en arc de cercle et de paroles prononcées à côté du jet d'eau d'une fontaine.

Et ce fut ainsi que, regardant la foule dans la rue, elle vit avant Blaise les six hommes en livrée écarlate qui se dirigeaient vers eux et qui vinrent les encercler, portant des torches et des épées.

Leur chef s'inclina gracieusement devant Blaise du Gorhaut. « Vous nous feriez un grand honneur en acceptant de nous accompagner », dit-il avec une politesse grave et parfaite.

Blaise jeta un rapide regard autour de lui ; Lisseut put voir qu'il essayait d'évaluer cette nouvelle situation. Il la regarda de nouveau, cherchant dans ses yeux un indice ou une explication. De toute évidence, il ignorait à qui il avait affaire. Mais Lisseut, elle, reconnaissait la livrée. Très bien, même. Et elle n'avait, à cet instant précis, pas très envie de l'aider. Comment, pensa-t-elle, étonnée par la vive colère qu'elle sentait monter en elle, une chanteuse dépenaillée originaire des oliveraies de Vézet pouvait-elle rivaliser avec ce genre de chose par une nuit de Rian ?

« Tout compte fait, je ne crois pas que tu auras ta veillée funèbre avec le dieu, dit-elle. Je te souhaite une nuit et une année heureuses. » Et elle éprouva une satisfaction puérile et passagère en voyant l'incompréhension qui se lisait dans les yeux de Blaise pendant qu'ils l'entraînaient.

L'un des hommes en rouge escorta Lisseut jusqu'à *La Liensenne*. Bien entendu. Ils n'ignoraient absolument rien de ce genre de raffinements. Normal, songea-t-elle avec amertume, puisqu'ils devaient servir de modèles au monde entier.

Chapitre 4

Même lorsqu'il vit les paons dans la cour intérieure somptueusement illuminée de la maison où on l'avait amené, Blaise ne fut pas certain de savoir où il était. S'il n'avait pas l'impression d'être en danger avec les cinq hommes qui l'escortaient, il savait aussi qu'il n'aurait pu refuser leur invitation si poliment formulée.

Il se sentait étonnamment abattu. Il s'était montré plus honnête qu'il ne s'y était attendu avec la chanteuse, cette fille échevelée nommée Lisseut, surtout après ce qu'elle avait fait. Mais s'il avait été tout à fait sincère, il aurait ajouté, à la fin, que, s'il souhaitait veiller dans une chapelle du dieu, c'était tout autant pour le frais silence qu'une telle solitude lui offrirait que pour pleurer et honorer Valéry de Talair, rappelé par Corannos cette nuit-là.

Avec toutes les choses auxquelles il devait penser et faire face, le vin et ce qui pourrait s'ensuivre au cours d'une nuit décadente à Tavernel avec une chanteuse — peu importait à quel point elle était spirituelle — ne pouvaient soulager son cœur ou son esprit, ce soir. Les choses semblaient être redevenues compliquées.

Son père avait versé à Rudel Correze un quart de million en or pour tuer le duc de Talair.

Un message des plus clairs pour tout le monde, et un autre, caché, destiné uniquement à son fils cadet : « Vois ce avec quoi je dois travailler, mon fils errant. Vois ce que je vais te refuser parce que tu ne veux pas de moi. Comment je vais te dépouiller même de tes amis. Apprends le prix de ta folie. Comment as-tu pu imaginer pouvoir t'opposer à moi ? »

Existait-il un lieu sur terre où il pourrait aller sans être ramené devant Galbert, primat de Corannos au Gorhaut, comme devant la surface polie, impitoyable d'un miroir reflétant sa propre image ?

Autre chose. Lucianna s'était remariée. Un autre type de miroir, déformant et sombre : des bougies qui se consument près d'un lit dévasté, la lune du dieu aperçue d'une fenêtre, un oiseau oriental dans une cage décorée et dont le chant brise le cœur — images si âpres que les yeux de la mémoire reculent en tressaillant.

Dans le silence hivernal, il avait traversé les cols de montagnes en direction de l'Arbonne qu'il imaginait comme un havre ou un refuge, un lieu où il n'était jamais venu auparavant, où on ne le connaîtrait probablement pas, où il pourrait servir dans un anonymat tranquille n'importe quel insignifiant seigneur de château fort perdu dans les montagnes qui lui offrirait un salaire raisonnable. Un lieu où il n'entendrait plus jamais le nom de cette femme prononcé avec admiration, désir ou mépris, où il ne serait plus obligé de composer avec tous les souvenirs douloureux de Portezza : images encadrées dans les motifs compliqués des tapis et des tapisseries, des coussins de soie tissée, des vases et des coupes en marbre et en albâtre et, flottant à travers tout cela, comme un voile de fumée, les odeurs sensuelles et évanescentes qu'il avait fini par connaître dangereusement bien un an plus tôt dans l'aile des femmes du palais Delonghi, parmi les nombreuses tours de Mignano.

« Quelle faute ai-je commise, Blaise ? » Rudel était ainsi. Un poignard dans la voix et dans la pensée qui se cachait derrière. Brillant comme le mercure, intangible comme une lune sur l'eau parfois, puis dur, impitoyable et fatal comme… comme une flèche trempée dans le syvaren. Et l'acuité de ses perceptions, comme en toute chose. Un homme difficile à duper.

Car la faute, la transgression — et Rudel le savait, tous deux le savaient —, c'était d'avoir donné à Blaise exactement ce qu'il demandait. D'avoir pris un coran du Gorhaut encore paralysé par le dégoût et la colère à la suite du Traité du pont Iersen et de l'avoir entraîné d'abord à Aulensburg, à la cour imbibée de bière et obsédée par la chasse de Jörg du Götzland, puis graduellement vers le sud pendant un doux printemps fleuri, vers quelque chose de complètement différent.

Vers les villes de Portezza et leurs intrigues, les délicats plaisirs d'hommes riches et subtils aux sourires obliques, et vers les femmes infiniment érudites des brillantes cités-États, toujours en guerre. Et un soir venteux, alors que le tonnerre grondait au loin dans les collines au nord de Mignano, il y avait eu la chevelure, couleur de nuit, de Lucianna Delonghi au bout de la table du banquet, le scintillement de ses bijoux et l'éclat de son esprit, ses propos semés de pièges et de doubles sens, son rire moqueur puis, de façon stupéfiante, ce qu'elle était ensuite, ailleurs, sous le baldaquin peint de son lit, vêtue seulement de ses bijoux étincelants... ce qui se passa lorsque le rire cessa d'être moqueur, mais resta un rire.

C'était cela, la faute de Rudel. Pourtant, s'il voulait être sincère, Blaise devait admettre qu'il n'y avait pas eu de faute, seulement une porte offerte — avec un avertissement —, une porte par laquelle Blaise était entré avec les cicatrices des blessures reçues pendant une bataille hivernale où son roi avait trouvé la mort, une porte qui l'avait amené dans l'illusoire chaleur d'une suite de chambres parfumées, dans l'éclairage des bougies et des feux allumés, une porte par laquelle il était sorti une saison plus tard avec des blessures encore plus profondes.

Les paons étaient arrogants et sans peur. L'un d'eux parut vouloir leur refuser le droit de traverser la cour avant de leur tourner le dos et de se pavaner, déployant le superbe éventail de sa queue. Sous les lunes et dans la lueur des torches, cette panoplie de couleurs avait quelque chose d'extravagant et de dissolu. Dans ses souvenirs de Lucianna, il y avait également peu de lumière du jour ; tout semblait s'être déroulé dans l'obscurité ou à la lueur des chandelles, tout semblait avoir été extravagant et dissolu dans un palais ou dans un autre jusqu'à cette nuit inoubliable de canicule à Faenna, sans un souffle de vent, où avec Rudel il avait tué le mari de Lucianna sur l'ordre de son père.

Tandis qu'ils approchaient de l'extrémité de la cour, deux portes furent ouvertes par un valet de pied en livrée rouge. Derrière lui, dans un large corridor, portant un mince chandelier, se tenait une dame de compagnie revêtue des mêmes couleurs auxquelles s'ajoutait le blanc à l'encolure, aux poignets et dans sa chevelure noire. Le valet de pied s'inclina et la dame fit une profonde révérence. La bougie qu'elle tenait à la main ne bougea même pas. « Me ferez-vous l'honneur de me suivre ? » demanda-t-elle.

Blaise ne se faisait toujours aucune illusion. Il constata que deux des gardes étaient restés et qu'ils attendaient près de la porte. Il eut presque envie de les insulter tous, d'exiger que prît fin cette interminable charade de politesse, mais quelque chose dans la perfection, la gravité de tout cela le força à y renoncer. La personne qui l'avait envoyé chercher accordait de toute évidence une valeur exagérée à ce genre de choses ; ce renseignement pouvait se révéler utile.

Et ce fut avec cette pensée en tête que, suivant les pas précis de la femme le long d'un corridor puis gravissant un large escalier tournant avec deux gardes qui restaient à une distance prudente derrière lui, Blaise sut où il devait être et il finit par comprendre l'une des dernières paroles prononcées par la chanteuse.

Ils s'arrêtèrent devant une porte close. La femme frappa deux fois, puis ouvrit ; elle s'écarta et, d'un geste gracieux de la main, invita Blaise à entrer. Il obéit. Ils refermèrent la porte derrière lui, le laissant dans cette pièce sans garde ni serviteur.

Il y avait une cheminée, mais pas de feu. Des bougies dans des chandeliers fixés aux murs et sur les tables placées autour d'une pièce richement meublée et aux somptueux tapis doré et bleu foncé. Il vit une carafe de vin et des gobelets sur une table. Deux, non, trois portes ouvrant sur des pièces intérieures, une paire de fauteuils très profonds à haut dossier devant la cheminée. Les fenêtres du mur extérieur, ouvertes, laissaient entrer le vent et la rumeur des festivités dans la rue. Blaise ressentait à présent une amertume dure et familière, de même qu'une indéniable curiosité et, derrière ces deux émotions, quelque chose qui ressemblait à une accélération du pouls.

« Je vous remercie d'être venu », dit Ariane de Carenzu en se levant d'un divan à l'autre extrémité de la pièce. Sa chevelure noire, qui aurait dû être attachée, flottait encore librement sur ses épaules. Elle était habillée de la même façon que plus tôt dans la soirée, et ses bijoux scintillaient comme le feu et la glace.

« J'accepterais les remerciements si on m'avait laissé le choix de venir ou non », répondit Blaise d'un air mécontent. Il restait tout près de la porte, examinant la pièce et essayant de ne pas contempler cette femme avec une trop vive attention.

Elle éclata de rire. « Si j'avais été certaine que vous accepteriez, je me serais fait un plaisir de vous accorder ce choix. » Son sourire montrait qu'elle savait exactement ce qu'elle disait. Elle était très belle, ses cheveux noirs encadrant son visage et faisant ressortir la perfection de sa peau blanche. Elle avait de grands yeux sereins, une bouche ferme, et Blaise reconnut dans sa voix cette note autoritaire qu'il avait remarquée dans la taverne lorsqu'elle avait donné aux ducs de Talair et de Miraval un ordre que tous deux avaient accepté sans broncher.

Les Arbonnaises, pensa-t-il en essayant de faire monter sa colère qui lui servirait de bouclier. Il croisa les bras sur sa poitrine. Un peu plus d'un an auparavant, par une nuit de printemps alors que le tonnerre du dieu grondait dans les collines du nord, il avait répondu à un autre type d'appel dans les appartements d'une autre femme aux cheveux noirs. Sa vie avait changé cette nuit-là et, en bout de ligne, le changement n'avait pas été bénéfique.

« Il y a du vin près du feu », avait alors dit Lucianna Delonghi allongée sur son lit, sous le baldaquin représentant des silhouettes enlacées. « Commencerons-nous par étancher cette soif-là ? »

Ici, il n'y avait pas de lit, pas de feu allumé et la femme qui se trouvait avec lui leur versait elle-même à boire ; ensuite, d'un pas ferme, sans aucun artifice, elle se dirigea vers lui et lui offrit un gobelet. Il le prit sans dire un mot. Elle ne s'attarda pas auprès de lui, mais retourna vers le divan. Blaise la suivit sans presque en avoir conscience. Elle s'assit et il prit place sur le fauteuil qu'elle lui avait indiqué d'un geste de la main. Elle était légèrement parfumée et il émanait d'elle une odeur subtile. Il y avait un luth sur la table à un bout du divan.

Ses yeux sombres fixés sur lui, elle dit sans préambule : « Nous souhaitons sans doute discuter d'un certain nombre de choses avant la fin de la nuit, vous et moi, mais voulez-vous commencer par me raconter ce qui s'est passé après votre départ du fleuve ? »

Il était peut-être fatigué, son esprit et son cœur avaient peut-être reçu un double coup ce soir, mais il n'était pas si abattu que cela.

Il esquissa même un sourire, bien qu'il eût été incapable d'expliquer pourquoi. C'était peut-être parce qu'il y avait quelque chose de stimulant là-dedans, peut-être aussi parce que ce qu'Ariane semblait essayer de faire était clair comme de l'eau de roche. « Il se pourrait, murmura-t-il, il se pourrait que j'aie envie de vous le raconter, mais, avant de savoir qui d'autre écoute derrière la porte, je préférerais garder cela pour moi, ma dame. Vous me pardonnerez. »

La réaction ravie d'Ariane le prit au dépourvu. Son rire carillonna tandis qu'elle applaudissait joyeusement, ses longs doigts cachant un instant les rubis qui encerclaient sa gorge.

« Bien sûr que je vous pardonnerai ! s'écria Ariane de Carenzu. Vous venez tout juste de me faire gagner un pari de trente-cinq barbens d'argent. Vous avez vraiment tort de travailler au service d'hommes qui vous sous-estiment à ce point.

— Je proteste, dit Bertran de Talair en pénétrant dans la pièce par la porte qui se trouvait derrière Ariane. Je n'ai pas sous-estimé Blaise. J'ai peut-être jugé vos charmes plus troublants qu'ils ne semblent l'être depuis quelque temps.

— J'ai reconnu votre luth, répondit simplement Blaise. Je ne me suis peut-être pas encore fait d'idée sur votre musique, mais je connais votre instrument. » Il faisait un effort pour garder sa contenance. Il ne regardait pas vraiment Bertran non plus, parce qu'une autre femme, très grande, était entrée derrière le duc. Celle-ci avait des fils gris dans sa chevelure sombre, elle était aveugle et un hibou blanc était perché sur son épaule. La dernière fois qu'il l'avait vue, c'était la nuit sur une île dans la mer et elle lui avait révélé les secrets de son cœur dans l'obscurité d'une forêt.

« Vous auriez au moins pu essayer, reprit Bertran d'un ton plaintif en s'adressant à Ariane. J'ai envie de ne pas respecter notre pari. Vous étiez à peu près aussi séduisante qu'une chèvre mouillée dans une grotte.

— Inutile de nous faire un laïus sur vos préférences », riposta doucement Ariane.

Ce fut la grande prêtresse de Rian qui, tournant avec assurance ses orbites vides vers l'endroit où Blaise s'était levé de sa chaise, lui apprit la chose qu'il avait le plus besoin de savoir tandis que de Talair éclatait de rire en rejetant sa tête en arrière.

« Le coran blessé va survivre. Il devrait être complètement rétabli une fois que sera guérie sa blessure à l'épaule.

— C'est impossible », protesta Blaise, refusant absolument de croire une chose pareille. « Il y avait du syvaren sur cette flèche.

— Et il te doit la vie car c'est toi qui t'en es rendu compte près du fleuve », poursuivit gravement la prêtresse. Elle portait une robe grise comme les fils dans ses cheveux. Sa peau basanée, hâlée par le soleil et le sel de la mer, contrastait avec la douceur d'albâtre du teint d'Ariane. « On me l'a amené ici au temple et j'ai pu le soigner parce que j'ai su de quoi il s'agissait et parce que c'était arrivé ce soir.

— C'est impossible. Vous ne pouvez guérir un homme empoisonné au syvaren. Aucun médecin du monde ne le peut. »

Elle se permit d'esquisser le petit sourire supérieur qu'il n'avait pas oublié. « Quoi qu'il en soit, cette dernière phrase est vraie. Moi non plus je n'aurais pu le guérir si trop de temps s'était écoulé et si je ne m'étais pas trouvée dans un lieu sacré. C'est également la veille de la mi-saison. Tu devrais pourtant te rappeler, nordique, que les servantes de la déesse possèdent des pouvoirs inattendus lorsqu'elles se trouvent au centre de ses mystères.

— Au Gorhaut, nous brûlons les femmes qui trafiquent avec les forces de la magie noire. » Blaise ne savait pas exactement pourquoi il avait dit cela, mais il se souvenait avec précision de l'appréhension ressentie sur l'île, de la pulsation du sol de la forêt sous ses pieds, et quelque chose de cette appréhension lui revenait à présent. Il se rappelait aussi, comme à travers un tunnel de fumée et de temps, la première fois qu'il avait vu brûler une sorcière. Son père avait prononcé la condamnation et avait obligé ses deux fils à contempler la scène à ses côtés.

La grande prêtresse de Rian ne souriait plus. « C'est la peur qui incite les hommes à appeler acte des ténèbres le pouvoir des femmes. Seulement la peur. Considère le prix de cela : si cette flèche avait été tirée au Gorhaut, aucune femme n'aurait osé essayer de sauver Valéry de Talair. » Elle se tut ; elle semblait attendre une réponse, comme un tuteur de son pupille. Blaise resta muet, s'efforçant d'avoir l'air aussi imperturbable que possible. Le hibou ouvrit soudain ses ailes, mais se posa de nouveau sur l'épaule de la prêtresse. Changeant de ton, elle dit : « Je t'apporte les salutations de Luth de Baude qui sert à présent Rian avec dignité sur son île. »

Blaise grimaça au souvenir de Luth. « Luth ne serait pas capable de servir une fiasque de bière avec dignité », dit-il, submergé par la colère et la confusion.

« Tu ne penses pas ce que tu dis. Tu es seulement inquiet. Tu serais peut-être surpris de ce qu'un homme peut faire lorsque, lui aussi, il se concentre sur son être. » Le reproche était doux, mais Blaise sentit, comme il l'avait déjà senti auparavant en présence de cette femme, que ses paroles avaient un double sens et qu'elle s'adressait à une partie de lui qui était inaccessible aux autres.

La très vieille femme qu'on avait autrefois brûlée sur les terres des de Garsenc avait été plus pitoyable qu'autre chose. Un villageois l'avait accusée, au jugement de dieu de la fin de l'année, d'avoir ensorcelé une vache pour faire tarir son lait. Galbert avait décidé de faire un exemple de ce cas. Une fois par année, comme il l'avait expliqué à ses fils, ce genre de leçon se révélait nécessaire.

Le lait de la vache n'était pas devenu plus abondant même après que la sorcière eut brûlé avec sa chevelure blanche en flammes. Par la suite, Blaise était retourné au village pour se renseigner. Quelque chose en lui s'était alors révulsé, ce qui se produisait chaque fois que le souvenir lui revenait à l'esprit. Il se rappelait un autre souvenir lourd et oppressant : la main de son père pesant sur son épaule pendant la crémation, Galbert voulant s'assurer que son fils cadet récalcitrant n'allait pas lui faire honte en se détournant. Il n'y avait eu ni ténèbres, ni secret, ni dangereux pouvoir chez cette femme terrifiée hurlant jusqu'à ce qu'elle étouffât dans la fumée noire, les langues de feu et l'odeur de la chair grillée. D'une certaine façon, Blaise l'avait compris à ce moment-là.

Mais il y avait de la magie chez la grande prêtresse de Rian. Il l'avait senti sur l'île. Elle était au courant à propos de Rosala. Il était incapable de composer avec cela, incapable de l'oublier. C'était pareil pour le poison, ce soir : Bertran était ici en train de rire, il avait allègrement parié avec Ariane de Carenzu. Valéry ne pouvait être mort. Même atteint par une flèche trempée dans le syvaren.

En Blaise, l'oppressante et douloureuse étreinte, présente depuis qu'il avait vu voler la flèche noir et blanc, commença à se desserrer. Il songea soudain que Rudel Correze allait bientôt être un homme profondément déconcerté. Une partie de lui eut envie de sourire, mais il se laissa plutôt retomber sur son siège et saisit sa coupe de vin. Il tint le gobelet d'argent entre ses deux mains sans boire. Regardant les deux femmes et l'homme, il se dit qu'il devait se montrer désormais prudent. Très prudent.

« Quelle est l'étendue de votre pouvoir ? » demanda-t-il d'une voix égale à la femme aveugle. Elle était toujours debout derrière le divan.

Et sans qu'il s'y attendît — elle semblait toujours le surprendre —, la prêtresse éclata de rire. « Quoi ? Veux-tu que je te fasse à présent une dissertation sur les pouvoirs Naturel, Céleste et Cérémonial, agrémentée d'une digression sur les trois Principales Harmonies ? Tu me prends peut-être pour une conférencière à l'université ? Tu ne m'as même pas offert d'honoraires, nordique ! »

Le sarcasme fit rougir Blaise. Mais au moment où la grande prêtresse se tut, riant encore, la voix froide d'Ariane de Carenzu se fit entendre, précise et acérée comme un stylet entre les côtes. « Bien que la question soulevée soit captivante, je crains que la poursuite de votre éducation ne doive être quelque peu différée. Vous vous rappelez peut-être que je vous ai d'abord posé une question. Vous avez refusé de répondre avant de savoir qui se trouvait derrière la porte. Cela m'a semblé juste. À présent, vous le savez. Je vous serais reconnaissante de me donner une réponse. »

« Que s'est-il passé après votre départ du fleuve ? » avait-elle demandé. La question posée et le cœur du danger dans cette pièce, cette nuit. Bertran de Talair cessa de marcher de long en large. Il avait pris un vase de cristal sur l'une des tables et le tenait maintenant dans une main, le tournant d'un côté et de l'autre, le faisant miroiter dans la lueur des bougies, mais ses yeux bleus restaient fixés sur Blaise.

Celui-ci se retourna — il semblait ne faire que ça — vers la grande prêtresse dans sa simple tunique grise. Il dit, d'une voix posée : « Si vous connaissez mon esprit comme vous sembliez le connaître la dernière fois que nous nous sommes rencontrés, vous pouvez certainement répondre à toutes leurs questions, n'est-ce pas ? » Il avait parlé d'un ton neutre ; il ne s'agissait pas en fait d'une question.

Bizarrement, l'expression de la prêtresse s'adoucit, comme s'il avait touché une corde inattendue. Elle hocha la tête. « Je t'ai également dit cette nuit-là que nos pouvoirs sont moins considérables que nous ne le souhaiterions et qu'ils vont en s'affaiblissant à mesure que nous nous éloignons des foyers de Rian. Sur l'île de la déesse, je pouvais lire certaines choses dans ton cœur et dans ton passé, des choses largement en rapport avec l'amour et la haine, tu te souviens ? J'ai dit que je pouvais prédire ton avenir. C'était un mensonge. En ce moment, je ne suis pas non plus capable de lire dans ton esprit. Si tu as des choses à nous apprendre, tu devras les dire toi-même.

— Pas toutes les choses, dit calmement Blaise. Vous pourriez leur apprendre qui je suis, par exemple. »

Il y eut un bref silence, puis : « Nous savons tous qui vous êtes, Blaise de Garsenc. » Bertran déposa le vase de cristal en parlant. Sa voix trahissait une légère irritation. « Pensiez-vous sincèrement pouvoir voyager dans un tel anonymat ? Entrer à mon service sans que je sache qui j'embauchais ? » La lueur des bougies faisait ressortir la vieille cicatrice blanche sur le visage intelligent et cynique.

Blaise avala sa salive. La situation évoluait très vite. Quelque chose lui revint brusquement à l'esprit. « Mais vous m'avez posé la question. Vous vouliez savoir qui j'étais à notre première rencontre. Si vous le saviez, pourquoi me l'avoir demandé ? »

Bertran haussa les épaules. « Parfois, j'apprends davantage en posant des questions dont je connais la réponse. Vraiment, Blaise, qu'importe ce que vous ou moi pensons de votre père, il n'en demeure pas moins qu'il est l'un des hommes puissants de notre époque et que son fils cadet a été, pendant un certain nombre d'années, un coran réputé. Tout le monde savait — dans certains cercles du moins — que le fils de Galbert de Garsenc avait quitté le Gorhaut immédiatement après la signature du Traité du pont Iersen. Et lorsque, peu de temps après, j'appris qu'un coran du Gorhaut de haute taille, à la barbe rousse et aux talents considérables se trouvait au château de Baude... il ne me fut pas très difficile de deviner de qui il s'agissait. C'est alors que j'ai décidé d'aller sur place mener ma propre enquête. Entre parenthèses, c'était la première fois que je voyais un homme capable de se mesurer à mon cousin au tir à l'arc à cette distance. »

Assommé par la vitesse à laquelle ces révélations lui étaient faites, Blaise secoua la tête. « Je ne l'ai pas égalé. Et en l'occurrence, l'homme qui a touché Valéry ce soir pourrait peut-être nous surpasser tous les deux. » Il n'était pas certain d'avoir vraiment voulu dire cela.

« Ah ! c'est bien », murmura Ariane de Carenzu, sa voix ayant l'effet d'une lente caresse dans le silence qui était tombé dans la chambre. « Voilà qui nous mène enfin quelque part. » Blaise la regarda. Ses lèvres étaient entrouvertes et l'attente de ce qui allait venir faisait briller ses yeux.

« J'avais l'intention de parler au duc demain matin, dit-il avec prudence. Je m'étais engagé à attendre jusque-là.

— Aviez-vous le droit de prendre un tel engagement ? » La note caressante avait disparu aussi vite qu'elle était apparue. Ariane avait parlé sur ce ton aux ducs dans la taverne. Cela avait déplu à Blaise et cela continuait à lui déplaire. Il ouvrit grand les yeux, soutenant et défiant son regard. C'était étrange, et il faudrait qu'il y réfléchît par la suite, mais à présent que son identité était connue, il se sentait davantage sur un pied d'égalité avec ces gens. Il soupçonnait que, une fois qu'il y aurait réfléchi, il n'en serait pas très heureux car ce sentiment dérivait du fait qu'il était le fils de son père, mais pour l'instant ce sentiment était là, indéniablement.

« Vous vous rappellerez, dit-il calmement à la duchesse de Carenzu, que je pensais que messire Bertran veillerait son cousin mort cette nuit.

— Quelle sollicitude de votre part ! s'écria Bertran. Et est-ce la raison pour laquelle vous avez pris cet engagement ?

— En partie, répondit Blaise en lui faisant de nouveau face. Il y avait aussi d'autres raisons.

— Lesquelles ? »

Blaise hésita. Il y avait un danger. « Le désir de nous éviter à tous un problème politique extrêmement délicat et une autre raison qui me concerne personnellement.

— Je ne suis pas sûr que nous puissions cette nuit accorder une quelconque valeur à ce caractère privé et, à mon avis, les personnes présentes dans cette pièce sont en mesure de juger de tout problème politique, délicat ou non, pouvant surgir de tout ce que vous direz, et d'y apporter une solution. Je crois que vous feriez mieux de me révéler l'identité de cette personne. » Le duc avait gardé une attitude et une voix nonchalantes, mais Blaise le connaissait depuis assez longtemps pour ne pas se laisser duper par cela.

« Ne soyez pas obtus, Bertran. Nous savons parfaitement de qui il s'agit. » Une cinquième voix s'était élevée dans la pièce, venant d'un des fauteuils placés devant la cheminée ; c'était une voix pleine d'assurance et plutôt implacable. Blaise pivota vivement, mais ne vit rien avant que la personne qui avait parlé ne se levât ; il comprit enfin. Les autres n'avaient pas bronché, comme il le constata, mécontent.

Il avait, bien entendu, jeté un coup d'œil à ces fauteuils en entrant dans la pièce ; tournés vers la cheminée, ces sièges à dossier droit étaient larges et somptueusement rembourrés, mais pourtant pas assez larges pour cacher un homme.

Mais on était en Arbonne et une femme pouvait y prendre place sans être vue. Surtout une petite femme frêle et aux cheveux blancs en qui il reconnut — l'ayant déjà vue auparavant accordant des honneurs au cours de tournois — Cygne de Barbentain, comtesse d'Arbonne.

Elle regardait le duc. « Si vous aviez écouté attentivement, Bertran, ceci devrait être l'une de ces questions dont vous connaissez déjà la réponse. Dans ce cas, vous ne devriez pas humilier un coran qui vous affirme s'être engagé à se taire. Nous ne nous conduisons pas ainsi en Arbonne, quel que soit ce qui se passe ailleurs dans ce monde décadent. »

Elle était vêtue d'une robe bleu et crème, fermée par des boutons nacrés fixés l'un près de l'autre sur le devant, de l'encolure à l'ourlet. Un diadème doré retenait ses cheveux en arrière. Elle ne portait aucune autre parure, sauf deux bagues. Blaise savait que, dans sa jeunesse, elle avait été célébrée comme la femme la plus belle du monde. C'était visible, encore aujourd'hui. Ses yeux étaient stupéfiants, si sombres qu'ils paraissaient noirs.

Il fit la révérence, avançant une jambe, une main effleurant le tapis. Sa formation de coran l'obligeait à le faire même si, instinctivement, il s'en serait abstenu.

« Mes sources d'information, reprit-elle, ne sont peut-être pas les seules à avoir rapporté l'an dernier que le fils cadet de Galbert de Garsenc avait passé une saison à Mignano et à Faenna dans les palais de la famille Delonghi. Je ne suis peut-être pas non plus la seule à avoir entendu certaines rumeurs — sur lesquelles il est inutile de s'étendre pour l'instant — concernant le décès malheureux d'Engarro di Faenna. Mais le nom à associer à tout ceci — un nom qui soulèverait en effet des problèmes délicats dans les affaires de l'État tout en provoquant une réaction personnelle chez notre ami ici présent — est certainement celui de Rudel Correze. Qui est, et je le sais de source sûre, très prisé comme assassin en grande partie pour son adresse au tir à l'arc. Vous n'avez pas à vous faire de reproches pour une promesse trahie, ajouta-t-elle posément en regardant Blaise pour la première fois. Vous ne m'avez rien révélé. »

Blaise s'éclaircit la voix et cela produisit un son rauque dans le silence. « Je vous l'ai révélé, manifestement », dit-il.

Elle sourit. « Vous ne saviez même pas que j'étais là. »

De façon inattendue, il lui rendit son sourire. « C'est donc cela que je dois me reprocher. J'ai manqué de professionnalisme et de prudence. » Il prit une longue inspiration. « Ma dame, j'ai conseillé à Rudel Correze de prendre un bateau cette nuit parce que j'allais informer les autorités de la ville de son identité dans la matinée.

— Les autorités de la ville ? Il s'agit de moi, je présume. » Bertran avait contourné le divan et se tenait à présent près d'Ariane. Béatrice, la grande prêtresse, n'avait ni bougé ni parlé depuis quelques instants.

Blaise hocha la tête. « Il pense qu'il vous a tué. Sur ce point, je ne l'ai pas détrompé. »

Après un moment, Bertran rejeta la tête en arrière et éclata de rire. « Comme ça, il a pris le large pour aller réclamer les honoraires quelconques qu'une personne quelconque lui a promis. Oh ! c'est magnifique, Blaise ! Ses ennuis ne font que commencer !

— C'est aussi ce que j'ai pensé. C'est bien le moins qu'il puisse endurer pour avoir utilisé du syvaren. Mais je crois que vous penserez comme moi qu'il aurait été inconvenant de capturer le fils préféré de la famille Correze. »

Ariane de Carenzu hocha la tête : « Extrêmement inconvenant. Il aurait été très gênant pour nous de le garder prisonnier ici.

— J'en suis arrivé à la même conclusion », répondit doucement Blaise. Mais il essayait à présent de gagner du temps, de se dérober. Une question demeurait, comme un piège.

Et alors, bien sûr, ce fut la grande prêtresse qui prit finalement la parole pour demander, presque en écho de sa propre pensée : « Avez-vous encore quelque chose à nous apprendre ? » Pendant qu'elle parlait, le hibou blanc s'envola tout à coup, les ailes un instant ouvertes, et se posa doucement sur l'épaule de la comtesse. Qui était la mère de Béatrice, comme Blaise se le rappela soudain. Cygne de Barbentain leva la main et flatta gentiment l'oiseau.

Blaise savait qu'il devait le leur dire. D'ailleurs, ils le découvriraient bientôt, en même temps que tout le monde. Il ne voulait pas que cela se passât ainsi. Il se détourna de la comtesse pour faire face à Bertran de Talair qui était après tout l'homme qui aurait dû être tué et celui pour qui il travaillait.

« Deux autres choses sont importantes. L'une est le tarif. » Il inspira. « Rudel Correze devait recevoir deux cent cinquante mille pièces d'or pour vous abattre. »

Blaise éprouva une véritable satisfaction en constatant que messire Bertran, le mondain et infiniment raffiné duc de Talair, n'était pas plus capable de cacher son ahurissement que lui-même ne l'avait été dans le jardin des Correze plus tôt dans la soirée. Ariane de Carenzu porta une main à sa bouche. La comtesse se trouvait derrière Blaise. La grande prêtresse ne bougea pas et son visage resta totalement inexpressif. Il s'y était attendu.

« Qui alors ? » demanda enfin Bertran d'une voix qui, pour la première fois, trahissait une certaine inquiétude. « C'est la deuxième chose, n'est-ce pas ? »

Blaise fit signe que oui. L'ancienne rage était revenue, la pénible et lancinante douleur qui semblait couler éternellement comme une source souterraine jamais tarie. Il fut brutal parce qu'il ne pouvait faire autrement.

« Mon père, répondit-il. Au nom du roi du Gorhaut.

— Mais ce doit être *terrible* pour vous ! » s'écria la comtesse d'Arbonne avec passion.

Ces paroles l'anéantirent, comme il le comprit avec le recul. Ils se tournèrent tous vers elle. Elle regardait Blaise de ses magnifiques yeux noirs écarquillés. « Il s'est servi de votre propre ami pour ce dessein ? Il l'a choisi entre tous les tueurs possibles ? Comme il doit vous haïr ! Qu'avez-vous donc fait pour susciter une haine pareille chez votre père ? »

Blaise eut l'impression que ses yeux exprimaient la compassion de toute une vie. Et, chose remarquable, il en faisait à présent l'objet. Il y avait moins de deux ans que le comte était mort, pensa-t-il soudain, comme si revenait une pièce égarée de l'histoire. Et l'on prétendait que la leur avait été exceptionnelle, un vrai mariage d'amour. Blaise se retourna spontanément pour regarder la nièce, Ariane, avec ses yeux sombres et soudain mélancoliques, puis la fille, la prêtresse, qui avait perdu ses yeux et dont le visage n'exprimait qu'une intense concentration. Il se rappela vaguement qu'il y avait eu une autre fille. Elle était morte. Encore une histoire triste, une histoire qu'il aurait dû connaître, mais qu'il ignorait. Les affaires de l'Arbonne ne l'avaient pas beaucoup intéressé pendant sa jeunesse ou les années passées dans les armées et les tournois.

Il se retourna vers la vieille femme dont la beauté avait constitué le sujet de conversation du monde entier pendant son époque glorieuse et vit qu'à présent, au crépuscule de sa vie, elle possédait un autre type de splendeur qui lui était propre, formé de chagrins et de choses apprises durement. Car elle avait avant tout été touchée par la souffrance la plus intime de Blaise. Pas même Rudel, qui le connaissait si bien et qui avait de la subtilité et de l'intelligence à revendre, n'avait pensé à ce que Cygne de Barbentain avait immédiatement saisi.

La pièce était très silencieuse ; on pouvait entendre, au loin, les bruits tardifs du carnaval qui se prolongeait. Blaise se demanda si la comtesse désirait vraiment obtenir une réponse à sa question. « Certains hommes n'aiment pas être rejetés, dit-il brutalement. En rien. Je suppose que le rejet d'un fils fait plus mal que tout. Je devais entrer dans le clergé du dieu, suivre mon père chez les primats de Corannos. Cela a commencé comme ça. Il y a eu d'autres choses. Je ne suis pas sans reproche.

— Cherchez-vous à l'excuser ? » demanda-t-elle gravement.

Blaise secoua la tête. « Non. Nous sommes une famille dont les membres sont durs les uns envers les autres, poursuivit-il en hésitant. Ma mère n'aurait pas dû mourir.

— À votre naissance ? »

Il était étrange de raconter ces choses à la comtesse d'Arbonne et pourtant, d'un autre côté, cela semblait étonnamment approprié. Il fit signe que oui.

Elle inclina un peu la tête d'un côté, ce geste particulier. « À votre avis, la situation aurait-elle vraiment été différente ? Au Gorhaut ?

— J'aime croire que oui, répondit Blaise. Il nous est impossible de savoir ce genre de choses.

— Les morts peuvent nous submerger», dit posément Bertran de Talair.

Blaise et les femmes se tournèrent vers lui. Le duc avait l'air bizarrement déconcentré, tourné vers l'intérieur de lui-même, comme s'il n'avait pas vraiment eu l'intention de prononcer ces paroles, comme si cela le révélait plus qu'il ne l'aurait souhaité. Un autre souvenir revint à Blaise ; c'était une nuit de souvenirs importuns, inexorables. Il se rappela le sombre escalier au château de Baude, très tard le soir, une fiasque de séguignac échangée, la tristesse lasse qu'exprimait le visage de l'homme venant tout juste de séduire une femme qu'il ne connaissait même pas deux semaines auparavant.

« Ils peuvent aussi nous entraîner loin des vivants », ajouta Béatrice. Blaise perçut dans sa voix une note âpre qui lui indiqua que le sujet avait déjà été débattu par le duc et elle. Ces gens se connaissaient tous depuis longtemps, se rappela-t-il. Bertran serra les lèvres.

« Voilà une pensée fraternelle aimante, dit-il froidement. Nous faut-il recommencer à discuter de famille ?

— Plus de vingt années ont passé. Moi, j'appellerais cela une pensée adulte », reprit la grande prêtresse, imperturbable. « Dites-moi, mon seigneur, quel héritier gouvernerait vos terres cette nuit si cette flèche vous avait tué ? Et si Adémar du Gorhaut décidait d'envahir le sud, diriez-vous que la haine entre Miraval et Talair nous rend plus forts ou plus faibles ? Veuillez nous faire part de vos idées. Vous me pardonnerez », ajouta-t-elle, sèchement sarcastique, « de vous interroger à propos du monde actuel plutôt que de vous demander de doux poèmes d'il y a vingt ans.

— Assez ! coupa Cygne de Barbentain. Je vous en prie. Ou à cause de vous deux je vais avoir l'impression d'avoir vécu trop longtemps. »

Ariane prit alors la parole : « Plus qu'assez », murmura-t-elle en tendant la main vers sa coupe de vin. Elle but une gorgée et reposa le gobelet sans se hâter. « Cette vieille querelle est ennuyeuse et d'autres sujets semblent requérir notre attention. Pour commencer, notre ami barbu. » Les yeux noirs se tournèrent vers Blaise, comme pour l'évaluer. « C'est vrai ? demanda-t-elle brutalement. Vous êtes un ami ? »

Blaise s'était préparé à cette question. « Je suis un coran engagé au service du duc de Talair », répondit-il. C'était la réponse correcte, professionnelle.

« Cela ne suffit pas, dit calmement Ariane. Plus maintenant. Votre père a payé un quart de million en or pour faire abattre votre employeur. Vous allez devoir, je le crains, décider d'être plus que ce que vous dites, ou moins. De la même façon que Rudel Correze n'est pas seulement un assassin parmi les autres, que son nom et sa famille engendrent des dilemmes hors de l'ordinaire. C'est pareil dans votre cas. Dans les circonstances, c'est même encore plus grave. Il y aura peut-être une guerre. Vous connaissez au moins aussi bien que nous les implications du Traité du pont Iersen par lequel le Gorhaut a cédé des terres. Le fils de Galbert de Garsenc ne peut pas davantage demeurer en Arbonne comme un simple coran que Bertran ne peut prétendre n'être qu'un autre de ces troubadours qui boivent et jouent aux dés à *La Liensenne*. » Elle parlait d'une voix égale et précise, le ton d'un commandant sur un champ de bataille.

Et elle disait la vérité. Blaise le savait, en même temps que revenait l'ancienne et amère fureur. Voilà que cela se produisait de nouveau : où qu'il allât dans le monde, seul ou avec d'autres, clandestinement ou arborant l'étendard flamboyant de sa réputation dans les batailles et les tournois, il semblait que son père était là, obstruant et verrouillant les portes, une ombre devant la lumière.

Blaise s'aperçut qu'il avait les poings serrés. Il s'obligea à se détendre. Il inspira profondément et se tourna vers le duc.

« J'honore mes contrats, dit-il. Je crois que vous le savez. »

Bertran haussa légèrement les épaules. « Bien sûr que je le sais, mais cela n'a plus guère d'importance à présent. Les hommes, même les rois et les membres du clergé du dieu, ne dépensent pas deux cent cinquante mille en or pour anéantir un chanteur dont une chanson les a gênés. Le jeu s'est modifié, Blaise, il nous dépasse, vous, moi et nos affaires privées. Vous êtes désormais un joueur important, que cela vous plaise ou non. »

Blaise secoua la tête, l'air buté. « Je suis un coran à embaucher. Payez-moi suffisamment et je vous servirai dans la guerre comme dans la paix. Renvoyez-moi et je me chercherai un autre emploi.

— Cessez de parler comme un perroquet, Blaise de Garsenc. Cela vous va très mal de faire semblant de ne pas comprendre nos paroles. » Grande et implacable, Béatrice parlait d'un ton mécontent et autoritaire. « Vous êtes le fils de l'homme le plus important du Gorhaut. Le roi est un instrument entre les mains de Galbert et nous le savons tous. Quelles que soient ses dissensions internes, votre famille est plus puissante que toute autre dans ce pays, surtout depuis que les seigneurs du nord ont été dépossédés par le Traité. Continuerez-vous à nous affirmer, à nous et à la comtesse d'Arbonne, que le fait que vous sachiez mieux vous servir d'une épée constitue la seule différence entre vous et Luth de Baude ? Avez-vous fui votre père toutes ces années parce que vous refusiez de vous opposer à lui ?

— Refuser de m'opposer à lui ? répéta Blaise véritablement furieux. J'ai passé ma vie à m'opposer à lui, tant chez moi que hors de nos murs. Je hais tout ce que le Traité représente. J'ai quitté le Gorhaut pour ne pas être obligé de vivre dans un pays à ce point dépouillé de sa fierté. Tout le monde le sait là-bas. Je l'ai proclamé. Que voulez-vous que je fasse d'autre ? Retourner chez moi porté par le courroux et me déclarer le véritable roi du Gorhaut ? »

Il se tut alors, décontenancé et épouvanté par le silence qui suivit, par les expressions attentives, concentrées et profondément éloquentes des deux femmes et de l'homme, près du divan. Blaise avala sa salive avec difficulté ; il avait la bouche très sèche. Il ferma un instant les yeux, entendant ses dernières paroles tel un écho déformé dans son crâne. Rouvrant les yeux, il se tourna lentement, son cœur battant à présent à tout rompre comme s'il avait parcouru une grande distance à la course, et regarda en direction de la cheminée, là où se tenait la comtesse d'Arbonne, petite et délicate, avec ses cheveux blancs, belle encore, s'appuyant d'une main au dossier d'une chaise, ses yeux étonnants fixant les siens, et souriant, souriant à présent, constata-t-il, son sourire exprimant l'approbation radieuse et indulgente d'une mère pour un enfant ayant, contre toute attente, réussi une épreuve que l'on avait crue au-dessus de ses forces.

Personne ne parla. Dans le silence rigide de cette pièce à Tavernel la veille de la mi-saison, la charnière, l'axe et le cœur de l'année, le hibou blanc s'envola soudain, les ailes déployées, pour venir se poser sur l'épaule de Blaise comme une bénédiction ou un fardeau démesuré.

Chapitre 5

La nuit était très avancée. Le garde portant la livrée rouge de Carenzu conduisit Lisseut à travers les rues sombres et la laissa, après une irréprochable révérence, à la porte de *La Liensenne*. Elle resta là un moment, indécise, écoutant le vacarme à l'intérieur, troublée par toutes les émotions confuses qui s'agitaient en elle. Tandis qu'elle hésitait, se demandant si elle préférait la convivialité de la taverne ou la relative intimité d'une chambre à l'étage, le bruit diminua et l'on entendit, par la fenêtre, une voix de fausset qui chantait un hymne retentissant en l'honneur de Rian.

Lisseut se hâta de tourner le coin, emprunta une ruelle à l'arrière de la taverne, ouvrit la porte et commença à monter l'escalier. Elle n'était vraiment pas d'humeur à écouter Évrard de Lussan chanter ses mélodies pieuses. Dans l'escalier puis dans le couloir, elle passa à côté de couples s'étreignant avec ardeur — la plupart des chambres avaient été retenues depuis longtemps — avant d'arriver à la porte d'une pièce toujours réservée pour cette semaine, et ce depuis des années.

Elle frappa. Elle savait que la porte n'était pas verrouillée, mais elle avait causé un certain embarras deux années auparavant lorsqu'elle était tombée sur trois hommes et une femme à un moment qui s'était révélé extrêmement importun. Ses rapports difficiles avec Élisse dataient de ce jour-là.

En guise de réponse au coup qu'elle avait frappé, une voix songeuse et mélodieuse se fit entendre, chantant :

L'amour s'en est allé, m'abandonnant à mon chagrin,
L'amour s'en est allé sur un cheval blanc, ne me laissant que des regrets...

Elle sourit et ouvrit la porte. Aurélien était en effet seul ; assis sur l'un des deux lits, adossé au mur, il jouait du luth. Sa chemise était ouverte sur sa poitrine et il avait retiré ses bottes. Ses longues jambes dépassaient du lit. Il l'accueillit avec un sourire grave et, sans cesser de chanter, lui indiqua d'un mouvement de la tête la table sur laquelle étaient posés une bouteille de vin débouchée et quelques verres. Parmi les vêtements froissés éparpillés sur l'autre lit, Lisseut vit une chemise tachée de sang. Elle se versa du vin, but rapidement une gorgée bien méritée et apporta la bouteille pour remplir également le gobelet d'Aurélien. Elle se dirigea vers la petite fenêtre qui donnait sur la ruelle et regarda en bas. Elle ne vit personne, mais pouvait entendre les bruits de la rue et la voix d'Évrard de Lussan qui lui parvenait de la salle du rez-de-chaussée.

Aurélien continua à chanter calmement, une autre chanson sur le même thème :

Mon cœur souffre et languit
Lorsque je songe aux nuits passées,
Alors que mon bel amour me prodiguait
Des délices célestes...

« Je n'ai jamais aimé ce vers, déclara-t-il en s'interrompant brusquement, mais il ne sert à rien de discuter avec Jourdain d'une chose qu'il a écrite, pas vrai ? Je ne sais même pas pourquoi je continue à chanter cette chanson.

— La mélodie », répondit distraitement Lisseut, regardant toujours par la fenêtre. « Je te l'ai dit déjà. La musique de Jourdain est toujours meilleure que ses paroles. »

Aurélien pouffa de rire. « Parfait. Tu lui en parleras toi-même. » Il se tut ; même de dos, elle pouvait sentir qu'il l'observait avec attention. « Tu es trop songeuse pour une nuit de carnaval, ma chère. Tu sais que Valéry est guéri ?

— Quoi ? s'écria-t-elle en se tournant. Je ne le savais pas... il va bien ? Comment est-ce possible ?

— La grande prêtresse était à Tavernel cette nuit, ne demande pas pourquoi à un troubadour ignorant comme moi. Des affaires concernant les grands de ce monde. Valéry va probablement devoir payer jusqu'à la fin de ses jours la dîme à la déesse sur le salaire que Bertran lui verse. La grande prêtresse a été capable de soigner l'empoisonnement, et la blessure elle-même était mineure. Au temple, on nous a affirmé qu'il se rétablirait. C'est pourquoi la plupart d'entre nous sommes rentrés d'excellente humeur. Tu entends ? Bien des gens de ta connaissance sont en train de célébrer en bas. Pourquoi ne descends-tu pas ?

— Et toi ? » Elle et Aurélien se connaissaient très bien.

Il tendit la main vers son gobelet. « Je ne peux plus boire comme avant, même pendant le carnaval. Est-ce que je vieillis, Lisseut ? »

Elle lui fit une grimace. « Je ne sais pas, ô sage très vénérable. Peut-être. » Aurélien n'avait, en réalité, que deux ou trois ans de plus qu'elle, mais il avait toujours été le plus tranquille de la bande, se tenant légèrement à l'écart des éléments les plus déchaînés de la vie de troubadour.

« Où est Rémy ? » demanda-t-elle, poursuivant dans la même ligne de pensée. Elle regarda le deuxième lit en désordre, puis de nouveau Aurélien.

Il réussit à hausser un seul sourcil. « Question idiote. Cela doit dépendre de l'heure, j'imagine. Il va probablement se soûler jusqu'à devenir enragé, cette nuit. Nous allons tous devoir marcher sur des œufs pendant quelques jours. »

Lisseut secoua la tête. « Pas moi. Il me doit un chapeau et une blouse. Sans parler de ma fierté. Je n'ai pas du tout l'intention de me montrer gentille avec lui. Je vais lui dire qu'il avait l'air d'un gamin boudeur quand messire Bertran le corrigeait. »

Aurélien frémit. « Les femmes de Vézet... c'est dû à quoi, à ton avis ? L'huile d'olive ? C'est sa douceur qui vous rend si féroces, pour compenser ? »

De la pièce du rez-de-chaussée, la voix insistante d'Évrard monta, invoquant toujours Rian de la même façon ennuyeuse. Se sentant tout à coup lasse elle aussi, Lisseut esquissa un sourire, déposa son verre, s'assit à côté d'Aurélien sur le lit et appuya sa tête sur son épaule. Gentiment, il se déplaça un peu et l'entoura de son long bras.

« Je ne me sens pas très féroce, dit-elle. La nuit a été dure. » Il serra son bras. « Je n'aime pas cet Arimondain, ajouta-t-elle après un moment.

— Ni le nordique, d'après ce que j'ai pu constater. Cela ne nous regarde pas. Pense à ta chanson. À propos, Alain est en bas, heureux comme un corbeau dans un champ de céréales. Tout le monde en parle, tu sais, même après tout ce qui s'est passé.

— Oui ? Oh ! c'est bien. Je suis si contente pour Alain.

— Réjouis-toi pour sa chanteuse, Lisseut. Et surtout, ne signe aucun contrat demain avant de m'en avoir parlé. Crois-moi, ta cote a beaucoup monté depuis cet après-midi.

— Alors, pourquoi ne m'offres-tu pas un emploi ? » C'était une vieille plaisanterie, bien que cette nouvelle fût véritablement excitante. Mais trop d'événements s'étaient passés et Lisseut n'arrivait à éprouver aucune émotion précise, même pour ça.

Comme d'habitude, Aurélien la prit au sérieux. « Si j'écrivais une chanson de femme comme l'a fait Alain, elle serait pour toi, je t'assure. Mais pour le reste, je ne suis pas fier, mon chou... je continue à chanter mes œuvres. J'ai débuté sur les routes comme ménestrel et c'est comme ça que je vais finir, j'imagine. »

Lisseut serra le genou de son ami. « Je ne parlais pas sérieusement, Aurélien. » Au premier rang des troubadours, Aurélien était probablement le plus talentueux des ménestrels, à l'exception peut-être de Ramir, l'interprète de Bertran qui se faisait maintenant vieux et s'aventurait beaucoup moins loin qu'avant sur les chemins.

Au rez-de-chaussée, des applaudissements polis se firent entendre. Un autre artiste se mit à accorder son instrument. Aurélien et Lisseut échangèrent un regard de soulagement plein d'ironie et éclatèrent de rire. Elle leva la tête et l'embrassa sur la joue. « Depuis combien d'années consécutives ? demanda-t-elle tout en connaissant parfaitement la réponse.

— Toi et moi ensemble au carnaval ? J'ai de la peine et me sens offensé : les nuits gravées à l'eau-forte dans mon cœur, tu ne t'en souviens même pas. Quatre, à présent, ma chère. Est-ce en train de devenir une tradition ?

— Ça te plairait ? » demanda-t-elle. La main d'Aurélien lui caressait à présent la nuque. Ses caresses étaient douces ; Aurélien était un homme doux.

« J'aimerais te connaître et être ton ami jusqu'à la fin de mes jours », répondit Aurélien d'un ton calme. Il pencha sa tête sombre et ils s'embrassèrent.

Éprouvant une sensation de libération et de véritable réconfort, Lisseut se laissa lentement retomber en arrière sur le lit et noua ses doigts dans la chevelure épaisse et noire d'Aurélien, l'attirant vers elle. Ils firent l'amour comme ils l'avaient fait les trois années précédentes… avec tendresse et riant un peu, conscients de se créer un nid tranquille au milieu de la folie dehors, de la musique en bas et des étoiles de l'été tournant autour de l'axe de l'année.

Un peu plus tard, la tête appuyée contre la poitrine d'Aurélien, blottie dans ses bras, Lisseut écouta avec lui une voix qui chantait l'une des plus anciennes, des plus tendres chansons d'Anselme de Cauvas. À *La Liensenne*, il y avait toujours quelqu'un pour y revenir la veille de la mi-saison :

Quand le monde entier est noir comme la nuit
Là où elle vit, une lumière brille…

Lisseut demanda d'une voix douce et sans vraiment savoir pourquoi : « Que sais-tu de Lucianna Delonghi, Aurélien ?

— J'en sais suffisamment pour m'en tenir à l'écart. Elle s'appelle actuellement Lucianna d'Andoria depuis son remariage, mais personne d'autre que la famille de son mari ne lui donnera jamais ce nom. Je ne parierais pas une grosse somme sur la longévité ou le bonheur conjugal de Borsiard d'Andoria.

— Alors pourquoi l'a-t-il épousée ? C'est un homme puissant, non ? Pourquoi avoir invité les Delonghi à Andoria ? »

Aurélien rit doucement. « Pourquoi les hommes et les femmes ne se conduisent-ils pas toujours rationnellement ? Pourquoi les enseignements de nos métaphysiciens à l'université ne guident-ils pas toutes nos actions ? Devrions-nous appeler cela l'influence de Rian sur nos cœurs et nos âmes ? La raison pour laquelle nous préférons la musique à la rhétorique ? »

Ce n'était pas ce qu'elle voulait savoir.

« Est-ce qu'elle est belle, Aurélien ?

— Je ne l'ai vue qu'une fois, et de loin.

— Et alors ?

— Rémy pourrait te la décrire mieux que moi.

— Rémy est couché avec quelqu'un ou est en train de se soûler. Toi, dis-le-moi. »

Il y eut un bref silence. La musique de la douce complainte d'Anselme monta jusqu'à eux.

« Elle a la beauté de l'obsidienne dans de la neige intouchée, dit lentement Aurélien. Elle scintille comme un diamant à la lueur des bougies. Un feu brûle en elle semblable à un rubis ou à une émeraude. À quelle autre pierre précieuse pourrais-je la comparer ? Elle offre la promesse du danger ou d'un sombre oubli, le même défi qu'offrent la guerre ou les montagnes dont elle a, je crois, la même cruauté. »

Lisseut déglutit avec une certaine difficulté. « Tu parles comme Rémy quand il a bu trop de vin », dit-elle enfin, essayant d'avoir l'air ironique. C'était la première fois qu'elle entendait Aurélien s'exprimer de cette façon. « Et c'est de loin que tu as distingué tout ça ?

— De l'autre extrémité d'une table à Faenna, acquiesça-t-il gravement. Je n'aurais jamais osé m'approcher davantage, mais j'étais suffisamment près comme ça. Cette femme est inaccessible. Si ce n'était pas de l'impiété, je dirais qu'elle représente le côté noir de la déesse. Elle détruit ce qui l'appelle.

— Et on continue pourtant à l'appeler ?

— Nous avons tous un côté obscur et des désirs que nous préférons peut-être nier pendant le jour. Il m'arrive de rêver à elle », ajouta-t-il en hésitant.

Lisseut resta silencieuse, perturbée, regrettant d'avoir posé la question. Elle était de nouveau en proie au même trouble intérieur. Ils restèrent allongés côte à côte, écoutant la musique qui jouait en bas et ce fut finalement la musique qui l'apaisa, comme presque toujours. Elle n'était pas encore finie qu'ils dormaient déjà tous les deux. Blottie dans les bras d'Aurélien, Lisseut rêva néanmoins de flèches et entendit, dans son rêve, le rire de Rudel Correze dans un jardin.

Lorsque le soleil du matin dans la fenêtre la réveilla, Aurélien était parti. Vautré dans l'autre lit, Rémy d'Orreze ronflait, trempé, encore habillé et ses bottes aux pieds. Lisseut n'hésita qu'un moment puis, rendant dévotement et sincèrement grâce tant à Rian qu'à Corannos, elle prit la bassine qu'Aurélien avait obligeamment remplie d'eau pour elle avant de s'en aller et la versa sur le blond troubadour endormi qui avait été son premier amant. Puis elle s'enfuit, dévala l'escalier, laissant les hurlements outragés de Rémy réveiller tous ceux qui, dans les chambres de *La Liensenne*, dormaient encore comme des souches par un clair matin du milieu de l'été.

Elle se sentit mieux après cela, beaucoup mieux.

Tous les deux ou trois ans, en l'absence de guerre ou d'épidémie de peste, Guibor IV, comte d'Arbonne, avait coutume de passer la nuit de la mi-saison à Tavernel pour le carnaval, tant pour rendre hommage à la déesse que pour montrer à son peuple du sud qu'il était toujours soucieux de ses devoirs envers lui et qu'il avait conscience de l'importance de la mer pour l'Arbonne. Une fois, pendant sa jeunesse, il avait même tenté l'épreuve des bateaux et des anneaux sur le fleuve, cueillant trois guirlandes et ratant la quatrième avant de tomber dans l'eau pour en émerger en faisant entendre ce bon rire qui était une des raisons pour lesquelles ses sujets l'aimaient tant.

Étendue dans une chambre du temple de Rian où brûlait un petit feu pour combattre le froid dont elle souffrait à présent même en été, Cygne de Barbentain songeait à ces nuits du passé, alors qu'elle et Guibor se riaient du vieil adage selon lequel dormir seul la veille de la mi-saison portait malheur à Tavernel.

Cette nuit, elle était toutefois seule et elle avait peur. Pas pour elle-même ; Rian la convoquerait le moment venu et ce jour n'était probablement pas très éloigné. Elle avait depuis longtemps accepté cet état de fait. Elle avait peur pour son pays à cause des événements qui se bousculaient de plus en plus vite tout autour d'eux.

De nouvelles pièces du casse-tête avaient été découvertes ce soir et, tout à fait réveillée, contemplant les formes tremblotantes que le feu et la bougie projetaient sur le mur, la comtesse d'Arbonne tenta de nouveau d'affronter ces choses nouvelles. Le Gorhaut se dirigeait vers le sud. Il n'aurait pas été honnête de continuer à le nier. Roban, le chancelier, l'avait tout simplement prédit le jour même où la nouvelle du Traité du pont Iersen était parvenue à Barbentain. Et voilà qu'on avait payé cette somme extravagante pour faire abattre Bertran de Talair. Il aurait vraiment pu mourir cette nuit, songea Cygne en réprimant un frisson. Si les nuages n'étaient pas apparus à ce moment-là, si Béatrice ne s'était pas trouvée à Tavernel et si Blaise, le coran barbu, n'avait pas reconnu la flèche et l'assassin, Bertran aurait pu mourir, laissant Talair sans héritier convenable et l'Arbonne sans l'homme dont elle avait si désespérément besoin.

Et ce même Blaise constituait lui aussi un sujet de réflexion. Pour la cinquantième ou la centième fois, Cygne essaya d'évaluer les risques et les gains possibles de ce jeu de hasard que Béatrice et Bertran avaient commencé à jouer ensemble afin de lier le fils cadet de Galbert de Garsenc à leur cause. Roban n'avait rien voulu savoir de ce projet, marchant d'un air lugubre autour de la salle du conseil où la question avait d'abord été soulevée. Elle ne pouvait vraiment le blâmer ; Béatrice et Bertran, si différents la plupart du temps, avaient pourtant en commun une confiance en leur propre jugement et un goût du risque qui pouvaient parfois se révéler tout à fait déconcertants.

Blaise de Garsenc n'était pas non plus le genre d'homme auquel elle s'était attendue. La rumeur avait parlé d'un mercenaire endurci ayant gagné sa réputation au fil des années dans les tournois et les guerres de six pays. Selon Roban, elle avait elle-même présenté une couronne de lauriers à cet homme à la Foire de Lussan six ans auparavant ; elle ne s'en souvenait pas. Maintenant, il lui était difficile de se rappeler tous ces jeunes gens. On aurait dit qu'ils restaient aussi jeunes qu'avant tandis qu'elle ne cessait de vieillir.

Cet homme n'était pas le sombre guerrier nordique qu'elle avait imaginé. Sa rancœur était évidente, mais elle l'avait trouvé intelligent et surtout très amer. Il avait sans aucun doute souffert à Portezza avant de venir ici ; certaines rumeurs, probablement fondées, parlaient de cela aussi. Ma foi, il n'était pas le premier jeune homme à avoir laissé son cœur sur le paillasson de la chambre à coucher de Lucianna Delonghi, et il ne serait pas le dernier.

Dans le noir, Cygne se massa les doigts sous les couvertures ; elle avait toujours froid depuis quelque temps. Dans sa jeunesse, tous les jeunes gens étaient tombés amoureux d'elle de la même façon. Elle savait alors comment faire face à cela. Comment leur refuser la faveur qu'ils convoitaient tout en ménageant leur fierté et en les attachant encore plus étroitement à elle et surtout à

Guibor et aux causes de l'Arbonne. Les rites de l'amour courtois représentaient un art et ils avaient leur utilité. Elle les connaissait : c'était elle qui les avait définis et formés.

Trente ans plus tôt, elle aurait peut-être été en mesure de pratiquer certains arts pour s'attacher ce coran du Gorhaut. Plus maintenant ; ces outils et combines appartenaient désormais à des femmes plus jeunes. De plus — et en ce qui concernait ces questions, son jugement était infiniment sûr —, l'homme était différent. Après avoir été rejeté ainsi par Lucianna Delonghi, Blaise du Gorhaut mettrait du temps avant de suivre le chemin de la séduction offert ou recherché par une femme.

Les émotions les plus faciles à susciter chez lui étaient donc la colère et la haine, et Cygne n'avait jamais été à l'aise avec ce type de sentiments, ni pendant sa jeunesse ni maintenant que Guibor n'était plus là et que le monde était devenu un endroit triste et vide. Elle ne se serait pas sentie noble d'utiliser à ses propres fins la haine d'un fils envers son père, même si c'était pratiquement une question de vie ou de mort.

Et pourtant. Et pourtant l'homme avait lui-même prononcé les paroles, sans que personne essaie de l'aiguillonner ou de le persuader. « Que voulez-vous que je fasse d'autre ? Retourner chez moi porté par le courroux et me déclarer le véritable roi du Gorhaut ? »

Ces paroles lui avaient échappé, mais la douleur du pont Iersen était si lancinante et il connaissait si bien les desseins de son père… Presque tous les gens d'une certaine importance savaient que le fils cadet de Galbert de Garsenc avait quitté le Gorhaut en dénonçant le traité fignolé par son père.

Il était peut-être possible de trouver ici une brèche à élargir au nord des montagnes du Gorhaut. Cygne se sentait toutefois vieille et fatiguée. Elle aurait voulu être capable de dormir. Elle ne voulait pas s'occuper de problèmes en rapport avec la guerre. Elle aspirait à la musique et à la chaleur du soleil tandis que l'été faisait mûrir les vignes. Elle aspirait à la douce chaleur des souvenirs.

On frappa doucement à la porte. Une seule personne pouvait frapper à cette heure de la nuit.

« Entre », dit-elle. Le feu et l'unique bougie brûlaient toujours. À leur vacillante lumière, elle vit sa dernière enfant vivante ouvrir puis refermer la porte derrière elle. Vêtue d'une chemise de nuit pâle, elle pénétra dans la pièce d'une démarche assurée qui démentait sa cécité. Le hibou blanc ouvrit ses ailes et alla se poser sur l'une des colonnes du lit.

Cygne se rappela la première fois où elle avait vu Béatrice après que les yeux de sa fille eurent été sacrifiés. Elle n'aimait pas revivre ce souvenir. Même si elle connaissait les raisons antiques et sacrées de cet acte et le pouvoir ainsi gagné, il était dur pour une mère de voir son enfant mutilé.

Béatrice vint se placer à côté du lit. « Est-ce que je t'ai réveillée ?

— Non. Je réfléchis trop pour être capable de dormir.

— Moi aussi. Je poursuis trop de pensées pendant la nuit de Rian. Y a-t-il de la place pour moi ou vais-je te déranger ? ajouta-t-elle d'une voix hésitante. Je suis troublée ce soir, et terrifiée. »

Cygne sourit. « Il y a toujours de la place pour toi à mes côtés, enfant. » Elle écarta les couvertures et sa fille s'étendit auprès d'elle. Cygne leva un bras pour entourer sa fille et se mit à caresser les cheveux grisonnants, se rappelant combien ils avaient été doux, noirs, soyeux et lustrés quand Béatrice était une fillette. Elle avait alors deux frères, une sœur et un père. « Il ne reste plus que nous deux », songea Cygne, fredonnant une chanson qu'elle avait presque oubliée. « Plus que nous deux. »

❖

Revenant de la chapelle du dieu et se dirigeant vers le palais que Bertran possédait dans la ville, Blaise s'efforça résolument de faire le vide dans son esprit. Il aurait le temps de réfléchir au matin et pendant les jours à venir, de tenter de faire face aux révélations de cette nuit et aux sentiers improbables et perfides qui semblaient s'être ouverts devant lui. Il était à présent très tard et il était exténué.

Les rues étaient très tranquilles ; seuls passaient de rares couples ou de petits groupes d'apprentis portant du vin et des masques chiffonnés. Les deux lunes s'étaient déplacées vers l'ouest et les nuages avaient disparu, chassés par la brise. L'aube ne se lèverait cependant pas avant encore un certain temps, même en cette nuit la plus courte de l'année ; au-dessus de sa tête, les étoiles scintillaient. Au Gorhaut, on disait qu'elles étaient les lumières du dieu, ici, on les attribuait à Rian ; pour la première fois, Blaise se demanda à quel point cette différence importait en fin de compte. Les étoiles seraient toujours là, lointaines et froidement brillantes, quelle que fût la puissance avec laquelle les humains mortels pourraient les associer. On prétendait qu'il existait des pays — légendaires et mystérieux —, très loin au sud au-delà des déserts et des mers, où l'on vénérait des dieux et des déesses entièrement différents. Les mêmes étoiles y brillaient-elles avec le même éclat ?

Blaise secoua la tête. Il s'agissait là de cogitations inutiles, qui venaient à la fin de la nuit. Il était prêt à tomber dans son lit et à dormir pendant des heures. En fait, il aurait pu s'effondrer ici même dans la rue comme les silhouettes qu'il voyait affalées dans les entrées des maisons. La plupart de ces silhouettes n'étaient pas seules et il n'était pas difficile de deviner ce qui avait précédé leur sommeil.

Plus tôt dans la soirée, il était entré pour la première fois dans le plus grand des temples surmontés de dômes et consacrés à Rian. Il voulait voir Valéry avant la fin de la nuit. On l'avait laissé entrer sans faire de difficultés ; il s'était attendu à devoir donner du sang ou participer à un quelconque rituel, mais il ne s'était passé rien de tel. Valéry dormait. On lui avait permis de rester dans l'entrée de la chambre du coran et de le regarder à la lueur de la bougie. Blaise avait pu constater que l'épaule avait été soigneusement bandée ; quant aux autres soins qu'il avait reçus, il n'avait aucun moyen de juger ni même de comprendre de quoi il s'agissait. Selon son expérience, le syvaren était toujours fatal.

En sortant, il avait vu des hommes et des femmes rassemblés dans la plus grande partie du temple, sous le plus haut des dômes. Une prêtresse en tunique blanche célébrait un office. Blaise ne s'était pas attardé. De là, il s'était rendu à la plus proche maison de Corannos, s'était lavé rituellement les mains à l'entrée, récitant la supplication et l'invocation, et s'était agenouillé devant la frise sur le sol de la petite chapelle des corans aux murs de pierre. Il y était demeuré seul pour la première fois depuis très longtemps et avait essayé de laisser le silence profond et enveloppant le ramener à la présence sereine du dieu.

Cela ne s'était cependant pas produit, pas cette nuit. Même dans la chapelle, son esprit avait tourné en rond, tel un rapace au-dessus d'un champ où il a repéré un lièvre, revenant sans cesse à la chambre du palais Carenzu où il avait prononcé ces paroles. Il n'avait pas parlé sérieusement ; ces mots, il ne les avait dits que pour leur montrer à quel point il était véritablement impuissant, quoi qu'il pût ressentir à l'égard de ce que son père et le roi Adémar avaient fait au Gorhaut. Mais ils ne l'avaient pas compris de cette façon et, dans le silence qui avait suivi son éclat, lorsque l'oiseau blanc s'était posé sur son épaule, Blaise avait senti son cœur battre comme un poing à la porte du destin.

Il le sentait encore tandis qu'il rentrait chez lui dans le désordre tranquille des rues, s'efforçant d'obliger son esprit à éloigner ces pensées. Il était trop fatigué et tout cela le dépassait.

Le jeune Serlo montait la garde sous les lampes allumées à l'entrée du palais que le duc possédait dans la ville. Posté derrière les grilles de fer, il adressa à Blaise un signe de tête, regarda à droite et à gauche dans la rue et s'avança pour les ouvrir. Elles n'avaient pas été verrouillées — une des traditions du carnaval ici —, mais, après une tentative de meurtre, il avait paru approprié de placer un garde à l'entrée principale. Les corans de Bertran, dirigés par Valéry de Talair, étaient très efficaces ; Blaise n'avait pas eu à les former et il avait même appris certaines choses ici. Les continuelles escarmouches avec les corans de Miraval étaient pour beaucoup dans cette situation. Une querelle couvant depuis longtemps entre châteaux voisins engendrait ses propres règles en matière de conflit, très différentes de celles des affrontements entre armées.

« Je suis allé voir Valéry, dit Blaise en entrant. Il dort comme un enfant. »

Serlo hocha la tête. « Je vais moi-même mieux dormir une fois que nous aurons trouvé qui a tiré cette flèche, répondit-il. J'espère seulement que la déesse et le dieu ont prévu un lieu de tourments éternels pour ceux qui se servent de syvaren.

— J'ai vu pire pendant la guerre », dit posément Blaise. Il avait une autre pensée, mais il était trop fatigué pour arriver à la verbaliser. « Bonne nuit, dit-il.

— Bonne nuit. »

Blaise entendit les grilles se refermer derrière lui. Il se serait senti plus à l'aise si une clef avait été tournée dans la serrure ; il avait son opinion sur les traditions arbonnaises. Par ailleurs, d'après ce qu'il savait au sujet de Bertran de Talair, il était tout à fait improbable que le duc dormît au palais cette nuit. Blaise secoua la tête. Il traversa la cour, franchit les portes intérieures, grimpa l'escalier jusqu'à la petite chambre à laquelle lui donnait droit son statut de capitaine mercenaire. Ce n'était pas un mince avantage ; la plupart des corans dormaient ensemble dans des dortoirs ou dans la grande salle de Talair, l'ancienneté permettant seulement à l'un ou l'autre de se mettre plus près du feu en hiver ou des fenêtres en été.

Il ouvrit sa porte, titubant presque de sommeil. Il perçut l'odeur du parfum un instant avant de voir la femme assise sur son lit.

« Vous vous rappelez peut-être que nous avons un certain nombre de questions à considérer, vous et moi, dit Ariane de Carenzu. On dirait que nous n'avons traité que les publiques.

— Comment le garde vous a-t-il laissée entrer ? » demanda Blaise. De nouveau, son pouls s'accéléra. Sa fatigue avait disparu. Il était étrange que cela pût se produire si rapidement.

« Il n'a pas eu à me laisser entrer. Ce palais, tout comme le mien, comporte d'autres entrées.

— Bertran sait-il que vous êtes ici ?

— J'espère que non. J'en doute. Lui-même sortait, je crois. C'est la mi-saison, Blaise, et nous sommes à Tavernel. » Il savait ce que cela voulait dire ; la chanteuse le lui avait appris avant que les soldats de cette femme ne viennent le chercher.

Bien entendu, la chevelure d'Ariane était dénouée, comme toujours, et son parfum délicat embaumait la petite chambre de ses nuances subtiles et troublantes. Mais Blaise de Garsenc avait ses propres règles et son propre code, et il avait brisé ces règles et ce code l'été précédent en Portezza, empêtré dans un univers féminin et parfumé. « Je sais en effet où nous sommes, dit-il. Où est le duc de Carenzu ? » Il avait eu l'intention de la blesser, il ne savait pas exactement pourquoi.

Elle ne broncha pas, du moins à ses yeux, à la lueur de la bougie. « Mon mari ? Au château de Ravenc en compagnie de messire Gaufroy, j'imagine. Ils ont leurs propres traditions de la mi-saison, mais je crains que les femmes n'en soient exclues. »

Blaise avait entendu parler de Gaufroy de Ravenc. On prétendait que, après trois ans de mariage, sa jeune femme était toujours vierge. Il n'avait pas entendu les mêmes ragots à propos de Thierry de Carenzu, mais il était vrai qu'il n'avait pas posé de questions.

« Je vois, dit-il d'un ton lourd.

— Non, vous ne voyez pas », rétorqua sèchement Ariane de Carenzu, sa voix n'exprimant plus ni ironie ni amusement. « Je ne crois pas que vous puissiez voir quoi que ce soit. Vous allez à présent conclure que j'erre dans la nuit parce que mon mari préfère les hommes comme partenaires au lit. Vous allez décider qu'il faut me comprendre à la lumière de ce fait. Alors écoutez-moi : je suis ici de mon propre chef, et ni les goûts ni l'orientation de l'homme à qui mon père m'a mariée ne peuvent influer sur cette décision, à l'exception de la contrainte physique.

— Ainsi, seul le plaisir compte ? Que faites-vous de la loyauté ? »

Elle secoua la tête avec impatience. « Le jour où, dans notre société, un homme et une femme pourront s'épouser parce qu'ils se sont choisis librement, ce jour-là vous pourrez me parler de loyauté. Mais tant que les femmes serviront de monnaie d'échange dans un jeu de châteaux et de nations, même en Arbonne, je n'accepterai pas un tel devoir et je consacrerai ma vie à essayer de changer l'ordre des choses. Et cela n'a absolument rien à voir avec les habitudes ou préférences de Thierry. » Elle se leva, se déplaça entre Blaise et la bougie, son visage animé soudain dans la pénombre. « D'autre part, je ne connais rien de vos propres goûts ou habitudes. Préférez-vous que je parte ? Je peux m'en aller tranquillement par le chemin par où je suis venue.

— Quelle importance que vous soyez tranquille ou non ? » demanda-t-il, s'entêtant à entretenir sa colère. « Nous sommes en Arbonne, non ? À Tavernel, la nuit de la mi-saison. »

Si la lueur vacillante de la bougie allumée derrière Ariane empêchait Blaise de déchiffrer son expression, il reconnut néanmoins le même mouvement impatient de sa tête. « Allons, Blaise, vous êtes plus intelligent que ça. La discrétion est au cœur de tout ceci. Je ne suis pas venue ici pour apporter la honte à qui que ce soit, encore moins à moi-même. On n'a jamais considéré que j'aie manqué à aucun de mes devoirs envers mon seigneur ou mon peuple. J'ose le dire et je sais que c'est la vérité. Thierry et moi, nous nous respectons mutuellement. Les obligations que j'ai envers moi-même sont d'un ordre différent. Ce qui se passe la nuit entre deux adultes ne devrait, en aucune façon, avoir de conséquences sur le monde.

— Alors pourquoi se donner cette peine ? Pourquoi se donner la peine d'être ensemble ? Votre Cour d'amour a-t-elle défini des règles à ce sujet ? » Il voulait paraître sardonique, mais n'y parvint pas.

« Bien sûr, répondit-elle. Nous nous retrouvons ensemble dans la splendeur du cadeau de la vie offert par la déesse... ou le dieu, si vous préférez. Parfois, les meilleures choses de la vie nous arrivent la nuit et disparaissent au matin. Vous ne vous en êtes jamais aperçu ? »

Il avait en effet constaté quelque chose de très semblable, mais au matin il ne lui était resté qu'une lancinante douleur. Il faillit le dire. Il y eut un silence. Dans la pénombre, la silhouette d'Ariane aurait pu être celle de Lucianna. Il pouvait imaginer ce qu'il ressentirait en touchant sa chevelure noire et se rappeler le léger frôlement qui traçait un chemin le long de...

« C'est bien, dit-elle. Vous êtes fatigué. Je ne voulais pas vous offenser. Je m'en vais. »

Blaise serait incapable par la suite de décrire la succession de mouvements qui les rapprochèrent. En la prenant dans ses bras, il se rendit compte qu'il tremblait ; il n'avait pas touché une femme depuis Rosala et cette nuit-là aussi portait son lourd fardeau de colère et de remords, tant pendant qu'après. Même en approchant sa bouche de celle d'Ariane, respirant profondément l'odeur qui se dégageait d'elle, Blaise se raidissait pour résister à la séduction d'une autre femme raffinée du sud. Lucianna lui avait au moins enseigné cela ; s'il n'avait rien appris après un printemps et un été en Portezza, sa vie serait complètement gaspillée. Blaise était préparé, blindé.

Et pourtant non. Car alors que Lucianna Delonghi se servait de l'amour et de ses gestes comme d'instruments, d'armes dans des campagnes subtiles et complexes, recherchant le plaisir et le pouvoir en attachant désespérément à elle l'esprit des hommes, Blaise reçut à Tavernel cette nuit-là le cadeau de l'amour d'une âme forte, qui ne se dérobait pas, qui avait la violence du vent mêlé à une certaine grâce, qui avait ses propres besoins, un cadeau qui lui était offert sincèrement et sans retenue.

Et dans les mouvements tournants et entrelacés de cette nuit sur son lit dans le palais de Bertran de Talair, Blaise trouva, pendant un bref instant après que l'unique bougie se fut éteinte, un soulagement de ses souffrances jumelles, l'ancienne et la nouvelle, et un accès au partage qui lui avait jusqu'alors été refusé. Il offrit en retour ce qu'il avait à donner et même, vers la fin, avec une ironie poussée très loin, certaines des choses qu'il avait apprises en Portezza, ce que les hommes et les femmes peuvent faire lorsqu'ils sont couchés ensemble et que la confiance et le désir sont au rendez-vous. Acceptant ce qu'il lui offrait, riant une fois, perdant le souffle comme sous le coup d'une véritable surprise, Ariane de Carenzu lui accorda à son tour quelque chose de riche et de rare comme un arbre fleurissant la nuit sans une feuille et, malgré toute son amertume, Blaise eut la sagesse et la profondeur de l'accepter comme tel et de lui laisser sentir sa reconnaissance.

Il finit par s'endormir, la tenant dans ses bras, respirant son parfum, rassasié, revenu à son épuisement comme à un jardin, dans les bosquets et les ronces de sa propre histoire.

Un bruit dans la rue l'éveilla un peu plus tard. Ariane était toujours avec lui, la tête sur sa poitrine, sa chevelure sombre étalée les couvrant tous les deux comme un rideau. Il bougea une main et la caressa, émerveillé.

« Bien, dit Ariane. Bien, bien, bien... »

Il rit doucement. Elle avait voulu le faire rire. Il hocha la tête. « Je ne me rappelle pas avoir jamais passé une aussi longue nuit », dit-il. Il était difficile de croire à tout ce qui s'était passé, de tant de façons différentes, depuis qu'ils étaient arrivés à Tavernel l'après-midi et avaient déambulé dans les rues bondées jusqu'à *La Liensenne*.

« Elle est finie ? » chuchota Ariane de Carenzu. Elle se mit à bouger lentement sa main, effleurant à peine de ses ongles la peau de Blaise. « Si les chansons disent la vérité, nous avons jusqu'à ce que l'alouette chante à l'aube. »

Il sentit revenir son désir, inexorable comme le premier remous d'une vague loin dans la mer. « Attends, dit-il gauchement. J'ai une question.

— Mon Dieu !

— Non, rien de terrible ou de très difficile. Juste une chose à propos de l'Arbonne, de gens que nous connaissons. J'aurais dû le demander depuis longtemps. »

La main d'Ariane reposait, immobile, sur sa cuisse. « Oui ?

— Qu'y a-t-il entre Talair et Miraval ? Pourquoi cette haine ? » Blaise disait la vérité, il en avait pris conscience plus tôt dans la soirée : il était anormal qu'il ait refusé de se renseigner sur ce sujet pendant tous ces mois passés ici en Arbonne.

Ariane resta silencieuse quelques instants, puis elle soupira. « C'est vraiment une question terrible, et très difficile. Tu vas m'obliger à fouiller dans mes souvenirs.

— Pardonne-moi, je…

— Non, ça va. De toute façon, je pensais à eux. Les souvenirs ne sont jamais très loin. Ce sont eux qui font que nous sommes ce que nous sommes. As-tu au moins entendu parler d'Aëlis de Barbentain qui est devenue Aëlis de Miraval ? » ajouta-t-elle en hésitant.

Il secoua la tête. « Non, je regrette.

— La plus jeune enfant de Cygne et de Guibor. Héritière de l'Arbonne parce que sa sœur Béatrice avait consacré sa vie à la déesse et que ses deux frères étaient morts très jeunes de la peste. Mariée à messire Urté de Miraval à l'âge de dix-sept ans. Ma cousine. » Elle hésita encore, mais très brièvement. « L'amante de Bertran et le seul vrai amour de sa vie, je pense. »

Il y eut un autre silence. Blaise entendit encore, comme si Bertran se trouvait dans la pièce avec eux, les mots prononcés dans un escalier sombre dans les profondeurs d'une autre nuit : « Dieu sait pourtant, tout comme la douce Rian, combien j'ai essayé, mais en vingt-trois ans je n'ai jamais rencontré une femme capable de l'égaler. »

Blaise s'éclaircit la voix. « Je pense que cette dernière partie de la phrase au moins est vraie. Il m'a dit quelque chose au château de Baude qui… correspond à ce que tu viens de dire. »

Ariane leva la tête pour le regarder. « Il devait être d'une humeur bizarre pour parler de ça.

— En effet, dit Blaise en approuvant de la tête.

— Il devait te faire étrangement confiance.

— Ou savoir que ces paroles ne signifiaient rien pour moi.

— Peut-être.

— Veux-tu me raconter l'histoire ? Il est temps que je commence à apprendre. »

Ariane soupira de nouveau, se sentant presque prise au piège par cette question totalement inattendue. L'année où avaient eu lieu ces événements, elle avait treize ans, une enfant encore, brillante, vive, rieuse. Après, il lui avait fallu du temps pour retrouver le rire, et l'enfant en elle avait été à jamais perdue la nuit où Aëlis était morte.

Elle était à présent une femme avec des rôles complexes à jouer dans le monde et chargée des fardeaux qui accompagnaient ces rôles : reine de la Cour d'amour, fille d'une maison noble, mariée à une autre. De nature, elle n'était pas impulsive comme Béatrice et Bertran ; elle réfléchissait longuement avant d'agir. Elle n'aurait jamais imaginé le plan qu'ils avaient conçu concernant ce fils de Galbert de Garsenc et, une fois mise au courant, elle ne l'avait pas approuvé. Mais elle avait maintenant pris ses propres décisions à propos de cet homme dont la carapace d'amertume servait, comme une armure sur un champ de bataille, à protéger quelque chose de blessé à l'intérieur.

Elle lui raconta l'histoire, étendue sur le lit près de lui après l'amour dans un palais qui appartenait à Bertran, retournant vers le passé au rythme de ses propres mots pendant que dehors l'obscurité cédait la place à la lumière grise de l'aube. Elle lui raconta tout, dévidant calmement la douloureuse histoire de jadis — à l'exception d'un fil de l'ancienne étoffe, la seule chose qu'elle n'avait jamais révélée à personne. Ce dernier secret ne lui appartenait pas vraiment et ce n'était pas à elle de l'offrir à qui que ce fût, même en situation de confiance, ou pour s'attacher quelqu'un, ou encore en cas de grande nécessité.

À la fin, lorsqu'elle se tut, ils ne refirent pas l'amour. Ariane avait toujours trouvé difficile de soutenir ses propres désirs actuels quand Aëlis surgissait du passé.

❖

Élisse de Cauvas était vaniteuse, peut-être avec raison. Elle avait une silhouette pleine et une voix agréable s'harmonisant avec ses yeux rieurs et ourlés de longs cils ; en sa compagnie, les hommes avaient toujours l'impression d'être plus brillants et spirituels que d'habitude. Originaire de la ville fière d'être le lieu de naissance du premier troubadour, Anselme lui-même, Élisse avait souvent le sentiment d'avoir été destinée à devenir ménestrel et à vivre sur les routes, de château en château, de ville en ville. Elle se considérait elle-même comme miraculeusemnt libérée — et elle faisait le compte de ses privilèges presque chaque matin en se réveillant — de l'ennui et du vieillissement prématuré qu'elle associait à la vie qu'elle aurait peut-être connue en tant que fille d'artisan. Épouser l'apprenti, survivre — si l'on avait de la chance — à des maternités trop nombreuses et trop rapprochées, lutter pour nourrir une famille, réparer un toit qui coule et empêcher les froides rafales de l'hiver de pénétrer par les fissures.

Cette vie n'était pas pour elle. Pas maintenant. À une seule irritante exception près, elle était presque certainement la plus connue des femmes ménestrels faisant le circuit des musiciens en Arbonne. Et pour ce qui était de cette exception, jusqu'à très récemment Lisseut de Vézet ne semblait avoir été reconnue que parce que son nom ressemblait à celui d'Élisse ! Jourdain lui avait raconté une anecdote amusante à ce sujet un an auparavant et ils en avaient ri ensemble.

La dernière saison de tournées avait toutefois modifié certaines choses, ou commencé à le faire. Dans deux ou trois villes et un château du haut pays des collines près du Götzland, on leur avait demandé, à elle et à Jourdain, ce qu'ils pensaient de la merveilleuse musique d'Alain de Rousset et de la jeune fille qui était sa nouvelle interprète. Et ensuite, après un spectacle chez un riche marchand de Seiranne, un stupide prévôt avait insulté Élisse en lui demandant combien rapportaient les oliviers chez elle à Vézet. Lorsqu'elle avait compris l'erreur de cet homme, sa fureur avait été telle qu'elle avait dû quitter la salle du marchand quelques instants et laisser Jourdain distraire seul les invités pendant qu'elle retrouvait son sang-froid.

Il valait mieux, songea-t-elle, étendue sur un lit extrêmement douillet dans la nuit de la mi-saison, ne pas s'appesantir sur ces choses ni sur l'inquiétant succès obtenu par Lisseut plus tôt dans la soirée avec la chanson d'Alain — une pièce franchement médiocre, avait décrété Élisse. Où Jourdain avait-il la tête lorsque cette occasion splendide s'était présentée ? se demanda-t-elle, de nouveau furieuse. Pourquoi n'avait-il pas été assez rapide pour proposer sa propre musique, chantée par Élisse, à Ariane et aux ducs ? Plus tard seulement, au fleuve, pendant les jeux stupides auxquels les hommes avaient insisté pour participer, son troubadour, son amant actuel avait occupé l'avant-scène — pour faire rire de lui peu après en tombant à l'eau.

Quoique, après cette nuit, « amant actuel » ne fût peut-être — seulement peut-être — plus l'expression adéquate. Élisse s'étira comme un chat, laissant retomber le drap révélant sa quasi-nudité. Elle tourna la tête vers la fenêtre. L'homme auprès de qui elle était restée allongée après l'amour était à présent assis sur le rebord, accordant son luth. Elle n'aimait pas vraiment que ses amants la quittent sans un mot et encore moins que des étrangers manipulent son luth... mais pour cet homme, elle était prête à faire certaines concessions.

Elle avait apporté le luth parce qu'elle n'était pas tout à fait certaine de savoir ce qu'il attendait d'elle. Lorsque Marotte, le propriétaire de *La Liensenne*, s'était approché d'elle, un peu plus tôt dans la soirée, pour lui chuchoter sur le ton de la confidence que quelqu'un l'attendrait avec impatience — exactement dans ces termes — dans la plus grande chambre à l'étage quand la troisième cloche du temple aurait sonné, Élisse s'était demandé si elle n'allait pas bientôt arrêter de chanter avec Jourdain.

Lorsqu'elle avait frappé à la porte, vêtue de sa plus belle tunique, une fleur dans ses cheveux, l'homme qui lui avait ouvert esquissait cependant un sourire approbateur et elle avait senti ses genoux fléchir un peu. C'était la mi-saison et la nuit était très avancée. Elle aurait dû savoir qu'elle n'était pas invitée à une audition. Et pour être sincère, cela lui était parfaitement égal ; en Arbonne, une femme de passion et d'esprit, dotée d'une certaine assurance, pouvait accéder au succès par plusieurs chemins, et l'un d'eux se trouvait dans cette chambre.

En ce moment précis, il était assis sur le rebord de la fenêtre, contemplant le ciel à l'est, lui tournant le dos, jouant avec indolence de la musique sur le luth d'Élisse. Il jouait très bien, et lorsqu'il se mit à chanter — si doucement qu'elle dut tendre l'oreille pour entendre, comme si les paroles ne s'adressaient pas du tout à elle —, c'était étrangement triste, quoique la chanson ne le fût pas.

Il s'agissait d'une de ses propres chansons, très ancienne. Une mélodie plutôt charmante, comme Jourdain l'avait un jour qualifiée avec mépris, fatigué de se la faire éternellement demander au printemps, même après toutes ces années, de préférence à ses propres compositions, d'une texture musicale beaucoup plus complexe.

Écoutant à présent la musique et les paroles sereines, Élisse se sentait prête, si besoin était, à le démentir et à considérer cette chanson comme la quintessence de toutes les chansons de troubadours. Couchée toute seule dans le grand lit, sans avoir toutefois aucune raison de se plaindre de l'heure qu'elle venait de passer, elle avait le sentiment que son avis ne serait pas sollicité et qu'il serait, en fait, importun. L'homme assis sur le rebord de la fenêtre avait probablement oublié sa présence.

Cela l'ennuyait, mais pas outre mesure. De la part d'un autre homme, ce genre d'attitude l'aurait peut-être rendue furieuse, aurait suffi à la faire sortir de la chambre en tempêtant, mais il s'agissait ici d'une tout autre affaire, en dehors de son monde, et Élisse de Cauvas acceptait d'attendre que cet homme-là lui fît signe en espérant seulement être assez vive et, ma foi, assez agréable pour produire son propre effet. C'était une chose qu'elle avait toujours réussi à faire jusque-là.

Elle resta donc calmement étendue à écouter Bertran de Talair jouer du luth et offrir sa chanson à l'aube naissante, au-dessus de la rue désertée. Elle connaissait les paroles ; tout le monde les connaissait.

Même les oiseaux au-dessus du lac
Chantent mon amour,
Et même les fleurs qui poussent sur la rive
S'épanouissent pour elle.

Toutes les vignes mûrissent
Et les arbres bourgeonnent,
Car les pas de ma bien-aimée
Appellent le printemps.

Les étoiles de Rian, la nuit
Scintillent avec encore plus d'éclat au-dessus d'elle,
La lune du dieu et celle de la déesse
La guident de leur lumière.

Élisse se dit que la mélodie était en réalité presque puérile, tout comme les paroles. Jourdain avait raison, bien entendu ; comparativement aux airs compliqués qu'il ne cessait de lui faire répéter, il s'agissait là d'une mélodie que même une personne sans formation pouvait chanter, à peine digne du long apprentissage que l'on exigeait des ménestrels d'Arbonne.

Il était donc d'autant plus étrange que, en l'écoutant, Élisse se sentît tout à coup au bord des larmes. Elle ne pouvait se rappeler la dernière fois où elle avait pleuré pour une raison autre que la colère ou la frustration. C'était à cause de la mi-saison, décida-t-elle, et des événements extraordinaires de cette nuit, notamment cette pensée qui lui revenait depuis si longtemps sans qu'elle eût jamais vraiment nourri un seul espoir de voir son rêve se réaliser : être invitée dans cette chambre.

Elle tendit la main vers l'oreiller sur lequel il s'était reposé à ses côtés dans le noir et le tint près d'elle pour se réconforter tandis que revenait le doux refrain et que la chanson se terminait. Elle se rappela que la femme célébrée était morte depuis plus de vingt ans, avant même sa propre naissance. Elle était morte et, si elle avait vécu, elle aurait, comme le calcula Élisse, plus de quarante ans aujourd'hui. Ce n'était pas une véritable rivalité, décida-t-elle, et elle pouvait accepter sans s'inquiéter ces souvenirs d'aubade. La morte n'était plus là et elle, Élisse, était à présent avec lui, couchée dans son lit tandis que tirait à sa fin la nuit de la mi-saison. Les avantages étaient indubitablement de son côté. Élisse sourit, attendant le moment où il se retournerait vers elle, qu'il verrait son corps offert et qu'il pourrait lui demander tout ce qu'il voudrait.

À la fenêtre, Bertran de Talair regardait l'obscurité céder la place au gris dans les rues, puis il vit les premières teintes pâles du matin apparaître dans le ciel à l'est. Nonchalamment, désespérément, il se demanda combien d'aubes il avait vu se lever ainsi, alors qu'une femme non désirée attendait son retour dans un lit qu'il avait abandonné. Il ne retournerait pas dans le lit. Il en repoussa l'idée même, fermant les yeux, laissant son esprit planer, fidèlement, jusqu'à la fin de sa chanson.

Même les oiseaux au-dessus du lac
Chantent mon amour,
Et même les fleurs qui poussent sur la rive
S'épanouissent pour elle.

L'aube se levait, le jour commençait. Il y aurait beaucoup à faire, une multitude de problèmes complexes attendaient leur solution. Il ouvrit les yeux, la sentant s'éloigner doucement, s'évanouir dans la brume, dans sa mémoire, l'enfant dans ses bras.

Troisième partie

L'automne

Chapitre 1

C'était un clair et doux matin d'automne et, ce jour-là, la vie de Rosala de Garsenc allait changer pour toujours. Elle rentrait prudemment de sa promenade préférée le long du sentier en pente et bordé d'arbres, entre le moulin et le château, lorsqu'elle aperçut son beau-père qui l'attendait sur son cheval en face du pont-levis.

Sa respiration s'accéléra avec les premiers signes d'appréhension et elle plaça ses mains sur son ventre rond comme pour le protéger, mais, résolue, elle ne modifia pas son allure. Son mari était parti à la cour, comme Galbert le savait sans doute.

« Bonjour, mon seigneur », dit-elle en s'avançant lentement. Le pont-levis du château était baissé ; à l'intérieur, dans l'avant-cour, une poignée de corans s'entraînaient à grand bruit avec des bâtons de combat ; derrière eux, surveillés par un prévôt vigilant, des serfs déchargeaient des sacs de grain. Le jour de la dîme, le château de Garsenc était en effervescence. Personne ne se trouvait cependant assez près pour entendre quoi que ce fût de leur conversation.

Massif et imposant dans sa tenue de cheval, Galbert de Garsenc ne répondit pas tout de suite à son salut et la regarda froidement du haut de sa monture. Il aurait dû descendre de cheval, comme l'exigeait la simple courtoisie à l'égard de sa bru. Qu'il omît de le faire constituait un premier signe, une tentative d'intimidation. Rosala savait que tous les actes de cet homme étaient calculés comme des moyens de contrôle.

« Voulez-vous entrer ? demanda-t-elle comme s'il n'y avait absolument rien de blessant dans son attitude. Vous devez savoir que

Ranald n'est pas là, mais je serai heureuse de faire tout ce qui est en mon pouvoir pour assurer votre confort. » Elle esquissa un bref sourire ; elle s'était juré de ne jamais s'abaisser devant cet homme.

Il tira sur les rênes pour faire caracoler un peu son cheval tout près d'elle. Elle resta immobile ; elle ne craignait certes pas les chevaux et elle était sûre, pour une raison évidente, que son beau-père ne courrait pas le risque de la blesser physiquement en ce moment.

Galbert se racla la gorge. « Entre », ordonna-t-il, sa célèbre voix froide comme la glace. « Entre immédiatement dans le château avant de nous humilier davantage. On m'avait rapporté que tu vagabondais dans la campagne, mais je refusais de le croire. Je suis venu pour voir de mes propres yeux, sûr que ces rumeurs étaient mensongères. Au lieu de cela, je te trouve en train de te pavaner d'une façon obscène, de parader dans ton état devant les serfs, exactement comme on me l'avait dit. Es-tu totalement corrompue pour te conduire ainsi ? »

Elle l'avait prévu. Elle se sentit presque soulagée d'avoir eu raison, de savoir de quelle direction venait la dernière attaque.

« Vous me faites injustice et vous vous avilissez vous-même, répondit-elle aussi calmement que possible. Ma conduite est celle des femmes de Savaric depuis des générations. Ne faites pas semblant de l'ignorer, mon seigneur. Les femmes de ma famille ne se sont jamais enfermées dans leurs appartements pendant leur grossesse ; elles ont toujours fait des promenades quotidiennes sur les terres de leur famille. »

Il secoua de nouveau les rênes : le cheval dansa péniblement. « Tu n'es plus une Savaric, désormais tu es une Garsenc.

— Erreur. Je serai toujours une Savaric, mon seigneur. Ne vous faites pas d'illusion. On ne peut m'enlever ce qui m'a été donné à ma naissance. On peut seulement y ajouter quelque chose », ajouta-t-elle d'une voix hésitante. C'était une tentative de conciliation ; Ranald étant absent, elle n'avait pas réellement envie d'un affrontement avec son beau-père. « Mon mari et seigneur sait que je ne flâne pas au lit ; je lui ai parlé de nos traditions familiales lorsque nous avons appris que j'étais enceinte. Il n'a soulevé aucune objection.

— Évidemment. Ranald est plus que méprisable. Impossible d'être aussi imbécile que lui. Il fait honte à nos ancêtres. »

Rosala sourit mielleusement. « Il m'a demandé de le lui dire si jamais vous parliez de lui d'une façon désobligeante. Vos paroles correspondent-elles à cette description ? »

« Prends garde, se dit-elle ensuite. Cet homme n'acceptera pas qu'on lui tienne tête. » Mais il était dur de plier l'échine devant lui, trop difficile, pensait-elle en se rappelant son propre père et sa maison, de ramper devant le primat, imbu de sa nouvelle importance.

Elle vit Galbert ravaler une réplique trop vive. Ranald était colérique, et Blaise aussi, à un moindre degré. Comparé à eux, le père ressemblait à de la glace — sa colère et sa haine étaient canalisées, impitoyablement contrôlées.

« Tu es délibérément insolente, dit-il. Vais-je devoir te fouetter ? » Il prononça ces mots avec une douceur incongrue, comme s'il lui proposait de marcher avec elle ou d'appeler une servante pour l'assister.

« Vraiment, riposta durement Rosala, noble pensée ! Vous êtes venu ici en alléguant votre inquiétude au sujet de l'enfant que je porte et voilà que vous voulez me battre. Quelle prudence, mon seigneur. »

Il sourit à son tour. Son sourire la terrifiait plus que tout. Elle s'efforça de n'en rien laisser paraître.

« Je peux attendre, dit doucement Galbert de Garsenc. Tu n'es pas une enfant. La punition peut être retardée et tu en connaîtras quand même la cause. Je suis un homme patient. Entre dans le château maintenant, sinon je serai obligé de t'y contraindre devant les corans et les serviteurs. Tu portes le premier enfant d'une nouvelle génération de De Garsenc et je ne permettrai pas que ta folie le mette en danger. »

Rosala ne bougea pas. Il ne lui ferait pas de mal, elle le savait. Une témérité soudaine monta en elle, une poussée de haine qu'elle n'arrivait pas à maîtriser. « Pardonnez mon ignorance et celle de ma famille, mon seigneur, dit-elle. Il est clair que nous devons nous en remettre à vous pour ces questions. Vous savez si bien comment aider les femmes à survivre à l'accouchement. » Elle se montrait dangereusement sarcastique et il se pourrait bien qu'elle dût payer pour cela plus tard. La première femme de Galbert avait succombé quelques heures après avoir donné naissance à Blaise, les deux épouses suivantes avaient mis au monde un enfant mort-né et étaient mortes en couches.

Que ce fût sage ou non, elle avait eu l'intention de faire mal, mais rien dans le visage de Galbert n'indiqua qu'elle avait atteint son but. «Comme je l'ai dit», murmura-t-il, toujours souriant, «tu pourras recevoir le fouet n'importe quand.

— Bien sûr, répliqua-t-elle. Je vis entièrement à la merci de votre bonté, mon seigneur. Mais si vous m'infligez des blessures et des cicatrices trop évidentes, le plaisir du roi pourra s'en trouver gâché quand il décidera de me faire venir, n'est-ce pas ?»

Ces paroles lui avaient échappé. Elle ne les regrettait pas cependant. Cette pensée et la peur qui se tapissait derrière n'étaient jamais loin d'elle.

Elle vit le primat réagir pour la première fois et s'aperçut qu'il ne la croyait pas au courant de cet aspect des choses. C'était presque amusant : on se figurait les femmes comme un troupeau de moutons à la cour, allant les yeux baissés, l'esprit paralysé et hermétiquement fermé, inconscientes de toutes les nuances de ce qui se passait autour d'elles. Rosala aurait éclaté de rire si elle n'avait pas été si près des larmes.

Le sourire de Galbert de Garsenc s'élargit maintenant, son visage charnu et rasé de près se plissant pour devenir vraiment déplaisant. «Je vois que tu te languis de cet instant. Tu es déjà en rut. Tu préférerais tuer l'enfant pour arriver plus tôt, chaude et haletante, dans le lit d'Adémar, pas vrai ? Tu as en toi toute la vile corruption des femmes, particulièrement celles de ta famille. Je l'ai compris dès la première fois que je t'ai vue.»

Rosala se raidit. Elle se sentait soudain étourdie. La promenade sous le soleil jusqu'au sommet de la colline et maintenant ce torrent d'injures infectes. Elle aurait voulu que Ranald fût là ; sa présence aurait pu servir à tempérer ou du moins à détourner sur lui-même une partie de l'agressivité de Galbert. C'était elle qui avait provoqué cela, pensa-t-elle en tremblant. Elle aurait mieux fait de ravaler son orgueil et de rentrer docilement. Comment pouvait-elle, seule et vulnérable, penser à lutter contre cet homme ?

Elle leva les yeux vers lui, au bord de la nausée. Sa famille valait autant que celle-ci, se dit-elle furieusement, du moins presque autant. Rosala savait ce qu'il lui fallait dire à présent. S'efforçant de garder son sang-froid, elle prit la parole.

« Écoutez-moi. Je me tuerai avant de permettre qu'il me touche. N'en doutez jamais. Et n'essayez pas de nier que vous avez encouragé les honteuses pensées du roi, méprisant votre fils ou tout vrai sens de l'honneur familial, ne cherchant qu'à asservir un homme faible pour l'utiliser en vous servant de tous les outils à votre portée. Je ne serai jamais un instrument pouvant convenir à votre main, mon seigneur. Je mourrai avant de coucher avec Adémar. »

Elle le regarda dans les yeux et ajouta : « Ou avec vous, mon seigneur le primat de Corannos. Je mettrai fin à mes jours avant de supporter que vous portiez une main ou un fouet sur cette chair blanche à laquelle vous rêvez la nuit dans l'obscurité de la maison du dieu. » Cette flèche avait été tirée au hasard, mais Rosala vit qu'elle avait frappé dans le mille. Le visage rubicond de Galbert blêmit tout à coup, ses yeux se plissèrent pour devenir des fentes et se détourner, pour la première fois, des siens. Rosala n'éprouva aucun sentiment de triomphe ; elle fut seulement submergée par une nouvelle vague de nausée.

Elle lui tourna alors le dos pour traverser le pont-levis en direction de l'avant-cour. Les corans avaient interrompu leurs duels, intrigués par quelque chose dans l'attitude de Galbert et de Rosala à l'extérieur des murs. Elle garda la tête haute et marcha avec autant de dignité que possible.

« Ma dame Rosala », dit Galbert derrière elle d'une voix un peu plus forte. Elle savait qu'il l'appellerait. Il fallait qu'il eût le dernier mot, sa nature l'exigeait. Elle eut envie de ne pas se tourner, de poursuivre son chemin, mais les corans l'avaient entendu l'appeler. Elle n'osa agir en public comme elle le faisait en privé en prenant quelques risques : elle pouvait, jusqu'à un certain point, défier Galbert, mais il n'accepterait pas d'être humilié en public. Au Gorhaut, une femme pouvait être exécutée pour cela.

Elle s'arrêta sur le pont-levis et se tourna lentement pour le regarder. Plus tard, elle se souviendrait de cet instant, le soleil haut, une brise agitant les feuilles rouge et or des châtaigniers, le chant des oiseaux dans les branches, le miroitement bleuté du cours d'eau plus loin. Une splendide journée d'automne.

«Je me demande», dit Galbert de Garsenc, baissant la voix et approchant son cheval, «si ton cher époux t'a parlé de notre dernière entente. Il est si distrait qu'il a probablement négligé de le faire. Nous avons décidé que si tu mets un fils au monde, il m'appartiendra. Ah! Tu parais surprise, dame Rosala! Comme je l'avais pensé, cet étourdi ne t'a pas mise au courant. Si c'est un garçon, il est promis à Corannos, si c'est une fille, tu pourras la garder. Une fille ne m'est d'aucune utilité pour l'instant, mais je suis convaincu de pouvoir imaginer quelque chose pour elle plus tard.»

Rosala eut vraiment peur de s'évanouir. Le soleil oscillait sur un arc erratique dans le ciel bleu. Trébuchant, elle fit un pas de côté pour rétablir son équilibre. Son cœur battait comme un marteau dans sa poitrine. Elle eut un goût de sang dans la bouche; elle s'était mordu la lèvre.

«Vous... vous priveriez votre famille d'un héritier?» bredouilla-t-elle, abasourdie, refusant de croire ce qu'elle venait d'entendre.

«Non, non, non, pas nécessairement.» Il riait à présent, prenant un air tout à fait bienveillant pour ceux qui les regardaient dans l'avant-cour. «Même si notre famille a tout autant besoin d'un autre primat que d'un héritier dans ce château. Le frère de Ranald...» — il ne prononçait jamais le nom de Blaise — «était censé suivre mes traces et se consacrer au dieu. Une grande partie de notre avenir en dépendait. Son refus a anéanti mes projets et m'a placé dans une position difficile, mais les choses pourront s'arranger si tu me donnes un garçon. Je retarderai bien entendu la consécration définitive pendant quelque temps afin de juger comment cet enfant pourra le mieux nous servir — ici à Garsenc ou dans la maison du dieu. Il y aura plusieurs points à prendre en considération, mais je présume que tu m'aideras en ayant d'autres enfants, ma chère bru. Et si tu n'en as pas d'autres — car tu as vraiment mis du temps à concevoir celui-ci —, alors j'imagine que Ranald pourra se trouver une autre femme plus fertile. Cela ne m'inquiète pas outre mesure. Je dois avouer que j'ai hâte de m'occuper de l'éducation de mon petit-fils. Je te prie de ne pas me décevoir, dame Rosala. Donne-moi un garçon fort pour que je l'amène à Corannos.»

Rosala fut incapable de répondre. Elle semblait avoir perdu l'usage de la parole. Elle arrivait à peine à se tenir debout. Elle se sentit soudain nue, exposée aux regards indifférents ou légèrement curieux des corans de la maison et des serfs du domaine.

« Tu dois vraiment rentrer à présent, poursuivit aimablement Galbert. Tu n'as pas l'air bien du tout. Tu devrais être dans ton lit, mon enfant. Je t'y escorterais bien moi-même, mais je crains de ne pas avoir le temps de m'attarder pour ces tâches domestiques et intimes. Des affaires pressantes exigent ma présence à la cour. Je pense que tu as compris mon message et que je n'aurai pas besoin de revenir ? »

Il se tourna sans attendre la réponse, levant une main pour que les corans voient qu'il la saluait ; c'était cependant la main qui tenait la cravache. Geste délibéré : rien de ce que faisait cet homme n'était fortuit. Elle le vit sourire tout en s'éloignant.

Une fois à l'intérieur du château, seule dans ses appartements, serrant ensemble ses mains aux jointures blanchies, Rosala de Garsenc réalisa, sans savoir à quel moment elle avait pris cette décision, qu'elle allait partir.

Galbert avait commis une erreur. Il n'avait pas l'intention de lui dévoiler ses projets, il devait savoir comment elle réagirait. Elle avait provoqué sa colère en lui révélant qu'elle connaissait ses pensées et il avait riposté brutalement, pour la terrifier et la blesser, pour avoir le dernier mot.

Rosala ignorait comment elle allait s'y prendre ; elle savait seulement qu'elle ne resterait pas et ne céderait pas son enfant à cet homme. « Je suis en guerre à présent », pensa-t-elle. Le savoir alors que Galbert l'ignorait représentait son seul avantage. En elle, comme une réponse, l'enfant lui donna de forts coups de pied dans les côtes pour la première fois ce matin.

« Tout doux, chuchota-t-elle. Tout doux, mon amour. Cela ne se produira pas. Ne crains rien, personne ne te trouvera. Qu'importe où ton père se trouve dans le monde, qu'il vienne ou non pour te protéger, je te garderai, mon petit. Je le jure sur ma vie, et sur la tienne. »

❖

Blaise songeait à l'enfant tandis que les hommes de Talair chevauchaient vers le nord dans les brises fraîches de l'automne en Arbonne : au fils d'Aëlis de Miraval et de Bertran. Depuis qu'Ariane lui avait raconté l'histoire en cette nuit de la mi-saison trois mois plus tôt, il y avait pensé plus souvent qu'il ne s'y était attendu, incapable, dans ces moments-là, de ne pas observer avec curiosité l'homme que son père avait voulu faire abattre pour une somme d'un quart de million en or.

Une tragédie s'était déroulée ici vingt-trois ans auparavant dont les conséquences se faisaient sentir encore aujourd'hui. Blaise se souvenait de la voix calme et mesurée d'Ariane pendant qu'elle lui racontait l'histoire et que l'aube se levait sur les rues et les ruelles jonchées de détritus de Tavernel.

« Comme je viens de te le dire, en amour, la discrétion est essentielle, avait dit Ariane. Ma cousine Aëlis n'en avait aucune, mais sa jeunesse pourrait être considérée comme une excuse. Il y avait en elle quelque chose d'indompté, de trop farouche. La haine et l'amour la dominaient, et elle n'était pas femme à se soumettre à son destin ou à vivre à l'intérieur de murs érigés pour l'abriter.

— Toi non plus, avait répondu Blaise. Où est la différence ? »

Ariane avait alors souri un peu tristement et était restée quelques instants sans répondre.

« La différence, c'est que j'ai vu ce qu'elle a fait et ce qui a suivi, je suppose. Aëlis constitue cette différence dans ma propre vie. Elle a parlé à son mari, tu vois. Elle a gardé la vérité pour la fin, pour assener un dernier et douloureux coup d'épée, contenant son propre poison lent et fatal, si tu veux. Lorsque la prêtresse venue l'assister déclara qu'elle ne survivrait pas, on a appelé Urté au chevet du lit où elle accouchait. Il avait du chagrin, je pense. J'ai toujours cru que sa douleur était authentique, surtout peut-être parce qu'il perdait le pouvoir auquel Aëlis lui permettait d'accéder. Aëlis n'avait toutefois aucune douceur en elle, elle n'était que fierté et témérité, même sur son lit de mort. Elle se redressa dans son lit et apprit à Urté que l'enfant était celui de Bertran.

— Comment le sais-tu ?

— J'étais présente. Comme je te l'ai dit, cet instant a changé ma vie, déterminé ce que je crois être devenue. Les paroles qu'elle a dites à Urté ont modifié notre univers, tu sais. Nous vivrions dans un pays organisé d'une façon totalement différente si Aëlis n'avait pas pris sa revanche.

— De quoi se vengeait-elle ? » avait demandé Blaise, tout en commençant peu à peu à comprendre.

« De n'être pas aimée, avait répondu simplement Ariane. D'avoir été sous-estimée. D'avoir été exilée dans une forteresse humide et austère, loin des lumières et des rires de la cour de son père. »

C'était ce qu'il avait pensé. Avant, il aurait méprisé au plus haut point ce genre d'histoire : la vanité d'une autre femme bouleversant l'évolution du monde. Il avait été quelque peu étonné de ne plus voir les choses du même œil ; du moins pendant cette nuit-là à Tavernel, avec Ariane de Carenzu dans ses bras. Il s'était alors dit, éprouvant un choc qu'il avait essayé de masquer, que cette nouvelle façon de penser était peut-être le signe le plus profond de sa révolte contre son père.

« Je peux me figurer ce que tu penses, avait dit Ariane.

— Non, je ne crois pas. » Sans rien ajouter de plus et écartant ses propres problèmes familiaux, il avait demandé : « Qu'est-ce qu'Urté a fait ? » Blaise avait éprouvé une certaine tristesse, cette nuit-là, en écoutant la vieille histoire. La question était une formalité. Il était certain de savoir comment messire Urté de Miraval avait réagi.

La réponse d'Ariane l'avait cependant étonné. « Personne n'en est sûr. Et c'est le cœur de la tragédie de Bertran, Blaise. Aëlis avait vraiment mis un fils au monde avant de mourir. J'ai vu la prêtresse le prendre. Je l'ai entendu pleurer. Ensuite, Urté, qui attendait, s'en est emparé et ni Aëlis, ni la prêtresse, ni moi, évidemment, qui n'avais alors que treize ans, n'avions le pouvoir de l'arrêter dans sa propre maison. Je me rappelle combien son visage a changé lorsqu'elle lui a appris qui était le père ; cela, je ne l'oublierai jamais. Et je me souviens qu'il s'est penché sur elle étendue là, déchirée et agonisante, et qu'il lui a chuchoté à l'oreille quelque chose que je n'ai pas entendu. Puis il a quitté la chambre avec l'enfant de Bertran vagissant dans ses bras.

— Et il l'a tué. »

Elle secoua la tête. « Comme je l'ai dit, personne ne le sait. C'est probable, connaissant Urté et sachant que cet enfant aurait été l'héritier de... de Barbentain et de l'Arbonne même, en tant que fils d'Aëlis. C'est probable, mais nous l'ignorons. Bertran ne le sait pas. Pas avec certitude. Si l'enfant a vécu, s'il vit actuellement, seul Urté de Miraval sait où il se trouve. »

Blaise avait alors vu clairement la nature cruelle et laide du tourment de Bertran. « S'il n'a pu tuer Urté, s'il ne peut le tuer maintenant, c'est parce que toute possibilité de découvrir la vérité mourrait avec lui. »

Ariane avait levé les yeux vers lui dans la lumière grise et silencieuse de la chambre et avait hoché la tête. Blaise avait essayé d'imaginer comment, à treize ans, on pouvait vivre une telle nuit et à quel point elle pouvait peser, comme une tonne de pierres, sur son propre passé.

« Je l'aurais tué de toute manière, avait-il dit après un long moment.

— Bertran de Talair et toi êtes des hommes très différents », s'était-elle contentée de répondre.

Chevauchant vers le nord le long du fleuve en compagnie du duc Bertran et des corans de Talair vers la Foire d'automne de Lussan, Blaise repensa à cette remarque. Ces paroles avaient pour ainsi dire été ses dernières avant qu'ils ne s'habillent et qu'elle ne sorte seule de la chambre, enveloppée dans sa cape, la tête cachée sous son capuchon, ne lui donnant qu'un doux et chaste baiser d'adieu dans les premières lueurs opalines du jour.

Qu'est-ce qui rendait les hommes si différents les uns des autres ? La naissance, l'éducation, la chance ou la tragédie ? Quel sorte d'homme Blaise serait-il devenu s'il avait été le fils aîné, l'héritier de Garsenc, plutôt que le cadet pour lequel un destin indésirable avait été ordonné par son père au sein du clergé du dieu ? Et si sa mère avait vécu, comme l'avait demandé Cygne de Barbentain ? Aurait-ce été différent ? Et si Galbert de Garsenc avait été un autre homme, plus doux, moins obsédé par le pouvoir ?

Mais cette dernière hypothèse était impossible, vraiment ; il était tout simplement inconcevable d'imaginer son père autrement qu'il n'était. Aux yeux de Blaise, Galbert paraissait absolu, comme une force de la nature ou quelque monument des Anciens, gigantesque et immuable, qui ne parlait que de puissance.

Bertran de Talair était lui aussi un fils cadet. Seul le décès précoce de son frère avait fait de lui un duc et avait opposé aussi violemment deux grandes maisons. Avant cela, il avait suivi le cours normal : homme d'épée à embaucher pour les batailles et les tournois, cherchant fortune et une place au soleil. Le même chemin que Blaise de Garsenc allait emprunter des années plus tard à partir du Gorhaut. C'est-à-dire le même chemin sans la musique.

Mais on ne pouvait ignorer la musique. Blaise se dit qu'elle définissait Bertran au même titre qu'elle définissait l'Arbonne. Il hocha la tête, presque amusé. Il était ici depuis six mois et déjà son esprit avait tendance à se glisser dans des canaux auparavant inconnus. Il ramena résolument ses pensées vagabondes au présent, la grand-route d'Arbonne construite par les Anciens entre le fleuve et les champs de céréales à l'est.

Regardant devant lui, clignant des yeux dans la poussière, Blaise fut tiré de sa rêverie. Il chevauchait à la fin de la colonne, derrière le long chariot de marchandises qu'ils escortaient à la foire — principalement des tonneaux de vin de Talair. Il aperçut Bertran et Valéry qui venaient vers lui d'une allure mesurée, mais juste assez rapide, pour l'informer qu'il se passait quelque chose devant. Derrière eux, Blaise distingua des bannières au loin. Ils semblaient être sur le point de rattraper quelqu'un. Cela ne signifiait rien de particulier car toutes les routes menant à la foire étaient très fréquentées, surtout la route principale. Blaise leva les sourcils lorsque les deux hommes l'eurent rejoint et firent tourner leurs montures pour se placer de chaque côté de lui.

« Diversions, diversions », annonça Bertran d'un air désinvolte. Capable à présent de reconnaître le sourire qu'arborait le duc, Blaise se sentit mal à l'aise. « Des plaisirs multiples et inattendus nous attendent. Que pouvez-vous me dire, poursuivit-il, au sujet d'un dénommé Rudel Correze ? »

Après les quelques mois passés auprès de Bertran, Blaise commençait à être habitué à ce genre de comportement. Il avait parfois l'impression que l'Arbonnais préférait plus que tout être connu comme un homme brillant et spirituel.

« C'est un bon tireur », répondit-il sèchement, s'efforçant d'adopter le même ton que Bertran. « Demandez à Valéry. »

Le grand coran, à présent tout à fait rétabli, grogna ironiquement.

« Tout l'été, nous avons collectivement évité de prendre une décision, reprit Bertran d'un ton soudain crispé. Je crois que le temps est venu de la prendre.

— Les bannières Correze sont devant ? demanda Blaise.

— En effet. Parmi les autres. Je pense avoir reconnu également celles des Andoria et des Delonghi. »

Étrange comme les pièges de la vie surgissaient à l'improviste. Ou peut-être n'était-ce pas du tout étrange, se corrigea Blaise : sinon, ce ne seraient pas des pièges, n'est-ce pas ? C'était logique, non ? Il eut cependant froid tout à coup. Il se demanda si les deux autres hommes pouvaient lire en lui, puis pourquoi il ne lui était jamais venu à l'esprit que Lucianna viendrait peut-être à la Foire de Lussan.

Au début de l'automne, ce rassemblement annuel constituait un événement d'une importance plus que suffisante pour justifier le fait que les Delonghi y fassent une apparition. Ils venaient pour faire du commerce, assister, parier ou participer au tournoi, pour célébrer les moissons et partager les nouvelles des six pays avant que la neige et la pluie de l'hiver ne rendent les routes impraticables. Et là où les hommes de la famille Delonghi allaient être présents, on pouvait être presque sûr de trouver le célèbre, le notoire joyau de la famille. Lucianna n'était pas du genre à être laissée derrière, nulle part.

La question immédiate concernait toutefois Rudel, et Bertran avait également soulevé un autre problème.

Blaise répondit à la question d'une façon aussi précise que possible. « Nous devrons commencer par reconnaître Rudel lui-même, et son père s'il est là. C'est possible. Une fois reconnu, et en vertu de la trêve de la foire, Rudel se tiendra tranquille. En fait, cela l'amusera peut-être d'être vu en votre compagnie.

— Cela m'amuserait aussi, murmura Bertran, infiniment. Je crois que j'ai envie de rencontrer cet homme. »

La plupart des gens étaient à présent au courant de l'assassinat raté et du montant versé. Quelques personnes savaient aussi qui avait tiré cette flèche empoisonnée et atteint la mauvaise cible. Selon Blaise, Rudel devait s'être senti sérieusement embarrassé — surtout après s'être rendu tout droit au Götzland pour réclamer les honoraires promis. Les sources de Bertran à la cour du roi Jörg — qui étaient remarquablement bien renseignées — avaient par la suite envoyé un message relatant comment Rudel avait été obligé de rembourser la somme. Comme il en avait déjà, semblait-il, dépensé une partie, son père avait dû intervenir et acquitter la dette. Blaise pouvait facilement imaginer comment son vieil ami avait dû se sentir.

À sa façon, il avait hâte de revoir Rudel. Dans la joute complexe de leurs rapports, il avait remporté une victoire dans le jardin de Tavernel, et tous deux le savaient. Il ne gagnait pas souvent d'une manière aussi évidente ; ce serait une friandise à savourer.

C'est-à-dire que ce pourrait l'être, sauf que Lucianna était ici et Blaise savait par expérience que Rudel utiliserait toutes les armes nécessaires pour gagner des points s'il se sentait du côté perdant. Blaise hocha la tête. Il faudrait qu'il essayât de faire face à cette situation, le cas échéant. Il avait pour l'instant un autre sujet de préoccupation, et Bertran et Valéry l'observaient tous deux en silence tout en chevauchant. On s'agitait de plus en plus à l'avant de leur colonne, et l'allure semblait ralentir. Maintenant, Blaise distinguait clairement les bannières qu'on avait rejointes : Correze, Delonghi, Andoria et une ou deux autres qu'il ne reconnut pas.

Il se tourna vers Bertran. Comme d'habitude, le duc était tête nue et portait la banale tenue de cheval qu'il affectionnait sur les routes. Comme Valéry l'avait raconté à Blaise, cela lui avait un jour sauvé la vie, lorsqu'un autre assassin potentiel avait été incapable de dire lequel dans leur groupe était de Talair lui-même.

« En réalité, il n'y a pas de décision à prendre. Pas maintenant. » Blaise parlait d'une voix mesurée. Trois hommes chevauchaient maintenant vers eux, les sabots de leurs montures soulevant la poussière de la route. « Si nous devons faire route avec les Portezzains, un certain nombre d'entre eux me connaissent. Il est inutile que j'essaie de passer incognito.

— C'est ce que je pensais, dit Bertran. Très bien. À partir de maintenant, puis-je supposer que c'est Blaise de Garsenc qui me fait l'honneur de se joindre à mes corans pour quelque temps en dépit de l'évident désir de son père de me voir mort ? »

C'était un grand tournant, un moment où bien des choses pouvaient changer. « Comme vous voulez », répondit Blaise.

Les trois cavaliers s'étaient rapprochés. Blaise ne les reconnut pas. Ils portaient des vêtements somptueux, même sur la route poussiéreuse. Les Portezzains étaient comme ça.

« Et l'autre question ? reprit Bertran d'une voix légèrement plus tendue. Celle que nous avons reportée ? »

Blaise savait de quoi le duc parlait, évidemment : « Que voulez-vous que je fasse d'autre ?... me déclarer moi-même le véritable roi du Gorhaut ? » Ses propres termes.

Il secoua la tête. Dans sa poitrine, quelque chose se serrait et devenait lourd chaque fois que lui venait cette pensée. L'abîme à traverser était si grand qu'il n'aurait jamais cru pouvoir en imaginer un pareil. « Non, dit-il. Laissez tomber. C'est l'automne à présent, et la trêve de la foire. Le Gorhaut ne fera rien maintenant, si jamais quelqu'un de là-bas venait, et ensuite Adémar devra attendre au printemps pour que les routes soient de nouveau ouvertes. Attendons de voir ce qui va se passer.

— Nous-mêmes pourrions bouger cet hiver au lieu d'attendre de voir ce que les autres vont faire », proposa Valéry d'une voix posée.

Blaise se tourna vers lui. « Je suis désolé, répliqua-t-il sèchement, si ma répugnance à servir d'homme de paille gâche votre hiver. »

Bertran, de l'autre côté, éclata de rire. « C'est juste, dit-il, bien que vous ne soyez certainement pas un homme de paille, si vous êtes sincère avec vous-même. Si l'on considère qu'Adémar a trahi son pays avec le Traité du pont Iersen, existe-t-il au Gorhaut un homme plus digne de lui succéder ? Votre frère, peut-être ?

— Peut-être, répondit Blaise. Mais il ne fera rien. Mon père le domine. » Il hésita, puis dit : « Laissez tomber, Bertran. Laissez tomber pour le moment. »

Il y eut un silence. Les trois cavaliers se rapprochèrent alors, suivis du jeune Serlo. Ils était vêtus d'une magnifique livrée noir et rouge que Blaise reconnut. Il comprit brusquement qui devaient être ces hommes. Son cœur se remit à palpiter. On aurait dit que quoi qu'il fît, où qu'il allât, les événements le ramenaient vers son passé. Le premier des cavaliers fit arrêter son cheval et s'inclina onctueusement très bas sur sa selle.

« Très bien, nous allons laisser tomber pour le moment », répondit calmement Bertran. Il avait à peine fini de parler que, d'un mouvement dur, fluide, prompt, il sauta de son cheval.

Il heurta Blaise avec son épaule, lui coupant le souffle et le désarçonnant. Tous deux atterrirent dans la poussière en même temps que le poignard lancé par le deuxième homme sifflait au-dessus de la tête penchée du premier et traversait l'espace vide où Blaise s'était trouvé un instant plus tôt. L'adresse des Portezzains au couteau était légendaire.

Mais les corans de Bertran de Talair étaient les mieux entraînés d'Arbonne. Valéry tua le lanceur de couteau d'un coup d'épée bref et précis, et Serlo, avec un juron, abattit le troisième homme par-derrière sans plus de cérémonie. Il ne restait plus que le chef. Bertran et Blaise se séparèrent. Bertran tressaillit et fléchit un genou.

Serlo et Valéry pointaient leur épée devant et derrière le Portezzain. Tout s'était passé si vite, si silencieusement que personne à l'avant ne s'était rendu compte de rien. Deux cadavres gisaient néanmoins sur le sol. Le Portezzain les regarda, puis regarda Bertran. Il avait un visage mince et hâlé et une moustache soigneusement frisée. Il portait plusieurs bagues par-dessus ses gants de cheval.

« Je suis heureux de me rendre à votre merci », dit-il posément, dans un arbonnais impeccable et aristocratique. « Soyez assuré que mon cousin paiera une bonne rançon.

— Votre cousin vient de violer une trêve officiellement garantie par la comtesse d'Arbonne, rétorqua Bertran d'un ton glacial. Il devra en répondre devant elle encore plus que vous.

— Je suis convaincu qu'il répondra bien », répondit affablement l'homme.

Bertran blêmit ; Blaise reconnut les signes d'une rage véritable qui montait. Il était lui-même encore trop ébranlé pour réagir.

« Je n'en suis pas si sûr, dit le duc au Portezzain d'une voix douce. Mais en attendant, c'est moi qui vais vous poser une question : pourquoi cherchiez-vous à tuer un de mes compagnons ? »

Pour la première fois, l'expression de l'homme devint hésitante. Il regarda de côté vers Blaise comme pour vérifier quelque chose. Son visage s'éclaira et alors, avant même qu'il n'eût commencé à parler, Blaise comprit ce qui s'était passé. En lui, en son cœur, quelque chose vibra comme la corde d'un arc ou d'un luth.

« Mon seigneur et cousin Borsiard d'Andoria a un grief mortel contre cet homme, dit le Portezzain. Cela n'a rien à voir avec vous, messire Bertran. Il n'éprouve que respect et affection à votre égard, mon seigneur, et à l'égard de la comtesse d'Arbonne. » Il parlait d'une voix mielleuse et mélodieuse.

« Une attaque contre un homme qui se trouve en ma compagnie me concerne au contraire beaucoup, j'en ai peur. Et les mots de respect ne signifient plus rien lorsque l'attaque a lieu durant la trêve de la foire. Votre seigneur et cousin a commis une erreur.

— Et je n'ai jamais rencontré Borsiard d'Andoria de ma vie, ajouta Blaise. J'aimerais bien savoir quel grief mortel il a contre moi. » Il le savait toutefois, ou croyait pouvoir le deviner.

« Je n'ai pas à le proclamer publiquement, répondit le Portezzain avec hauteur. D'ailleurs, les Andoria n'ont pas l'habitude de se justifier.

— Une autre erreur, dit Bertran d'un ton brutalement définitif. Je ne vois aucune raison d'ajourner ceci. À titre de duc d'Arbonne ayant juré de faire respecter la paix de la comtesse, mon devoir est clair. Prends trois corans et pendez cet homme à un arbre, poursuivit-il en se tournant vers Serlo. Vous commencerez par le dévêtir et le marquer. Le monde entier connaît le châtiment prévu pour ceux qui violent une trêve. »

Malgré ses poses, le Portezzain ne manquait pas de courage. « Je suis un homme de haut rang et un cousin de Borsiard d'Andoria, dit-il. J'ai droit au traitement approprié à mon statut. »

Bertran de Talair secoua la tête. Blaise nota que Valéry avait l'air de plus en plus inquiet. Il éprouvait la même angoisse. Le duc les ignora. « Votre statut est celui d'un homme coupable de tentative de meurtre, de violation d'une trêve que six pays ont juré de respecter, reprit-il. Personne ne prendra votre défense aujourd'hui. Pendez-le », conclut-il en se tournant de nouveau vers Serlo.

Ce dernier avait déjà appelé trois autres hommes. Ils désarçonnèrent sans ménagement le Portezzain. L'un des hommes avait une corde nouée à sa selle. Un chêne se dressait au bord d'un champ, à l'est de la route ; ils l'y traînèrent.

« Vous ne pouvez pas faire ça ! » hurla le Portezzain, tendant le cou pour regarder Bertran derrière lui, sa voix trahissant la peur pour la première fois. Blaise comprit qu'il ne s'était jamais cru en danger. L'immunité de son rang et de son nom l'avait amené à croire qu'il pouvait tuer librement et être rançonné, que l'argent et son statut social pouvaient répondre de n'importe quoi.

« Es-tu certain de ce que tu fais ? demanda calmement Valéry à son cousin. Nous aurons peut-être besoin d'Andoria plus tard. »

Les yeux bleus de Bertran de Talair étaient presque cruels tandis qu'il regardait ses corans près de l'arbre. Ils étaient en train de déshabiller le Portezzain ; l'homme s'était mis à crier. « Nous n'avons besoin de personne au point de perdre notre honneur. Là où se tiennent les foires, le dirigeant de ce pays doit faire respecter la trêve qui nous permet de faire du commerce. Tu le sais. Tout le monde le sait. Ce qui vient de se passer constitue une offense si arrogante à l'égard de la comtesse et de l'Arbonne que je ne la laisserai pas passer. Borsiard d'Andoria fera ce qu'il voudra, mais ces trois hommes méritent la mort. Une fois à Lussan et à Barbentain, je conseillerai à la comtesse d'interdire l'entrée de la foire aux Andoria. Je crois qu'elle se rangera à mon avis. »

Bertran se dirigea vers son cheval et remonta en selle ; après un moment, Blaise l'imita.

Devant eux, à quelque distance du front de leur colonne, on entendit un nouveau brouhaha. Au bord de la route, les corans avaient noué une corde autour d'une branche de l'arbre. Le condamné avait été dévêtu et ne portait plus que ses sous-vêtements. À présent, Serlo avait résolument tiré un couteau de sa ceinture et, tandis que les autres retenaient le Portezzain humilié, il se mit à graver sur son front la marque de celui qui violait un serment. Blaise avait déjà vu ça. Il résista à l'envie de se détourner. On entendit l'homme hurler soudain, d'une voix haute et désespérée. Cinq cavaliers avaient quitté le groupe devant eux et se dirigeaient vers eux, galopant furieusement dans l'herbe au bord de la route.

« Prends autant d'hommes que tu en as besoin, dit calmement Bertran à Valéry. Entourez l'arbre. Si ces gens tentent d'empêcher l'exécution, il vous faudra les abattre. Blaise, attendez ici avec moi. »

Valéry obtempéra sans prononcer une parole. Les autres corans de Talair avaient déjà pris leurs positions dans l'attente de ce qui allait se passer. L'épée levée, des flèches à leurs arcs, ils formaient un large cercle autour de l'arbre. À l'arrière de la colonne à côté de Bertran, avec deux cadavres sur le sol auprès d'eux, Blaise vit le troisième Portezzain être jeté sur le dos d'un cheval, les mains liées devant lui, une corde nouée autour du cou. Du sang coulait sur son visage de la marque que lui avait faite Serlo. Les cinq hommes qui galopaient dans leur direction hurlaient et gesticulaient frénétiquement. Serlo regarda Bertran, pour recevoir une confirmation. Le duc fit un signe de tête. De son épée, Serlo entailla la cuisse du cheval. L'animal bondit en avant. Le Portezzain parut sauter en l'air derrière le cheval. Puis il resta suspendu, oscillant, silhouette bizarrement désarticulée. Tous avaient entendu le craquement. Le Portezzain était déjà mort.

Les cinq cavaliers vociférateurs freinèrent net tout près des hommes de Valéry placés en cercle. Ils étaient de toute évidence trop peu nombreux pour faire quoi que ce fût. Le chef hurla quelque chose à Valéry, cravachant son beau cheval dans un geste de rage impuissante. Bertran se tourna vers Blaise, comme si ce qui se passait maintenant l'ennuyait.

« Il nous reste à régler une petite chose tous les deux, dit-il comme s'ils se trouvaient seuls dans un agréable paysage automnal. Je viens tout juste d'en prendre conscience. Vous n'êtes peut-être pas encore prêt à réclamer quoi que ce soit au Gorhaut, mais si nous nous dirigeons à présent vers Lussan et que votre identité est clairement reconnue — et avec ce qui vient de se passer, la décision a été prise à notre place —, je ne peux donc plus vous traiter simplement comme l'un de mes corans. Cela ne vous plaît peut-être pas, pour des raisons que je suis en mesure de comprendre, mais il serait inconvenant pour nous deux que l'on me voie en train de vous donner des ordres. Il vous faut quitter mon service. Accepterez-vous l'hospitalité et la compagnie du duc de Talair à titre d'ami et d'invité ? »

Dans les circonstances, c'était bien entendu la seule solution. Et oui, ce changement ennuyait Blaise ; cela marquait une transition, encore une, dans une année où sa vie semblait l'entraîner à une vitesse inquiétante vers une destination encore inconnue.

Il réussit à sourire. « Je me demandais quand mes gages commenceraient à vous peser. Je ne me doutais pas que vous étiez si prudent avec votre argent, mon seigneur. Cela contredit l'image que le monde a de vous. »

Véritablement stupéfait, Bertran éclata de rire. Au même instant, le groupe d'hommes gesticulant près de l'arbre se tut. Le rire soudain de Bertran résonna. Les cinq Portezzains se tournèrent pour le regarder. Leur chef, un homme brun et trapu monté sur un splendide cheval, fixa le vide au loin pendant un long moment, ignorant les corans qui l'entouraient. Puis il fit tourner sa monture sans prononcer un mot et galopa vers le nord. Les autres Portezzains le suivirent.

« Voilà un incident quelque peu malheureux, commenta Bertran.

— Qui était cet homme ? »

Le duc le regarda, étonné. « Vous disiez la vérité, n'est-ce pas ? Vous ne l'avez vraiment jamais rencontré. C'était Borsiard d'Andoria, Blaise. Vous devez au moins le connaître de nom. En fait, il s'est récemment marié avec…

— Avec Lucianna Delonghi, je sais, interrompit Blaise avant d'ajouter : c'est la raison pour laquelle il voulait me tuer. »

Au milieu du bouillonnement de toutes les émotions éprouvées ce matin-là, Blaise sentit, loin à l'intérieur de lui, une curieuse étincelle de fierté. Même à présent, après tout ce qui s'était passé, Lucianna avait parlé de lui ; il fallait que ce fût cela, bien entendu. Borsiard d'Andoria voulait tuer l'ancien amant gorhautien de sa nouvelle épouse.

Bertran de Talair réagit vite. « Ah ! dit-il doucement. Engarro di Faenna ? La rumeur était donc fondée ?

— Que je l'ai tué pour le compte des Delonghi ? Oui. » Blaise fut lui-même surpris de la facilité avec laquelle il pouvait à présent confier cela au duc. Il hésita à lui apprendre la seconde chose, mais poursuivit : « Avec Rudel Correze. »

Il vit Bertran encaisser cette nouvelle. « Et voilà que Lucianna veut à présent votre mort ? » Il semblait perplexe.

Blaise secoua la tête. « J'en doute. Elle ne m'accorde pas assez d'importance pour se donner cette peine. Mais Borsiard voit les choses d'un autre œil. Il a probablement joué un rôle dans l'assassinat d'Engarro bien que je n'en aie rien su à l'époque. Il s'inquiète. Il a peur de ce que je pourrais dire ou faire. Ils font confiance à Rudel ; c'est un cousin des Delonghi. Je suis un inconnu. » Il se tut.

« Et ce serait là son " grief mortel " contre vous ? »

Blaise regarda le duc. Les yeux bleus de Bertran étaient interrogateurs et sceptiques avec une petite étincelle de quelque chose d'autre.

« En partie », répondit Blaise avec prudence.

Bertran secoua lentement la tête. « C'est bien ce que je pensais, dit-il après un moment. Le joyau des Delonghi, l'exquise Lucianna. C'est donc un homme jaloux, notre ami Borsiard. Bon à savoir. Tout commence à s'expliquer, poursuivit-il en hochant de nouveau la tête. Un jour, il faudra que vous me parliez davantage d'elle. Est-ce que toutes les histoires qu'on raconte sont vraies ? Je lui ai déjà adressé la parole, bien sûr, mais rien de plus, et c'était dans une pièce bondée ; elle était encore toute jeune, à l'époque. Dois-je me sentir soulagé de n'avoir eu avec elle que ce contact furtif ? Est-elle aussi fatale qu'on le prétend ?

— J'ai survécu. Jusqu'à présent, répondit Blaise en haussant les épaules.

— Endommagé ?

— Des cicatrices. Je les supporte. »

La bouche de Bertran se tordit. « C'est à peu près ce que nous disons tous dans ce genre d'histoire.

— Vous étiez amoureux », dit Blaise, s'étonnant de nouveau lui-même. « Ça va plus loin.

— La mort aussi. » Après un instant, Bertran haussa les épaules, puis secoua la tête comme pour en chasser ces pensées. « Sommes-nous des amis ? Êtes-vous en visite à Talair pour me faire économiser le salaire d'un coran d'expérience ? »

Blaise fit un signe d'assentiment. « Je suppose que oui. Mais nous sommes désormais sur un chemin bizarre. Où nous mènera-t-il, à votre avis ? »

Bertran parut amusé. « Voilà au moins une question facile : au château de Barbentain puis à la ville de Lussan. Vous n'en avez pas entendu parler ? Une foire est sur le point de commencer. » Il fit tourner son cheval et ils partirent.

Éternellement spirituel, songea Blaise, et à n'importe quel prix, semblait-il parfois. Il prit conscience qu'il n'avait pas remercié Bertran de lui avoir sauvé la vie.

Suivant son impulsion, il fit volte-face et retourna quelques pas en arrière. Il descendit de cheval et trouva la dague. Le manche était richement incrusté de pierres précieuses, à la mode typique de Portezza. Il remonta en selle et partit au petit galop pour rattraper Bertran. Le duc haussa les sourcils en le voyant arriver.

Blaise lui tendit l'arme, le manche en avant. « Ce serait dommage de la laisser, dit-il. Merci. Pour un homme qui n'est plus à son meilleur, vous avez réagi rapidement. »

Bertran sourit. « Mon genou a bougé vite, en tout cas. » Il prit la dague et l'examina. « Joli travail, dit-il, bien qu'un tantinet trop somptueux. » Il le mit à sa ceinture.

Blaise savait qu'il ne dirait rien de plus. Les hommes habitués à la guerre avaient leurs codes pour ce genre de chose. Il pensait auparavant que les corans arbonnais seraient différents, qu'ils seraient enclins à commander des vers extasiés à des troubadours pour célébrer la moindre de leurs prouesses à une bataille ou à un tournoi. Il avait découvert que cela ne se passait pas ainsi.

Devant eux, les Portezzains accéléraient l'allure. Borsiard d'Andoria voulait atteindre Barbentain avant Bertran. La première plainte avait parfois son importance dans des affaires comme celle-ci. Ils étaient cependant à deux jours de la foire.

Comme s'il lisait dans la pensée de Blaise, Valéry les rejoignit au petit galop. Bertran regarda son cousin. « Je n'essaierai pas de les dépasser moi-même. Nous prendrons notre temps. Prends cinq hommes et allez de l'avant, dit-il. Trouve la comtesse ou le chancelier Roban, l'un ou l'autre ou les deux si possible. Je conseille que tous les Portezzains sauf les Andoria soient autorisés à entrer à Lussan ou au château. Explique-leur pourquoi. »

Le grand coran aux cheveux grisonnants se prépara à partir.

« Valéry », appela Bertran. Son cousin tira sur les rênes de son cheval et regarda par-dessus son épaule. « Blaise de Garsenc n'est plus à mon service. Il nous honore de sa compagnie et de son amitié à Talair. Peut-être même participera-t-il au tournoi avec nos hommes. Dis-le à la comtesse. »

Valéry hocha la tête et lança un bref regard à Blaise avant de s'éloigner dans un tourbillon de poussière vers l'avant de leur colonne.

La décision était donc prise. Étant donné ce qui venait de se passer, elle aurait même pu paraître forcée, inévitable. Les événements s'étaient toutefois déroulés si vite qu'ils avaient tous trois oublié quelque chose. Dans les circonstances, cela n'avait peut-être rien de très étonnant. Ce n'en était pourtant pas moins une erreur.

À leur droite, tandis que Bertran et Blaise s'éloignaient, le cadavre presque nu se balançait à une branche du chêne, du sang coulant encore de son front, là où avait été gravée la marque de ceux qui violaient un serment.

Chapitre 2

Roban, le chancelier d'Arbonne, venait de vivre des journées extrêmement pénibles pour toutes les raisons habituellement associées à la Foire d'automne. Il assumait, depuis des lustres, la responsabilité de superviser les préparatifs complexes entourant l'arrivée annuelle de ce qui semblait parfois être la moitié du monde connu.

Pendant les premières années de la Foire de Lussan, les bourgeois de la ville s'étaient fièrement chargés eux-mêmes de l'organisation, mais l'importance considérable de la foire et du tournoi y ayant lieu avait commencé à attirer de plus en plus de célébrités des six pays, même des rois et des reines à quelques occasions, et les citoyens avaient fini par être heureux de ravaler leur fierté et de demander de l'aide au comte de Barbentain. Le comte avait confié à Roban cette tâche fastidieuse.

Les citoyens donnaient un coup de main, bien entendu — ce qui était normal étant donné les retombées économiques que la Foire d'automne générait pour Lussan — et le comte avait alloué des sommes suffisantes pour permettre à Roban de désigner deux gardiens de la Foire et deux gardes des Sceaux pour l'assister. Roban considérait comme vital de nommer ses assistants; il pouvait ainsi choisir des hommes compétents plutôt que de travailler avec des gens à qui l'on devait simplement une faveur. Servant à Barbentain depuis près de quarante ans, il connaissait bien les gens en place.

La première année, il avait également désigné un capitaine parmi les corans de Barbentain et l'avait autorisé à choisir et à commander cent sergents pour assurer l'ordre sur le terrain de la foire du lever au coucher du soleil. La nuit, il n'y avait pas grand-chose à surveiller. La garantie de sécurité à Lussan et sur les routes menant à la foire donnée par le comte — par la comtesse désormais — n'était valable que jusqu'au coucher du soleil. Aucun dirigeant de n'importe quel des six pays n'aurait réellement été en mesure d'assurer la sécurité après la tombée de la nuit, même si Roban avait, quelques années auparavant, cru bon de dépenser de l'argent pour éclairer les trois rues principales de Lussan pendant la durée de la foire.

C'était grâce à des petits détails comme celui-là que la Foire de Lussan était devenue la plus célèbre et la plus fréquentée des six pays. En dépit de toutes ses frustrations et du fait qu'il se sentait chroniquement surmené, Roban était fier de cela ; selon lui, lorsqu'on faisait quelque chose, il fallait le faire bien. Voilà pourquoi il finissait toujours par se retrouver surchargé de travail. Il en tirait cependant une fierté particulière : il savait — tout comme le comte, et depuis peu la comtesse, il en était certain — que personne à Barbentain, et même dans tout le pays d'Arbonne, ne pouvait réussir aussi bien que lui.

Les percepteurs d'impôts de la foire étaient sous son autorité directe — les taxes prélevées sur toutes les marchandises quittant Lussan allaient directement dans les coffres de la comtesse —, mais les bourgeois de la ville désignaient et payaient les inspecteurs, les notaires, les scribes, les clercs et les messagers. Ils envoyaient aussi leurs propres hérauts dans les hameaux avoisinants pendant la saison des moissons afin de rappeler aux fermiers et aux villageois d'Arbonne — si toutefois il était nécessaire de le rappeler — que ce serait bientôt la Foire d'automne avec ses spectacles de marionnettes, ses animaux savants, ses danseurs et ses chanteurs, ceux qui avalaient des charbons brûlants et ceux qui faisaient disparaître des pigeons, ses vendeurs de colifichets, de jouets, de poteries et de médicaments capables de tout guérir, de la stérilité jusqu'à l'indigestion. On trouvait aussi, bien sûr, des femmes de toutes les parties du monde connu venues passer ce mois à Lussan, qu'on pouvait acheter dans une salle de taverne pour une heure ou une nuit.

Roban était content de laisser la supervision de ces choses aux bourgeois ; il s'occupait personnellement des personnes qui venaient faire du commerce avec des biens plus tangibles, par les montagnes ou en bateau jusqu'à Tavernel, puis par la route principale longeant le fleuve. En fait, les marchands arrivaient de partout, transportant de la soie, de la laine et du bois, des médicaments et des parfums, des épices d'Orient épouvantablement chères, des dagues d'Arimonda, des épées et des armures fabriquées dans les forges d'Aulensburg, des arcs de Valensa, des icônes de Corannos gravées au Gorhaut, des bijoux d'or et d'argent de Portezza, des étoffes et du fromage de Valensa, du vin, des olives et de l'huile d'olive du sud de l'Arbonne même. On pouvait acheter pratiquement n'importe quoi à la Foire de Lussan, rencontrer des gens originaires de partout et, pour le prix d'un verre de bière acheté dans une taverne, entendre des capitaines de navire raconter des histoires de pays fabuleux au sud, très loin des frontières du monde connu.

Dans les maisons privées protégeant les princes et les marchands importants de la curiosité des gens, des discussions se tenaient dans des pièces aux volets clos le jour ou éclairées aux bougies la nuit, discussions susceptibles d'influer sur le déroulement des événements pendant l'année à venir dans les six pays.

La Foire de Lussan était toujours la dernière de l'année avant que l'hiver ne fermât les routes et les cols de montagnes. Elle représentait la dernière occasion de tenir des discussions face à face ; pendant de longs mois, cela ne serait plus possible. De par sa longue expérience, Roban savait que le legs le plus important des foires découlait de ce qui se passait derrière ces portes interdites et décorées.

C'était particulièrement vrai cette année, peut-être davantage que n'importe quand de mémoire d'homme, car le Traité du pont Iersen avait modifié du tout au tout la situation politique qui prévalait depuis longtemps entre les six pays, et l'Arbonne avait de bonnes raisons d'en soupeser et craindre les conséquences.

En apprenant que Valéry, cousin du duc Bertran, demandait d'urgence une audience avec lui et la comtesse, le chancelier d'Arbonne en conclut, avec la sombre certitude des pessimistes invétérés, qu'il n'allait pas recevoir des nouvelles aptes à soulager ses nerfs à vif.

Cela se vérifia, bien entendu. Atterré, Roban resta figé à côté du fauteuil de la comtesse dans sa petite pièce privée jouxtant la salle d'audience et entendit Valéry de Talair relater une tentative de meurtre perpétrée contre le coran gorhautien, la mort de deux Portezzains d'Andoria qui avait suivi et l'exécution sommaire du troisième — un cousin de Borsiard lui-même et très sans doute un favori. Valéry veilla à ne leur épargner aucun détail. Une fois la situation connue, les tensions qui en découleraient ruineraient probablement la foire avant même qu'elle n'eût commencé, estima rapidement Roban. Tout comme elles le cloueraient à son lit pendant un jour et une nuit avec une de ses migraines aveuglantes.

Il avait parfois l'impression d'avoir passé toute sa vie d'adulte ici à Barbentain, avec le comte et à présent la comtesse, à s'efforcer d'apaiser les crises provoquées par les esclandres des nobles arbonnais hargneux et capricieux. Roban était lui-même un Arbonnais, évidemment, né au château de Vaux dans une famille d'un rang mineur, mais il avait été très tôt consacré à Corannos, à la façon des fils cadets, puis recueilli d'une chapelle du dieu par Guibor IV alors qu'il était encore imberbe, mais qu'il avait déjà manifesté des talents remarquables pour les chiffres et les lettres.

Il était venu à Barbentain et avait rapidement accédé à la chancellerie à la cour de Guibor. Lorsqu'il avait été désigné, on avait beaucoup fait valoir ses liens de jeunesse avec le clergé du dieu — un geste de prudent équilibre politique de la part du comte. Cela s'était passé si longtemps auparavant que Roban avait l'impression que tout le monde l'avait oublié. Peu de courtisans, pourtant très ambitieux, s'étaient opposés à son ascension précipitée. Même lorsqu'il était jeune, les manières de Roban avaient toujours paru consciencieuses et rassurantes. On lui faisait confiance. Il le méritait, se disait-il souvent ; si seulement on l'écoutait plus souvent dans ce pays d'hommes et de femmes au sang chaud davantage épris de musique que d'un gouvernement discipliné.

Roban n'avait rien contre la musique. Il appréciait les troubadours et les ménestrels quand il avait l'occasion de les entendre. Il avait lui-même écrit quelques poèmes autrefois lorsqu'il courtisait officiellement la femme que le comte lui avait suggéré d'épouser. Il n'arrivait pas à se rappeler très bien les airs et les paroles — et c'était sans doute mieux ainsi. Roban avait toujours pensé que les affaires de l'État exigeaient parfois qu'on mît de côté les chants romantiques des troubadours et qu'on se montrât impitoyablement pragmatique. Roban se considérait lui-même comme un homme terre à terre. Il savait quelles conséquences découlaient de ses actes. Il était conscient que Bertran de Talair le savait aussi, mieux que lui-même peut-être, mais la plupart du temps le duc s'en fichait tout simplement. C'était ainsi que les choses se passaient en Arbonne, songea avec mélancolie le chancelier. Les événements qui s'étaient produits sur la route principale longeant le fleuve le prouvaient.

Il était indubitable qu'un châtiment s'était avéré nécessaire, qu'il avait fallu réagir. C'était cependant l'acte sommaire du duc au bord de la route qui avait suscité la fureur des Andoriens, dont plusieurs étaient arrivés le jour même, couverts de poussière, leurs chevaux écumants. On n'exécutait pas les nobles de la même manière que les bandits ordinaires. Bertran avait même fait marquer l'homme ; Roban sursauta lorsque Valéry mentionna cela et se détourna en toussant pour tenter de camoufler sa réaction.

La comtesse vit le subterfuge — il pouvait rarement lui cacher quoi que ce fût. Il était tombé amoureux d'elle dès leur première rencontre, quarante ans auparavant. Il l'aimait depuis ce jour-là, plus que sa propre vie. Il était presque certain qu'elle ignorait au moins cela — mais c'était l'une des choses qui définissaient Roban de Vaux à ses propres yeux. Il était un homme qui n'avait aimé qu'une seule femme et ce pendant presque toute sa vie, bien qu'il se fût marié et eût eu des enfants. Il mourrait en ayant aimé toute sa vie la comtesse d'Arbonne avec la passion fidèle de son âme.

Dans la pièce se trouvant derrière la salle d'audience, Roban adoucit son expression ; d'un geste mécanique, il lissa de la main son pourpoint et se retourna vers le cousin de Bertran. Valéry faisait à présent remarquer, d'une voix calme et raisonnable, qu'on ne pouvait autoriser les nobles à perpétrer des tentatives de meurtres sur les routes, violant ainsi une trêve, en croyant allègrement qu'une rançon suffirait à faire passer l'éponge. Le très compétent cousin de Bertran — un homme que Roban estimait beaucoup — souligna aussi que, en agissant sur-le-champ, Bertran avait résolument protégé l'autorité de la comtesse tout en lui laissant la possibilité de le punir et d'apaiser les Andoria si elle le souhaitait.

Voyant ici une faible étincelle d'espoir, Roban fit mentalement le tour des possibilités et essaya d'intervenir. Il n'y parvint pas. Sans s'arrêter pour reprendre son souffle, Valéry ajouta sur un ton posé que Bertran recommandait que l'on n'envisageât aucune sorte de conciliation. Roban ferma les yeux. Il comprit alors qu'il était sur le point d'avoir une de ses migraines.

Comme l'expliqua gravement Valéry de Talair, la crédibilité de la comtesse à titre de femme gouvernant l'Arbonne exigeait en fait qu'on la considérât comme aussi ferme que, par exemple, Jörg du Götzland l'aurait été dans une situation analogue. Bertran suggérait que l'entrée de la foire fût interdite à Borsiard d'Andoria.

« Le Götzland ne se trouve pas face à la possibilité d'une véritable invasion l'an prochain », dit Roban à Valéry, saisissant enfin l'occasion de placer un mot. « La comtesse doit tenir compte d'éléments qui dépassent les protocoles des foires commerciales. Le moment est mal choisi, très mal choisi pour offenser des hommes aussi importants que Borsiard d'Andoria.

— Vous l'auriez laissé racheter la vie de son homme ? Se pavaner avec sa nouvelle épouse à la Foire de Lussan et dans ce château après avoir tenté d'assassiner quelqu'un sur nos routes ? Et si le coran du Gorhaut était mort ? Que se serait-il passé ?

— Sa mort aurait peut-être simplifié les choses », répliqua un peu trop vivement Roban. C'était là un point sensible. « Vous connaissez mon opinion à propos de cette chose absurde proposée par messire Bertran.

— C'est ma fille qui l'a proposée », coupa la comtesse, prenant la parole pour la première fois. C'était mauvais signe quand ses premières paroles étaient destinées à le corriger. « Bertran a approuvé la suggestion de Béatrice. Moi de même. Vous avez soulevé des objections, expliqué vos raisons et je vous ai fait connaître ma décision. Ne soyez pas ennuyeux, Roban. Je sais ce qui vous préoccupe, mais je ne vois pas comment nous pourrions faire autrement que d'appuyer ce que Bertran a déjà fait. Je vais interdire à Borsiard d'Andoria l'entrée de la foire. » Le comte, son mari, aurait eu la même réaction : les décisions d'extrême importance étaient prises à une vitesse qui laissait Roban abasourdi.

« Cela va nous coûter cher », dit-il, se sentant rougir comme chaque fois qu'il s'agitait. « Je parie que d'Andoria va financer le Gorhaut l'an prochain. »

Valéry de Talair haussa les épaules avec indifférence. « Le Gorhaut n'a pas besoin de financement, mon seigneur chancelier. Ils en ont plus qu'assez avec l'argent qu'ils reçoivent de Valensa selon les termes du Traité du pont Iersen. Voyez ce qu'ils ont payé pour faire assassiner Bertran. Est-ce que cela ressemble au geste de quelqu'un qui manque d'or ?

— On manque toujours d'or en temps de guerre », répondit Roban d'un air mécontent. En fait, il avait reçu des renseignements privés concernant les sommes exactes versées et celles que la Valensa devait encore au Gorhaut selon les termes du Traité. Ces chiffres le terrifiaient.

« J'ai l'impression », reprit la comtesse d'un ton différent, un ton que Roban reconnut avec appréhension, « que Daufridi de Valensa doit manquer terriblement d'argent ces temps-ci s'il a payé ces sommes exorbitantes au Gorhaut pour les terres qui lui ont été cédées.

— J'imagine qu'il doit avoir quelques problèmes », répondit prudemment Roban. Il savait par expérience qu'il valait mieux se montrer prudent lorsqu'il entendait ce ton — qui signifiait en général qu'un projet ou un autre était sur le point d'être proposé. D'habitude, ces projets le rendaient très nerveux. Sa migraine empirait.

Il vit Valéry ébaucher un sourire avant de lever vivement une main pour couvrir sa bouche. Les hommes de Talair étaient si intelligents que c'en était presque injuste.

« Nous devons donc en parler, murmura la comtesse. J'ai une idée. »

La comtesse fixait Valéry d'une manière significative ; elle aussi l'avait vu sourire. « C'est-à-dire si Bertran n'a pas eu la même idée bien avant moi. » Roban eut l'impression qu'elle n'avait pas employé un ton assez sévère. C'était sa faiblesse, songea-t-il, et ce n'était pas la première fois ; elle aimait beaucoup trop ses hommes de la noblesse galants et irresponsables pour les diriger adéquatement. Et Bertran de Talair représentait, entre tous, un cas particulier.

« Je suis convaincu que toutes les pensées que messire Bertran pourrait avoir au sujet de la Valensa vous seront communiquées dès son arrivée, répondit gracieusement Valéry. Je crois que nous pouvons nous attendre à le voir d'ici la fin de la journée.

— Je pense qu'il consentira plutôt à m'informer des mesures qu'il aura déjà mises en œuvre, dit d'un ton sec Cygne de Barbentain. Exactement comme il l'a fait dans le cas de ces vers qui ont failli causer sa mort l'été dernier. En passant, poursuivit-elle en se tournant vers Roban, ceci est important : je veux que des gardes de Barbentain soient visibles partout où le duc de Talair se rendra durant la foire ce mois-ci. Il n'est pas question de couper l'herbe sous le pied des propres corans de Bertran, mais si quelqu'un avait des projets le concernant, il doit savoir que nous le surveillons. » Roban hocha la tête. C'était logique ; il aimait qu'elle lui donnât des ordres qui avaient du sens.

« Rudel Correze voyage avec les Delonghi et les Andoria », reprit Valéry d'un air insouciant, comme s'il venait d'y penser.

« Merveilleux, répondit la comtesse d'un ton acerbe. Dois-je lui interdire l'accès à la foire à lui aussi ? Allons-nous passer la semaine à opposer toutes les familles importantes de Portezza ? » Cygne de Barbentain se mettait rarement en colère, mais Roban sentit que cela pourrait à présent se produire. Qu'elle comprît et partageât ses inquiétudes lui fit du bien. Il lissa de nouveau son pourpoint.

Valéry secouait la tête. « Blaise de Garsenc affirme qu'ici l'homme ne bougera pas. Que les Correze sont trop prudents pour courir le risque de perdre de l'argent en violant une trêve. Il pense que, de toute manière, Rudel a dû annuler son contrat.

— Pourquoi ? demanda Roban avec irritation. Dans cette famille, on n'a pas l'habitude de lever le nez sur deux cent cinquante mille en or.

— Je pensais comme vous, mon seigneur chancelier », répondit Valéry, l'air de s'excuser. « Mais Blaise affirme connaître très bien Rudel Correze. D'après lui, il ne présente actuellement aucun danger.

— Il semble que nous dépendions beaucoup de ce coran gorhautien, n'est-ce pas ?

— Ça suffit, Roban ! » Ce dernier avait compris son erreur au moment où Cygne avait ouvert la bouche — la colère qui montait en elle s'était brusquement tournée contre lui. Bien entendu, il représentait une cible sûre, l'homme qu'elle savait pouvoir réprimander sans courir de risque. Et c'était vrai, songea-t-il avec regret.

« Nous n'allons pas recommencer cette discussion, poursuivit sévèrement Cygne. Cet homme n'est pas simplement un coran du Gorhaut. C'est le fils de Galbert de Garsenc, et si nous avons un espoir de diviser le Gorhaut sur cette question, il est notre espoir. S'il nous trahit, j'admettrai que vous aviez raison avant que nous mourions tous. Cela vous suffit-il, Roban ? Serez-vous satisfait ? »

Le chancelier déglutit avec difficulté, se sentant comme il se sentait toujours quand elle le rabrouait. Plus jeune, il avait vraiment pleuré derrière les portes closes de ses propres appartements après qu'elle lui eut parlé de cette manière. Il ne le faisait plus, même s'il en avait parfois envie. C'était une chose terrible à admettre, songeait le chancelier, pour un homme de son âge et de sa situation. Il se demanda si elle avait déjà remarqué à quel moment venaient ses migraines, et si elle se serait montrée plus sympathique, peut-être un peu plus gentille, s'il l'en avait informée.

Cygne n'arrivait pas à se rappeler que Roban se fût déjà conduit d'une manière si obstinément agaçante du vivant de Guibor. Mais il était vrai qu'elle n'avait alors pas si souvent affaire à lui ; il n'était que l'administrateur efficace dans les coulisses, et Guibor n'aurait pas supporté que ses conseillers expriment trop vigoureusement leurs désaccords. Sur ce point, elle ne lui ressemblait pas. Peut-être dépendait-elle trop de Roban, peut-être sentait-il qu'elle était faible et qu'elle avait besoin de sa force. Comment savoir ? Il était là, elle savait qu'elle pouvait se reposer sur lui et qu'il assumerait consciencieusement toute tâche qui lui serait confiée. Il était un peu rouge aujourd'hui et avait les yeux cernés. Elle se demanda soudain, en le regardant lisser comme d'habitude le devant de son pourpoint immaculé, si Roban n'était pas surmené.

« Faites chercher Borsiard d'Andoria à Lussan, dit-elle au chancelier. Je vais lui accorder une audience ici. Je ne le bannirai pas par ordonnance ou par décret. Il l'apprendra de ma bouche dans ce château. »

Borsiard d'Andoria tempêta dans la salle d'audience, fulminant de la manière la plus désagréable qui fût, exigeant que

Bertran fût blâmé et exécuté pour avoir abattu trois nobles d'Andoria. Cygne s'aperçut qu'il croyait vraiment qu'elle pourrait céder. Il la considérait comme une femme que sa fureur pouvait terrifier et amener à se plier à sa volonté.

Le fait d'en prendre conscience permit à Cygne d'accéder à l'état de colère froide dont elle avait besoin pour dompter le Portezzain. Et elle le dompta. Elle avait affronté des hommes plus coriaces par le passé. Dès qu'elle commença à parler, lentement, laissant ses paroles mesurées tomber comme des pierres dans le silence de la pièce, Borsiard sembla perdre toute son arrogance.

« Prenez vos gens et vos biens et allez-vous-en », dit-elle, assise sur l'ancien trône des comtes d'Arbonne. « Vous ne serez pas autorisé à faire du commerce ou des profits dans une foire dont vous avez méprisé les lois d'aussi vile manière. Les hommes qui ont été abattus ont été exécutés comme il le fallait par le duc de Talair qui nous représente dans ce domaine à l'instar de tous les nobles d'Arbonne. Quels que soient vos griefs contre Blaise de Garsenc du Gorhaut — une querelle dans laquelle nous n'avons aucun intérêt —, les routes menant à la Foire de Lussan n'étaient pas un endroit indiqué pour y donner suite. Vous pourrez quitter l'Arbonne sans être inquiété. En fait, nous désignerons quelques hommes pour vous escorter en toute sécurité à la frontière portezzaine... à moins que vous ne souhaitiez vous rendre ailleurs ? »

Elle tenait cela de Guibor : soulever soi-même la question et prendre l'initiative à la place de son adversaire. Comme s'il attendait ce signal, le beau visage basané de Borsiard se tordit dans un spasme méchant. « En effet, dit-il. J'ai à faire au Gorhaut. Je vais voyager vers le nord en partant d'ici.

— Nous sommes convaincus que vous serez bien accueilli à la cour du roi Adémar », répondit posément Cygne. Borsiard n'était pas un homme capable de la troubler, quelles que fussent sa valeur et les craintes qu'il inspirait à Roban. Il était trop prévisible. Elle se demanda combien de temps allait durer son mariage. Elle se permit un sourire ; elle savait comment faire, au besoin, une arme de son sourire. « Avec l'arrivée de l'hiver dans le nord, nous espérons seulement que votre dame ne trouvera pas Cortil trop froid et trop monotone, murmura-t-elle. Si elle préfère rentrer chez elle, nous nous ferons un plaisir de lui fournir une escorte. En réalité, poursuivit-elle sous l'impulsion du moment, nous serons très heureux de lui offrir l'hospitalité si vous préférez aller dans le nord sans elle. Il serait injuste de priver une dame des plaisirs de la foire à cause des transgressions de son mari. Nous ne nous conduisons pas ainsi en Arbonne. »

Étendue dans son lit la même nuit, Cygne se demanda si elle allait regretter le sursaut de colère qui l'avait amenée à faire cette dernière invitation. Le séjour de Lucianna Delonghi — il était presque impossible de penser à elle sous un autre nom malgré ses mariages — à Barbentain et à Lussan pourrait de plus d'une façon poser un problème délicat. D'un autre côté, si elle voulait rester à la foire, elle pouvait de toute manière se joindre au groupe de son père. Cette invitation permettrait au moins d'exercer un certain contrôle sur ce qui pouvait difficilement être empêché. Cygne espéra qu'on le comprît ainsi. Dans son for intérieur, elle était également curieuse de revoir cette femme. Il y avait six ou sept ans, avant son premier mariage, que Lucianna Delonghi était venue à Barbentain. Son père l'avait présentée au comte et à la comtesse. Elle était alors intelligente, comme toute sa famille, déjà très belle, attentive, très jeune. Il lui était bien sûr arrivé beaucoup de choses depuis.

Il pourrait être intéressant de savoir exactement quoi. Plus tard cependant, songea Cygne. Pour le moment, elle n'avait envie de voir personne. Elle s'était retirée de bonne heure, laissant à Roban et aux gardiens de la foire la tâche de faire appliquer ses ordres concernant les Andoria. Elle ne pensait pas que cela poserait de problèmes; si loin de chez lui, Borsiard n'avait amené que quelques corans et il était peu probable qu'il courût le risque de se faire chasser publiquement de Lussan. Il était toutefois très probable qu'il se rendrait dans le nord — tel que Roban l'avait sinistrement prédit. En général, le chancelier avait raison sur ce genre de questions. Il était plus difficile de deviner ce que Borsiard allait faire une fois là-bas. Mais les conséquences étaient évidentes pour tout le monde: Andoria représenterait pour l'Arbonne une source de financement de moins, un allié de moins si la guerre éclatait et certainement un contingent armé de plus dans le camp du Gorhaut s'il le demandait.

Cygne soupira dans l'obscurité de sa chambre. Elle savait que Bertran avait agi comme il le fallait et qu'il lui avait facilité la tâche en prenant le fardeau sur ses épaules. Si seulement… si seulement il n'avait pas toujours eu l'air de se retrouver dans des situations où agir comme il le fallait signifiait des tas d'ennuis pour tout le monde.

En ce moment, Cygne ne désirait que se reposer. Il lui arrivait parfois de se sentir moins inquiète la nuit, cédant au sommeil. Celui-ci ne venait pas toujours facilement, mais, dans ces cas-là, ses rêves étaient presque toujours bienfaisants, réconfortants. Elle se promenait dans les jardins du château, seule ou avec Guibor, de nouveau jeune, dans ce pré qu'ils affectionnaient, au-delà de l'aqueduc des Anciens près de Carenzu, et parfois leurs quatre enfants se trouvaient avec eux : la brillante Béatrice avec ses cheveux brillants, les garçons, Guibor, avide et aventureux, Piers, attentif, un peu à l'écart, et Aëlis, s'attardant derrière dans l'herbe verte, si verte. Dans les rêves de sa mère, Aëlis, bien que benjamine, semblait toujours plus âgée que les autres. Dans les rêves, elle apparaissait telle qu'elle avait été l'année ayant précédé sa mort, dans l'épanouissement de sa beauté farouche.

Cygne ne ferait pas de tels rêves cette nuit-là.

Le coup frappé à la porte de ses appartements fut si léger qu'il n'aurait pu la réveiller si elle avait été endormie. L'une des filles dormant dans l'antichambre l'aurait entendu, toutefois. Déjà Brisseau, la plus âgée des deux, inquiète et semblable à un spectre dans sa chemise de nuit blanche, hésitait à l'entrée de la chambre de Cygne.

« Va voir qui c'est », dit Cygne tout en sachant qu'une seule personne pouvait venir à cette heure.

Roban attendit dans l'autre pièce pendant qu'elle s'habillait. Elle alla l'y retrouver ; elle n'aimait pas recevoir des hommes ou traiter les affaires de l'État dans sa chambre à coucher. Il portait le même pourpoint que plus tôt dans la journée. Cygne eut un choc lorsqu'elle comprit qu'il ne s'était pas encore couché. Il était très tard et le chancelier ne semblait pas en forme. Son visage était hagard et, à la lueur des bougies que les servantes s'étaient empressées d'allumer, ses yeux étaient caves. Il paraissait plus vieux que son âge, songea-t-elle tout à coup ; elle et Guibor l'avaient usé à leur service. Elle se demanda s'il avait l'impression que ses efforts en avaient valu la peine et, pour la première fois de sa vie, elle se demanda ce qu'il avait vraiment pensé d'eux. C'est-à-dire d'elle surtout. Guibor était décédé ; on ne pensait que du bien des disparus. Elle prit conscience qu'elle n'avait aucune idée de l'opinion du chancelier à son sujet. Frivole, conclut-elle ; il devait la trouver frivole et impétueuse et croire qu'elle avait besoin d'une main ferme pour la guider. Cela pouvait expliquer pourquoi il faisait valoir ses avis avec tant d'insistance depuis quelque temps.

« Asseyez-vous, dit-elle. Avant de commencer, asseyez-vous. Brisseau, apporte une carafe de cidre pour le chancelier. »

Elle pensait que Roban aurait refusé de s'asseoir, mais il n'en fit rien ; cela ne fit qu'accroître l'inquiétude de Cygne. S'efforçant d'être patiente, elle attendit, assise en face de lui, que le cidre fût apporté et posé sur la table. Elle attendit encore qu'il eût bu.

« Racontez-moi, dit-elle finalement.

— Ma dame, un peu plus tôt ce soir, un message est arrivé du temple de Rian, commença-t-il d'une voix curieusement faible. Il venait d'une personne qui ne pouvait pas se trouver à Lussan, vous demandant une audience et… un asile.

— Alors ?

— Alors je me suis rendu en personne sur place pour vérifier si le message était authentique. Je crains que ce ne soit le cas, ma dame. J'ai peur que l'affaire d'Andoria ne soit rien comparée à la crise qui nous attend à présent.

— De qui s'agit-il ? Qui est dans la ville ?

— Cette personne n'est plus dans la ville. Je n'ai pas eu le choix, ma dame. J'ai dû l'amener ici au château avant qu'on sache qu'elle était en ville ou ce qui se passait. Comtesse, reprit le chancelier en respirant avec peine, il semble que dame Rosala de Garsenc du Gorhaut ait quitté le duc, son mari, à l'insu de celui-ci. Elle cherche refuge auprès de nous. Elle se trouve actuellement à Barbentain et, ma dame… bien que je ne sois pas un spécialiste en la matière, je crois qu'elle est sur le point d'accoucher, peut-être même pendant que je vous parle. »

❖

Cadar de Savaric, à qui l'on donna, par défi, le nom et le prénom du père et de la famille de sa mère, vit le jour au château de Barbentain peu avant l'aube cette nuit-là.

Bien que né avant terme à cause du pénible périple de sa mère à travers les montagnes jusqu'en Arbonne, il était à sa naissance robuste et rose ; il poussa un grand cri que sa mère exténuée considéra comme triomphant lorsque les prêtresses de Rian, appelées en hâte au château, le firent sortir de ses entrailles et coupèrent le cordon ombilical.

Tel qu'il convenait à un enfant de son rang, on le lava solennellement dans du lait réchauffé près du feu, et l'aînée des deux prêtresses l'emmaillota d'une main experte dans une étoffe de samit bleu avant de le tendre à la comtesse d'Arbonne qui était demeurée dans la chambre pendant les longues heures de travail de Rosala. Avec sa chevelure blanche, les délicates veines bleutées courant sur sa peau pâle et parfaite, Cygne de Barbentain prit le bébé dans ses bras et le regarda avec une expression que Rosala n'était pas sûre de vraiment saisir, mais qu'elle trouvait néanmoins profondément rassurante. Un instant plus tard, Cygne se dirigea vers le lit et posa gentiment le nouveau-né dans les bras de sa mère.

Rosala ne s'était pas attendue à tant de gentillesse. Elle n'avait pas su en fait à quoi s'attendre. Elle avait seulement compris, lorsque Galbert de Garsenc s'était éloigné d'elle une semaine auparavant, qu'elle devait aller vers le sud, là où elle le pourrait. Elle avait été incapable de voir plus loin que cela.

La proximité de la Foire de Lussan avait été sa chance. Garsenc se trouvait près de la route principale qui menait au défilé et, chaque jour, Rosala avait vu des petites troupes de corans et de marchands traverser leurs terres, s'arrêtant souvent pour se recueillir dans leur chapelle ou conclure quelques marchés au château ou au village en bas.

Deux jours après la visite de son beau-père, Rosala écrivit un mot à son mari pour lui dire qu'elle partait vers le nord, auprès de sa famille, attendre la naissance de son enfant. Elle avait fait un rêve, mentit-elle, un terrible cauchemar prémonitoire. Trop de bébés et de femmes étaient morts au château de Garsenc. Elle était épouvantée pour son enfant. Elle se sentirait plus en sécurité chez elle à Savaric. Elle espérait qu'il comprendrait et qu'il lui rendrait visite là-bas quand les affaires de la cour le lui permettraient. Elle signa de son nom.

Elle quitta le château la nuit même, à l'insu de tous, par la grille de la poterne. On gardait son cheval favori dans les écuries des corans, à l'extérieur des murs, afin de le faire courir quand elle en était incapable. Il n'y avait pas de sentinelle aux écuries — personne n'aurait été assez imprudent pour provoquer le courroux des de Garsenc en s'approchant de leurs chevaux. Elle monta gauchement son cheval et s'éloigna, en amazone, sous les lumières jumelles des deux lunes, dans le paysage nocturne à la fois superbe et terrifiant, l'enfant gros et lourd dans son ventre. Elle n'avait qu'un faible espoir, aussi faible que les étoiles à côté de la brillante Vidonne, d'atteindre sa destination.

Cette nuit fut la seule où elle fut capable de chevaucher. À contrecœur, réellement consternée, elle abandonna sa monture près d'un petit hameau peu avant l'aube et poursuivit sa route à pied. Au lever du soleil, marchant lentement, affamée et épuisée, elle atteignit un campement d'amuseurs publics. Deux femmes se baignaient dans le fleuve lorsqu'elle s'approcha. Elles poussèrent de hauts cris en constatant son état. Utilisant le premier nom qui lui venait à l'esprit, Rosala leur raconta qu'elle se rendait en Arbonne, à la recherche d'assistance pour son accouchement. Elle avait déjà perdu deux bébés à la naissance, mentit-elle, faisant derrière sa hanche le signe pour conjurer le sort. Elle voulait à tout prix sauver celui-ci, dit-elle.

Ce qui était vrai. Totalement vrai.

Comprenant qu'elle cherchait une aide magique, les femmes firent leur propre signe pour conjurer le sort, mais lui proposèrent généreusement de faire route vers le sud en leur compagnie. Rosala traversa les montagnes dans un chariot bondissant et tressautant avec deux singes voleurs, un oiseau parlant originaire des marais du nord, une vipère dans un panier et un volubile dompteur d'animaux aux dents étrangement bleues. Du venin, expliqua-t-il, venant du serpent avant qu'on ne lui eût enlevé ses crochets. Il le nourrissait de souris et de petits lézards qu'il attrapait. Chaque fois que le chariot passait dans un trou, et ils étaient nombreux dans le défilé, Rosala regardait anxieusement le panier pour s'assurer que le fermoir tenait toujours. L'ours et le chat des montagnes, heureusement, voyageaient dans leur propre chariot juste derrière.

Elle parlait aussi peu que possible pour éviter que son accent ne la trahît. C'était relativement facile avec Othon : il faisait partie de ces hommes qui n'auraient pas survécu s'il était devenu muet. Il était néanmoins avec elle d'une extrême gentillesse, lui rapportant de la soupe et du pain quand il revenait du feu communautaire à l'heure des repas. Elle finit par s'habituer au bourdonnement de sa voix et aux récits de ses voyages qu'il ne cessa de répéter pendant les trois interminables journées qu'ils mirent à aller du Gorhaut jusqu'au sommet du col et descendre vers l'Arbonne. Elle commença à avoir l'impression qu'elle avait toujours vécu avec ces gens, voyagé dans cette voiture, que le château de Garsenc était un rêve, quelque chose appartenant à la vie d'une autre femme.

Le quatrième matin, Rosala souleva la bâche du chariot et sortit au moment où le soleil se levait au-dessus des collines à l'est. Elle regarda, au sud, un paysage qui lui parut vraiment étrange ; elle vit un fleuve, d'un bleu étincelant dans la lumière du matin, coulant vivement à côté de la route. Au loin, elle distingua la silhouette de tours que l'éclat du soleil faisait scintiller.

« Voilà sans doute Barbentain », dit sagement Othon derrière elle. Elle tourna la tête et lui adressa un faible sourire. Il se gratta à plusieurs endroits inconvenants, s'étira et grogna. « C'est le plus beau château où je suis allé de toute ma vie. On sera là ce soir, j'imagine. Il y avait un comte là-bas, il n'y a pas très longtemps — t'en as peut-être entendu parler —, quelque chose comme Guibor III ou Guibor IV. Immense, haut comme un arbre, féroce à la guerre… et dans l'amour comme ils le sont tous ici. » Il gloussa de façon obscène, montrant ses dents bleues. « En tout cas, c'était le plus bel homme que j'aie jamais vu de toute ma vie. C'est sa veuve qui gouverne maintenant. Je ne sais pas grand-chose à son sujet. On raconte qu'elle était jolie, mais elle est vieille à présent. » Othon bâilla, puis cracha dans l'herbe. « On vieillit tous », conclut-il avant de s'éloigner pour faire ses besoins du matin dans les fourrés. L'un des singes le suivit.

Rosala posa une main sur son ventre et regarda vers le sud, le long de la ligne claire et sinueuse du fleuve. Des cyprès se dressaient sur les arêtes au-dessus d'eux, de même qu'une espèce de pin qu'elle voyait pour la première fois. Sur les pentes en terrasses à l'ouest de la route, on apercevait les légendaires oliviers d'Arbonne.

Elle les contempla un instant, puis se retourna pour regarder de nouveau les tourelles du château qui brillaient dans le lointain, là où gouvernait à présent la veuve de Guibor IV. «Épousez la chienne», avait conseillé son mari à Adémar du Gorhaut peu de temps auparavant. Le père de Rosala avait dit un jour que, dans sa jeunesse, la comtesse d'Arbonne était la plus jolie femme du monde. Sur ce point, il semblait d'accord avec Othon le dresseur d'animaux.

Rosala n'avait pas besoin de sa beauté. Elle n'avait besoin que de bonté et d'une certaine forme de courage que sa présence mettrait rudement à l'épreuve. Elle connaissait trop la nature des choses pour ignorer les répercussions de son arrivée à Barbentain, enceinte d'un héritier possible pour Garsenc — ou d'un successeur du primat du dieu au Gorhaut. Honnêtement, elle ne voyait pas quel autre choix elle avait à part céder l'enfant, et ceci ne pouvait être considéré comme un choix.

Plus tard la même journée, alors que le soleil était haut dans un ciel d'automne clair et limpide, elle commença à ressentir les premières douleurs. Elle cacha son état du mieux qu'elle put, mais même Othon finit par s'en apercevoir et son flot continu de paroles se tarit lentement. Il envoya chercher les femmes et elles la réconfortèrent de leur mieux, mais il restait encore un long chemin à parcourir avant d'atteindre Lussan. La nuit était en fait tombée depuis longtemps lorsqu'ils la laissèrent au temple de Rian.

Le bébé était en bonne santé et bien constitué, pensa Cygne, surprise du plaisir qu'elle éprouvait à le tenir dans ses bras. Dans les circonstances, elle aurait dû ne rien éprouver d'autre que la plus profonde inquiétude concernant son propre peuple. Cet enfant et sa mère représentaient le danger dans sa forme la plus pure, le Gorhaut pouvant facilement s'en servir comme prétexte pour déclencher la guerre. Dans l'antichambre, Roban faisait les cent pas comme un père attendant désespérément de voir son héritier, mais Cygne savait que ses préoccupations étaient d'un autre ordre. Presque certainement, il espérait que Rosala mettrait au monde une fille. Pour une fille, il était moins probable que les corans du Gorhaut se déchaînent contre eux.

Ils n'eurent pas cette chance. Rian et Corannos semblaient tous deux avoir leur mot à dire dans le déroulement des événements et, comme le disait le vieil adage, lorsque le dieu et la déesse allaient main dans la main, les hommes et les femmes ne pouvaient que s'agenouiller et baisser la tête. Inclinant la sienne, Cygne sourit à l'enfant emmailloté dans une étoffe bleue aristocratique et le porta à sa mère. À la lueur des bougies, le visage de Rosala de Garsenc était exsangue et ses yeux bleus paraissaient immenses dans son visage noyé, mais leur expression était résolue et intrépide comme elle l'avait été toute la nuit. Cygne l'admirait beaucoup. Rosala lui avait raconté son histoire dans l'obscurité de la nuit, lui confiant des bribes entre les douleurs de l'accouchement : la raison de sa fuite, la demande d'asile.

Cygne ne pouvait refuser cette requête ; c'était même Roban qui avait fait transporter cette femme à Barbentain. Il le nierait sans doute au matin, mais Cygne était presque convaincue que son chancelier avait été lui aussi touché par l'histoire de Rosala. Ce n'était pas pour des raisons pragmatiques qu'il l'avait fait venir au château. Cygne constata qu'elle était fière de lui.

Elle se rendait également compte que cette sympathie, le fait de céder à un élan d'humanité, pourrait bien tous les détruire. Rosala le savait elle aussi, bien sûr. Pendant cette longue nuit de travail, alors que la douleur lui faisait tenir des propos presque incohérents, elle avait néanmoins révélé une formidable intelligence. Elle avait aussi un grand courage. Il fallait en avoir et plus encore pour tenir ainsi tête à Galbert de Garsenc.

« Voilà votre enfant, ma dame », dit doucement Cygne près du lit, employant la formule officielle. « Sa mère souhaite-t-elle lui donner un nom ?

— Cadar », répondit Rosala, élevant la voix pour permettre à ses premières paroles de résonner clairement dans le monde où il venait d'entrer. « Son nom est Cadar de Savaric. » Elle tendit les bras et Cygne lui donna son enfant.

C'était de la provocation, la comtesse le comprit. Elle fut soulagée que Roban ne l'eût pas entendue ; le chancelier avait subi suffisamment de pressions ce jour-là. Elle se sentit elle-même vieille et fatiguée, oppressée par le poids de la nuit et de son âge. Ici, à Barbentain, le temps de la musique et des rires semblait très loin, comme un rêve, une invention de troubadour.

« Il a un père, se sentit-elle obligée de répondre. Vous choisissez de le priver de cela ? Et si, malgré tout, son père désire le reconnaître, lui offrir sa protection ? Est-ce que votre décision ne constituera pas un empêchement ? »

Rosala était épuisée, il était injuste de la tourmenter ainsi, mais il le fallait avant que le nom ne sortît de la chambre. Rosala leva ses yeux bleu clair de nordique et dit : « Si son père décide de venir à lui et de le protéger, j'y repenserai. » Cygne avait entendu une intonation, l'accent mis sur un mot comme une note de musique quasi imperceptible, davantage ressentie qu'entendue, et cela avait fait naître en elle une nouvelle appréhension.

« Il aura besoin d'un homme et d'une femme pour répondre de lui devant le dieu — et la déesse, si toutefois vous avez un tel rituel en Arbonne, reprit Rosala.

— Nous l'avons. Les tuteurs de Rian et de Corannos. Nous les honorons tous les deux ici, vous le savez peut-être.

— Je le sais. Nous ferez-vous l'honneur, à mon enfant et à moi, de répondre de Cadar ? Est-ce trop vous demander ? »

De plus d'une façon, ce l'était. Le fait que la comtesse en personne fût à ce point identifiée à lui doublait les dangers que cet enfant représentait pour l'Arbonne. Roban aurait réagi si violemment qu'il en serait devenu rouge.

« J'accepte », répondit Cygne de Barbentain, véritablement émue, en baissant les yeux vers l'enfant. Elle n'avait jamais vu son propre petit-fils, né et perdu autrefois par une nuit d'hiver. Perdu ou mort, personne ne le savait, sauf Urté de Miraval et il ne révélerait jamais la vérité. Jamais. Le temps, la mémoire et la perte paraissaient emmêlés, entrelacés cette nuit, et partout il y avait des chemins menant à la douleur. Cygne regardait cette femme aux cheveux blonds et elle pensait à Aëlis.

« L'honneur sera pour moi », dit-elle.

Rosala repoussa la couverture et plaça l'enfant contre son sein. Aveuglément, avec la réaction la plus primitive qui fût, il se mit à téter. Cygne s'aperçut qu'elle était dangereusement au bord des larmes. Elle n'avait pas dormi de la nuit, s'admonesta-t-elle, mais ce n'était pas vraiment à cause de cela.

« Et le deuxième tuteur ? demanda-t-elle. Connaissez-vous quelqu'un ici à qui vous aimeriez demander de l'être ? »

Il existe une étape dans la vie de chaque homme, de chaque femme, de chaque enfant, un point où un événement nouveau donne à ce qui va suivre une forme irrévocable. Ce fut ce qui se passa lorsque Rosala leva les yeux depuis son oreiller, ses cheveux pâles, ternes et humides entourant sa tête, son fils sur sa poitrine, et qu'elle répondit à la comtesse d'Arbonne: « Il y a quelqu'un, quoique cela puisse être une autre présomption. Mon père disait que, quoi qu'on puisse raconter à son sujet, il est certainement un homme honnête et brave et, pardonnez-moi, mais je sais qu'il est un ennemi de Galbert de Garsenc. Il existe peut-être des raisons plus pures pour nommer un tuteur aux yeux de Corannos et de Rian, mais c'est pour celle-ci que mon enfant a maintenant besoin de quelqu'un. Le duc de Talair se trouve-t-il à Lussan ? Croyez-vous qu'il acceptera ? »

Cygne pleura alors puis, quelques instants plus tard, un peu effrayée de sa réaction, elle se mit à rire, sans être capable de s'en empêcher, à rire aux larmes. « Il est ici, répondit-elle. Et je crois qu'il acceptera si je le lui demande. » Il y avait déjà tant de couches de souvenirs entrelacés, tant d'échos et voilà que Bertran s'y ajoutait lui aussi.

Elle regarda par la fenêtre ; la première teinte de gris apparaissait dans le ciel à l'est. Elle pensa alors à quelque chose, bien trop tard, un autre fil dans cette noire tapisserie tissée par le temps. « Savez-vous que le frère de votre mari se trouve avec le duc de Talair ? »

Ayant toujours été très observatrice, elle constata alors deux choses. Premièrement que Rosala n'était pas au courant et deuxièmement que cela avait beaucoup d'importance pour elle. Cygne éprouva de nouveau la même angoisse qu'auparavant, cette note de musique dissonante et quasi imperceptible. Elle eut tout à coup une question à poser ; elle avait plusieurs questions en fait, mais il n'était pas encore temps pour celles-là, il ne serait peut-être jamais temps. Béatrice lui manqua soudain beaucoup ; elle aurait voulu que sa fille eût décidé de venir au nord pour la foire cette année plutôt que de rester à l'île de Rian.

« Je préférerais ne pas le voir tout de suite, répondit prudemment Rosala de Garsenc. Je préférerais qu'il ne sache pas que je suis ici. Est-ce possible ?

— Je ne crois pas qu'il vous trahirait ou qu'il essaierait de vous renvoyer chez vous. Nous connaissons un peu Blaise maintenant ici. »

Rosala secoua la tête. « Ce n'est pas ça. Je suis… trop liée à cette famille. Est-ce que le duc va lui dire que je suis ici ? »

Camouflant un embarras de plus en plus grand, Cygne fit signe que non. « Bertran traite les femmes à sa façon et il est un homme plutôt imprévisible, mais il ne trahira pas une confidence. »

Rosala baissa les yeux sur l'enfant qu'elle allaitait, s'efforçant de faire face à cette nouvelle. Étonnamment, Cadar avait une chevelure fournie, retombant en bouclettes sur son front. À la lueur des bougies, cette chevelure avait une teinte de brun particulière, presque rousse. Très semblable à celle de son père, songea-t-elle. Le dernier renseignement au sujet de Blaise n'aurait pas dû l'étonner à ce point : on avait appris l'été précédent qu'il avait de nouveau quitté la Portezza. Elle ferma un instant les yeux. Il était difficile d'avoir à affronter toutes ces choses en ce moment. Rosala se sentait extrêmement fatiguée.

Elle regarda la comtesse. « Je représente pour vous un fardeau très lourd, je le sais. Je n'avais pourtant pas d'autre choix, en ce qui concerne l'enfant. Je vous remercie de m'autoriser à rester ici. Je vous remercie d'accepter la responsabilité de tutrice. Ferez-vous une autre chose pour moi ? Voulez-vous demander au duc de Talair de répondre de mon fils avec vous ce matin devant Corannos et Rian et contre tous ceux qui pourraient lui vouloir du mal ? »

À la fin, le chancelier Roban lui-même, avec deux corans de sa propre maison, alla chercher messire Bertran de Talair. Le duc n'était pas dans son lit, mais le chancelier persévéra et le trouva.

Ils retraversèrent le pont baissé jusqu'au château sur son île au moment où le soleil se levait au-delà du fleuve, envoyant enfin de la lumière, comme une bénédiction, dans la chambre où Rosala reposait. Bertran de Talair entra dans la pièce avec la clarté du matin, amusé comme d'habitude, un sourire sardonique à peine camouflé sur son visage. Il regarda d'abord la comtesse, puis la femme étendue. Ensuite, sans prononcer une parole, il baissa les yeux sur le berceau au pied du lit et vit un bébé qui dormait.

Après un long moment où l'on vit changer lentement son expression, il regarda de nouveau la mère. Les prêtresses de Rian l'avaient lavée et revêtue d'une robe de soie bleue, et l'avaient aidée à coiffer ses cheveux. Ils s'étalaient, longs et dorés dans la douce lumière, sur l'oreiller et sur la couverture. Les yeux de cette femme étaient aussi bleus que les siens.

« Je vous félicite, dit-il d'une voix solennelle. Vous avez là un beau garçon. Je lui souhaite bonne chance pour toute sa vie. »

Rosala notait tout ce qu'elle pouvait : la voix légère et claire, la balafre, l'oreille mutilée, la manière dont son visage expressif avait changé lorsqu'il avait permis à l'ironie de se retirer.

« Galbert de Garsenc, primat de Corannos au Gorhaut, voudra m'enlever cet enfant », dit-elle gravement, sans préambule. Sa voix était soigneusement mesurée ; elle avait préparé ces paroles en attendant sa venue. C'était abrupt et sans grâce, mais elle se sentait trop exténuée pour être éloquente.

« C'est ce qu'on m'a dit, répondit-il.

— Je crains que, dans les circonstances, accepter de devenir le tuteur de mon fils ne soit davantage qu'un rituel.

— Dans les circonstances, c'est aussi ce que je crois.

— Assumerez-vous cette responsabilité ?

— Oui », dit-il calmement. Puis, après une pause, il ajouta : « Je mourrai moi-même avant qu'il ne vous enlève votre enfant. »

Il vit que le visage de Rosala prenait des couleurs et qu'elle respirait plus vite, comme s'il la libérait de l'effort qu'elle faisait pour se maîtriser. « Merci », chuchota-t-elle. Des larmes coulaient maintenant de ses yeux, pour la première fois de la nuit, même si le duc ne pouvait pas le savoir. Elle tourna la tête et regarda la comtesse. « Je vous remercie tous les deux. Il sera ainsi autant en sécurité que le monde lui permettra de l'être. Je crois que je peux à présent me reposer. »

Ils la virent fermer les yeux. Elle s'endormit aussitôt après ces paroles. Debout de chaque côté du lit, Bertran et la comtesse échangèrent un long regard. Ils restèrent un moment silencieux.

Finalement, le duc sourit ; Cygne s'y était plus ou moins attendue et fut soulagée quand elle vit ce sourire qui rompait le sort néfaste ayant pesé sur la nuit.

« Vous l'avez voulu, dit-il. Pas moi. Ne me faites jamais de reproches.

— Je savais que vous ne refuseriez pas un enfant, répondit-elle sereinement. Il n'y aura pas de reproches. Nous devons agir conformément à notre nature, sinon nous devenons nos propres ennemis. » C'était le matin, Cygne n'avait pas dormi de la nuit. Elle ne sentait pourtant plus la fatigue, plus maintenant. Elle se dirigea vers la fenêtre à l'est et regarda l'île et le fleuve dans les couleurs d'automne rouge et or de son pays.

À la porte, le chancelier Roban entendit les paroles échangées et regarda la comtesse marcher vers la fenêtre. Elle paraissait terriblement petite et fragile, belle comme l'ivoire. Il demeura silencieux, lissant de nouveau, sans nécessité, le devant de son pourpoint. Il ne réfléchissait pas seulement à la noblesse des sentiments qui venaient d'être exprimés, mais au fait que, très probablement, ils seraient tous conquis et morts avant l'été prochain.

❖

Les tavernes de Lussan étaient bondées à l'époque de la foire, et elles étaient nombreuses. Ce fut donc la malchance seule qui amena Othon le dresseur d'animaux à *L'Arche* tard cette nuit-là après qu'il eut déjà visité trois autres auberges et commencé à profiter de la Foire de Lussan d'une manière très liquide. Rendu encore plus volubile que d'habitude, Othon était assis à une table en compagnie d'un groupe d'amuseurs publics à qui il décrivait son étrange compagne de voyage. Connu pour voyager avec un serpent et des singes, qu'il qualifiât d'étrange un compagnon était suffisamment cocasse pour qu'on lui accordât encore plus d'attention que de coutume.

« Elle avait les cheveux blonds et les yeux bleus, déclara Othon, et c'était sans aucun doute une beauté, même si c'était difficile à voir étant donné son... état, si vous voyez ce que je veux dire. » Il se tut. Quelqu'un remplit obligeamment son verre. « D'après mon expérience, les femmes sont rarement à leur meilleur quand elles sont sur le point d'accoucher. »

Quelqu'un fit un commentaire grivois, associant l'expérience d'Othon à ses singes. Au milieu des rires, le dresseur d'animaux but une gorgée, puis continua avec la ténacité placide d'un raconteur d'histoires habitué aux aléas de son métier. Il ne remarqua pas que les trois hommes assis à la table voisine avaient interrompu leur propre conversation pour l'écouter.

« Elle essayait de se faire passer pour la femme d'un fermier, d'un forgeron ou d'un charretier, mais c'était facile de voir qu'elle mentait. J'suis allé dans assez de châteaux à mon époque pour reconnaître la noblesse, si vous voyez ce que je veux dire. » Le plaisantin à sa table voulut faire une nouvelle blague, mais la voix d'Othon couvrit la sienne, cette fois. « On l'a laissée ici au temple de la déesse et je serais prêt à parier qu'un seigneur du Gorhaut va avoir à présent un enfant grâce à l'aide des prêtresses de Rian — et est-ce que c'est pas une bonne blague ? »

Ç'aurait pu l'être, mais chacun savait combien les relations étaient devenues tendues entre l'Arbonne et le Gorhaut, et personne n'avait envie d'être le premier à rire ni d'être celui qui rirait le plus fort dans une taverne pleine d'étrangers de tant de pays différents. Déçu, Othon se tut quelques instants avant d'entreprendre, avec un optimisme impressionnant, la narration décousue de sa dernière visite à Barbentain. Il avait toutefois perdu son public et c'était surtout à lui-même qu'il s'adressait.

À la table voisine, les trois individus n'avaient pas seulement cessé d'écouter, ils avaient également réglé leur addition et quitté *L'Arche*.

Dans la rue que des lanternes éclairaient à grands frais pendant la foire, les trois corans, qui se trouvaient être du Gorhaut et plus précisément du château de Garsenc, se consultèrent hâtivement et fébrilement.

Ils pensèrent d'abord à tirer à la courte paille pour désigner celui qui retournerait à Garsenc rapporter ce qu'ils croyaient avoir appris. En tuant ses chevaux à la course, on pouvait parcourir cette distance en deux jours. Un moment plus tard, ils modifièrent leurs plans. Porter cette nouvelle pouvait comporter certains risques ou certains bénéfices — c'était difficile à évaluer avec les seigneurs du Gorhaut, surtout ceux de Garsenc.

Ils finirent par décider de renoncer aux profits qu'ils auraient pu gagner au tournoi — raison première de leur venue en Arbonne — pour retourner ensemble dans le nord avec la nouvelle presque certaine que l'épouse disparue du duc Ranald se trouvait en ce moment à Lussan. Ils évitèrent prudemment tout commentaire sur les conséquences possibles de cette situation. Ils revinrent à leur auberge, payèrent leur note, sellèrent leurs chevaux et partirent.

Une partie de la malchance — en vérité, toute la malchance, du point de vue d'Othon le dresseur d'animaux — vint du fait que l'un des trois corans tira soudain les rênes de son cheval juste devant les portes nord de la ville et expliqua quelque chose aux deux autres. Silencieux, visiblement ébranlés, ils échangèrent des regards épouvantés, hochant la tête pour approuver la nouvelle décision.

En fin de compte, ils tirèrent à la courte paille. C'est celui qui avait eu l'idée troublante qui la tira, et cela valait peut-être mieux. Il fit ses adieux aux deux autres et les regarda s'éloigner vers le col de montagne. Il retourna seul à l'auberge. Plus tard cette nuit-là, il tua le dresseur d'animaux en lui enfonçant un couteau entre les côtes alors que celui-ci titubait tout seul dans une ruelle pour se soulager. Ce fut en réalité un meurtre facile, bien qu'il ne lui apportât aucune satisfaction particulière. Par cet acte, il violait la trêve et cela ne lui plaisait pas, mais, dans une situation pareille, ses propres goûts ne pesaient pas lourd dans la balance. Il nettoya son arme à une fontaine et retourna boire une autre chope de bière à *L'Arche*. Tuer lui donnait toujours soif.

Comme il l'avait dit aux deux autres corans aux portes de la ville, il aurait été gênant que Ranald de Garsenc ou, pis encore, le primat lui-même, demandât pourquoi on avait permis au vieillard volubile de continuer à bavarder et à répandre une vilaine histoire qui ne pouvait que faire du tort à la famille que les trois corans avaient juré de servir.

Une table entière avait cependant entendu l'histoire d'Othon et, dans une foire, les ragots et les rumeurs sont toujours les articles que l'on échange avec le plus de vigueur. À la fin de la journée le lendemain, tout Lussan savait qu'une dame du Gorhaut était venue dans le sud pour mettre son enfant au monde. Quelques personnes avaient aussi entendu raconter que la comtesse en personne et le duc de Talair avaient été aperçus ensemble, peu après l'aurore ce matin-là, d'abord au temple de Rian puis à la chapelle de pierre de Barbentain consacrée au dieu. Quelques personnes perspicaces évoquèrent les rites de naissance du tutorat. Toute la foire fut également au courant de cela avant la tombée de la nuit.

La mort d'Othon passa presque inaperçue. Qu'un voyageur reçût un coup de couteau dans le noir constituait un événement trop banal pour susciter beaucoup de discussions. Les animaux furent vendus à un autre dresseur avant la fin de la foire. L'un des singes, étonnamment, se laissa mourir de faim.

Chapitre 3

« Un défi ! » hurla le trouvère d'Aulensburg.

Comme la taverne grouillait de monde, il ne criait pas assez fort et seuls ceux qui étaient à proximité l'entendirent ; des rires fusèrent. À la table voisine, Lisseut vit que l'homme allait insister. Il grimpa maladroitement sur sa chaise, puis sur la table autour de laquelle il était assis avec une douzaine d'autres musiciens du Götzland. Lisseut s'aperçut qu'il était tout à fait ivre. La plupart des clients du *Senhal* l'étaient aussi. Elle avait elle-même bu deux ou trois verres de vin pour célébrer le début de la foire. Après une fructueuse saison estivale, l'un en Arimonda, l'autre dans les villes de Portezza, Rémy et Jourdain offraient des tournées et, à les entendre, ils avaient tous deux connu une tournée triomphale.

Les Götzlandais se mirent à frapper en cadence leurs lourdes chopes sur la table de bois. Le bruit était si insistant qu'une accalmie se produisit au milieu du tintamarre. Dans cet intervalle, le trouvère sur la table cria de nouveau : « Un défi ! »

« Maudit soit ce type ! » s'exclama Rémy en train de raconter qu'une nuit à Vialla, en Portezza, sa musique avait été chantée à la fête d'été de la commune et qu'il s'était assis à la table d'honneur avec les hommes les plus puissants de la ville. C'était Aurélien qui avait chanté, bien sûr ; Lisseut se sentait parfois frustrée de voir son ami, cet homme maigre aux longs cheveux, retarder son ascension comme poète, se confiner dans un rôle de ménestrel et gaspiller une saison à prêter l'éclat de sa voix pour faire valoir le nom de Rémy. « L'amitié », avait répondu gentiment Aurélien lorsqu'elle lui avait fait des reproches, puis: « J'aime chanter les chansons de Rémy. Pourquoi me priverais-je de ces plaisirs ? » Il était très difficile de se disputer avec Aurélien.

« Je lance un défi aux troubadours d'Arbonne ! » rugit le Götzlandais. Le bruit ayant diminué dans la taverne, on l'entendit distinctement, cette fois. Même Rémy se tourna, son visage se figeant pour fixer l'inconnu en équilibre instable sur la table voisine.

« Explique ton défi, dit Alain de Rousset à leur propre table. Avant de tomber et de te casser le cou. » Il était beaucoup plus sûr de lui, ces jours-ci, comme le remarqua Lisseut avec un certain plaisir. Elle y était pour quelque chose: le succès de leur association, la reconnaissance dont ils commençaient tous les deux à faire l'objet.

« J'tomberai pas », bredouilla le trouvère tout en vacillant dangereusement. Deux de ses acolytes levèrent les bras pour le remettre droit. La salle bondée était devenue très silencieuse. L'homme baissa vivement la main. Un autre des musiciens götzlandais lui tendit une chope avec obligeance. Le trouvère avala une longue gorgée, s'essuya la moustache du revers de la main et déclama: « J'veux savoir pourquoi il faudrait qu'on continue à imiter la musique d'Arbonne. On fait la même chose que vous à Aulensburg, en Arimonda et en Portezza. Tous les chanteurs font maintenant ce que vous faites. Aussi bien que vous ! Il est temps que nous quittions votre tutelle. » Il but encore, oscilla et ajouta dans le silence de la pièce: « D'ailleurs, vous ne serez peut-être plus ici dans un an ! »

Deux de ses compagnons eurent la grâce de sursauter en entendant ces mots et de faire descendre le trouvère, mais les paroles avaient été prononcées. Lisseut essaya de faire monter en elle de la colère, mais ne trouva que la tristesse et la peur qui paraissaient l'accompagner depuis l'été. Il n'était pas nécessaire d'être particulièrement brillant pour craindre l'avenir qui s'annonçait.

Quatre troubadours étaient assis à leur table. Lisseut savait qu'Aurélien n'allait pas proposer sa propre musique. Il pouvait toutefois chanter pour eux. Rémy et Jourdain échangèrent un regard et Alain s'éclaircit nerveusement la voix. Lisseut était sur le point de faire une suggestion lorsque quelqu'un répondit à leur place.

« Je vais relever ce défi si je le peux. » Elle connaissait la voix, ils la connaissaient tous, mais ils n'avaient pas vu l'homme entrer. Personne ne leur avait dit qu'il se trouvait à Lussan. Jetant un regard rapide autour d'elle, Lisseut vit Ramir de Talair, portant son luth, s'avancer lentement depuis un coin tout au fond de la taverne, se frayant un chemin entre les tables jusqu'au centre de la pièce.

Le ménestrel de Bertran devait avoir au moins soixante ans maintenant. Il ne faisait plus guère de tournées de spectacles pour le duc. Autrefois, Ramir transportait son luth, sa harpe et la musique de Bertran dans tous les châteaux et villes d'Arbonne et dans la plupart des principales villes et forteresses des cinq autres pays. Désormais, il passait presque tout son temps à Talair, dans la suite qui lui était réservée et à une place d'honneur près du feu dans la grande salle. Les deux dernières années, il n'était même pas venu à Tavernel pour le carnaval. Les artistes plus jeunes avaient alors discuté fébrilement, disant qu'il était peut-être temps pour messire Bertran de se choisir un nouveau ménestrel. Un chanteur ne pouvait imaginer de statut plus élevé ; on pouvait passer de longues nuits d'insomnie à rêver de cela.

Lisseut considéra le vieil artiste avec un mélange d'affection et de tristesse. Elle ne l'avait pas vu depuis longtemps. Il paraissait à présent plus vieux, plus frêle. Son bon visage rond, marqué par la vérole qu'il avait eue enfant, semblait avoir toujours fait partie de son univers. Beaucoup de choses changeraient lorsque Ramir aurait disparu, réalisa-t-elle en le regardant avancer en traînant les pieds. Elle constata qu'il marchait avec difficulté.

« Ma foi, vraiment..., commença Rémy, chuchotant.

— Tais-toi ! » Aurélien avait parlé d'un ton inhabituellement sec. Le visage du troubadour maigre arborait une expression bizarre tandis qu'il regardait Ramir.

Alain se leva de sa chaise et s'empressa d'apporter le tabouret et le repose-pied du chanteur. Avec un gentil sourire, Ramir le remercia. Les troubadours n'avaient pas l'habitude d'assister les ménestrels, mais Ramir était différent. Refusant la main tendue d'Alain, le vieillard prit prudemment place sur le tabouret bas. Il poussa un soupir de soulagement en étirant sa jambe gauche. L'un des Götzlandais se mit à rire. Ramir éprouvait quelque difficulté avec la courroie de l'étui de son luth, et Lisseut vit un Arimondain à la table voisine se couvrir la bouche de sa main pour camoufler poliment un sourire.

Ramir réussit enfin à faire glisser son instrument hors de l'étui et commença à l'accorder. Le luth paraissait aussi vieux que lui, mais le son, même pendant qu'il l'accordait, était indiciblement pur. Lisseut aurait tout donné pour posséder un instrument pareil. Elle jeta un regard circulaire dans *Le Senhal*. Le silence était à présent nerveux, brisé par des chuchotements et des murmures. Il y avait tant de monde dans la taverne qu'on pouvait difficilement bouger. À l'étage supérieur, les gens se pressaient aux balustrades pour regarder en bas. Sur ce palier, près du mur est, Lisseut aperçut l'éclat d'une chevelure sombre à la lueur des chandelles. Elle fut un peu surprise, pas trop cependant. Ariane de Carenzu, les cheveux dénoués comme toujours, défiant la tradition, était assise auprès d'un homme beau et mince, son mari. Lisseut connaissait à présent le duc Thierry. Avant de venir à Lussan, elle avait passé deux semaines à Carenzu avec Alain, à la demande expresse de la reine de la Cour d'amour. Ils avaient reçu chacun une bourse remplie de pièces d'argent et on avait de plus donné à Lisseut une veste écarlate de grand prix en laine fine garnie de fourrure d'écureuil pour la protéger du froid imminent. Plus tôt dans la soirée, elle avait dit à Rémy que s'il endommageait d'une façon ou d'une autre sa veste neuve il devrait la remplacer ou mourir. En guise de réponse, il avait commandé une bouteille de vin doré de Cauvas. Ils avaient alors plaisanté, riant des événements du carnaval de la mi-saison, célébrant.

Elle regarda de nouveau Ramir. Il accordait toujours son luth, assouplissant en même temps ses doigts. L'oncle de Lisseut lui avait appris cette technique au cours d'une des premières leçons qu'il lui avait données : quoi que l'on fît par la suite, il ne fallait jamais se presser au début. Il fallait commencer quand on était prêt, le public ne partirait pas pendant les préparatifs.

« Nous avons un défi », dit Ramir comme s'il participait à une banale conversation, une oreille près de son luth, ses doigts s'activant sur les cordes. Il parlait d'une voix si basse que tout le monde dut se pencher en avant pour l'entendre. Le silence devint brusquement total. Un autre truc de ménestrel, Lisseut le savait. Du coin de l'œil, elle vit que Rémy souriait lui aussi.

« Un drôle de défi, en vérité. » Pour la première fois, Ramir lança un bref regard vers la table des Götzlandais. « Comment peut-on être juste en choisissant parmi la musique de pays différents, d'héritages différents ? On fait sûrement de la belle musique à Aulensburg et en Arimonda à la cour du roi Vericenna, comme notre ami là-bas vient de nous le déclarer avec tant de... sobriété. » On entendit des petits rires amusés parmi le public. Peu à peu, presque imperceptiblement, la voix de Ramir avait commencé à se faufiler, à se mêler aux notes qu'il paraissait jouer au hasard sur son luth. Lisseut vit qu'Aurélien écoutait avec une expression rigoureusement attentive, extasiée.

« On nous demande, à la lumière de cette vérité, pourquoi l'Arbonne devrait dominer. » Ramir fit une pause, regardant la salle sans se hâter. « On nous demande également, en autant de mots ou presque, ce qu'on devra regretter si l'Arbonne disparaît. »

Il y eut ensuite un silence entrecoupé seulement des notes douces qu'il semblait tirer de façon inconsciente de son instrument. Lisseut avala brusquement et péniblement sa salive. « Je ne suis qu'un chanteur, poursuivit Ramir, et il est difficile pour moi de répondre à de telles questions. Permettez-moi de vous offrir plutôt une chanson en vous demandant pardon si elle ne vous convient pas et ne parvient pas à vous plaire. » Il s'agissait d'une formule ancienne que plus personne n'utilisait maintenant. « Je chanterai une composition du premier troubadour.

— Ah ! souffla Rémy. Ah ! c'est bien. »

Les doigts de Ramir s'activèrent davantage, la musique commençait à prendre forme, les notes semblant venir de divers lieux du monde pour se rassembler à l'appel de Ramir. « Anselme de Cauvas était d'origine modeste », reprit Ramir. C'était également une coutume ancienne, la vida, la biographie du compositeur. Personne, dans la nouvelle génération, ne la racontait plus au début d'une chanson. « Anselme était toutefois intelligent et doué, et il a été élevé dans la chapelle du dieu à Cauvas. Le duc Rambaut de Vaux le prit ensuite dans sa maison et il finit par attirer l'attention du comte lui-même, Folquet. Le comte honora Anselme pour sa sagesse et sa discrétion, et l'utilisa pour des affaires d'État dans les six pays pendant de nombreuses années. Anselme a vécu de grands amours avec des nobles dames de son époque, mais il a toujours eu une conduite chaste et honorable, et jamais il n'a révélé le nom d'aucune de ces femmes. Sa passion et son désir l'ont cependant amené à composer des chansons pour elles, et ceci marqua le début des troubadours d'Arbonne. »

Derrière les paroles, la musique était très belle, délicate comme de la dentelle ou les gemmes d'un maître joaillier, précises et à multiples facettes. « Je pourrais chanter une des chansons d'amour d'Anselme de Cauvas ce soir, dit Ramir, je pourrais chanter ses chansons d'amour toute la nuit jusqu'à ce que vienne l'aurore pour nous attirer à nos portes, mais comme on nous a lancé un autre type de défi, je vais chanter un autre type de chanson. Avec la permission et par la grâce des personnes rassemblées ici, je chanterai une chanson écrite par Anselme une fois qu'il était loin de chez lui. »

La musique changea ; il n'y avait plus qu'elle qui créait un espace pour la beauté à la lumière des bougies et des lanternes dans une taverne bondée tandis que, dehors, les premières brises froides de l'automne commençaient à souffler. Lisseut reconnut immédiatement la mélodie. À leur table, chacun la reconnaissait. Elle attendit, au bord des larmes, ayant envie de fermer les yeux mais voulant en même temps regarder Ramir, voir chacun de ses mouvements ; un instant plus tard, elle entendit le ménestrel chanter :

Lorsque la brise qui vient d'Arbonne
Souffle au nord, par-delà les montagnes,
Mon cœur est alors comblé, même au loin, au Gorhaut,
Parce que je sais qu'à Tavernel et à Lussan c'est le printemps.
Le printemps pour les oliveraies de Vézet,
Pour les vignes de Miraval,
Et je sais qu'au sud chantent les rossignols.

La voix riche de Ramir se tut de nouveau et il laissa les notes simples et mélodieuses emporter son public. Il y avait une rudesse ancienne et banale dans cette chanson, tant dans les paroles que dans la musique. Elle était très loin des mélodies compliquées de Jourdain ou des subtiles réciprocités de pensée et d'image, de la forme changeante des meilleures œuvres de Rémy ou des récentes compositions d'Alain. Il s'agissait cependant de la voix authentique de quelque chose qui était en train d'éclore. Lisseut savait que ses propres origines étaient là, de même que celles de tous les ménestrels et troubadours et, oui, celles de cette table de trouvères du Götzland, de tous les chanteurs arimondains ou portezzains, de ces hommes du Gorhaut et de Valensa qui s'aventuraient peut-être réellement à composer un style de musique différant des interminables hymnes guerriers des terres nordiques.

Comme pour répondre au flot de ses pensées, la voix de Ramir s'éleva de nouveau, moins vibrante qu'avant peut-être, mais purifiée par les années et par la sagesse acquise, au point d'être devenue un instrument aussi précieux et fin que son luth :

Ici au Gorhaut, si loin de chez moi
Au milieu d'hommes qui n'aiment pas la musique,
De dames qui n'offrent guère de courtoisie
Et encore moins d'amour aux poètes, le souvenir du chant des oiseaux
Dans les branches des arbres, et des jardins arrosés
Par le doux fleuve Arbonne,
Coulant des montagnes jusqu'à la mer —
Quelle beauté — un cadeau de Rian ! — me guide
La nuit vers mon repos avec la promesse d'un retour.

La chanson était terminée. Ramir continua à jouer quelques instants, à l'ancienne mode, puis ses doigts s'immobilisèrent sur le luth. Un silence absolu régnait dans la taverne. Lisseut regarda ses amis. Ils avaient tous déjà entendu cette chanson, ils l'avaient tous eux-mêmes chantée, mais pas comme ceci. Jamais. Parmi toutes les personnes assises à la table, elle vit que Rémy avait les larmes aux yeux. Elle-même avait le cœur gros et douloureux.

La tête inclinée, Ramir replaçait soigneusement le luth dans son étui. Il eut encore des difficultés avec la courroie. Personne n'avait encore émis un son. Le vieil homme finit de ranger son instrument. Avec une grimace, il remua maladroitement sa mauvaise jambe et se leva du tabouret bas. Il s'inclina avec gravité devant la table des Götzlandais. Comme le réalisa Lisseut, c'étaient eux qui, d'une certaine façon, avaient commandé la chanson. Ramir se retourna pour s'en aller, mais alors, comme si une nouvelle pensée venait de lui traverser l'esprit, il fit demi-tour pour regarder les Götzlandais.

« Je regrette, dit-il. Voulez-vous me permettre de corriger une chose que j'ai dite plus tôt ? » Il parlait de nouveau à voix basse et l'on dut se pencher pour l'entendre. Lisseut entendit alors Ramir de Talair dire, avec une tristesse douce et voilée, ces paroles qu'elle n'oublierait jamais : « Je vous avais dit que je ne chanterais pas une des chansons d'amour d'Anselme. En y repensant, je m'aperçois que je me suis trompé. Tout compte fait, j'ai chanté une chanson d'amour. »

Ce fut Ariane de Carenzu qui, un instant plus tard, de la place qu'elle occupait à l'étage supérieur, fut la première à se lever pour applaudir. À la table des troubadours, tout le monde se leva tandis que le brouhaha ne cessait d'augmenter dans *Le Senhal*. Lisseut vit alors les Götzlandais se lever comme un seul homme et commencer à frapper de leurs poings et de leurs chopes d'étain le chêne foncé de leur table, hurlant leur approbation. Lisseut éclata en sanglots. À travers le brouillard de ses larmes de chagrin et de fierté, elle vit Ramir s'éloigner lentement, tenant de ses deux mains l'étui de son luth contre sa poitrine. Il ne retourna pas dans son coin, mais quitta les lumières et le tapage de la taverne pour s'en aller dans la nuit automnale, sous les étoiles.

※

Parmi les tavernes et les auberges de Lussan et des environs, certaines faisaient des profits considérables pendant le mois de la foire en ne restant *pas* ouvertes durant cette saison lucrative. Le propriétaire de *L'Arbre d'argent*, une auberge réputée au milieu des plantations de figuiers et d'oliviers à quelque trois milles des murs de la ville, avait été surpris et plus qu'heureux de pouvoir joindre les rangs de ce petit groupe sélect. Le duc Bertran de Talair lui versa une somme rondelette pour loger un certain nombre de corans et de gens de sa suite pendant la foire. Messire Bertran lui-même passait évidemment la plus grande partie de son temps dans son palais de Lussan, mais il trouvait très commode de disposer d'une résidence moins voyante, où l'on pouvait mieux surveiller les allées et venues aux alentours. L'aubergiste tirait ses conclusions, mais les gardait pour lui-même.

Assis près du feu dans la plus petite et la plus confortablement meublée des deux pièces du rez-de-chaussée de l'auberge, tandis que le vent de la nuit soufflait à l'extérieur, Blaise tripota son verre de vin et regarda de nouveau Valéry. Il haussa les sourcils d'un air interrogateur. Le cousin de Bertran haussa simplement les épaules. Le duc lui-même était assis à une table ; il griffonnait sur un parchemin, consultant à l'occasion d'autres papiers chiffonnés à portée de sa main. Si Blaise n'avait pas su ce qu'il faisait, il aurait supposé que Bertran était en train de traiter des affaires importantes. En fait, le duc écrivait une chanson ; c'est ce qu'il leur avait dit lorsqu'il leur avait demandé de garder le silence un peu plus tôt.

Ils attendaient quelqu'un. Des corans étaient postés à l'extérieur pour les avertir d'une arrivée imminente. Inutile de préciser que Bertran ne s'était pas donné la peine de leur dire qui ils attendaient. Une surprise, leur avait-il confié d'une voix aimable. Blaise n'aimait pas les surprises. Il n'aimait pas attendre. Il lui arrivait même de ne pas être sûr d'aimer Bertran de Talair.

Le vin de Talair, au moins, était merveilleux, et Blaise était installé bien au chaud dans un fauteuil rembourré près du feu. Il y avait de la nourriture sur une deuxième table longue, et des tapisseries donnaient chaleur et couleur aux murs de pierre. Il se dit qu'il pourrait éprouver de la gratitude pour ces bienfaits de la vie et en remercier Corannos. Il aurait facilement pu mourir sur la route quatre jours auparavant. Depuis leur arrivée à Lussan, toutes les conversations tournaient autour du bannissement des Andoria. D'habitude, Blaise ne gaspillait pas son temps à écouter les ragots et ne s'attardait pas aux endroits où il pouvait les entendre, mais ceci touchait de près ses propres intérêts et Valéry leur avait donné tous les détails à leur arrivée dans la ville.

Blaise et Valéry avaient passé la première nuit dans le palais de Talair en ville. Quant à Bertran, il avait un rendez-vous nocturne qui lui tenait particulièrement à cœur et auquel il ne voulait ni surseoir ni renoncer. Un curieux incident s'était produit lorsque Roban, le chancelier d'Arbonne — un homme péremptoire aux joues creuses que Blaise rencontrait pour la première fois —, était venu chercher Bertran une heure avant l'aube. Tiré de son sommeil, Valéry avait de mauvaise grâce nommé une maison où l'on pouvait trouver le duc. Le chancelier avait fait une grimace consternée. Valéry avait offert d'accompagner le petit groupe, mais Roban, emmitouflé dans une fourrure pour se protéger du froid, avait refusé. Avant de s'éloigner, il avait regardé Blaise avec une appréhension manifeste. Voyant cette expression et croisant le regard de Blaise, Valéry avait alors haussé les épaules, lui aussi. Ils avaient bâillé ensemble et ils étaient retournés se coucher pour ce qui restait de la nuit.

Lorsqu'ils étaient redescendus, Bertran n'était pas encore revenu. Il était rentré plus tard ce matin-là. Il était resté d'humeur taciturne toute la journée et il était sorti deux fois pour de brèves périodes, sans leur donner d'explication. La nuit venue, il était ressorti, souriant et parfumé, et s'était rendu à une autre maison de la ville. Blaise n'avait pas pris la peine de demander à Valéry qui habitait là ; il ne voulait pas le savoir.

Vers la fin de l'après-midi suivant, tous trois avaient enfourché leurs chevaux, étaient sortis de Lussan et avaient emprunté le chemin qui serpentait dans la campagne jusqu'à *L'Arbre d'argent* où logeaient la plupart des hommes du duc. Pendant le trajet, Bertran était encore une fois resté silencieux. En partant, il avait dit simplement : « Nous avons un rendez-vous. » « Ce soir », avait-il ajouté. Valéry s'était contenté de hausser les épaules lorsque Blaise l'avait regardé. Blaise s'était aperçu qu'il commençait à être aussi fatigué des haussements d'épaules de Valéry.

Il contemplait fixement le feu, ayant du mal à réfléchir aux problèmes plus graves et plus sombres auxquels ils auraient à faire face, lorsque Serlo, apparaissant soudain à la porte qui menait à la pièce la plus grande, le fit sursauter.

« Quelqu'un est arrivé, mon seigneur. Il est seul. Il porte une cape et son visage est caché. Il refuse de s'identifier. »

Bertran rassembla ses papiers avant de se lever. « C'est très bien. Fais-le entrer, puis garde la porte pour nous. Il ne faudra pas nous déranger, Serlo, à moins que je ne t'appelle. »

Le jeune coran hocha la tête et sortit. Valéry se leva et Blaise l'imita. Les yeux bleus du duc exprimaient à présent l'attente de quelque chose, et autre chose aussi — une sorte de plaisir juvénile et contagieux. Contre sa volonté, Blaise commença à se sentir de plus en plus fébrile.

Serlo revint quelques instants plus tard, escortant un homme littéralement enveloppé dans une longue cape noire, tout le visage, à l'exception des yeux, caché par une étoffe. L'homme portait une épée mais, comme Serlo l'avait souligné, il était venu seul. Il attendit que le jeune coran se fût retiré et referma lui-même la porte. Puis, dans une suite précise de mouvements, il laissa tomber la cape et le capuchon, et retira son écharpe.

Blaise jeta au duc un regard perçant, vit le visage de ce dernier exprimer la stupéfaction et un début de colère, puis il ne put s'empêcher d'éclater de rire.

« Eh bien, bonsoir tout le monde, en tout cas, dit Rudel Correze d'une voix étonnamment claire. J'espère ne pas être à l'avance, ou en retard, ou autre chose. »

Le teint de Bertran s'était coloré ; la cicatrice se détachait, très blanche, dans son visage. « Vous feriez mieux de me révéler très vite votre identité et vos intentions », ordonna-t-il d'un ton glacé. Valéry s'était avancé d'un pas, une main sur la garde de son épée, son regard allant de façon incertaine vers Blaise puis de nouveau vers l'inconnu dans l'embrasure de la porte.

Riant encore devant la pure audace de tout cela, Blaise dit : « Sur la route de Lussan, vous avez réellement exprimé le désir de rencontrer cet homme. Dois-je faire les présentations ? »

Le regard de Bertran quitta Blaise pour se reporter sur le nouvel arrivant. « Ah ! dit-il en changeant de ton. Le fils Correze ? Avec les flèches empoisonnées ? » ajouta-t-il en haussant un sourcil.

Rudel s'inclina très bas. Ses cheveux brillaient à la lueur rougeoyante du feu et des bougies. Il esquissa en se redressant une grimace désabusée. « Je vous en demande pardon. La cible était éloignée et il faisait nuit. Je suis content de voir que vous vous portez bien, mon seigneur. Et vous aussi, ajouta-t-il en se tournant vers Valéry. Vous vous êtes rétabli, je crois ?

— Tout à fait, je vous remercie », répondit poliment Valéry, délaissant son épée. « Je suis un hommage ambulant aux talents des prêtresses de Rian. » Blaise vit une étincelle de malice scintiller dans ses yeux.

Son vieil ami se tourna enfin vers lui. « Notre dernière conversation a dû grandement te réjouir, reprit-il d'une voix posée. Sachant ce que tu savais et décidant de me le cacher.

— Pas vraiment, répondit Blaise. Pas sur le coup, en tout cas. Je pensais que Valéry était mort et presque tout ce que tu m'as dit m'a pris au dépourvu. J'ai passé un moment difficile, tu peux me croire. Je ne t'aurais pourtant pas parlé de ta bévue, même si j'en avais eu envie. Si tu avais appris que le duc était vivant, tu te serais peut-être senti obligé d'essayer de nouveau de le tuer et il aurait fallu que je te fasse arrêter, ce qui aurait créé des problèmes pour tout le monde en Arbonne.

— Sans parler de moi », ajouta Rudel d'un ton léger. Il écoutait toutefois avec beaucoup d'attention.

« Tu l'aurais mérité, répondit Blaise. J'admets que, par la suite, l'idée que tu allais te pavaner au Götzland pour réclamer ton dû m'a beaucoup fait rire.

— Je n'en doute pas, dit Rudel avec une expression mi-figue mi-raisin. Tu t'es assuré que j'arriverais triomphalement à Aulensburg, que je déclarerais avoir réussi ma mission, confirmerais le dépôt de mon cachet extravagant... pour découvrir, deux semaines plus tard, que l'estimé duc de Talair, poursuivit-il en adressant à Bertran un bref sourire, et non pas son fantôme, était engagé dans des échanges diplomatiques avec le roi Jörg à Aulensburg.

— Comme ça, tu as rendu l'argent ? » demanda Blaise, feignant l'ignorance. Il se régalait vraiment.

« J'ai rendu ce qui en restait sous la pression exercée sans courtoisie par l'ambassadeur du Gorhaut à la cour d'Aulensburg. Un homme des plus désagréables, vous pouvez me croire. J'ai dû faire appel à la succursale de la banque de mon père pour certaines sommes que... je n'avais pas personnellement sous la main.

— Après deux semaines ? » Blaise haussa les sourcils, faisant semblant d'être surpris. « Qu'as-tu acheté ? Tous les joyaux de l'Orient ? Combien peux-tu avoir dépensé en deux semaines ?

— Assez », répondit laconiquement Rudel, son beau visage rougissant. « Assez pour que tu puisses à tout le moins considérer comme annulée notre ardoise personnelle de l'autre nuit à Tavernel. Mon père a actuellement une opinion de moi qui ressemble à celle que ton père a de toi. Débourser de l'argent provoque ce genre de réaction chez lui, j'en ai peur.

— Tristes nouvelles », commenta Bertran de Talair qui avait retrouvé sa sérénité. Blaise reconnut le ton et l'étincelle dans les yeux. « Mais en laissant de côté, comme j'imagine que nous devons le faire, les griefs passés pour nous occuper des affaires présentes, je pense qu'il est raisonnable de vous demander ce que vous faites ici.

— Tout à fait raisonnable. » Rudel fit une pause et regarda la longue table près du mur. « J'ai entendu dire que vous aviez la réputation de servir du bon vin », ajouta-t-il poliment.

Hochant la tête, Valéry se dirigea vers la table et lui en versa un verre. Il revint et le tendit au Portezzain, puis se tint près de lui, attendant. Blaise et Bertran restèrent silencieux. Rudel but une gorgée, sourit d'un air approbateur et continua à boire.

« Je n'ai malheureusement pas de contrat en ce moment, reprit-il d'un ton calme. Vu les événements de l'été dernier et l'engagement inattendu de mon vieil ami Blaise, je m'intéresse encore à vous, messire Bertran. N'ayant rien de mieux à faire avant le tournoi, j'ai observé vos allées et venues depuis deux jours, depuis notre arrivée et notre installation à la foire — où le bouillant seigneur d'Andoria brille lamentablement par son absence. » Il but une autre gorgée, avec un plaisir évident. « Lorsque vous avez établi vos quartiers à l'extérieur des murs en plus de séjourner dans votre résidence de ville habituelle, et que je vous ai vu venir ici à la tombée du jour avec seulement votre cousin et mon ami Blaise, j'ai cru pouvoir conclure qu'une rencontre de nature privée était sur le point d'avoir lieu. »

Rudel avait beau être flegmatique, le duc l'était autant que lui. Froidement, sans sourire, Bertran dit : « Cette conclusion pourrait en effet être logique. Il reste à savoir pourquoi, y étant parvenu, vous avez décidé de nous imposer votre présence. » Pour Blaise, ce dialogue avait quelque chose d'irréel, une nature quasi hallucinatoire. L'un des hommes qui parlait ici de façon si désinvolte avait tenté d'assassiner l'autre trois mois auparavant pour un quart de million en or. Blaise ne connaissait personne d'autre qui fût capable de tenir une telle conversation.

Rudel prit une autre gorgée de vin. Il leur adressa son plus éclatant sourire. « Pour être honnête, murmura-t-il, j'ai cru que cela pourrait être amusant. »

Regardant le beau visage intelligent de son ami, Blaise sut avec certitude que celui-ci disait la vérité. Il vit que Bertran l'avait également compris. De toute évidence, le duc trouvait la situation divertissante. Valéry arborait une expression ironique.

« Est-ce que ce type te rappelle quelqu'un ? lui demanda Bertran.

— Quelqu'un avec qui j'ai grandi, en effet, répondit Valéry. Un cousin que je ne m'étais pas attendu à voir atteindre ton âge. » Ayant entendu des voix et des pas à l'extérieur, Blaise tourna la tête en direction de la porte. « Que veux-tu que nous fassions de lui ? poursuivit Valéry sans se départir de son calme.

— Je précise, dit vivement Rudel avant que Bertran n'ait eu le temps de répondre, que je suis en possession d'un renseignement pouvant résoudre cette énigme. Pendant que je montais la garde près des murs ce soir, à la porte par laquelle vous êtes sortis, j'ai aperçu un petit groupe d'hommes, l'un masqué et les autres la tête camouflée sous un capuchon, sortir à cheval à la tombée de la nuit. Ils n'étaient pas pressés. Cela m'a permis d'avoir avec vous cet entretien privé des plus agréables. »

On frappa timidement à la porte.

« Oui, Serlo, qu'est-ce que c'est ?

— Je suis désolé, mon seigneur, répondit celui-ci d'une voix à la fois irritée et confuse, mais un autre groupe vient d'arriver. Il y a un homme masqué qui prétend avoir rendez-vous avec vous cette nuit. Une escorte l'accompagne.

— Quatre hommes, intervint Rudel.

— Quatre corans armés, poursuivit Serlo. Je n'ai pas reconnu leur livrée.

— Tu n'étais pas censé la reconnaître, dit Bertran en ouvrant la porte. Ce doit être notre invité. Accompagne-le ici, Serlo. Ensuite, occupe-toi de son escorte. Il se peut qu'en bout de ligne ils ne soient pas nos amis, mais ce soir nous les traiterons comme des invités.. »

L'air mécontent, Serlo s'éloigna.

« Je suis de plus en plus curieux, dit Rudel avec bonne humeur. Heureusement que vous m'avez invité. »

Bertran claqua la lourde porte. « Vous n'avez qu'un moment », dit-il, impassible. « Mes corans peuvent vous assommer, ou vous ligoter et vous bâillonner dans une pièce à l'arrière. Je serai peut-être obligé de leur demander de le faire. Une dernière fois : est-ce la simple malice qui vous a amené ici ? »

Naturellement, Rudel avait lui aussi changé d'expression, moins cependant qu'on n'aurait pu s'y attendre à moins de bien le connaître. Les yeux brillants à la lueur du feu, il répondit : « À ce stade de ma carrière, je n'ai pas l'habitude de solliciter des engagements, mais je vous ai dit que je n'ai actuellement pas de contrat. Vous pourriez ménager mon orgueil et considérer ceci comme un indice. »

Il y eut un autre bref silence, puis Bertran de Talair ne put s'empêcher de rire. Dévisageant son ami, Blaise l'imita. Rudel leur sourit en retour, content. Quoi qu'on pût dire au sujet de Rudel Correze, la vie était rarement monotone quand il était là, songea Blaise avec regret.

On pouvait dire la même chose de messire Bertran de Talair. « Vous voulez travailler pour moi, c'est bien ça ? demanda le duc.

— Oui.

— Puis-je vous demander pourquoi ? »

L'expression de Rudel devint finalement sérieuse ; on ne pouvait éviter de se rappeler qu'il était le descendant de l'une des banques les plus riches et les plus aristocratiques de Portezza, que sa famille entretenait des relations avec la majorité des nobles du pays. Il posa son verre sur la petite table à côté de lui.

« Dirais-je que peu m'importe qui loue mes talents ? En fait, ma profession exige que ce soit ainsi. C'est toutefois grandement différent quand mes relations sont exploitées à mon insu. J'ignorais que Blaise travaillait pour vous quand j'ai accepté le contrat de son père. Si je l'avais su, j'aurais refusé. J'ai des raisons de croire que Galbert de Garsenc m'a choisi seulement à cause de mon amitié pour son fils et non pas parce qu'il avait de moi une opinion flatteuse. Cette pensée ne me plaît pas. J'ai officiellement renoncé à ce contrat. Mon propre sens de l'honneur sera satisfait si je travaille à m'assurer que personne d'autre ne le remplira, si la somme est de nouveau offerte.

— Je doute qu'elle le soit. Ils sont arrivés à leurs fins et ont à présent une partie plus importante à jouer.

— Je crois que vous avez raison, mon seigneur, mais je serais quand même ravi et fier d'entrer à votre service, messire Bertran. »

Valéry toussota. « J'ai l'impression que vos tarifs actuels sont au-dessus de nos moyens. »

Blaise sourit. Pas Rudel. « Je serai heureux d'oublier cela. À plusieurs égards, il ne s'agissait pas d'une offre normale. Je serai honoré d'accepter le salaire que vous versez actuellement à mon ami Blaise bien que, vous le comprendrez, je ne puisse accepter de travailler pour moins. »

Blaise et Bertran échangèrent un regard, se tournèrent vers Valéry, et tous trois éclatèrent de rire. Rudel s'efforça de prendre un air digne, ce qui, comme le pensa Blaise, n'est pas facile quand trois hommes se moquent ouvertement de vous.

Mais Rudel était néanmoins un ami, un ami vraiment perturbé par les dangereux événements de l'été précédent. Il proposait également de se joindre à eux — même si Blaise, dans son for intérieur, éprouvait toujours une inquiétude lorsqu'il tentait d'évaluer ses propres allégeances.

Il expliqua la plaisanterie à Rudel : « Je crains que tu ne te sois sous-évalué. On ne me paie aucun salaire. J'ai quitté le service du duc. Je suis avec lui à titre d'ami et de compagnon pour le tournoi qui se déroulera dans deux jours. Tu n'auras pas envie de travailler pour mes honoraires actuels, j'en ai peur. »

Rudel rougit de nouveau. « Je vois. Je suis cependant lié par ce que je viens de dire. Je comprends ce qui vous amuse. »

Bertran secoua la tête tandis qu'on frappait un autre coup à la porte. « Pas tant que ça. Je serai heureux de vous prendre à mon service. Ce ne sera pas monotone, j'imagine, ajouta-t-il en souriant. Je vous verserai le salaire que je donnais à Blaise avant qu'il change de statut. Nous pourrons en discuter plus tard à loisir. Pour le moment, j'apprécierais grandement votre discrétion. » Il se tourna vers la porte et l'ouvrit lui-même.

Serlo était là, quelques pas derrière un homme de très haute taille, maigre, à la barbe noire et bâti comme un lutteur. Il portait vraiment une cape à capuchon, noire pour passer inaperçu dans la nuit. Du seuil de la porte, il regarda attentivement les quatre compagnons, esquissa un mince sourire et retira son masque, révélant d'épais sourcils et des yeux gris et enfoncés.

« Vous avez des compagnons inattendus, de Talair, dit-il dans un arbonnais teinté d'accent. En fait, en me comptant, vous semblez n'avoir rassemblé que des ennemis dans cette pièce. » En dépit de cette remarque, il franchit le seuil d'un air confiant. Bertran referma la porte derrière lui.

« Mon cousin Valéry, présenta calmement le duc. Un ami, au moins. Il semble que vous connaissiez déjà Blaise de Garsenc et Rudel Correze. Et je suis certain qu'ils vous connaissent aussi. »

Bien sûr qu'ils le connaissaient. Si l'apparition de Rudel avait causé un choc à Blaise, l'arrivée de cet homme était stupéfiante. La dernière fois qu'il avait vu ces yeux gris et calculateurs, surmontés de sourcils touffus, c'était deux ans auparavant, sur un champ de bataille gelé au nord. Un soleil blême se couchait, des cadavres étaient empilés dans la neige rougie, et la guerre qui durait depuis trois générations ressemblait à une malédiction derrière la bataille qui se poursuivait sauvagement.

Blaise s'inclina avec courtoisie, le visage inexpressif. Cessant de faire les présentations, le duc Bertran l'imita.

« Le jeune Garsenc a accompli des exploits qui me le font craindre, reprit le roi Daufridi de Valensa. Quant au descendant des Correze, j'aurais plutôt cru que c'est à vous que ses prouesses auraient fait peur, ou les rumeurs de l'été dernier étaient-elles sans fondement ?

— Elles ne l'étaient pas, Majesté, répondit Bertran en se redressant. Mais, heureusement pour la paix fragile de mon esprit, il semble maintenant que Rudel Correze regrette d'avoir accepté un contrat visant à mettre fin à l'existence d'un homme inoffensif comme moi et, pour réparer son erreur, il a joint les rangs de mes corans. C'est bien cela ?

— Oui, dit Rudel. J'ai compris l'absurdité de ma conduite de l'été dernier, Votre Majesté. Messire Bertran a eu la bonté de m'autoriser à le lui démontrer en me prenant à son service. » Il parlait d'un ton neutre et posé, mais Blaise savait que Rudel s'efforçait d'encaisser le choc de cette rencontre. Il se demanda tout à coup si la comtesse d'Arbonne était au courant de cette réunion.

« Je commence à craindre que votre charme célèbre n'opère également sur moi, de Talair, reprit le roi Daufridi de Valensa. Pour rester ferme, je serai obligé de me rappeler les propos, ah... inoffensifs que vous avez tenus à mon sujet le printemps dernier. » Il traversa la pièce en trois longues enjambées, ses bottes résonnant sur les dalles, et prit le luth de Bertran sur la table. Tirant trois cordes avec une certaine aisance, il se retourna vers les quatre hommes et psalmodia :

Et quel genre de roi déshonoré comme le lâche Daufridi
Pouvait quitter ce champ gelé sans espoir de retour ?
Où donc étaient les hommes du Gorhaut et de Valensa
Quand de faibles rois et leurs fils, indignes de leurs ancêtres,

Mirent fin à la guerre et achetèrent cette pâle paix ?

À côté de la table, Bertran s'immobilisa, la carafe dans une main, écoutant avec une expression songeuse. Daufridi termina la chanson, tira une dernière corde et reposa doucement le luth.

« *Le lâche Daufridi*, répéta-t-il pensivement. Je dois admettre que je me suis demandé à quoi vous pensiez arriver en m'invitant ici. Je n'avais même pas prévu descendre vers le sud pour la foire, cette année. Je me fais trop vieux pour les tournois. »

Prenant un verre, Bertran se dirigea vers le roi. « Je suis content de vous avoir suffisamment intrigué pour vous décider à vous joindre à nous. À tout le moins, murmura-t-il, j'aurai appris que Votre Majesté a du talent pour la musique. Je saurai également que, lorsque je m'efforce de trouver l'équilibre et l'harmonie pour mes chansons, je devrais accorder davantage d'attention à leurs conséquences possibles. »

Ricanant, Daufridi prit le verre et se laissa tomber dans un fauteuil profond. Il étira ses longues jambes en direction du feu et, d'un geste gracieux, les invita à s'asseoir. Il regarda Bertran, son visage intelligent et barbu exprimant une ironie manifeste. Blaise savait qu'il avait à peu près le même âge que Bertran, mais il paraissait plus âgé. Il avait lui aussi une cicatrice — la zébrure rouge d'un coup d'épée qui partait du côté gauche de sa gorge pour se perdre sous ses vêtements. Blaise savait jusqu'où descendait cette cicatrice. Il avait été témoin du coup. Cela avait mis fin à une bataille au pont Iersen, même si l'homme responsable de la blessure était mort en l'infligeant.

« Vous allez à présent me dire », reprit Daufridi de Valensa, levant son verre pour admirer la couleur rubis du vin à la lueur du feu, « que vos vers à propos de ma lâcheté honteuse n'ont été insérés dans cette chanson que dans un but de symétrie poétique. Que vous visiez en réalité le roi Adémar du Gorhaut et le père de cet homme, ajouta-t-il en indiquant Blaise de sa main tenant le verre, que toute insulte à mon endroit est profondément regrettable et que vous en demandez sincèrement pardon. Incidemment, Galbert de Garsenc m'a invité à contribuer au cachet de l'assassinat de l'été dernier. Je l'ai trouvé vraiment excessif et j'ai refusé. Je ne dis cela que pour votre information. Ce vin, déclara-t-il en buvant une gorgée, est excellent.

— Merci. Je dois en dire autant de votre raisonnement et de votre sens de l'anticipation, Votre Majesté, répondit gravement Bertran. Vous avez complètement devancé mes propres paroles. »

Daufridi avait toujours l'air amusé. « Vous me décevez, à présent. Les convenances politiques vont-elles amener un poète à renoncer à sa propre création ? »

Blaise avait entendu parler de ce roi, de son intelligence aiguë et féroce, une qualité absente chez les clabaudeurs et les buveurs de bière qu'avaient été jusque-là les rois de la boueuse Valensa. Les conditions du Traité du pont Iersen démontraient toutefois la compétence de Daufridi. L'argent, et même une somme exorbitante, en échange de terres convoitées et non conquises à la guerre. On n'avait pas besoin d'être brillant pour voir qui était le gagnant dans ce traité — si l'on ne tenait pas compte de ce que le Gorhaut pouvait faire à présent que la paix était assurée sur ses frontières nord. Pour la première fois, Blaise se demanda si les négociateurs portezzains employés par la Valensa avaient réellement envoyé les lettres et les émissaires ayant conduit au Traité, ou s'ils n'avaient fait que traduire la volonté de ce roi dur et astucieux.

Un roi qu'il avait tellement désiré tuer deux ans auparavant.

Il se rappela l'état de rage et de douleur qui avait été le sien lorsque, à coups de massue, il s'était frayé un chemin vers Daufridi après que son propre roi Duergar fut tombé de sa selle, une flèche dans l'œil, son cri d'agonie résonnant comme celui d'un corbeau du dieu dans l'air boréal et glacé. Blaise pouvait encore l'entendre s'il fermait les yeux. C'était Cadar de Savaric, le père de Rosala, qui était arrivé le premier près de Daufridi et lui avait infligé cette sauvage blessure rouge avant de succomber sous les massues et les haches des gardes du roi. Deux géants du Gorhaut étaient tombés au champ d'honneur à quelques instants d'intervalle.

Deux hommes qui se seraient arraché les entrailles, songea amèrement Blaise, avant de signer cet infâme Traité du pont Iersen.

« J'avais toujours cru, poursuivit Daufridi avec ce mince et froid sourire sous sa grosse barbe grise, que, pour les troubadours, rien n'avait plus d'importance que le caractère sacré de leur art dans notre monde éphémère. Me direz-vous que tout ce temps j'étais dans l'erreur ? »

Assis en face du roi, Bertran refusa de mordre à l'hameçon. Blaise eut l'impression que le duc s'était préparé à ce genre d'échange.

« Tout le reste s'équivalant, rétorqua calmement Bertran, nous plaçons notre travail si haut parce que c'est peut-être notre seul legs aux générations à venir, la seule chose qui permettra à notre nom de nous survivre. Un poète de ma connaissance est allé jusqu'à dire que tout ce que les hommes font aujourd'hui, tout ce qui arrive, qu'il s'agisse de gloire, de beauté ou de douleur, ne sert qu'à donner de la matière aux chansons destinées à ceux qui nous succéderont. Nous vivons nos vies pour qu'elles deviennent musique. »

Daufridi joignit ses longs doigts devant son visage. « Et vous, de Talair, est-ce aussi ce que vous croyez ? »

Bertran secoua lentement la tête. « C'est une pensée trop exceptionnelle pour moi, trop pure. Je suis, et cela m'étonne moi-même quelque peu, plus pris que cela dans les pièges de ce monde. Plus jeune, je vivais en courtisant ouvertement la mort. Vous vous souvenez peut-être un peu de cette époque. J'ai vieilli. Pour être honnête, je ne m'attendais pas à vivre si longtemps. Rudel Correze est loin d'être le premier à avoir voulu m'aider à effectuer le passage vers Rian, poursuivit-il en esquissant un sourire. Pourtant, je suis toujours parmi les vivants et j'ai découvert que j'apprécie ce monde pour ce qu'il est, non seulement comme sujet de chanson. Je l'aime pour ses vins capiteux et pour ses batailles, pour la beauté de ses femmes, leur générosité et leur fierté, pour la camaraderie d'hommes courageux et intelligents, la promesse du printemps dans les profondeurs de l'hiver et la promesse encore plus sûre que, quoi que nous fassions, Rian et Corannos nous attendent. Et je crois maintenant, Votre Majesté, longtemps après que se sont éteints les feux de la jeunesse dans mon cœur et dans le vôtre, qu'il existe une chose pour laquelle j'éprouve encore plus d'amour que pour la musique qui demeure mon recours contre la souffrance.

— Amour, de Talair ? Voilà un mot qui m'étonne dans votre bouche. On m'avait dit que vous y aviez renoncé il y a plus de vingt ans. Le monde entier en parlait. Je suis convaincu de me souvenir de cela au moins. Il semble que les renseignements qui me parviennent, dans notre nord lointain et froid, aient encore été erronés. Quelle est donc cette chose, mon cher duc ? Qu'est-ce que vous aimez encore ?

— L'Arbonne », répondit Bertran de Talair.

Ce fut alors que Blaise commença enfin à comprendre pourquoi ils étaient tous réunis. Aux prises avec des émotions contradictoires, il regarda Bertran, léger, impassible, mais replié sur lui-même comme d'habitude, puis la haute et dure silhouette du roi de Valensa.

Il n'eut pas longtemps à attendre. Daufridi n'était pas un homme sentimental, Blaise aurait pu le dire à Bertran. Dénouant ses doigts, le roi de Valensa prit son verre et but une autre gorgée de vin avant de dire, prosaïquement : « Tout le monde aime son pays, j'imagine. Il ne s'agit pas d'un sentiment nouveau, de Talair.

— Ce n'est pas ce que je voulais dire, répondit posément Bertran.

— J'avoue éprouver une passion semblable envers la Valensa, et je ne crois pas être dans l'erreur en attribuant le même sentiment au jeune Garsenc ici présent — quoi qu'il puisse ressentir à propos de certaines... décisions politiques prises récemment. » Il adressa un furtif sourire à Blaise, avec la même expression froide qu'auparavant, et se tourna vers Rudel. « Quant aux Portezzains, ils n'ont pas vraiment de pays, n'est-ce pas ? Je suppose qu'ils offrent le même amour à leurs villes, ou peut-être à leurs familles. Est-ce juste, Correze ? » Blaise se rendait compte qu'il se montrait délibérément sec, presque pédant, résistant poliment à la poussée émotive des paroles de Bertran.

« C'est juste, Votre Majesté », répondit Rudel. Il toussa. « J'espère que mon père en tiendra compte. »

Le roi montra ses dents dans un éclair. « Ah ! Il est mécontent de vous ? Vous avez dépensé une partie de l'argent avant de devoir le rembourser, c'est cela ? Quelle honte ! Mais je suis sûr que votre père vous pardonnera en temps et lieu. » Il se retourna vers Bertran qui était tout le temps resté immobile, attendant.

Les deux hommes échangèrent un long regard. Blaise eut l'étrange impression d'avoir été oublié, de même que Rudel et Valéry près du feu.

« Il n'est pas sage de trop aimer quelqu'un ou quelque chose, de Talair, reprit Daufridi d'une voix très douce. Les gens meurent, les choses nous sont enlevées. C'est la façon de vivre nos vies ici bas.

— Je sais cela. Il y a vingt-trois ans que je vis avec cette vérité.

— Cela a donc modéré vos passions ?

— Et je suis par conséquent résolu à ne pas assister à la mort de mon pays comme j'ai supporté celle de la femme que j'aimais. »

Il y eut alors un silence. N'osant bouger, Blaise regarda Rudel du coin de l'œil et vit que son ami arborait une expression rigide et concentrée.

« Vous m'avez donc invité ici pour voir quelle aide je pourrais apporter, dit finalement Daufridi de Valensa.

— En effet. Cela vous étonne-t-il ?

— À peine. Serez-vous en revanche surpris si je vous réponds que je ne peux rien vous offrir ?

— Je vous serais reconnaissant de m'expliquer pourquoi », dit calmement Bertran qui avait pâli.

Daufridi haussa les épaules. « J'ai signé un traité et j'ai besoin d'au moins cinq ans pour solidifier mon emprise sur les terres qui nous ont été cédées. Nous avons besoin de nos fermiers là-bas, il nous faut peupler les villages de Valensains et donner à nos barons le temps de s'enraciner dans les châteaux qui nous appartiennent désormais. Les Gorhautiens qui voudront rester — il y en aura un certain nombre — auront besoin de temps pour sentir qu'il existe des choses pires que d'être les sujets du roi de Valensa. Le temps venu, le Traité nous offrira toutes les richesses de ces terres agricoles au nord du Iersen et nous dédommagera amplement de l'argent que nous avons déjà versé et verserons pendant les trois prochaines années. Mais j'ai besoin de la paix pour que ceci se produise. » Il prit une gorgée de vin. « Ce n'est pas très compliqué, de Talair. Je me serais attendu à ce que vous compreniez tout ceci.

— Ainsi, vous êtes content que le Gorhaut regarde à présent vers le sud.

— Je ne suis pas tout à fait mécontent », répondit prudemment Daufridi.

Un nouveau silence, bientôt rompu par une voix légère et froide. « Pardonnez-moi, dit Rudel Correze, pardonnez ma présomption, mais je voudrais poser une question. » Daufridi et Bertran se tournèrent tous deux vers lui. « À votre avis, Majesté, qu'arrivera-t-il à la Valensa si le Gorhaut vient vraiment conquérir le sud par le feu et l'épée ? »

Blaise avait eu la même idée, la même question. Rudel avait toujours été plus vif pour exprimer sa pensée. Les Portezzains étaient ainsi. Blaise vit pour la première fois Daufridi bouger sur son siège, quelque peu troublé.

« J'y ai réfléchi, admit-il.

— Et quelles conclusions en avez-vous tirées ? » demanda Valéry, toujours près du feu, ses bras robustes croisés sur sa poitrine.

Bertran se pencha légèrement pour faire écho aux paroles de son cousin. « À votre avis, Majesté, que se passera-t-il si le Gorhaut détruit l'Arbonne et s'empare de toutes les richesses de cette terre et de ses ports sur la mer ? Si, dans un an, il y a cinq pays, et non plus six ? Croyez-vous vraiment que vous aurez vos cinq années de paix alors pour… comme vous le dites, solidifier votre emprise sur les terres agricoles au nord du Iersen ? Selon vous, combien de temps Adémar attendra-t-il pour se tourner de nouveau vers le nord ? »

Blaise commença alors à éprouver une sensation curieuse. Il avait l'impression que les paroles prononcées par chacun de ces hommes étaient des répliques préétablies dites dans un temple du dieu, ou les mouvements d'ouverture bien connus d'un jeu de taverne, chacun suivant l'autre, chacun dictant le suivant.

« Comme je l'ai dit, j'ai réfléchi à cette question, répondit Daufridi en haussant légèrement le ton. Je ne suis encore arrivé à aucune conclusion. »

Prévoyant à présent les prochains mouvements, Blaise dit alors : « Bien entendu. C'est la raison de votre présence ici, n'est-ce pas, Votre Majesté ? Vous vouliez voir si le duc de Talair avait une conclusion pour vous. Et vous avez la déception de découvrir que c'est votre aide qu'il désire, ce qui vous épouvante. Vous savez qu'il n'est pas dans l'intérêt de la Valensa que le Gorhaut gouverne en Arbonne. Dans ce cas, pourquoi refuser l'aide qui vous est demandée ? »

Daufridi se retourna dans son fauteuil pour jauger Blaise, ses yeux gris et durs presque camouflés sous ses épais sourcils froncés. « J'ai d'abord une question, dit-il froidement. J'aurais peut-être dû la poser au début, avant de parler avec autant de franchise. Que faites-vous ici, Garsenc ? Pourquoi n'êtes-vous pas à Cortil, à la cour d'Adémar, en attendant la gloire de cette conquête que votre père et le roi ont entreprise ? Vous pourriez même y gagner une terre. Les fils cadets veulent toujours de la terre, n'est-ce pas ? Nous avons parlé de l'amour du pays — où donc est le vôtre, Garsenc ? »

Blaise s'y était attendu : c'était la réplique prévue, le mouvement suivant du jeu qui était en train de se jouer. Il se demanda si Bertran avait préparé cela, s'il l'avait vu venir et les avait même poussés vers cet instant.

Peu importait. Le moment était venu.

« Parce que je me suis carrément dressé contre Adémar du Gorhaut. Parce que je le considère comme faible et indigne d'allégeance. Parce que j'ai la conviction qu'il a dépossédé et trahi son peuple avec le Traité du pont Iersen. Parce que le Gorhaut que j'aime est la terre sainte où le dieu Corannos des Anciens est d'abord venu parmi les six pays que nous connaissons. Parce que les premiers corans ont prêté serment de servir le dieu et leurs compatriotes et de suivre un chemin juste. Parce que, avec l'invasion de l'Arbonne, nous nous égarerions de ce chemin à la recherche d'un empire qui ne pourrait jamais, en fin de compte, être conservé. Parce que mon père le sait. Il ne veut pas gouverner l'Arbonne, il veut la détruire par le feu. Parce qu'il a perdu depuis longtemps la communion véritable qu'il a déjà connue avec le dieu. »

Blaise eut besoin de prendre une longue inspiration pour interrompre le flot de paroles qui coulait de lui comme une rivière en crue se rue sur une digue rompue. Puis il prononça la dernière réplique, fit le mouvement suivant du jeu : « Et parce que, avant la fin de la Foire de Lussan, je me serai moi-même proclamé prétendant à la couronne du Gorhaut, afin de voir s'il reste des hommes d'honneur dans mon pays — et ailleurs — qui accepteront de se rallier à mon nom et à cette cause. »

Blaise entendit Rudel respirer bruyamment. Il avait au moins étonné son ami. S'il n'avait rien fait d'autre, il aurait au moins estomaqué le flegmatique descendant de la Maison de Correze.

De même que le roi de Valensa, comme il le constata. Les mains de Daufridi agrippèrent les bras de son fauteuil. Il parut résister un instant à l'envie de se lever, mais, au prix d'un effort visible, demeura à sa place.

Le silence tomba alors dans la pièce. On n'entendait que le crépitement du feu et la respiration oppressée des quatre hommes. De dehors, où les hommes de Bertran régalaient les corans du roi, leur parvint un bruyant éclat de rire.

« C'est bien, dit finalement Daufridi de Valensa d'une voix très douce. C'est très bien maintenant. Il semble que, tout compte fait, nous ayons des sujets de discussion. »

Blaise se sentait la tête légère, presque engourdi. Il prit son verre et but. Le geste même lui parut bizarre, inhabituellement lent. Il avait l'impression que le hibou se trouvait dans la pièce avec eux, le hibou blanc de Béatrice de Barbentain, perché sur son épaule pour le désigner comme un fou, ou autre chose.

Chapitre 4

« J'espère que tu comprends que je ne veux pas qu'elle revienne », déclara Ranald de Garsenc, dévisageant l'homme qui se tenait de l'autre côté de la pièce. Il s'attendait à cet entretien et s'y était préparé, dans la mesure où il pouvait se préparer à affronter son père. La nouvelle de la fuite de Rosala en Arbonne, annoncée par deux corans bredouillants et exténués, lui avait certes causé un choc, mais moins violent que prévu, comme il s'en était rendu compte au cours de la journée.

En apprenant — au cours d'une explication orageuse un peu plus tôt ce matin — que Galbert était venu à Garsenc réclamer l'enfant, Ranald avait amèrement éclaté de rire au visage de son père.

« Tu es donc responsable de ça, avait-il dit. Ce n'est pas moi ni personne d'autre. C'est ta propre sottise, père. Elle t'a mis en colère, n'est-ce pas ? Tu as voulu la remettre à sa place. » Galbert avait froncé furieusement les sourcils, joignant et disjoignant ses grandes mains.

« C'est exactement ce qui s'est passé, n'est-ce pas ? avait poursuivi Ranald. C'est toi qui as été faible et imbécile, père. Cela t'a échappé dans le feu de la discussion. Il fallait que tu le lui dises pour voir sa réaction, pas vrai ? Tu aurais dû savoir qu'il ne fallait pas la menacer de lui enlever son enfant.

— La menacer ? Son enfant ? » Galbert s'était assuré que l'instrument de sa voix bien timbrée exprimait toutes les nuances de mépris possibles. « C'est ainsi que tu vois la chose ? Ce n'est pas ton enfant à toi ? Pas le nôtre ? Tu n'as donc pas de colonne vertébrale ? Tu me fais honte aux yeux du dieu et de tous les hommes. »

Un serviteur se trouvait dans la pièce et des hommes écoutaient certainement derrière chacune des trois portes de la salle. Le palais d'Adémar à Cortil n'était pas un endroit propice aux entretiens privés. Ranald avait rougi, soudain sur la défensive. « Nous en reparlerons plus tard, quand ta colère sera calmée, avait-il répondu. De toute évidence, tu n'es pas en état de discuter en ce moment. Je t'attendrai ici à midi, père. À tout à l'heure. »

Il était sorti rapidement de la pièce avant que Galbert n'eût pu répondre. Dans l'antichambre, un coran avait tout juste eu le temps de faire mine de s'affairer à la fenêtre. Ranald l'avait ignoré. En fait, il se sentait jusqu'à un certain point satisfait de cette sortie. Une fois seul dans ses propres appartements au palais, il avait cependant commencé à réfléchir plus attentivement aux conséquences du geste de sa femme.

Il avait envoyé un serviteur lui chercher de la bière et s'était assis sur une chaise près de la fenêtre, contemplant le paysage où le soleil tentait de se libérer des nuages de l'automne soufflés par le vent. Le roi était à la chasse, ce matin. Quelqu'un était sûrement allé l'informer ; à la cour d'Adémar, les ambitieux se bousculaient pour être les premiers à lui apprendre les nouvelles, surtout si elles étaient susceptibles de nuire à la famille de Garsenc. Ranald savait que Galbert était considéré comme trop influent. Il l'était sans doute. Leur famille avait du sang aussi royal qu'Adémar si l'on retournait seulement deux générations en arrière et le primat était à présent le premier des conseillers du roi. Il était facile de comprendre pourquoi ils étaient craints. À la cour, plus d'une personne se réjouirait de la fuite de Rosala et de leur propre déconfiture.

Le serviteur était revenu avec un pichet de bière et Ranald avait été heureux d'ingurgiter sa première chope de la journée. Il avait allongé les jambes et fermé les yeux, sans toutefois parvenir à trouver de réconfort. Sa femme lui avait menti dans sa dernière lettre ; elle s'était enfuie, emportant son enfant. Son enfant à lui. Elle l'avait déjà mis au monde, semblait-il, en Arbonne. Les corans qui avaient traversé le défilé pour apporter la nouvelle, chevauchant deux nuits et un jour à bride abattue, ignoraient si c'était un garçon ou une fille. Cela revêtait évidemment une importance considérable. Ranald trouvait cependant difficile d'en évaluer les conséquences politiques ce matin-là. Pour commencer, il n'était pas très doué pour ce genre de choses. Il aurait, en ce moment, préféré être en train de chasser avec le roi. En vérité, il aurait préféré être de retour à Garsenc, chevauchant dans sa forêt avec ses hommes. Affalé dans son fauteuil, les yeux clos, il avait essayé de se figurer Rosala avec un bébé. Il avait même tenté, l'espace d'un instant, de s'imaginer lui-même avec un bébé. Il avait ouvert les yeux et pris le pichet sur la table près de son coude pour remplir sa chope.

Il ne s'en était pas autorisé davantage. Il verrait de nouveau son père à midi. Il était nécessaire de ne pas être ivre pour de tels entretiens, comme il l'avait appris à ses dépens au cours des années.

« Je ne veux pas qu'elle revienne », répéta-t-il. Il était midi ; les nuages avaient disparu et, par les fenêtres donnant à l'ouest, on voyait le soleil qui brillait, très haut, dans le ciel pâle. Ranald s'efforça de parler d'un ton mesuré. Il s'approcha même de son père afin qu'ils puissent s'entretenir à voix plus basse. Cette fois, on avait congédié les serviteurs. Ranald ne voulait pas que cette discussion fût connue dans tout le palais — ou dans tout le Gorhaut.

Ranald constata que Galbert était également plus calme. Le primat semblait en fait d'humeur dangereusement posée. Avant de répondre, il choisit un siège et y installa sa masse corpulente. Il avait changé de vêtements et portait à présent la tunique bleue de Corannos. Avant son départ, Blaise avait coutume de refuser de parler à son père quand il portait la tunique du dieu. Il avait déjà qualifié cela de sacrilège. Ceci s'était en fait passé la dernière fois qu'ils avaient vu Blaise, au paroxysme d'une autre altercation à propos du Traité d'Iersen. Celle-ci avait pris fin lorsque le frère cadet de Ranald était sorti furibond de la pièce et du château en jurant de ne jamais revenir au Gorhaut tant que les clauses de ce traité seraient respectées. Se remémorant cette soirée, Ranald revit soudain sa femme pleurant en silence sur sa chaise près du feu pendant que tous trois s'invectivaient mutuellement.

« Tu la rejettes. C'est une réaction des plus naturelles », dit son père, les mains posées sur son gros ventre. Il avait pris du poids, songea amèrement Ranald. Cela allait avec l'augmentation du pouvoir. « En fait, un homme plus viril se serait déjà arrangé pour la faire tuer. Dois-je m'en charger à ta place ?

— Comme tu t'en es chargé pour le duc de Talair ? Je te remercie, mais je refuse. Tu n'es pas très efficace, père. » Ranald était, jusqu'à un certain point, encore capable de lancer des sarcasmes, mais le sujet le mettait mal à l'aise. En vérité, il n'aimait pas l'idée de voir Rosala morte. Il ne voulait pas qu'elle revînt — ceci était clair dans sa tête —, mais cela ne signifiait pas qu'elle dût être exécutée pour avoir réagi vivement à une menace proférée par son père. « Nous agirions de façon triviale si nous la poursuivions ainsi. »

Galbert cligna les yeux, comme s'il était surpris. Il l'était sans doute, pensa son fils aîné. Il était rare que Ranald fît preuve d'autant de lucidité au cours de ce type de rencontre. Il sentit de nouveau monter en lui une lassitude mêlée de mépris envers lui-même. « Tu la laisserais partir, alors ? demanda son père. Et tu laisserais le monde entier se moquer de toi ? » Galbert fit ce petit geste de dénégation que Ranald détestait depuis toujours. « Eh bien, cela te regarde. Je ne peux pas passer ma vie à me conduire en homme à ta place. Tu admettras cependant que l'enfant constitue un problème », continua-t-il d'un ton exagérément poli.

Oui, bien entendu. Ranald s'était toutefois rendu compte, au cours de la matinée, qu'il éprouvait des sentiments contradictoires à ce sujet. Il connaissait depuis longtemps son ambivalence. La vie était beaucoup plus simple à l'époque où, à titre de champion du roi Duergar, il n'avait rien d'autre à faire que désarçonner et vaincre quiconque se mesurait à lui. Il y parvenait avec beaucoup de talent, à l'époque, vraiment beaucoup de talent.

Il en avait moins pour réfléchir à ce genre de situation. Mais si Rosala y accordait une importance telle qu'elle acceptait de risquer la mort et de s'exiler pour protéger un enfant de l'emprise de Galbert, eh bien, pour être absolument sincère, Ranald pouvait la comprendre. Il ne pouvait toutefois céder, et c'était là le problème. Il était le duc de Garsenc, le premier des nobles du Gorhaut ; son père, qui aurait dû devenir duc lui-même lorsque son frère Éreibert était mort sans enfant, était plutôt primat de Corannos, ce qui lui conférait encore plus de pouvoir. L'enfant de Rosala — l'enfant de Ranald — représentait un pion dans un énorme jeu de pouvoir.

« Si c'est un garçon, dit calmement Ranald, nous le reprendrons. Je lui laisserai la vie sauve et lui donnerai la liberté d'aller où bon lui semblera, mais elle devra rendre l'enfant — si c'est un garçon. Si c'est une fille, vraiment, ça m'est égal. Qu'elles s'en aillent. Le roi m'autorisera à me remarier. Demain, si je le lui demande. J'aurai d'autres enfants. Même si ce n'est que pour faire ton bonheur, père. Est-ce que tu voudras tous les prendre pour servir tes desseins, ou seulement quelques-uns ? » demanda-t-il en esquissant de nouveau un sourire amer.

Galbert ignora le sarcasme. « Tu dis que nous reprendrons l'enfant si c'est un garçon. Comment peux-tu imaginer que Rosala y consentira, si c'est d'abord pour cette raison qu'elle a fui ? » Lui aussi parlait à voix basse. Il ne voulait pas que cette conversation fût ébruitée.

Ranald haussa les épaules. « Elle aussi peut avoir d'autres enfants. En échange d'une vie libre loin de nous, elle acceptera peut-être.

— Et sinon ? » poursuivit son père, dangereusement calme. « Si elle n'accepte pas ? »

Ranald commença enfin à comprendre dans quelle direction s'orientait l'entretien : là où semblait se diriger tout ce que Galbert de Garsenc touchait depuis quelque temps. Ranald se leva de son fauteuil, soudain agité.

« As-tu fait cela délibérément ? demanda-t-il d'un ton tranchant. As-tu provoqué la fuite de Rosala dans un but précis ? Pour créer cette situation ? »

Galbert sourit avec suffisance, plissant ses yeux qui disparurent presque dans les replis de sa peau. « Qu'en penses-tu ? Bien sûr que oui, murmura-t-il.

— Tu mens, n'est-ce pas ? » Ranald sentit ses poings se serrer le long de son corps — le même geste que son père ; il avait vainement essayé de se débarrasser de cette habitude. « En vérité, c'est elle qui t'a provoqué et des paroles que tu n'avais pas l'intention de dire t'ont échappé. »

Son père secoua lentement la tête d'avant en arrière, ses bajoues tremblotant. « Ne sois pas tout à fait idiot, Ranald. Pourquoi penses-tu que je sois d'abord allé la voir à Garsenc ? Pourquoi voudrais-je un bébé ? Qu'est-ce que je ferais d'un nouveau-né ? Tu parais à jeun, ce matin. Profite de l'occasion : réfléchis. Entre parenthèses, tu auras intérêt à confirmer ma version de l'histoire, quoi que tu puisses imaginer dans ton for intérieur. Les événements n'auraient pu tomber mieux pour nos projets.

— Nos projets ? Les tiens, tu veux dire. Tu vas à présent déclarer la guerre à l'Arbonne pour ramener l'enfant. ».

Le silence fut soudain brisé par le fracas de la grande porte ouverte à la volée, heurtant le mur de pierre. Sur le seuil, massif, la barbe et les cheveux dégoulinant de sueur, des taches de sang et d'herbe sur ses larges épaules et sa poitrine, sa culotte et ses bottes maculées de boue, le roi Adémar du Gorhaut lança sa cravache sur les dalles et gronda : « Je veux qu'elle revienne ! Vous m'entendez, Galbert ? Je veux qu'elle revienne immédiatement ! » Il avait le visage très rouge et les yeux vitreux de rage.

« Bien entendu, Sire », répondit le primat d'une voix apaisante, retrouvant rapidement son sang-froid. « Bien entendu. Vous êtes conscient de l'insulte infligée à notre famille et voulez nous aider à y répondre. Nous vous en sommes profondément reconnaissants. En vérité, mon fils et moi discutions justement de la marche à suivre.

— Faites ce qu'il faut ! Je veux qu'elle revienne ! répéta le roi en passant sa main gantée dans sa chevelure.

— L'enfant aussi, bien sûr, murmura Galbert. L'enfant a tellement d'importance. »

Sa voix grave et lénifiante sembla finalement faire effet. Le roi du Gorhaut reprit son souffle et secoua la tête comme pour se débarrasser de quelque chose. « Bien sûr, dit-il d'une voix un peu plus lucide. L'enfant aussi. Très important. L'héritier de Garsenc si c'est un garçon. Bien sûr. » Il regarda Ranald pour la première fois et détourna vite son regard.

« S'ils gardent un garçon qui nous appartient, reprit Galbert de Garsenc du même ton tranquille et apaisant, le monde pourra difficilement nous contester le droit d'aller le chercher. »

Adémar se pencha soudain et ramassa sa cravache. Il en frappa durement sa jambe. « Exact. Vous vous en chargez. Le Götzland, l'Arimonda, les Portezzains… expliquez-leur, faites-leur comprendre que notre cause est juste. Faites ce qu'il faut. Mais je veux qu'elle revienne. »

Il tourna les talons et sortit lourdement de la pièce. Derrière lui, impassible, un serviteur ferma la lourde porte, laissant les deux de Garsenc seuls de nouveau.

Voyant l'expression de son fils, Galbert se mit à rire doucement. « Ah ! bien », dit-il sans se donner la peine de cacher son amusement, ses bajoues tremblantes, « tu viens de faire une découverte. On dirait qu'au moins une personne ici souhaite le retour de ta femme. Je me demande bien pourquoi. »

Ranald se détourna. Il avait mal au cœur. Soif. Le souvenir du roi, énorme et courroucé dans l'embrasure de la porte, semblait gravé à jamais dans son esprit. Il se demanda où était sa propre fureur, où sa capacité de ressentir ce genre d'émotions s'en était allée au cours des années.

« Tout fonctionne tellement bien pour toi, pas vrai ? » dit-il posément, regardant par la fenêtre la cour intérieure du palais. Les corans d'Adémar descendaient à présent de cheval dans la lumière du soleil, exhibant les cadavres sanglants des animaux tués à la chasse.

« S'ils donnent refuge à l'épouse et à l'héritier de Garsenc », reprit son père d'un ton paisible, de sa voix vibrante et sonore, « il ne faut pas qu'ils s'imaginent pouvoir le faire impunément. Aux yeux du monde, nous avons la cause dont nous avons besoin.

— Et s'ils les laissent partir ? » Ranald fit dos à la fenêtre. Il se demanda depuis combien de temps le roi Adémar convoitait sa femme, comment il avait pu ignorer cet état de fait et finalement si son père n'avait pas, mine de rien, favorisé ce désir. Un autre instrument politique. Il pensa qu'il devrait provoquer le roi en duel. Il y était presque obligé. Il savait qu'il n'en ferait rien. Dégoûté de lui-même, Ranald comprit qu'il ne pourrait pas tenir encore longtemps sans boire quelque chose.

Son père secoua la tête. Ranald se rappela avoir posé une question à son père. Il éprouvait de la difficulté à se concentrer. « Les laissent partir ? L'Arbonne ? L'Arbonne gouvernée par une femme ? Cela ne se produira pas, répondit le primat en riant. Ils se détruiront eux-mêmes avant de nous rendre une femme et un nouveau-né. »

Ranald sentit un goût de bile lui monter à la bouche. « Sinon tu vas te charger toi-même de leur destruction.

— En effet », répondit Galbert de Garsenc, haussant pour la première fois sa voix de stentor. « Au nom de Corannos et pour sa gloire éternelle, je détruirai ce lieu de corruption féminine suppurante et maculée de sang. C'est ma raison de vivre depuis des années.

— Et te voilà à présent si près du but, n'est-ce pas ? » dit Ranald d'une voix enrouée. Il savait qu'il allait bientôt devoir s'en aller. Il était sur le point de vomir. Il ne pouvait s'enlever de l'esprit l'image du roi. « Tout s'est mis en place pour toi. La mort de Duergar, le Traité, à présent la fuite de Rosala, Adémar dans le creux de ta main. » Il avait dit ces dernières paroles trop fort, mais cela lui était désormais égal. « Pour traiter avec les autres pays, pour leur faire accepter la situation, tu n'as plus besoin que d'une seule chose : que l'enfant soit un garçon.

— Tu as raison, approuva son père en faisant un sourire bienveillant. Tu m'étonnes, mon fils. J'ai prié le dieu à genoux. J'espère seulement que Corannos m'a entendu et trouvé digne de sa réponse afin que je puisse bientôt frapper avec le feu et l'épée en son saint nom. Comme tu le dis, je n'ai besoin que d'une chose : que l'enfant soit un garçon. »

❖

Rosala marchait dans le corridor, revenant de la chambre où dormait son fils. La nourrice qu'on avait trouvée était avec lui, et la plus jeune des deux prêtresses présentes lors de la naissance de Cadar demeurait au château de Barbentain pour sa première semaine. Rosala se rendait compte qu'on prenait soin des bébés en Arbonne, à tout le moins des bébés de la noblesse. Il y avait des constantes partout dans le monde. Rosala n'avait pas l'impression que l'on avait accordé la même importance à l'enfant de la nourrice dans son village. Elle savait qu'il était mort ; elle ne voulait pas savoir comment ni pourquoi. Les enfants mouraient de tant de façons différentes. On conseillait en général de ne pas trop s'y attacher la première année, sinon on se retrouvait avec le cœur brisé lorsqu'ils nous étaient enlevés. Rosala se rappelait avoir entendu ces paroles des années auparavant et les avoir trouvées sensées ; elle n'était plus de cet avis. Elle ne pouvait concevoir comment les femmes pouvaient s'empêcher d'aimer leurs enfants si petits, si vulnérables dans leurs bras. Elle éprouvait une indicible reconnaissance pour les soins prodigués à Cadar. Après avoir traversé les montagnes vers le sud dans cette charrette brinquebalante, elle avait l'impression d'être passée d'un interminable cauchemar à un havre.

C'était une illusion, elle le savait. Elle avait trop d'expérience pour se figurer qu'on lui permettrait de vivre en paix avec son enfant et la vieille comtesse, de recevoir des troubadours et leurs ménestrels, d'écouter de la musique et de chevaucher dans les prés le long du fleuve au rythme des saisons tout en regardant Cadar grandir puis devenir un homme. Au Gorhaut, des femmes avaient été tuées simplement parce qu'elles avaient répondu avec impertinence à leurs maris dans un endroit public. Que ferait-on à une femme qui s'était enfuie avec son enfant ? Et pas n'importe quelle femme, pas n'importe quel enfant. L'héritier des ducs de Garsenc dormait dans la chambre qu'elle venait de quitter, et Cadar était dangereusement proche de la succession au trône tant qu'Adémar n'était pas marié. Le troisième ou le quatrième, en vérité, d'un côté, selon qu'on tînt ou non compte de Blaise, désormais déshérité.

Cela importait peu. Ils viendraient pour Cadar, et pour elle aussi probablement. Cela débuterait par les formalités diplomatiques, des émissaires somptueusement vêtus, porteurs de lettres fleuries, qui tiendraient des discours savants et offriraient des présents à la comtesse. Les cadeaux seraient raffinés ; c'était ainsi que les choses se passaient. Les discours seraient éloquents et courtois. Dans les lettres, les demandes seraient claires et froidement précises, appuyées par des ultimatums tout aussi explicites.

Rosala se demanda si elle devait prendre un bateau vers l'est afin de libérer l'Arbonne du fardeau de sa présence. Si quelque part dans l'une des fabuleuses cours magiques de ces terres lointaines elle pourrait trouver un foyer pour elle et Cadar. Encore une illusion. Elle avait entendu raconter ce que l'on faisait aux femmes blondes dans les cours et les bazars des pays d'épices et de soie. Elle savait ce que l'on faisait à leurs enfants de sexe mâle.

Elle entendait de la musique, un murmure de voix et de rires montant en spirale de la grande salle du rez-de-chaussée par la cage d'escalier. Elle ne se rappelait plus la dernière fois où elle avait entendu un rire qui ne comportait pas une pointe de méchanceté. On lui avait dit que, ce soir, la musique, jouée par un jeune homme d'Orreze, serait d'un très haut calibre. Elle savait qu'elle serait bien accueillie si elle descendait. Elle se sentait toutefois encore fatiguée et extrêmement fragile, elle n'était pas prête à se présenter en public. Dans son monde, l'intimité était une chose rare, et elle était ici aussi précieuse que tous les autres présents qu'elle avait reçus à Barbentain.

Elle s'assit précautionneusement sur un siège dans l'encoignure d'une fenêtre pour écouter. Par chance, le banc de pierre était recouvert de coussins. Levant le bras, elle ouvrit la fenêtre. Celle-ci était en verre teinté ; on y avait merveilleusement gravé l'image d'une île verdoyante dans la mer. La brise entrait et Rosala pouvait apercevoir la lumière non filtrée de la lune bleue. Ici, on l'appelait Riannon en l'honneur de la déesse, et non Escoran pour le dieu. C'était à cause de cette différence que l'Arbonne allait être détruite, songea-t-elle.

Un instant plus tard, elle rejeta cette pensée ; l'argumentation et la discussion étaient trop simples. Dans le monde, les choses étaient plus complexes.

Elle entendait le fleuve couler dans le noir, produisant un bruit doux et constant qui accompagnait la musique du ménestrel. Il faisait froid, ce soir, sur l'île de Barbentain ; Rosala serra sur elle la robe de lainage qu'on lui avait donnée. L'air frais la ranima cependant et ramena une pensée rassurante : en venant ici, elle avait fait le maximum pour Cadar. Les prochains mouvements, dans un jeu plus important, ce n'était pas à elle de les faire. L'échelle de sa propre vie était soudain devenue beaucoup plus petite, concentrée sur un battement de cœur. Elle ressentit l'envie irrésistible — tout en se moquant d'elle-même — de retourner sur ses pas pour le regarder dormir encore une fois. C'était étrange de voir comment l'amour pouvait réintégrer rapidement, complètement notre univers.

La dernière personne qu'elle avait aimée était son père, et il était mort près du pont Iersen deux ans auparavant. Sa mère était disparue avant lui, l'année de l'épidémie de peste. Son frère Fulk ne suscitait pas chez elle des sentiments très intenses et elle savait que c'était réciproque. Il ne serait pas celui qui mènerait les hommes lancés à sa poursuite, mais il ne dirait pas un mot pour les arrêter. Il administrait bien le domaine familial toutefois et elle le respectait pour cela. Les terres de Savaric étaient maintenant terriblement exposées, grandes ouvertes aux razzias de la Valensa par la frontière du fleuve Iersen, récemment tracée. Si le Traité cessait d'être respecté, elles deviendraient encore plus vulnérables.

L'an dernier, l'une des rares fois où ils s'étaient trouvés tous les deux à Cortil, Fulk lui avait dit que le Traité ne serait pas respecté. Les trêves comme celle-ci ne duraient jamais, mais les terres perdues depuis trop longtemps risquaient de l'être pour toujours. Il lui avait déclaré cela calmement, à elle seule. Le prudent Fulk de Savaric n'était pas du genre à critiquer ouvertement comme un seigneur puissant, alors qu'un nouveau roi était assis sur le trône. Rosala savait que leur père aurait, pour sa part, exprimé ses objections avec vigueur, quelles que pussent en être les conséquences.

Comme Blaise de Garsenc l'avait fait avant de partir, tant la première fois que la deuxième, un an plus tard, après son retour avorté.

Il lui était difficile de penser à Blaise. Elle savait maintenant qu'il se trouvait à Lussan. Elle pourrait le voir, lui faire parvenir un message limpide ou sibyllin selon son gré. Elle se demanda s'il avait appris qu'elle était au château. Les prêtresses lui avaient dit que, dans toute la foire, on parlait de la noble dame du Gorhaut qu'on avait amenée au temple alors qu'elle était sur le point d'accoucher. Othon, avait-elle pensé avec regret : il aurait été, par nature, incapable de tenir sa langue et elle n'avait en fait aucun droit de s'attendre à ce qu'il gardât le secret.

Blaise n'avait cependant jamais été enclin à prêter l'oreille aux commérages et Bertran de Talair lui avait juré de ne pas lui révéler sa présence avant qu'elle ne fût prête. Il était même probable — une pensée nouvelle et dure — que Blaise n'ait pas su qu'elle était enceinte. Il n'avait jamais communiqué avec elle après son deuxième départ.

Assise à côté d'une fenêtre ouverte en Arbonne, écoutant le murmure de l'eau au-dessous d'elle et la musique qui montait dans la cage d'escalier, elle retourna par la pensée à cette nuit d'hiver, alors que les étoiles restaient invisibles et que hurlait un vent de tempête, soufflant des rafales de glace et de neige qui s'abattaient dans les fenêtres du château de Garsenc. Elle avait écouté le père et les fils se maudire mutuellement, entendu les injures impardonnables, les paroles viles, blessantes, plus âpres que la nuit. Elle avait pleuré en silence, totalement ignorée sur sa chaise près du feu, honteuse de sa propre faiblesse, désirant tellement quitter la pièce, s'en aller loin des haines inextricables et violentes des hommes de Garsenc, mais incapable de partir sans l'autorisation de Ranald et répugnant à attirer l'attention sur elle en ouvrant la bouche. Elle appréhendait la virulence avec laquelle le père se retournerait contre elle dès qu'on lui rappellerait sa présence.

Paralysée de froid près du feu mourant qu'aucun d'eux ne se donnait la peine de ranimer, les serviteurs s'étant d'eux-mêmes prudemment éclipsés, Rosala avait senti les larmes froides rouler sur ses joues et entendu Blaise, atteignant le paroxysme de sa fureur, accuser son père et son frère d'une voix rauque d'angoisse avant de quitter la pièce et le château : il avait accusé le premier d'avoir trahi le Gorhaut et d'être indigne du dieu, et traité l'autre d'ivrogne et de lâche. Tout en pleurant, elle avait approuvé les deux affirmations. Blaise de Garsenc était un homme froid, impitoyable, amer qui ne lui avait jamais témoigné ni grâce ni bonté, mais il avait tellement raison à propos des deux autres.

Elle était restée étendue sur son lit cette nuit-là, éveillée, lorsqu'ils s'étaient enfin retirés. Dans la chambre voisine, Ranald était tombé comme une masse et elle l'avait entendu ronfler à travers la porte close. Il lui arrivait de parler dans son sommeil, hurlant sa souffrance comme un enfant dans les ténèbres de ses rêves. Pendant les premiers mois de leur mariage, elle avait tenté de le réconforter quand cela se produisait ; elle ne le faisait plus. Transie et effrayée, écoutant les gémissements sauvages du vent, essayant d'entendre le pas de Blaise lorsqu'il reviendrait chercher son bagage. Et quand elle avait entendu le martèlement de ses bottes dans le corridor, elle s'était levée et s'était rendue dans sa chambre, pieds nus sur les dalles froides.

Il était en train de remplir sa sacoche de selle à la lueur d'une bougie lorsqu'elle était entrée. Elle n'avait pas frappé à la porte. Il y avait de la neige sur les vêtements de Blaise, des glaçons dans sa barbe et ses cheveux cuivrés. Elle ne portait que sa chemise de nuit, et ses cheveux blonds, dénoués pour la nuit, flottaient sur ses épaules. C'était la première fois qu'il la voyait coiffée ainsi. Figés et muets, ils s'étaient dévisagés pendant un instant dans le silence nocturne du château, puis, à voix basse pour ne pas être entendue hors des murs de cette chambre, hors de l'espace restreint de la lumière de cette bougie, Rosala avait dit : « Ne veux-tu pas m'aimer une fois, une seule fois avant de partir ? »

Blaise avait traversé la pièce, l'avait prise dans ses bras et l'avait déposée sur le lit, sa chevelure blonde et brillante étalée sur l'oreiller, sa chemise de nuit glissant dans un froufrou de tissu au-dessus de sa taille tandis qu'elle soulevait les hanches, et il avait soufflé l'unique chandelle, retiré ses vêtements mouillés et l'avait prise dans l'obscurité avant de partir encore une fois ; il l'avait possédée en silence, avec rage et amertume et dans cet état d'angoisse aiguë qui, elle le savait, résultait de son absence de pouvoir. Tous deux n'avaient éprouvé aucun amour dans cette chambre, aucun.

Et cela n'avait pas d'importance.

Rosala avait su quelles étaient les choses qui pouvaient l'amener à la toucher cette nuit-là, qui pouvaient le provoquer, et cela lui avait été égal. N'importe quoi, s'était-elle dit dans son lit glacé, faisant appel à tout son courage en attendant qu'il revînt. Elle ferait ce qu'il fallait pour l'amener à la posséder au moins une fois.

Et plus tard, dans la chambre de Blaise, dans cette obscurité, avec l'impossible vent qui hurlait dehors, elle avait eu la même pensée : elle accepterait et accueillerait — ses mains l'agrippant très fort, le sentant commencer à pousser avec frénésie, entendant sa respiration s'accélérer — tout ce qui pourrait l'amener à lui faire l'enfant que Ranald ne pouvait lui donner.

Il avait prononcé son nom une fois, après. Elle ne l'oublierait pas.

Des pas résonnèrent dans le corridor derrière elle. La nourrice, pensa-t-elle, aussitôt alarmée. Elle était sur le point de se pencher en avant, mais les pas s'arrêtèrent juste avant le siège où elle se trouvait et Rosala entendit une voix de femme qu'elle ne reconnut pas, puis une voix d'homme. Elle demeura immobile dans l'ombre de l'alcôve et comprit, après un moment, que les voix complotaient un meurtre.

« Il faut que ce soit fait proprement et en silence, dit nerveusement la femme dans un arbonnais teinté d'accent. Elle m'a dit de te le dire.

— Je n'ai pas l'habitude de faire du bruit avec une lame», répondit l'homme, amusé. Il parlait d'une voix profonde et assurée.

«Tu ne comprends pas. Il ne faut pas que l'on puisse remonter jusqu'à elle. Il faudra se débarrasser du corps et personne ne doit jouer au plus fin. Il serait même préférable qu'il ne te voie pas, sauf s'il crie.

— Ah ! Elle va l'occuper ? Lui faire oublier le reste du monde ? Ce genre de chose l'excite ? Est-ce que j'aurai d'autres tâches à accomplir après ?

— Ne sois pas vulgaire», rétorqua la femme d'un ton sec.

L'homme rit doucement. «Ne crains rien. C'est ta maîtresse qui décidera. Si elle désire goûter le sang, il faudra qu'elle le demande. Mais il doit me voir, sinon ça ne présente aucun intérêt. Il doit savoir qui le tue.

— Il pourrait appeler à l'aide. Nous ne pouvons nous permettre de...

— Il n'appellera pas. Il n'est pas homme à demander du secours. Et ce sera vite fait, je te le promets. Allons, quelle porte ? Il y a un fantôme à apaiser, et j'ai perdu trop de temps.»

Ils avancèrent alors devant Rosala, suivis puis précédés par leurs ombres lorsqu'ils passèrent sous la torche accrochée au mur dans le couloir désert. Rosala se tassa contre la fenêtre. Dans la grande salle du rez-de-chaussée, le ménestrel chantait une chanson parlant d'un amour éternel et d'un désir non partagé. Ni l'homme ni la femme ne se retournèrent. Les pas s'arrêtèrent devant une porte à proximité. Retenant son souffle, Rosala se pencha légèrement. Elle vit alors l'homme sourire en tirant un poignard de sa ceinture. Il ouvrit la porte et se glissa à l'intérieur de la pièce sans faire le moindre bruit, se mouvant avec une grâce féline. La porte se referma derrière lui. Aucun son ne sortit de la chambre. La femme hésita un instant, puis Rosala la vit faire rapidement le signe pour conjurer le mauvais sort avant de se diriger en hâte vers l'extrémité du corridor et de descendre un autre escalier.

Le corridor était plongé dans le silence. On n'entendait que la voix triste et mélodieuse du chanteur montant du rez-de-chaussée. Rosala porta les mains à son visage. Une chose horrible était sur le point de se produire. Elle savait qu'elle pouvait crier, appeler à l'aide, qu'il n'était peut-être pas trop tard.

Ce n'était pas son genre de crier.

Elle respira plus calmement, s'efforçant de décider de la conduite à adopter. En réalité, son premier, son seul devoir était envers Cadar ; elle devait assurer sa propre sécurité puisque son enfant dépendait d'elle seule. C'était indiscutable, quel que fût le choix que cela impliquait.

Rosala de Savaric se leva, regarda dans le couloir en direction de la pièce où dormait son fils nouveau-né et se dirigea résolument de l'autre côté. Elle tenait de son père et ne resterait pas immobile, tournant le dos et laissant un homme se faire assassiner dans un château qui l'avait recueillie.

Elle reconnut alors les appartements où l'homme armé était entré. Les odeurs mêlées d'épices et de parfums imprégnaient le corridor depuis l'arrivée de cette personne. Les prêtresses et la nourrice en parlaient de façon obsessionnelle depuis deux jours. Rosala s'arrêta devant cette porte juste le temps de jeter un dernier regard derrière elle vers la chambre de Cadar, puis elle redressa les épaules comme sa mère le faisait, ouvrit la porte de la chambre de Lucianna Delonghi et entra.

❖

Daufridi et son escorte quittèrent l'auberge les premiers. Bertran leur laissa prendre de l'avance avant de retourner à Lussan avec ses hommes, passant sous les arbres puis longeant la rive gauche du fleuve sous la lune bleue. Une fois aux portes de la ville, le duc insista pour se séparer de ses trois compagnons.

Il regarda Blaise, hésita, puis sourit avec un air vorace dans le clair de lune. « J'ai négligé de vous informer que le baron du château de Baude est arrivé ce matin. J'ai pensé aller saluer Mallin avant de me retirer pour la nuit. Dois-je lui transmettre vos bons vœux ? »

Malgré ce qu'Ariane de Carenzu lui avait appris l'été précédent, Blaise était encore déconcerté par l'infatigable énergie de Bertran dans ce domaine. Malgré les importantes et sombres discussions auxquelles il venait de participer concernant le sort de son pays, le duc de Talair était d'humeur à aller vagabonder pour la nuit.

Blaise haussa les épaules. « Je vous en prie, murmura-t-il. Saluez également Soresina si par hasard vous la voyez. »

Un léger sourire flotta sur les lèvres de Bertran. « Ne m'attendez pas. Je reviendrai au lever du soleil, en même temps que le jour. » Il disait toujours cela : c'était le refrain d'une chanson qu'il avait composée quelques années auparavant. Il fit tourner son cheval et disparut dans la pénombre.

« Doit-on le laisser seul ? Dans les circonstances ? » demanda Rudel. Cela aussi était extraordinaire, songea Blaise : l'homme qui posait la question était celui qui avait tenté de tuer Bertran trois mois plus tôt.

« Il ne sera pas seul », répondit calmement Valéry, regardant le chemin par où son cousin était parti. « Regardez. » Un moment plus tard, ils virent trois cavaliers émerger de l'obscurité et suivre le duc au petit galop. En passant près des murs éclairés par les flambeaux, l'un d'eux agita brièvement la main ; Valéry répondit en levant à son tour une main. Blaise reconnut la livrée et se détendit un peu : la comtesse d'Arbonne faisait des efforts pour protéger son duc fantasque.

« Vont-ils jusque dans les chambres à coucher ? » demanda-t-il.

Valéry gloussa et tira les rênes de son cheval. « Dans les chambres à coucher, dit-il, nous devons présumer qu'il est capable de se défendre. »

Rudel éclata de rire. « Sait-il qu'il est surveillé ?

— Probablement, répondit Valéry. Je crois que ça l'amuse.

— Comme la plupart des choses », acquiesça Rudel.

Valéry se tourna sur sa selle pour le regarder. « La plupart, mais pas toutes. Ne vous y trompez pas si vous vous joignez à nous. Ce que vous l'avez entendu dire à Daufridi ce soir, la façon dont il a traité avec lui, cela était réel. Le reste, comme ce qu'il fait maintenant, fait partie d'une longue fuite. »

Il y eut un bref silence. « Une fuite fructueuse ? » Rudel Correze était un homme extrêmement intelligent.

Blaise se souvint de la cage d'escalier au château de Baude, de la fiasque de séguignac qui passait d'une main à l'autre. « Je ne crois pas, répondit-il d'une voix posée. C'est pourquoi il y consacre tant d'efforts. À mon avis, dit-il à Valéry, il y a longtemps qu'il aurait dû tuer Urté de Miraval. »

Le visage de Valéry était camouflé dans l'ombre lorsqu'ils passèrent sous un arc couvert dans la rue. « C'est également mon avis », dit enfin le cousin de Bertran. Ils arrivèrent de nouveau dans la clarté bleue de la lune, penchés en avant en passant devant les toits abrupts des maisons. « Mais nous ne sommes pas des poètes, n'est-ce pas ? Et puis il y avait un enfant. » Sa voix exprimait une colère lasse et ancienne, un feu qui couvait encore sous la cendre.

« Il faudra qu'on m'explique ceci, dit Rudel.

— Plus tard, répondit Blaise. C'est trop compliqué pour ce soir. »

Ils poursuivirent leur route. Près du marché, certaines rues étaient éclairées, mais il n'y avait pas de foule. Comme toutes les foires, celle de Lussan n'était pas un carnaval. Tout d'abord, elle durait un mois et même Bertran de Talair, pensa Blaise, n'aurait pu survivre à autant de festivités. Les foires étaient conçues pour faire du commerce pimenté par quelques activités nocturnes.

Comme l'on pouvait peut-être s'y attendre, Rudel parut penser à cela justement au moment où ils atteignirent le palais de Talair ; deux lanternes étaient allumées à l'extérieur des murs couleur de miel. Ils conduisirent leurs montures aux écuries. Somnolent, le palefrenier sortit de l'ombre et se chargea de leurs chevaux. Tous trois se dirigèrent vers les portes avant. De retour sous les lanternes, Rudel arborait une expression que Blaise connaissait bien.

« Je connais une taverne sympathique, dit-il, un peu plus loin que le quartier portezzain du marché. Allons-nous vraiment nous coucher pour la nuit ou reste-t-il un peu de vie en nous ? J'aimerais payer un verre au prétendant de la couronne du Gorhaut. »

Valéry jeta un rapide regard circulaire, mais Rudel avait parlé à voix basse et l'endroit était désert. Blaise sentit pourtant son pouls s'accélérer en entendant mentionner ce qu'il avait dit pendant la soirée. Ses paroles avaient certainement porté.

« Il semble que, tout compte fait, nous ayons des sujets de discussion », avait déclaré Daufridi de Valensa, jaugeant Blaise d'un regard sans complaisance, puis il avait écouté avec une vive attention, les sourcils froncés, Bertran de Talair exposer ses hypothèses, certaines stupéfiantes, une au moins carrément terrifiante.

Dans la rue, Valéry secoua la tête. « Ce soir, je suis un vieillard. Trop de tournants de chemin pour ma pauvre tête. Je n'ai envie que d'un oreiller. Allez-y tous les deux. Profitez encore un peu de votre jeunesse. »

Blaise était en fait déchiré entre deux désirs aussi forts l'un que l'autre : retrouver la tranquillité de sa chambre ou chercher une réponse extérieure à l'excitation qu'il sentait en lui. Par le passé, il avait rarement résisté aux invitations de Rudel.

Pendant les premiers mois passés au Götzland et en Portezza après avoir quitté le Gorhaut pour la première fois, il avait lui-même paru chercher des moyens de fuir. Cette pensée était entièrement nouvelle. Tout compte fait, il semblait que le chemin tortueux l'ayant conduit à tant de tavernes et de villes, à tous ces tournois, ces cours et ces châteaux, les routes de la nuit et du matin, la brume de l'aube au-dessus des champs de bataille et le meurtre perpétré à Faenna l'avaient, en cette fraîche soirée d'automne arbonnaise, ramené à son pays et au Traité du pont Iersen qu'il avait à deux reprises — la deuxième fois sur le sang de sa mère au cours d'une nuit de tempête à Garsenc — juré de ne jamais accepter.

Les serments des fils cadets, même ceux des familles les plus influentes, ne signifiaient jamais grand-chose aux yeux du monde. Ce soir, il semblait que le sien pût être différent. Peut-être les sentiers de la démence étaient-ils encore plus larges, faciles et accueillants qu'on ne le disait et avait-il été tout simplement lancé sur l'un d'eux.

Blaise comprit qu'il ne dormirait pas. Leur adressant à tous deux un pauvre sourire, Valéry se dirigea vers la porte du palais et frappa doucement. Le guichet grillagé glissa vers l'arrière, puis le coran qui montait la garde ouvrit la porte. « Bonne nuit, cria le cousin de Bertran par-dessus son épaule. Essayez de ne pas faire trop de bruit en rentrant. Je vous promets que je vais dormir. »

Blaise le regarda entrer, puis se tourna vers Rudel. À la lueur des lanternes, il vit son ami incliner la tête d'un côté, les sourcils haussés dans une expression interrogative qu'il connaissait bien. Valéry avait dit plus tôt que Bertran avait beaucoup été comme ça dans sa jeunesse ; il n'était pas difficile de voir la ressemblance.

« Allons, dit-il. Si les événements se poursuivent comme ils semblent avoir débuté et que tu as l'intention de rester dans la course avec moi, c'est peut-être notre dernière chance d'entrer dans une taverne en tant que corans à la recherche d'un emploi et rien d'autre.

— Rester dans la course ? » demanda Rudel, élevant la voix pendant qu'ils commençaient à marcher. « Penses-tu que tu vas réussir à te débarrasser de moi maintenant ? » Ils tournèrent le coin et se dirigèrent vers les lumières qui éclairaient, au loin, la place du marché. La nuit était très belle, claire comme un rêve de berger. « Toutes les richesses de mon père ne pourraient me faire abandonner un jeu aussi divertissant que celui-ci l'est devenu.

— Oh ! mon Dieu ! s'écria Blaise d'un ton acerbe. Je suis content de pouvoir encore te distraire. Que se passera-t-il quand je t'enverrai demander à ton père de nous donner toutes ses richesses pour nous appuyer ? »

Rudel Correze éclata de rire. Il riait encore lorsque six hommes sortirent d'une ruelle en courant pour leur bloquer le chemin, devant et derrière, leurs arcs pointés vers eux.

Tout était alors tranquille dans la rue sombre ; les seules lumières étaient loin d'eux. Regardant ces silhouettes menaçantes, Blaise eut une pensée fugitive pour Bertran quelque part dans la ville en compagnie de Soresina de Baude, puis pour Valéry gravissant l'escalier en colimaçon du palais de ville de Talair, s'en allant paisiblement se reposer.

« Je trouve ceci franchement déplaisant, dit Rudel. J'avais très envie de boire un verre au *Senhal.* Vous savez, ajouta-t-il en haussant le ton dans l'intérêt des hommes qui les entouraient en silence, que je suis le fils de Vitalle Correze et que vous êtes certainement des hommes morts — et de la façon la plus désagréable qui soit — si vous nous importunez davantage. »

Si l'on pouvait dire une chose à propos de Rudel, songea Blaise, profitant du temps que son ami leur faisait gagner pour scruter la rue et les ruelles et voir par où ils pourraient fuir, c'était qu'il ne craignait jamais d'invoquer le nom de son père. Cela découlait sans doute des bons rapports qu'il entretenait avec lui. Blaise aurait préféré mourir plutôt que de se servir du nom encore plus imposant de son propre père en pareilles circonstances.

Une préférence dont les funestes conséquences étaient peut-être sur le point de se concrétiser. Ces hommes n'étaient ni des hors-la-loi ni des renégats. La mort dans l'âme, Blaise crut reconnaître l'un des archers. Ils ne portaient naturellement aucune livrée identifiable, mais Blaise était presque certain d'avoir déjà vu l'homme qui se trouvait le plus près de lui : l'été précédent à Tavernel, debout à côté de messire Urté de Miraval à l'entrée de *La Liensenne* la nuit de la mi-saison.

« Je pense que je les connais, murmura-t-il à Rudel. J'ai peur que ce ne soit mauvais.

— Je n'ai pas l'impression que ce soit particulièrement bon, rétorqua Rudel d'un ton cassant. Tu vas à gauche et moi à droite ? » Ils avaient des épées, inutiles contre des archers. Blaise ne voyait pas de meilleur plan. Les rues étaient désertes. Ils se trouvaient encore loin du marché. Ils devraient compter sur la lumière incertaine pour que les archers manquent leurs cibles.

« Je suis désolé. C'était mieux quand tu étais fâché contre moi.

— Pas vraiment. La colère est mauvaise pour le cœur et le foie. C'est ce que prétend le médecin de mon père. Il conseille de vivre une vie placide. Je pense que c'est la prochaine chose que je vais essayer. »

Oppressé, se préparant à prendre son élan dès que Rudel aurait bougé, Blaise se demanda l'espace d'un instant pourquoi aucun des archers n'avait prononcé une parole ou fait un geste de commande.

Puis, lorsque quatre autres hommes émergèrent rapidement de la ruelle et vinrent se placer derrière eux, il comprit. Pourquoi donner des ordres quand on ne voulait rien d'autre qu'immobiliser les victimes assez longtemps pour que leurs exécuteurs aient le temps de les abattre ? Il reconnut également ces hommes. Ce fut là sa dernière pensée lucide.

« Une vie placide, c'est ce qu'il me faut », entendit-il Rudel répéter d'un ton rêveur. Du coin de l'œil, il vit son ami mince et aristocratique s'écrouler sur ses genoux juste avant d'être lui aussi assommé par un coup de matraque en bois.

Lorsqu'il revint à lui, Blaise avait un mal de tête si violent que la pièce sembla bondir sur lui dès qu'il ouvrit les yeux. Il les referma aussitôt. Une impression demeura pourtant, tandis qu'un mince filet de conscience s'attardait en lui : il était allongé sur une couche étonnamment moelleuse et une odeur parfumée flottait autour de lui. Il reconnaissait cette odeur associée à tant de souvenirs. Et un instant plus tard, lorsqu'il reprit tout à fait conscience, Blaise comprit où il devait être. Le choc lui fit ouvrir brusquement les yeux et il tourna la tête. Le mouvement lui donna aussitôt la nausée et il poussa un cri de douleur étranglé.

« Je suis vraiment désolée, dit une voix de femme, mais j'ai dû les informer que tu ne viendrais peut-être pas de ton plein gré.

— Pourquoi te donner cette peine ? » bredouilla-t-il. Il ne pouvait la voir. Elle était derrière lui. Ce fut seulement lorsqu'il tenta, avec un autre effort pénible, de tourner son corps qu'il se rendit compte que ses membres étaient attachés. Il était sur son lit, ce qui expliquait la douceur, et ses mains et ses pieds étaient liés aux quatre colonnes. L'inoubliable odeur de son parfum l'entourait. « Pourquoi ne t'es-tu pas contentée de me faire tuer dans la rue ?

— Quoi ? » s'écria Lucianna Delonghi, entrant enfin dans son champ de vision. « Et me priver de ce plaisir ? »

Il ne l'avait pas vue depuis plus d'un an. Elle portait un vêtement d'une soie si diaphane qu'elle aurait aussi bien pu être complètement nue. Ses bijoux scintillaient : un diadème dans ses cheveux, des saphirs à ses oreilles, des diamants et des perles autour de son cou. Elle portait des bagues à ses longs doigts, de l'or, de l'argent ou de l'ivoire à ses poignets et entre ses seins un pendentif impressionnant, mémorable, rouge comme le feu qui crépitait dans l'âtre. Il se rappela qu'elle aimait les bijoux, qu'elle aimait qu'on allumât un feu dans sa chambre même quand il ne faisait pas froid, qu'elle aimait les cordes, les nœuds et les jouets dans son lit.

On avait retiré à Blaise ses habits et ses bottes ; il ne portait qu'un sous-vêtement qui camouflait son sexe. De nouveau, il essaya vainement de bouger ses mains et s'aperçut, avec une sorte de désespoir, que, en plus de la fureur et de plusieurs niveaux de douleur, il sentait le désir revenir, aussi inexorable que les marées.

Elle était si belle qu'il en eut le cœur serré. Elle incarnait cette légende du paradis où vont les corans tombés au combat. Il avait la bouche sèche. Il la contempla dans sa quasi-nudité étincelante et élancée, et le souvenir de leurs ébats, deux étés auparavant, leurs corps enlacés, les jambes de Lucianna nouées très haut autour de lui, ou bien lorsqu'elle le chevauchait, ses ongles lui égratignant les épaules et les bras, la manière éloquente dont elle renversait la tête en arrière en atteignant l'orgasme, ce souvenir lui revenait comme si tout cela se passait de nouveau, l'enveloppait comme l'odeur de la chambre. Il s'aperçut, sans pouvoir l'empêcher, que son excitation était visible. Baissant les yeux, Lucianna le vit aussi. Elle avait toujours été vive pour noter ce genre de chose. Elle détourna furtivement le regard, esquissant un léger sourire satisfait.

« Comme c'est charmant », murmura-t-elle de sa voix nuancée, un peu rauque. Elle disparut un instant de son champ de vision, puis revint. « Et dire que, tout ce temps, je pensais que tu étais parti parce que tu étais fâché, parce que tu ne me désirais plus. » Debout à côté du lit, elle le regarda. « Je n'aime pas que les hommes me quittent, Blaise. Je ne te l'avais jamais dit ? » Elle tenait à présent un couteau qu'elle avait pris sur la table de chevet. Son manche était lui aussi serti de gemmes, des rubis couleur de sang. Elle se mit à jouer avec lui, se dirigea vers le pied du lit en se mordant la lèvre inférieure comme si elle songeait à quelque chose, chassait un souvenir, puis, comme sans en avoir conscience, elle caressa de la lame la plante du pied de Blaise. Blaise sentit soudain la pointe lui transpercer la peau. Du sang coula. Il s'y était attendu.

« Je suis parti parce que tu le voulais, Lucianna. Ne prétends pas le contraire. » Pas facile de dire des choses cohérentes après le coup qu'il avait reçu et avec l'intensité croissante de son désir. Le parfum qui se dégageait d'elle empêchait Blaise de penser clairement. Elle continua à bouger près du lit et le feu éclairait les formes de son corps. « Si tu avais voulu me garder, tu sais que tu aurais pu le faire, dit-il. J'aurais été incapable de refuser, même après Engarro.

— Ah ! » dit-elle, cessant de le regarder directement. Sa peau était pâle, parfaite. Sa jeunesse donnait parfois un choc à Blaise. « Mais tu aurais voulu refuser, n'est-ce pas, mon chéri ? Tu ne serais resté que contre ton gré, empêtré dans mes rets… n'est-ce pas, Blaise ? »

Il avala sa salive avec difficulté. Elle tenait de son père, jamais il n'avait connu de femme plus subtile. Elle faisait à présent passer le couteau le long de l'intérieur de sa cuisse. « J'ai soif, Lucianna, dit-il.

— Je sais ce que tu as. Réponds à ma question. »

Blaise détourna la tête, puis la regarda dans les yeux. « Tu te trompes, dit-il. J'étais encore plus naïf que tu ne le pensais. Rudel a vainement tenté de m'avertir. Je pensais, si tu peux le croire, que tu n'étais comme ça que parce que ton père t'avait obligée à devenir un instrument politique. Je croyais que tu serais capable d'un amour sincère si tu pouvais choisir librement, et que tu pourrais réellement me donner cet amour. » Il sentit l'amertume revenir peu à peu, mêlée, comme toujours, au désir.

Tout en parlant, une pensée incongrue lui vint à l'esprit : Ariane de Carenzu lui avait tenu des propos semblables l'été précédent, dans un lit différent, à propos des choix et des chemins de l'amour. Il songea aussi, un peu tardivement, que cet échange avait quelque chose d'absurde ; il avait été amené ici pour mourir. Il se demanda où était le mari de Lucianna. Borsiard d'Andoria devait l'attendre à l'extérieur des murs de la ville. Il avait néanmoins été amené ici par les corans de Miraval — une association bizarre. Comme le disait un proverbe du Gorhaut, lorsque nos ennemis se consultent, on a besoin des ailes d'un oiseau pour voler ou de la force des lions pour se battre. En ce moment, il n'avait ni l'un ni l'autre. Il était attaché, sans défense, sur le lit de Lucianna, sa tête résonnant comme une cloche de temple.

« Fais ce que tu veux », dit-il avec lassitude tandis qu'elle restait immobile et silencieuse. Ses yeux sombres, aux paupières supérieures et inférieures soigneusement ombrées, étaient grands ouverts, mais leur expression était indéchiffrable. Il comprit qu'elle avait pris de la drogue. Cela intensifiait son plaisir. Il se demanda si elle en utilisait tout le temps, à présent. Il se demanda comment une femme mortelle pouvait être aussi belle.

Blaise essaya encore une fois d'avaler sa salive. « J'aurais cru que l'honneur de ta famille t'aurait au moins empêchée de torturer un homme qui ne t'a jamais fait ni voulu aucun mal. » On aurait cru entendre un avocat en train de plaider, songea-t-il amèrement. « Si tu dois me tuer, pour des raisons personnelles ou celles de ton mari, alors finis-en, Lucianna. » Il referma les yeux.

« Tu n'es pas vraiment en position de demander quoi que ce soit, n'est-ce pas, Blaise ? » Son ton s'était durci. « Ou de commenter de manière désagréable les lignes de conduite de mon père ou de mon mari. » Il sentit la pointe du couteau sur sa cuisse. Il refusa de réagir et garda les yeux fermés ; il ne semblait pas avoir d'autre façon d'exprimer son refus. C'était cela et le silence. Une fois, à Mignano, Lucianna s'était aperçue qu'elle avait tenu des propos qui lui avaient déplu au cours d'un banquet. Sa dame de compagnie était venue le chercher pour le conduire aux appartements de la jeune femme un peu plus tard que d'habitude. Lorsqu'il était arrivé, il avait compris pourquoi. Une centaine de bougies de différentes formes et grosseurs étaient allumées autour du lit où elle était étendue, nue dans cette lumière dansante comme une offrande dans un temple de dieux morts et oubliés. Elle avait les chevilles et les poignets liés, comme lui maintenant.

Cette nuit-là, elle avait attendu que la femme s'en allât et avait dit : « Tu es malheureux. Tu n'as aucune raison de l'être. Fais ce que tu veux de moi. » Même à ce moment-là, il avait compris qu'elle ne demandait pas pardon. Elle n'était pas femme à s'excuser. Son corps oint d'huile chatoyait tandis qu'elle se tordait lentement à droite et à gauche dans la lueur des chandelles, sans sourire, les yeux écarquillés. Debout à côté du lit, Blaise l'avait contemplée longuement. Avec des gestes lents, il avait retiré ses propres vêtements pendant que, couchée et attachée au-dessous de lui dans la lumière tamisée, elle le contemplait. Il avait ensuite dénoué tous ses liens avant de la rejoindre dans le lit.

Lucianna avait ri. Il avait cru que ce rire exprimait peut-être une certaine forme de soulagement. Revivant maintenant cet épisode, il entendit le rire différemment et comprit qu'elle avait été véritablement amusée par son innocence : un coran du Gorhaut entraîné à la guerre s'accouplant avec la femme la moins innocente du monde. En dépit de sa jeunesse, Lucianna semblait ne jamais avoir été jeune. Blaise était de nouveau amer ; cette amertume ne le quitterait jamais. Il se dit soudain que Bertran de Talair n'avait jamais réussi à se libérer de son amour de jeunesse.

Elle se taisait de nouveau. Blaise garda la tête détournée, les yeux fermés. Il sentit la pointe du poignard se retirer et, un instant plus tard, Lucianna reprit : « À cette époque, j'ai pensé... je me rappelle vers la fin de l'été, avant qu'Engarro soit tué, avoir pensé... que je t'avais rencontré trop tard. » Sa voix avait une intonation étrange. Ce ne fut pourtant pas cela qui amena Blaise à ouvrir enfin les yeux. Il avait entendu un autre bruit provenant du fond de la pièce et senti un très léger courant d'air sur sa peau.

Lucianna regardait maintenant en direction de la porte. Suivant son regard, Blaise aperçut Quzman d'Arimonda, un sourire voluptueux découvrant ses dents blanches, une dague dans la main, longue comme une petite épée.

Lucianna jeta un bref regard à Blaise, ses yeux immenses et noirs sous l'effet de la drogue ; elle lui tourna alors le dos et se dirigea vers la cheminée, ne laissant qu'un espace vide entre Blaise et l'Arimondain venu mettre fin à ses jours. C'étaient bien des corans de Miraval qui l'avaient amené ici ; la dernière pièce du casse-tête venait de se mettre en place.

« Écartelé comme un voleur de chevaux », dit Quzman, l'air réjoui. « Si nous étions en Arimonda, je l'attacherais dans le désert à côté d'un nid de fourmis rouges, je verserais du miel sur ses parties intimes et ses yeux, et je l'abandonnerais là. » Lucianna ne répondit pas. Elle contemplait les profondeurs du feu.

« Quelle chance pour moi que nous ne soyons pas en Arimonda », rétorqua froidement Blaise. Il n'allait pas donner à cet homme davantage de satisfaction que celle que sa mort lui offrirait. « Terre de lâches et de gitons incestueux. »

L'Arimondain continuait de sourire. « Tu es fou, dit-il. Tu as tort de me provoquer. Pas avec ton sexe à la portée de ma lame. Ta vie se termine ici. Le fantôme de mon frère crie vengeance, il réclame ton ombre dans l'autre monde et je peux rendre ton passage vers le dieu facile ou très dur.

— Non, tu ne le peux pas », dit calmement Lucianna, leur tournant à tous deux le dos. « Fais ce que tu es venu faire, mais vite.

— Ce que je suis venu faire ? Je suis venu pour une exécution », répondit l'Arimondain, son sourire s'élargissant. « Et peut-être pour quelque plaisir sur son cadavre.

— Tu es trop présomptueux », dit Lucianna, fixant toujours le feu. Elle parlait d'une voix neutre, très basse. L'Arimondain rit en s'approchant du lit.

« Tu m'infliges une sévère punition pour t'avoir rencontrée trop tard », dit Blaise, son regard quittant l'homme armé pour se poser sur la femme qui lui avait enseigné tout ce qu'il savait à propos de certaines dimensions de la joie et de la douleur. « J'espère que ceci plaira à ton nouveau mari et peut-être même au prochain. »

Lucianna fit entendre un léger son ; Blaise pensa qu'elle riait peut-être. Il n'eut toutefois pas le temps d'en être sûr, car alors qu'il se retournait pour affronter la mort comme un homme doit le faire, avec dignité et en acceptant le pouvoir infini et éternel du dieu, la porte s'ouvrit de nouveau et, totalement stupéfait, Blaise vit entrer sa belle-sœur derrière l'Arimondain.

« Si vous vous servez de cette arme, annonça Rosala de sa voix la plus cassante, je jure par le saint Corannos que je vous ferai amener en présence de la comtesse d'Arbonne avant la fin de la nuit et que je n'aurai pas de repos avant que vous ne soyez tous les deux punis pour ce meurtre commis pendant une trêve. »

Alors, comme, une fois ces mots prononcés, la fureur qui l'avait poussée là semblait retomber et que tous trois la dévisageaient, Rosala vit pour la première fois — Blaise s'en rendit réellement compte — celui qui était étendu sur le lit. Elle dit alors, d'une voix si différente qu'elle aurait presque pu porter à rire : « Blaise ? »

Lucianna éclata de rire. « Comme c'est touchant ! Une réunion », murmura-t-elle en se détournant du feu. Elle tenait toujours son poignard serti de pierres précieuses. « Les enfants errants du Gorhaut dans l'antre de la dame noire. Un bon sujet pour une ballade.

— Je ne crois pas, dit Quzman d'Arimonda. Car à présent, tous deux doivent mourir. »

Il ne souriait plus. Il fit un autre pas vers Blaise.

« Maintenant », dit Lucianna Delonghi d'une voix forte et claire.

Les portes intérieures, de chaque côté du lit, s'ouvrirent brusquement. Entrèrent alors une demi-douzaine de corans portant les couleurs de la comtesse d'Arbonne, l'épée à la main, rapidement suivis par Roban, le chancelier d'Arbonne, puis, plus lentement, par un homme très beau, aux cheveux noirs, vêtu de façon somptueuse. Fermant la marche, Rudel Correze, bougeant avec beaucoup de précaution, tenant une compresse sur un côté de sa tête.

Les corans entourèrent l'Arimondain. L'un d'eux lui arracha sa dague. Quzman continua à dévisager Lucianna d'un air lugubre et malveillant. Elle lui lança un bref regard glacialement patricien. « Tu as commis une erreur, dit-elle, et tu es un homme vulgaire et déplaisant. On aurait pu te pardonner ta vulgarité, mais pas tes manières désagréables. J'ajouterais que les deux choses s'appliquent également au duc de Miraval pour qui tu travailles en ce moment. »

Elle prononça ces dernières paroles d'une voix très claire aussi. Blaise vit le bel homme qui était le père de Lucianna esquisser un sourire furtif tandis que Roban le chancelier se crispait. Blaise commença à comprendre qu'il n'allait pas mourir, pour le moment du moins. Que Lucianna avait tout manigancé pour tendre un piège à... à qui ? Quzman ? Urté ? Les deux ? Il regarda à sa gauche et vit Rudel s'appuyer à une colonne du lit et le fixer avec une expression qui aurait pu paraître amusée si son visage n'avait pas été aussi vert.

« Si tu continues à rester planté comme un piquet et ne coupes pas ces cordes », gronda Blaise, les dents serrées, « je ne serai pas responsable de ce que je te ferai après.

— À moi ? répliqua son ami avec émotion. Que pourrais-tu me faire de plus que ce qui m'a déjà été infligé ? J'ai failli me faire trucider par les corans de Miraval dans l'intérêt d'un stratagème mis au point par ma détestable cousine Lucianna et qui n'a rien à voir avec moi. » Mais, se mouvant avec précaution, il commença à trancher les liens de Blaise.

« Vous comprenez que vous êtes à présent remis entre les mains de la comtesse d'Arbonne », annonça le chancelier à Quzman. Il n'avait pas l'air content. Enfin capable de s'asseoir, se frictionnant lentement les poignets, Blaise croyait comprendre pourquoi. « Au matin, elle décidera de votre sort », conclut froidement Roban.

L'Arimondain était un homme courageux. « Du mien uniquement ? demanda-t-il. Vous voyez comment cette femme a fait ligoter le nordique tel un porc à saigner ? Vous savez que son mari a essayé de le faire tuer sur la route. La laisserez-vous jouer ce double jeu et rire ainsi de nous tous ? » Lucianna se tenait près des fenêtres, revêtue maintenant d'une robe plus épaisse. Elle ne se donna pas la peine de regarder Quzman ni aucun d'entre eux.

« Je ne vois personne rire, reprit le chancelier. Et si le jeu était double, c'est contre vous seul qu'elle l'a joué. Elle m'a révélé votre proposition la nuit dernière, aussitôt après qu'elle lui fut faite. »

Une tentative de faire diversion et de limiter les dégâts, pensa Blaise, mais qui n'avait pas de grandes chances de réussir. Pas avec l'autre homme qui était entré dans la pièce et qui écoutait attentivement. Blaise connaissait assez bien Massena Delonghi. Il avait vécu dans ses palais deux étés auparavant et dormi avec sa fille. Lui et Rudel avaient tué un prince pour lui.

Pourtant, la tournure des événements montrait que, tout compte fait, Lucianna n'avait pas eu l'intention de faire assassiner Blaise cette nuit-là. La manière dont elle l'avait fait ligoter, de même que ses gestes et ses paroles nécessitaient toutefois une explication. Ou peut-être que non, se dit-il après réflexion. « Je n'aime pas que les hommes me quittent, Blaise. Je ne te l'avais jamais dit ? » C'était peut-être l'explication. Peut-être n'avait-elle rien dit d'autre que la vérité. « Comme ce serait nouveau ! » songea-t-il avec une ironie désabusée.

Tel que prévu, la tentative de diversion du chancelier fut un échec. « Une autre personne est impliquée », dit Massena Delonghi, l'homme doucereux qui, disait-on, cherchait à dominer la Portezza et se servait des mariages de sa fille pour y arriver. « Si je suis bien informé, cet Arimondain est au service du duc de Miraval. Ma chère fille me fait comprendre que ce sont les corans du duc Urté qui ont attaqué notre jeune ami de même que notre bien-aimé cousin.

— Merci, dit joyeusement Rudel. Je suis très content que quelqu'un s'en souvienne. »

Roban semblait de plus en plus contrarié. « Nous demanderons évidemment à messire Urté ce qu'il a à dire de tout ceci dès ce matin. Pour le moment, il n'y a que cet homme pris, grâce aux... expédients... de votre fille, en flagrant délit de tentative de meurtre.

— Pour laquelle il sera marqué et pendu, j'imagine ? » Lucianna s'était finalement tournée vers eux, haussant les sourcils. Sa voix et ses manières reflétaient comme un miroir glacé et brillant celles de son père. Blaise se rappelait aussi cet aspect d'elle. Elle fixa le chancelier. « Exactement comme cet infortuné cousin de mon cher mari a été marqué et pendu par le duc de Talair. Exactement de la même manière, j'ose le suggérer. Sinon, nous devrons malheureusement douter de l'impartialité de la comtesse d'Arbonne en ce qui concerne la justice qu'elle pratique à l'égard des étrangers qui servent ses propres seigneurs de haut rang. » Les célèbres sourcils demeurèrent haussés d'une manière éloquente.

« De plus, ajouta Massena Delonghi d'un ton plus chagriné que désapprobateur, il faudra également déterminer la responsabilité du duc Urté en ce qui concerne cette violation flagrante de la trêve de la foire. Un pénible devoir pour la comtesse, j'en conviens, mais si les nobles portezzains doivent être exécutés comme de vulgaires bandits, elle ne peut certainement pas refuser de voir les transgressions commises par ses gens, quel que soit leur rang. »

Blaise comprit que le père de Lucianna jouissait de chaque instant de la scène. C'était exactement le genre d'intrigue compliquée qu'affectionnaient les Delonghi. Massena n'avait pas grand-chose à tirer, sinon rien, de la chute d'Urté ou de l'embarras de la comtesse, mais il prendrait plaisir et — Blaise n'en doutait pas — trouverait finalement son intérêt à être au centre de ces deux possibilités. Si l'Arbonne avait espéré garder pour elle ses querelles internes, ses efforts en ce sens étaient presque certainement voués à l'échec à présent. Blaise se demanda cyniquement si Massena Delonghi allait bientôt écrire à Galbert de Garsenc ou envoyer un agent à Cortil pour une visite informelle à la cour du roi Adémar afin de suggérer quelque secrète transaction visant à offrir aux Delonghi une compensation pour la déconfiture de l'Arbonne.

Se révélant en fin de compte utile sinon très efficace, Rudel avait enfin libéré les chevilles de Blaise. Il avait en outre trouvé, dans un coin de la pièce, ses vêtements et ses bottes. Blaise s'habilla aussi vite que le lui permit sa tête douloureuse. Rosala s'était assise sur un siège bas près de la porte, seule, un peu à l'écart des autres. Elle observait néanmoins chacun de ses mouvements avec une expression curieusement tendue. Il éprouva un léger choc en prenant conscience que, la dernière fois qu'ils s'étaient vus, il était également nu. En l'occurrence, elle aussi l'était.

À côté de Rosala, la porte de la chambre était restée ouverte. La servante de Lucianna entra, ce qui mit fin à ses cogitations. Blaise se souvenait bien d'Iméra. Cette femme au regard rusé l'avait bien des fois silencieusement accompagné dans un palais ou un autre, la nuit, jusqu'aux appartements de sa maîtresse. Iméra s'arrêta dans l'embrasure de la porte, embrassa la scène du regard et se permit, en observant l'Arimondain cerné d'épées, le plus bref sourire que l'on pût imaginer.

La regardant, Blaise eut vraiment la sensation de revivre le passé cette nuit — tout d'abord dans cette auberge à l'extérieur des murs en compagnie de Rudel et du roi Daufridi, et maintenant ici, dans la chambre de Lucianna —, de traverser différentes périodes de son histoire. Il ne manquait plus que...

« La comtesse d'Arbonne », annonça Iméra.

Bien sûr, songea Blaise, qui tâta la bosse encroûtée de sang à l'arrière de son crâne, se préparant à s'agenouiller. Il n'était pas vraiment surpris ; il commençait même à trouver la situation singulièrement cocasse. Menue et élégante, Cygne de Barbentain fit son entrée d'un pas vif, vêtue d'une robe bleu pâle garnie de perles. Elle était suivie — et cela fut un choc — de la silhouette imposante et rébarbative du duc Urté de Miraval.

« Ma dame ! s'exclama Roban tandis que tous faisaient la révérence. Je pensais que vous dormiez. Je ne voulais pas...

— Que je dormais ? Alors qu'on joue une si belle musique au rez-de-chaussée et qu'on fomente la trahison aux étages de notre palais ? Je dois seulement remercier le duc de Miraval qui m'a amenée ici à temps pour prendre la situation en main. Ce matin, nous aurons à discuter de certaines choses, vous et moi, Roban.

— Mais, comtesse, commença avec un peu trop de conviction le chancelier, c'est le duc de Miraval lui-même qui...

— Qui a été informé par un Arimondain à son service d'un complot ourdi par l'épouse de Borsiard d'Andoria, banni de la foire, contre la vie de notre cher ami du Gorhaut. » La voix et l'attitude de Cygne avaient une austérité glaciale.

« Quzman, j'ai le regret de le dire, a des griefs personnels contre le nordique, ajouta onctueusement Urté. Sa haine est si profonde qu'il est prêt à violer une trêve pour prêter main-forte à une dame d'Andoria ayant de sombres desseins. J'ai accepté de permettre que l'affaire soit poursuivie jusqu'à un certain point, convaincu qu'on pourrait y mettre un terme et exposer ainsi le mal portezzain à sa source. Je suis content de constater que c'est ce qui s'est produit. » Il dévisageait froidement Lucianna.

Blaise jeta un coup d'œil à Rudel et son ami lui adressa en retour un sourire contraint, tenant toujours un linge sur un côté de sa tête. Ils se tournèrent en même temps vers le chancelier d'Arbonne. Là encore, Roban avait l'air juste un peu trop surpris. « Voici un homme intelligent, pensa Blaise. Il finira par tirer son épingle du jeu. » Il remarqua que Massena Delonghi avait un peu pâli sous son hâle, mais il souriait lui aussi, montrant qu'il appréciait la clarté de la situation.

« Mais, comtesse, il y avait vraiment un complot portezzain, reprit Roban comme pour faire écho aux pensées de Blaise. La gracieuse dame Lucianna Delonghi d'Andoria n'a fait cela que pour compromettre ce même Arimondain. Elle m'a personnellement informé des desseins de ce dernier hier soir. Elle a seulement fait semblant d'adhérer à son plan pour éviter que le coran du Gorhaut ne soit exécuté sommairement. Elle semble avoir compris que, ah !... le duc de Miraval était activement impliqué dans les projets de son subalterne.

— De toute évidence, j'aurai mal compris, murmura Lucianna d'une voix doucereuse dans le silence qui suivit. Je devrai certainement faire amende honorable auprès du duc lorsqu'une occasion plus intime se présentera. » Elle adressa à Urté son plus éblouissant sourire.

« Ma chère fille a une nature si impulsive », renchérit Massena Delonghi, jouant le jeu, « et elle était si naturellement désireuse de réparer... la transgression tout aussi impulsive dont son mari s'était rendu coupable un peu plus tôt. » Il haussa les épaules et tendit les mains. « Il semble que nous ayons tous agi de bonne foi.

— Sauf cet homme », dit Cygne de Barbentain d'un ton glacial. Elle fixait l'Arimondain.

Blaise constata de nouveau que Quzman d'Arimonda n'était ni un lâche ni un idiot. Il souriait, entouré de lames et de regards hostiles.

« Cela se passe toujours ainsi, n'est-ce pas ? » demanda-t-il posément, fixant son employeur. Imperturbable, le duc Urté ne répondit pas. « Tout compte fait, c'est moi qui suis sacrifié et non pas l'homme qui a assassiné mon frère. Je me demande pourtant, ajouta-t-il en regardant impudemment la comtesse d'Arbonne dans les yeux, comment je suis censé avoir utilisé ce soir dix corans de mon seigneur de Miraval à son insu. »

« Le point faible », pensa Blaise, passant les possibilités en revue. « Il va entraîner Urté dans sa chute. » Mais une fois de plus, il sous-estimait l'Arbonnais.

« Une grande déception pour moi », dit messire Urté de Miraval, sa voix exprimant un certain regret. « Désirant éprouver la loyauté et la prudence de mes corans, j'ai décidé de ne pas les informer des projets de Quzman ni de saper ses plans. Mais hélas ! dix d'entre eux n'ont en effet pas su résister à son indéniable influence. Ils avaient des raisons personnelles de haïr ce coran gorhautien depuis la mort de cinq de leurs compagnons survenue il y a six mois lors d'un incident des plus déplorables. Ils ont accepté de lui prêter main-forte pour cet acte terrible.

— Alors, il faut certainement que ces hommes soient punis », dit Massena Delonghi à la comtesse, hochant la tête en entendant la dernière révélation des déprédations de ce monde, des maux qui paraissaient si effrontément proliférer au milieu des honnêtes hommes.

Blaise vit que Quzman d'Arimonda souriait toujours. Il arborait à présent une expression terrible, il comprenait tout.

« Ils ont déjà été punis, répondit Urté d'un ton sec. Ils sont morts. »

Blaise réalisa alors que le chancelier avait gagné, en fin de compte. Étant donné que son seul but avait été de limiter les répercussions de tout ceci, d'empêcher la comtesse d'avoir à faire face à la querelle amère entre Miraval et Talair à ce point fort sensible de la situation de l'Arbonne, il avait certainement réussi. Regardant de nouveau Rudel, Blaise discerna une admiration désabusée dans les yeux de son ami qui observait le modeste chancelier.

Impulsivement, Blaise se tourna vers la porte, vers le banc où Rosala était assise et lut, sans en être vraiment surpris, la même perspicacité cynique dans son expression. Elle avait toujours été vive. Il avait été trop facile de la voir uniquement comme une femme au début, l'épouse choisie pour son frère aîné, de ne pas se rendre compte à quel point elle était intelligente en réalité. Pourtant, à certains rares et brefs moments, quand il s'était trouvé chez lui, Blaise avait bien été obligé de se rappeler de qui Rosala était la fille et d'admettre que tous les enfants de Cadar de Savaric connaissaient plus d'une ou deux choses sur les affaires du monde. En repensant à tout cela, il fit quelques pas dans sa direction. Rosala représentait le dernier, sinon le plus grand, mystère de cette nuit.

Surpris une fois de plus, il vit Cygne de Barbentain se tourner également pour sourire à Rosala, puis s'asseoir à côté d'elle sur le banc. La comtesse d'Arbonne prit les mains de la jeune femme entre les siennes. « Vous pensiez sauver une vie, n'est-ce pas ? » demanda-t-elle. Elle parlait à voix basse, mais Blaise, en s'approchant, concentra son attention sur les deux femmes et entendit. Derrière lui, le chancelier ordonna que l'on ligotât l'Arimondain.

« Je le pensais, entendit-il Rosala répondre. Je ne savais pas de qui il s'agissait.

— Ce qui rend votre geste encore plus courageux, ma chère. Comment va Cadar ? »

Blaise cligna les yeux et s'immobilisa.

« Il dort dans la chambre au fond du couloir en compagnie de sa nourrice », répondit Rosala. Elle leva les yeux sur Blaise en disant ces paroles, ses yeux bleu clair fixant les siens à travers la pièce.

« Alors pourquoi ne pas laisser là ces affaires obscures et aller jeter un regard sur votre enfant ? reprit la comtesse.

— Je le voudrais bien », répondit la femme de son frère en se levant. Blaise s'aperçut que son cœur battait très fort. « Vous ne l'avez pas vu depuis ce matin, n'est-ce pas ? »

Cygne se leva elle aussi en souriant. « Mais j'ai pensé à lui toute la journée. Nous y allons ? »

Blaise n'en fut pas tout à fait certain, mais il eut l'impression d'avoir traversé la pièce pour se diriger vers elle. La comtesse le regarda ; son visage harmonieux arborait une expression posée. C'était néanmoins Rosala qu'il fixait. Il s'inclina et l'embrassa sur les deux joues.

« Ma dame, quelle grande surprise », dit-il gauchement, se sentant rougir. Il n'avait jamais été à l'aise avec elle. « Vous avez eu un enfant ? Vous l'avez mis au monde ici ? »

Rosala gardait la tête haute, ses beaux traits intelligents ne trahissaient aucune détresse, mais de près il y discerna des marques d'épuisement et de tension. Cela ne l'avait pourtant pas empêchée d'entrer brusquement dans cette pièce, au péril de sa propre vie, suivant un homme armé pour sauver la personne qui était peut-être en danger.

« Je regrette que vous l'appreniez de cette façon, répondit-elle d'un ton grave. On m'avait dit que vous étiez ici, mais il ne semblait pas facile de vous en informer étant donné que j'ai quitté Garsenc à l'insu de Ranald et que je n'y retournerai pas. » Elle s'arrêta un instant pour lui laisser le temps de commencer à se faire à cette idée. « J'ai mis un enfant au monde il y a deux jours, par la grâce de Corannos et de Rian. Mon fils dort en ce moment au bout du couloir. Il s'appelle Cadar. Cadar de Savaric. » Elle s'arrêta une deuxième fois. Blaise avait l'impression d'avoir été frappé de nouveau, d'avoir reçu un autre coup sur la tête, à l'endroit même où le bâton l'avait atteint plus tôt. « Vous pouvez le voir si vous le désirez, conclut sa belle-sœur.

— Que c'est joli, quelle scène émouvante ! s'écria une voix amusée juste derrière lui. Les enfants perdus du Gorhaut. J'avais sûrement raison, il faudra que quelqu'un compose une ballade à ce sujet. Pourquoi n'allons-nous pas tous faire des risettes à ce bébé ? » Blaise n'avait pas entendu Lucianna approcher. Auparavant, tout son être était si concentré sur elle qu'il savait à quel endroit précis elle se trouvait dans la pièce. Étrangement, ce changement fit naître en lui un obscur sentiment de tristesse.

« Je ne crois pas vous avoir invitée, dit Rosala d'un ton calme. Vous pourriez avoir envie d'utiliser la lame que j'ai vue. »

Elle avait donc vu le poignard et probablement le sang là où l'avait piqué la lame dansante. Blaise se demanda ce qu'elle avait pensé. Si toutefois il y avait quelque chose à penser. Lucianna n'avait cependant pas l'habitude de se faire rabrouer par d'autres femmes. « Je ne poignarde les bébés que lorsqu'ils me réveillent la nuit, murmura-t-elle de sa voix la plus nonchalante. Les hommes me donnent davantage de raison de leur en vouloir, et aussi des plaisirs différents. Comme je suis réveillée, votre enfant ne risque rien pour le moment. Du moins en ce qui me concerne. Ne craignez-vous pas cependant que ce cher et impétueux Blaise ne s'en saisisse et ne l'envoie chez lui à son père et son frère ?

— Pas vraiment, répondit Rosala en regardant Blaise. Ai-je tort ? »

Lucianna éclata de rire. La comtesse d'Arbonne restait immobile, contemplant la fille de Massena Delonghi avec une expression songeuse et, se sentant ainsi observée et évaluée, Lucianna se calma. Malgré la douleur lancinante, Blaise réfléchissait frénétiquement, s'efforçant de démêler les énormes conséquences de la situation. Un autre souvenir émergeait aussi, à demi enfoui dans sa tête : une nuit de tempête au château de Garsenc huit mois auparavant, la nuit de son dernier départ.

Il écarta vivement cette pensée. Elle lui avait posé une question et attendait la réponse. « Étant moi-même parti, dit-il, je pourrais difficilement ramener qui que ce soit à ce château. Sur ce point, du moins, vous n'avez pas à vous inquiéter. Vous savez toutefois qu'ils n'accepteront probablement pas la situation.

— Nous le savons tous, approuva Cygne de Barbentain. Plus tôt, nous espérions que vous pourriez suggérer quelque chose.

— À quel sujet ? demanda Rudel en les rejoignant. Un remède pour guérir un crâne fendu ?

— Des affaires de famille », répondit laconiquement Blaise, même si c'était plus que cela, beaucoup plus étant donné qui était sa famille et ce qu'elle représentait.

Ce fut à cet instant précis qu'une nouvelle idée surgit et commença aussitôt, à une vitesse inquiétante, à prendre forme dans sa tête. Il fit les présentations d'usage et se tourna pour regarder les autres personnes présentes dans la pièce. Il réfléchissait à présent très fort et ses réflexions le guidaient avec une froide et implacable logique. Cela ne le rendait pas heureux, pas du tout.

Urté de Miraval conversait calmement avec Massena Delonghi près du feu. Les corans de Barbentain étaient en train de ligoter Quzman l'Arimondain et ne le traitaient pas avec beaucoup d'égards. Il gardait cependant la tête haute et son expression arrogante ; il ne se donnait pas la peine de lutter. À côté de Blaise, Rudel Correze s'inclina devant la comtesse, puis fit la révérence et baisa la main de Rosala. Lucianna murmura quelque chose à son cousin que Blaise n'entendit pas.

Il prit une profonde inspiration. La vie pourrait être plus simple, se dit-il juste avant de parler, s'il ne s'arrangeait pas pour la rendre si difficile.

« Un moment, je vous prie », dit-il avec assurance en s'adressant au chancelier d'Arbonne. Fait intéressant : les autres conversations cessèrent dès qu'il ouvrit la bouche. Il n'avait pas l'habitude d'être le centre d'intérêt dans ce genre de réunion. Il se demanda comment c'était arrivé. Lucianna se tenait, sans que cela fût nécessaire, près de lui. Il essaya de faire comme si de rien n'était.

Roban, qui ne l'aimait pas beaucoup, leva un sourcil.

« Je voudrais suggérer quelque chose, reprit Blaise. En dernier recours, cette affaire ne concerne que cet homme et moi. » Il fit un signe de tête en direction de l'Arimondain. « Il est inutile de mêler à cela la comtesse ou les... très graves problèmes actuels. J'ai abattu son frère lorsque j'ai été attaqué il y a quelque temps. Il y voit un motif de vengeance. Je dois admettre que je penserais comme lui si mon propre frère avait été tué. » Il entendit Rosala faire un petit bruit derrière lui, comme si elle retenait son souffle. Cela aussi était intéressant ; de toutes les personnes présentes, elle semblait être la seule à voir où il voulait en venir. En partie, du moins. Elle ne pouvait tout savoir.

« Ce que vous dites n'est pas tout à fait exact, l'interrompit Massena Delonghi d'un ton posé. Il reste la question de la violation de la trêve. Peu importe vos problèmes personnels qui, en effet, ne regardent que vous, il s'était engagé à attendre la fin de la trêve pour les régler.

— Quoi qu'il en soit, cela ne regarde pas qu'eux », ajouta Rudel, intervenant d'une façon irritante. « Corrigez-moi si je me trompe, mais il me semble que je me souviens d'avoir, l'été dernier, entendu parler d'un décret de la comtesse concernant les tueries entre gens de Talair et de Miraval. »

Blaise comprit alors ce que son ami était en train de faire et s'adressa des reproches. Il aurait dû le savoir. Rudel ne s'imposait pas : il proposait à Blaise son prochain argument, s'il en voulait.

« À ce propos, je ne suis plus un coran de Talair. Je ne le suis plus depuis qu'on a attenté à ma vie sur la route. Comme mon identité a été révélée à ce moment-là, le duc de Talair a jugé inopportun de donner des ordres au fils de Galbert de Garsenc comme s'il s'agissait d'un mercenaire quelconque. Je l'accompagne désormais uniquement à titre d'ami. Ce qui se passe entre Quzman d'Arimonda et moi ne viole par conséquent en rien le décret de la comtesse. »

L'Arimondain avait recommencé à sourire, ses dents blanches contrastant avec sa peau sombre. Son corps magnifique était sillonné de muscles. Il était rusé et extrêmement dangereux.

« Je propose, poursuivit Blaise sans se départir de son calme, que cet homme et moi nous nous affrontions au tournoi et que l'issue du combat mette fin à toutes les affaires de cette nuit. »

Quzman le regarda. « Je devrais peut-être te considérer comme un homme, après tout, dit-il. Jusqu'à la mort ? »

Blaise haussa les épaules. Le moment était venu. « Sinon, pourquoi se donner cette peine ? »

Derrière lui, Rudel chuchota un violent juron. Cela signifiait qu'il n'avait pas exactement compris les intentions de Blaise. Ce dernier en ressentit un léger plaisir ; cela ne lui arrivait pas souvent de prendre Rudel au dépourvu. Derrière lui, Rosala se taisait. Ce fut la comtesse d'Arbonne qui prit la parole, d'une voix très douce.

« Je ne devrais pas le permettre. J'ose espérer que vous avez une raison ?

— Je l'espère aussi », répondit Blaise sans se retourner, continuant à soutenir le regard de l'Arimondain. Il savait depuis longtemps que les premiers moments d'un défi déterminent souvent ce qui va suivre. Il était important pour lui de ne pas détourner le regard.

Urté de Miraval fit un large sourire. « Mille en or sur l'Arimondain, annonça-t-il. Quelqu'un tient le pari ?

— Moi, dit Massena Delonghi. Cela ajoutera du piment au spectacle. »

Sa fille se mit à rire.

« Il semble que l'on s'attende à ce que je donne mon consentement, dit Cygne de Barbentain. Je n'arrive pas à voir d'où vous vient cette attente. Pourquoi accorderais-je à l'Arimondain même une chance de sauver sa vie ? »

Blaise se tourna vers la femme courageuse et d'une exquise beauté qui gouvernait le pays. « Parce que je vous le demande, répondit-il gravement. Il n'y a pas d'autre raison. L'Arbonne a toujours été réputée pour la grandeur et la générosité de ses dirigeants. Au Gorhaut, certaines personnes préfèrent le nier. » Il se tut un instant ; le regard bleu de la comtesse scrutait attentivement le sien. « Je n'en fais pas partie, Votre Grâce. Plus maintenant. »

Il crut voir dans ses yeux une étincelle de compréhension puis de chagrin, mais n'en fut pas certain. Impulsivement, il s'agenouilla devant elle. Il sentit la main de Cygne se poser sur sa tête. Les doigts minces caressèrent ses cheveux, puis descendirent sur sa joue et dans sa barbe. Elle releva son menton pour le regarder.

« Nous vous aimons, Blaise du Gorhaut, dit-elle d'un ton officiel. Nous espérons seulement que ce duel ne nous donnera pas d'autres causes de soucis. Puisque vous nous l'avez demandé, nous y consentons. » Elle regarda au-dessus de la tête de Blaise. « L'Arimondain restera emprisonné jusqu'au moment du duel, mais il ne lui sera fait aucun mal. Ces deux hommes combattront devant nous jusqu'à la mort de l'un des deux, et ce combat aura lieu le premier matin du tournoi conformément à notre décret. Nous allons à présent nous retirer. Ces sujets nous sont désagréables et il y a un enfant que nous n'avons pas vu de toute la journée. »

Blaise accompagna la comtesse et Rosala au bout du couloir. Lorsqu'ils entrèrent dans la chambre, le bébé était réveillé et la nourrice qu'on lui avait trouvée était en train de l'allaiter. Blaise le contempla longuement, puis se tourna vers Rosala. Le visage de sa belle-sœur ne donna aucune réponse à ses questions muettes. Il ne s'était d'ailleurs pas attendu à en recevoir.

Lorsqu'il revint seul dans le corridor quelques instants plus tard, il vit qu'Iméra l'attendait dans un recoin sombre près de l'escalier. Cela ne l'étonna qu'à moitié. D'une main, elle lui fit signe. Regardant derrière elle, il constata que la porte de la chambre de Lucianna était entrebâillée. La lumière de la torche clignotait dans le corridor.

De nouveau, le désir le submergea comme une vague, le formidable reflux d'un océan noir, éclairé par les étoiles, sur une grève rocheuse. Debout dans la pénombre avec la servante de Lucianna, Blaise comprit qu'il n'en serait sans doute jamais délivré. Un battement de cœur plus tard, avec un sentiment proche de celui que l'on éprouve parfois lorsque la lune blanche émerge des nuages pour répandre sa lumière sereine sur la terre où vivent et meurent les hommes et les femmes, il s'aperçut qu'il pouvait dompter ce désir. Il n'y était pas asservi. Il pouvait sauter par-dessus la vague. Il prit une lente inspiration, secoua gentiment la tête et, passant devant Iméra, il descendit le sombre escalier en spirale.

Des gens étaient encore réveillés et des lumières étaient allumées dans la grande salle de Barbentain. Un homme dégingandé, aux cheveux noirs, chantait. Blaise s'arrêta à la porte et écouta un instant. La voix était sonore et triste, très belle en vérité. Il crut reconnaître le chanteur ainsi qu'un ou deux autres musiciens. Puis il aperçut une femme qu'il fut certain de reconnaître : la chanteuse du carnaval, Lisseut. Ses cheveux bruns paraissaient différents, ce soir. Il comprit pourquoi un moment plus tard : ils étaient propres et lustrés et non pas dégoulinants et emmêlés sur ses épaules. Amusé par ce souvenir vivant, il attendit que son regard quittât le chanteur pour errer dans la pièce. Lorsqu'elle le vit à la porte, elle sourit aussitôt et leva une main. Blaise lui rendit son sourire.

Il songeait à traverser la salle pour aller lui parler lorsque quelqu'un lui effleura le coude.

« J'ai pensé attendre un peu, dit Rudel. Je n'étais pas tout à fait sûr que tu descendes avant le matin. »

Blaise regarda son ami. « Moi non plus, répondit-il. Jusqu'à maintenant. Je me sens libéré de quelque chose.

— Libre de mourir ? demanda Rudel d'un air neutre.

— Nous le sommes toujours. C'est le cadeau du dieu et le fardeau qu'il nous impose.

— Ne sois pas si pieux. Nous ne sommes pas tous assez fous pour inviter la mort, Blaise. »

Blaise sourit. « Est-ce Rudel Correze qui parle ainsi ? Le mercenaire le plus téméraire de tous ? Si cela peut te rendre heureux, je te laisserai m'énumérer toutes les raisons pour lesquelles je suis fou sur le chemin du retour.

— Cela me fera un grand plaisir », répondit Rudel. Et il s'exécuta avec minutie et lucidité tandis qu'ils marchaient du château jusqu'au palais de Bertran de Talair à Lussan.

Blaise écouta la plus grande partie de ce que disait son ami, mais, tandis qu'ils approchaient de la maison de Bertran, son esprit se remit à vagabonder, allant et venant puis faisant des efforts hésitants pour aller de nouveau vers le dernier et le plus difficile problème de cette pénible nuit.

C'était la première fois qu'il voyait un nouveau-né. Le bébé avait, chose étonnante, une chevelure rousse et fournie et déjà le nez des de Garsenc, c'était indiscutable. Il ressemblait à Ranald. Il ressemblait aussi à Blaise. Rosala l'avait tenu dans ses bras après qu'il eut fini de téter et avant qu'on ne l'emmaillotât. Ni ses yeux ni ses paroles n'avaient rien révélé. C'est-à-dire rien d'autre que l'amour tandis que Blaise la regardait contempler son fils endormi.

Ils viendraient évidemment les chercher.

Son grand-père et le roi du Gorhaut viendraient indubitablement chercher cet enfant. En quelques mots, Rosala avait raconté à Blaise son dernier entretien avec Galbert. Il se demanda si son père avait fait exprès de provoquer ce conflit. Ce n'était pas le genre de pensée qu'il pouvait confier à Rosala.

« Tu n'as même pas dit un mot pour ta défense », se plaignit Rudel d'un ton aigre lorsque, pour la deuxième fois cette nuit-là, ils arrivèrent sous les lumières allumées à l'extérieur du palais de Bertran.

« Je n'ai rien à ajouter. Tout ce que tu as dit est vrai.

— Et alors ? »

Blaise resta un moment silencieux. « Dis-moi, pourquoi as-tu dépensé une telle somme de l'argent du meurtre pour offrir un bijou à Lucianna ? »

Rudel s'immobilisa. La rue pavée était très calme et les étoiles scintillaient au loin.

« Comment l'as-tu appris ? Est-ce qu'elle t'a dit que je...

— Non. Elle ne ferait jamais une chose pareille. Je l'ai reconnu, Rudel. Tu m'as montré ce rubis une fois chez un joaillier d'Aulensburg. Il n'était pas difficile de faire le rapport. Écoute-moi bien, Rudel : nous sommes tous fous chacun à notre façon. » L'endroit où ils se tenaient était très sombre, même si deux torches brûlaient derrière eux. Le ciel était très clair et une brise soufflait. Les deux lunes étaient couchées.

« Je l'aime, finit par avouer son ami. Je ne peux traiter personne, vivant ou mort, de fou. »

Honnêtement, Blaise l'avait ignoré jusqu'au moment où, cette nuit, il avait vu cette gemme inoubliable étinceler entre les seins de Lucianna. Il se sentait triste, pour plusieurs raisons.

Il sourit cependant et toucha le bras de son ami. « Tu m'as parlé d'une taverne sympathique il y a quelque temps. Il semble que nous ayons été interrompus. Si tu es d'accord, je voudrais bien faire une autre tentative. »

Il attendit puis vit que Rudel, lentement, lui rendait son sourire.

Ils rentrèrent au lever du soleil, en même temps que le jour.

Chapitre 5

En Arbonne, les tournois et les duels se déroulant en présence des femmes étaient sous l'égide de la reine de la Cour d'amour. Ariane de Carenzu avait donc la responsabilité de voir à ce que le protocole entourant le défi lancé à la Foire de Lussan entre Blaise du Gorhaut et Quzman di Peraño d'Arimonda fût respecté.

Ce fut également Ariane qui réagit de la façon la plus sèchement prosaïque à tout ce que Blaise avait fait la nuit précédente. Au matin, tout le monde s'était rendu au manoir Carenzu : Blaise, Bertran, Valéry et Rudel Correze, qui avait une mine de déterré. Sa beuverie de la nuit après le coup qu'il avait reçu sur la tête ne semblait pas avoir été bénéfique au fils habituellement si affable de la famille Correze.

À ce propos, Blaise ne se sentait pas non plus au mieux de sa forme, mais il avait davantage fait preuve de modération que Rudel à la taverne et s'attendait à retrouver sa vitalité à mesure que la journée progresserait ; quoi qu'il en fût, il serait certainement en excellente condition physique le lendemain, il le fallait. Le lendemain, il allait combattre un homme jusqu'à ce que mort s'ensuivît.

« Je ne sais pas encore, dit Ariane en s'allongeant joliment sur un sofa dans la pièce où elle les recevait, si ce que vous avez fait est complètement ou modérément fou. »

Elle parlait d'un ton acerbe et sardonique, une voix autoritaire contrastant avec la fraîcheur matinale de sa tenue. Elle portait une robe jaune pâle, ornée d'une étoffe bleu ciel au corsage et aux manches, un chapeau souple de la même douce teinte de bleu posé sur sa chevelure sombre. Elle regardait Blaise et son expression n'était pas particulièrement douce.

« Je n'arrive pas à le décider parce que je ne connais pas votre adresse au combat. Je sais cependant qu'Urté n'aurait pas pris l'Arimondain — les deux Arimondains — à son service s'ils n'avaient pas été excellents.

— Quzman ? Il *est* bon », murmura Bertran de Talair. Il était, malgré l'heure matinale, en train de se verser un verre de vin d'une carafe posée sur un plateau. Il semblait à présent plus amusé qu'autre chose, même s'il avait commencé par se plonger dans une méditation mélancolique en apprenant ce qui s'était passé.

« Blaise aussi », ajouta tout bas Rudel des profondeurs du fauteuil dans lequel il s'était laissé tomber. On ne voyait que le sommet de sa tête. « Pensez au frère abattu et aux cinq corans de Miraval.

— Il s'agissait d'archers », observa calmement Valéry. De toutes les personnes présentes, c'était lui qui avait l'air le plus malheureux ce matin-là. « Ce combat-ci se fera à l'épée.

— Ce n'est pas obligatoire, dit Ariane. Je pourrais facilement... »

Blaise secoua vivement la tête. « Pas question. Il utilise ce qu'il veut et moi aussi. Tenter d'avoir une influence sur le choix des armes m'humilierait.

— Vous pourriez être tué en refusant de le faire », rétorqua Ariane d'un ton sec.

Blaise prenait conscience avec une stupéfaction croissante que les réactions de son entourage face à ce qui était sur le point de se produire ne découlaient pas entièrement d'une évaluation pragmatique des pertes et des gains. Tous s'inquiétaient pour lui. La comtesse, Bertran et Valéry, Rudel certainement, et à présent il devenait également évident — même pour Blaise qui n'avait jamais été très doué pour comprendre ce genre de choses — que les paroles d'Ariane exprimaient davantage qu'un intérêt abstrait à l'égard des règlements de ce duel.

Ils avaient rencontré son mari en entrant, puis le duc Thierry s'était gracieusement excusé quand Bertran avait dit qu'ils venaient voir sa femme pour des raisons officielles. Le duc de Carenzu était un homme mince et robuste dont les manières ne trahissaient en rien les goûts et appétits sexuels. Comme Valéry l'avait souligné un peu plus tôt, il était aussi un chef fort compétent.

Blaise songeait que sa femme était encore plus que cela. Croisant son regard lucide, il se sentait à présent étrangement inquiet; avec une netteté inattendue en ce clair matin d'automne, il se rappela la nuit qu'ils avaient passée ensemble l'été précédent, tant ses paroles et son attitude que l'acte d'amour lui-même. Il lui sembla qu'elle aurait peut-être parlé d'une autre façon s'ils s'étaient trouvés seuls. Blaise s'aperçut, avec une surprise passagère, qu'il faisait confiance à cette femme.

Ils lui avaient raconté leur entretien avec le roi Daufridi. Bertran en avait aussi discuté avec la comtesse et Roban; ce dernier s'était présenté au palais tôt ce matin-là, avant qu'ils ne viennent chez Ariane. Les événements commençaient à évoluer rapidement. Rosala de Garsenc et un enfant de sexe masculin se trouvant à Barbentain, il était clair — pour tout le monde, se disait Blaise — que le danger était imminent. Il avait la tête lourde et douloureuse. Il commençait à regretter la dernière partie de la nuit précédente presque autant que la première.

Il leva les yeux vers Ariane, buvant sa beauté fraîche comme on respire une brise tonifiante. «Tout cet exercice consiste à voir comment le reste du monde nous considère, dit-il. Je perdrai trop si l'on croit que j'ai peur de lui ou que j'arrange la situation à mon avantage. Je vous suis reconnaissant de vous inquiéter à mon sujet, mais ce duel est inutile si nous le manipulons.

— Est-ce que ceci a une utilité? Avons-nous le droit de le présumer?» La comtesse avait posé la même question. Blaise ignora le ton sec et donna la même réponse.

«Je l'espère. J'espère que oui.»

Pour dire la vérité, il n'en était pas certain. Pour le moment, il n'était sûr de rien. Il se sentait comme ces légendaires danseurs arimondains de jadis qui, disait-on, sautaient par-dessus les cornes d'un taureau pour le plaisir de leurs rois. Il était actuellement au milieu d'un de ces bonds, et il avait conscience de la proximité des cornes luisantes et meurtrières. La nuit précédente, Blaise avait eu l'impression — une pensée inspirée tant par la piété que par la peur — que c'était Corannos qui l'avait en réalité guidé vers l'Arbonne. Que son voyage vers le sud n'avait pas été fortuit, pas seulement un moyen d'échapper aux fardeaux et aux peines qu'il subissait chez lui ou en Portezza. Ce voyage avait représenté un mouvement vers son destin ; le monde lui offrait cette unique chance de tenir le serment qu'il avait fait en quittant le château de Garsenc. Il ignorait alors qu'il dirait ces paroles à Daufridi de Valensa. Il n'avait pas prévu ni préparé le défi lancé à Quzman. Il était un danseur avec les taureaux, bougeant selon leurs mouvements, volant à présent au-dessus des cornes de sa destinée.

Prenant une longue inspiration pour rassembler et retenir ses pensées, il expliqua alors à Ariane comment il désirait que certaines choses fussent faites le lendemain. Elle l'écouta avec une expression concentrée et impassible. Bertran s'approcha et posa une main sur le dossier du sofa. Il ajouta une suggestion lorsque Blaise eut terminé de parler. Valéry n'ouvrit pas la bouche. Il semblait triste et contrarié. Blaise ne pouvait voir l'expression de Rudel, car ce dernier était toujours affalé dans son fauteuil profond et seule sa chevelure ébouriffée était visible de derrière. Il se dit que son ami s'était peut-être endormi, mais s'aperçut que ce n'était pas le cas.

« Mon père avait raison », dit l'héritier de la fortune Correze, songeur. « Je vais probablement regretter mon allégeance plus que toutes les autres erreurs de ma vie. J'aurais sûrement mieux fait de ne pas quitter la banque pour m'associer avec des fous du Gorhaut. »

Toutes sortes de répliques étaient possibles : tranchantes, spirituelles ou sobrement judicieuses. Mais rien ne fut dit.

❖

« Il essaiera de frapper vers le bas à l'angle, puis de revenir vers l'arrière à la hauteur de vos genoux », expliqua Valéry. Rudel serrait les cordons de l'armure de cuir devant être portée par les deux adversaires.

« Je sais, répondit Blaise. C'est l'attaque habituelle avec une épée incurvée. » Il n'arrivait toutefois pas à se concentrer ni sur les conseils ni sur le bruit de plus en plus fort qui provenait des pavillons. Lorsque lui et Quzman seraient prêts à sortir de leurs tentes, le tumulte atteindrait son paroxysme, puis retomberait pour la cérémonie de présentation avant de recommencer, sur une note différente, au début de l'affrontement meurtrier. C'était pareil partout dans le monde. Blaise avait vu un certain nombre de combats à mort. Il en avait mené un, complètement fou, des années auparavant, lorsqu'un coran valensain avait insulté de roi du Gorhaut en présence de l'un de ses plus jeunes corans, depuis peu consacré. Il avait eu de la chance de survivre et il le savait ; le Valensain s'était montré trop négligent avec son jeune adversaire et en avait payé le prix. Blaise avait porté l'armure du mort pendant des années.

« Il aura un poignard à sa ceinture et un autre derrière son mollet gauche, murmura Rudel. Et il n'hésitera pas à le lancer. Il est reconnu pour ça, et il vise bien des deux mains. Garde ton bouclier haut. »

Blaise hocha de nouveau la tête. Il savait qu'ils lui voulaient du bien et que tous ces conseils étaient dictés par l'angoisse. Il se rappela avoir agi de la même façon quand il avait servi d'écuyer à des amis avant leurs combats, à Rudel notamment, à trois reprises s'il avait bonne mémoire.

Mais il ne leur accordait pas beaucoup d'attention. Cela s'était déjà produit ; son esprit vagabondait avant la bataille, suivait des sentiers inattendus. Il pouvait ainsi garder son calme avant que ne commençât le combat, et il avait alors l'impression que l'on écartait un rideau et que tous ses sens convergeaient comme des flèches vers le champ de bataille.

En ce moment précis, il pensait à la dernière remarque de Rudel dans les appartements d'Ariane, ce matin-là. Il pensait à Vitalle Correze qui voulait tellement que son fils bien-aimé devînt un banquier plutôt qu'un coran, puis à ses rapports avec son propre père. Il ne savait pas pourquoi ses pensées allaient dans ce sens. Peut-être qu'en vieillissant, en connaissant davantage le monde et ses interactions, il commençait à comprendre jusqu'à quel point les hommes de la famille de Garsenc se faisaient mutuellement du mal. Il se demanda soudain, pour la première fois, comment Ranald réagissait à la fuite de Rosala. Il réalisa qu'il n'en avait aucune idée ; il ne connaissait pas très bien son frère.

Valéry lui donna un petit coup sur l'épaule et Blaise s'assit docilement sur le tabouret et allongea ses jambes devant lui. Ses amis s'agenouillèrent et commencèrent à lacer et à attacher le souple cuir portezzain sur ses cuisses et ses mollets. Par une ouverture dans le battant de la tente derrière leurs têtes, Blaise put apercevoir les couleurs éblouissantes des pavillons dans la lumière du matin, et l'herbe verte sur laquelle il se battrait sous peu.

Ils n'avaient pas encore hissé la bannière devant leur tente, conformément aux instructions données la veille. Pour la majorité des gens se trouvant dans les pavillons ou sur le terrain réservé aux roturiers de l'autre côté, il n'était rien d'autre qu'un coran gorhautien empêtré dans une querelle quelconque avec un Arimondain. Une querelle sur le point de leur offrir la distraction la plus excitante possible. Une poignée de gens en savaient davantage et des rumeurs allaient certainement circuler ; c'était normal à un moment comme celui-ci.

Blaise se sentait très calme. À présent, il l'était toujours avant une bataille. Ce n'était pas comme ça au début, des années auparavant. Il avait prié la veille au soir, à Lussan, à genoux sur les dalles froides dans la chapelle étonnamment jolie consacrée à Corannos. Il n'avait pas demandé la victoire, jamais un coran ne la demandait. Devant les deux cierges posés au-dessus de la frise, il avait récité les anciennes prières pour le lever et le coucher du soleil, et pour la force de la lumière dorée du dieu donnant la vie. La frise elle-même avait été sculptée avec talent ; elle représentait Corannos accordant le feu aux premiers hommes afin de rendre leurs nuits moins terrifiantes.

Il n'aurait peut-être pas dû être si étonné par la grâce sereine des maisons du dieu dans ce pays. On vénérait Corannos en Arbonne. Il l'avait toujours su ; après tout, il y avait des corans ici, qui passaient par les mêmes rites d'initiation et d'invocation que lui au Gorhaut ; ces rites étaient identiques dans les six pays. Il n'avait cependant pas été facile, à son arrivée, pendant les premiers temps passés au château de Baude dans le haut pays, de passer outre aux préjugés et aux insinuations malveillantes entendus toute sa vie, dont une grande partie venait, bien entendu, de son père. C'était étrange comme il pensait souvent à son père depuis peu. Ou peut-être n'était-ce pas si étrange étant donné tout ce qu'il était sur le point de faire. On affirme que l'esprit retourne en arrière lorsque notre vie est en grand danger.

Galbert de Garsenc avait décidé que son fils cadet devait le suivre au sein du clergé de Corannos. Il n'y avait pas de discussion possible : ce que le primat voulait, il avait coutume de l'obtenir. Blaise avait magistralement contrecarré les plans conçus avec soin par son père en faisant maintes fugues de l'école religieuse à proximité de Cortil, en subissant sans broncher les corrections administrées par l'impitoyable main de son père à la maison et par les membres du clergé lorsqu'il retournait chez eux, puis en refusant catégoriquement de prononcer les vœux de consécration à l'âge de seize ans.

Sur les ordres de Galbert, on avait tenté de le contraindre à prononcer les vœux en l'affamant. Blaise n'avait jamais oublié ces semaines. Leur souvenir le réveillait encore la nuit, parfois. Même aujourd'hui, les douleurs de la faim le plongeaient dans un état de panique irrationnelle, et il était incapable de fouetter un homme.

« Aurait-ce été différent si vous aviez eu votre mère ? » lui avait demandé Cygne de Barbentain à leur première rencontre. Il ne le savait pas. Il ne le saurait jamais. Aucun homme ne pouvait répondre à une telle question. Il se souvenait d'avoir appris, alors qu'il était encore tout petit, à ne pas pleurer parce que personne au monde ne viendrait le consoler. Les frères de l'école de la chapelle étaient terrifiés par son père ; aucun d'eux n'aurait osé secourir le fils indigne, ingrat. Jamais. Une nuit, à Garsenc, Ranald s'était glissé dans la chambre de Blaise avec un baume pour son dos lacéré. Au matin, en voyant l'onguent, Galbert avait fouetté Ranald puis Blaise de nouveau. Après cela, Ranald n'avait plus jamais tenté d'intervenir lorsque Blaise était puni.

Blaise aurait pu cesser de s'enfuir. Il aurait pu prononcer les vœux comme on l'exigeait de lui. Ni l'une ni l'autre de ces possibilités ne lui avait jamais traversé l'esprit, pas même comme choix possible. Lorsqu'il était devenu évident que Blaise mourrait de faim avant de céder, Galbert avait calmement proposé de le faire exécuter publiquement pour sa désobéissance. Cela avait été le roi Duergar en personne qui, informé de cette sauvage tragédie familiale, avait interdit l'exécution, insisté pour que l'on apportât à manger et à boire au garçon affamé, accepté le serment de féodalité fait un mois plus tard par le jeune homme de seize ans décharné, taciturne, aux yeux caves, qu'il avait alors nommé coran du Gorhaut.

Le vaillant et vénérable duc Éreibert de Garsenc était mort sans enfant ; ses neveux avaient alors vingt et un et dix-neuf ans. Ses prouesses à la guerre lui avaient permis d'affronter les rumeurs qui avaient couru tout au long de sa vie concernant le fait qu'il n'avait pas d'héritier. Ranald hérita de lui. Il fut obligé de renoncer à sa position de champion du roi et devint duc de Garsenc, seigneur du domaine le plus riche et le plus puissant du Gorhaut. Selon les plans soigneusement établis par son père, Blaise aurait alors dû occuper une place solide au sein de la hiérarchie de la confrérie du dieu, prêt à entreprendre une ascension facile jusqu'au dernier échelon, là où se trouvait Galbert, primat de Corannos, avec les rois et les princes soumis à ses ordonnances. La famille de Garsenc aurait dû être assurée du pouvoir pendant des générations au Gorhaut — tenir le pays comme entre les pattes de l'ours rampant qui était représenté sur son blason —, quel que fût l'homme assis sur le trône.

Ranald aurait des fils pour lui succéder à Garsenc et suivre les traces de Blaise au sein du clergé ; il y aurait des filles pour lier d'autres familles dans les anneaux des promesses de mariages. Et un jour, peut-être même dans un proche avenir, il y aurait peut-être encore plus que tout ceci — il y aurait peut-être le trône. Un de Garsenc gouvernant à Cortil, et les frontières du Gorhaut même ne cessant de reculer, commençant — en tout premier lieu, bien entendu — par traverser les cols de montagnes vers le sud, vers l'Arbonne, cette terre de païens et d'hérétiques dirigés par des femmes et des hommes efféminés croupissant dans leurs rites trempés de sang.

Presque tout cela, Blaise l'avait su très tôt. Il avait été celui à qui Galbert se confiait lorsque les deux frères étaient jeunes. Pendant une courte période, il n'avait pas compris pourquoi c'était ainsi, puis, plus longtemps, il avait eu de la peine pour Ranald. Il y avait bien des années de cela.

« Les bottes », dit Rudel.

Blaise leva d'abord sa jambe gauche, puis la droite.

« Très bien », dit Valéry. Blaise se leva et Rudel tourna autour de lui pour ceindre la longue épée forgée à Aulensburg dans son simple fourreau de soldat. Il lui passa ensuite le casque léger qui était posé sur la table. Blaise le prit et le mit sur sa tête. Valéry attendait avec le bouclier rond et décoré. Blaise le prit également.

« Où voulez-vous vos poignards ? demanda Valéry.

— Un à la ceinture. J'ai l'autre. »

Valéry ne posa pas d'autres questions ; Rudel non plus. Ils avaient, eux aussi, déjà connu ce genre de situation. Avec une expression et des gestes pleins de solennité, Rudel prit un couteau noir et lisse dans le coffre qui se trouvait à côté du battant de la tente et le tendit à Blaise.

Blaise lui sourit brièvement. « Tu te souviens ? C'est toi qui me l'avais donné. »

Rudel fit aussitôt le signe pour conjurer le sort. « Je n'ai jamais fait ça. Je l'ai trouvé pour toi. Tu l'as payé une pièce de cuivre. Nous n'offrons pas des poignards en cadeau, espèce de nordique ignorant.

— Pardonne-moi, dit Blaise en riant. J'oubliais que, de cœur, tu es un fermier portezzain superstitieux. Comment as-tu réussi à obtenir la permission de laisser ta houe dans les vignes pour voyager au milieu des hommes de haut rang ? »

Un sarcasme frivole, indigne d'une réponse ; d'ailleurs, il n'en reçut pas car les trompettes commençaient à sonner.

Valéry et Rudel allèrent se placer de chaque côté des battants de la tente. La tradition voulait que les écuyers se taisent à ce moment-là ; les adieux de tout genre étaient censés porter malheur. Blaise le savait. Il les regarda tous les deux et sourit. Il était encore calme, mais son pouls s'accéléra de manière révélatrice tandis que dehors le silence s'installait comme un oiseau sur une branche.

Il hocha la tête, et Valéry et Rudel repoussèrent chacun des rabats de la tente. Il passa devant eux, baissant subitement la tête, et sortit dans le soleil et l'herbe verte du terrain de combat.

Il vit d'abord Quzman d'Arimonda, debout à l'entrée de sa propre tente à l'autre extrémité du champ. Une bannière flottait derrière lui : trois taureaux noirs sur un fond écarlate. Blaise remarqua l'épée incurvée que l'Arimondain portait derrière lui à la manière occidentale et vit que le bouclier doré avait été poli. Il jeta un regard vers l'est pour vérifier et se rappeler l'angle du soleil levant ; ce bouclier pouvait l'éblouir si l'Arimondain s'en servait pour faire refléter la lumière. Blaise avait conscience, à l'arrière-plan, des murmures excités et rapaces qui montaient autour de lui. Un défi mortel : il n'existait pas de sport plus âpre.

Les trompettes sonnèrent de nouveau, brièvement, et Blaise se tourna vers le pavillon central tandis que s'avançait le héraut d'Arbonne. Il se rendit compte que son cœur battait encore plus vite ; ce n'était pas dû à l'imminence du combat, pas encore. Il restait encore quelque chose à venir, avant la bataille.

La voix riche du héraut résonna, nommant les plus illustres personnalités rassemblées là. Blaise vit le roi Daufridi de Valensa assis à côté de la comtesse ; impénétrable, son visage barbu ne trahissait rien d'autre qu'un intérêt nonchalant et poli.

« À ma gauche », cria enfin le héraut, sa voix entraînée portant sans effort par-delà le terrain et les pavillons bondés, « voici Quzman di Peraño d'Arimonda, prêt à risquer sa vie devant Corannos et Rian pour régler un différend concernant son honneur familial. » Il fit une pause.

Blaise prit une longue inspiration. Le moment était venu.

« Très bien, dit-il aux deux hommes derrière lui. Faites-le. »

Il ne regarda pas en arrière, mais tandis que le héraut d'Arbonne se tournait vers lui, il entendit le froissement et le claquement des deux bannières que l'on hissait pour qu'elles flottent au-dessus de sa tente. Un moment plus tard, comme le rugissement d'une vague dans le vent, le tumulte s'amplifia, noyant presque la voix du héraut qui s'élevait.

« À ma droite, proclama ce dernier, également prêt à risquer sa vie pour défendre l'honneur de son nom, se trouve Blaise de Garsenc du Gorhaut, qui réclame ici, devant cette assemblée des six nations et sur ce terrain sacré où le dieu et la déesse sont juges de l'honneur et de la dignité, la couronne du royaume du Gorhaut, aujourd'hui détenue illégitimement par le traître Adémar ! »

Les gens s'étaient levés ; le héraut hurlait à présent. « Messire Blaise déclare en outre que ce combat, qu'il livrera librement contre un adversaire proclamé félon par la comtesse d'Arbonne, devra garantir la dignité de sa réclamation, et il accepte maintenant de risquer sa vie devant vous tous pour affirmer son droit à la couronne. »

Ce fut à peine si l'on entendit les derniers mots dans le vacarme qui monta dans les pavillons et sur les terrains de l'autre côté. Peu importait que le héraut fût ou non entendu. Les bannières parlaient d'elles-mêmes. Blaise se tourna lentement — jusqu'à ce que le combat commençât, tout était théâtre, tout était symbole —, et, comme un homme parmi ses pairs, il hocha la tête en direction de Cygne de Barbentain puis de Daufridi de Valensa. La comtesse d'Arbonne se leva, en présence de son peuple et des représentants des autres pays du monde, et fit, de la main, un geste de bienvenue à Blaise, d'égale à égal. La foule hurlait. Blaise ignora les cris. Il attendit. Un long moment, puis, les poils se hérissant sur sa nuque, il vit enfin Daufridi se lever. Grand et fier, le roi de Valensa se tourna à gauche et à droite, sans se presser ; il était un maître dans des moments comme celui-ci ; ensuite, très lentement, faisant face à Blaise, il fit le salut du coran, posant la main droite sur son épaule gauche.

Il l'avait fait. Personne n'aurait pu le prévoir. Ce n'était pas le geste de bienvenue de Cygne — Daufridi avait une partie beaucoup trop complexe à jouer pour que ce fût possible —, mais il avait donné plus qu'on n'était en droit d'espérer : il avait reconnu que Blaise était digne qu'un roi se levât pour lui.

Soulagé, Blaise ferma les yeux, puis les rouvrit aussitôt. On ne devait pas savoir qu'il avait douté. Daufridi n'avait fait aucune promesse et encore moins à propos de quelque chose qui arrivait si vite. En quittant l'auberge à l'extérieur des murs deux soirs plus tôt, il s'était contenté de dire, sans les rassurer, qu'il allait réfléchir aux paroles de Bertran. C'était évidemment ce qu'il avait fait. Il était de leur côté, du moins jusqu'ici. Blaise ne se faisait toutefois aucune illusion : si le roi de Valensa considérait un jour qu'ils représentaient un plus grand danger qu'Adémar et Galbert, il changerait aussitôt de camp. Mais pour le moment, au milieu du brouhaha, il s'était levé pour accueillir Blaise. C'était déjà quelque chose ; c'était même beaucoup.

Restant aussi serein et flegmatique qu'il le pouvait, Blaise tourna le dos aux pavillons pour faire face à sa propre tente et regarda pour la première fois ce qui flottait au-dessus d'elle.

L'ours rampant de Garsenc, écarlate sur fond bleu, avait sa propre signification pour ceux qui, jusqu'à maintenant, avaient ignoré son identité. Au-dessus de lui, fière, glorieuse et provocatrice, flottait la bannière des rois du Gorhaut.

Le tumulte montait comme une vague ; Blaise leva les yeux sur ce soleil doré sur son fond blanc, surmonté de la couronne des rois et au-dessus de l'épée du dieu, et il éprouva l'impression étrange de voir la bannière pour la première fois. D'une certaine façon, c'était vrai, il ne l'avait jamais vue, jamais comme cela. Pas hissée en son nom, flottant sur ses ordres dans la brise et dans la lumière. C'était vraiment commencé. Il s'inclina très bas devant l'emblème des rois de son pays tandis qu'autour de lui le vacarme atteignait son paroxysme.

Il savait comment l'apaiser. Ramener, comme on ramène des chiens de chasse à ses pieds, les gens des pavillons et des terrains à ce qui se passait maintenant devant eux sur ce gazon vert sous le soleil du matin. Cela avait commencé et pouvait se terminer ici, car il fallait encore obtenir l'approbation du dieu. Celle de Corannos et celle de la déesse d'Arbonne. Pour la première fois de sa vie, Blaise du Gorhaut offrit une prière à Rian. Il se tourna ensuite vers l'Arimondain et tira son épée.

Les joutes pour le plaisir et le sport se faisaient à cheval, dans les atours du tournoi, chevaux et cavaliers revêtus d'armures magnifiques, le spectacle reposant autant sur le scintillement de l'équipement du coran que sur le reste. Personne néanmoins n'aimait être le perdant — tout d'abord parce que cela pouvait se révéler extrêmement onéreux —, mais l'armure empêchait que les adversaires ne fussent blessés gravement et, à la fin, sauf en ce qui concernait quelques combattants célèbres, les victoires et les défaites tendaient à s'équivaloir. Les tournois étaient des spectacles, un défilé de richesse et de succès, une révélation des prouesses, des distractions destinées tant aux nobles qu'au peuple, et c'était ainsi qu'on les considérait.

Les combats à mort, eux, se faisaient à terre. On n'autorisait qu'une protection minimale. Il n'y avait ni scintillement, ni plastron orné, ni casque décoré. Ces combats, même sacrés, étaient des affrontements primitifs, dont l'origine remontait à un passé lointain, avant même la venue des Anciens, mettant à l'épreuve de la façon la plus pure qui fût le courage et la volonté d'un homme et la puissance de ses dieux et déesses. Ils constituaient également un spectacle, bien sûr, comme l'attestait à présent la nervosité du public rassemblé, mais d'un genre plus macabre, dont était prévue l'issue tragique : un homme brisé et agonisant sur l'herbe trempée, la mort rendue brutalement manifeste pour les témoins, leur rappelant leur propre fin.

Ce fut surtout pour cela que les cris cessèrent lorsque Blaise leva son épée. Dans les réfectoires des sanctuaires de Corannos, là où, sentant leur fin proche les hommes et les femmes se retiraient parfois du monde, des tapisseries et des peintures étaient suspendues aux murs et l'une au moins de ces œuvres représentait la figure moqueuse et décharnée de la Mort portant le gourdin avec lequel elle abattait la vie, à la tête d'une procession qui serpentait vers l'ouest, là où se couchait le soleil, sur une colline battue par le vent. Et le premier personnage de cette procession, marchant main dans la main avec la Mort, précédant même les rois et les reines terrestres, était traditionnellement un coran dans la fleur de l'âge, son épée désormais inutile dans son fourreau tandis que la Mort l'entraînait au loin.

Souriant, Quzman di Peraño leva le bras et tira son épée incurvée du fourreau dans son dos. Il tira une boucle et le fourreau tomba dans l'herbe derrière lui. L'un de ses écuyers désignés parmi les hommes de Miraval s'agenouilla vivement pour le ramasser. L'Arimondain s'avança, agile comme un acrobate malgré sa stature, et Blaise, qui l'observait attentivement, nota que ses premiers pas l'entraînaient un peu vers l'ouest. Tel que prévu. Il avait déjà vu cette manœuvre avant, la dernière fois qu'il avait livré un combat contre un homme de l'Arimonda. Il avait failli y laisser sa peau, ce jour-là.

Se déplaçant pour affronter l'homme dont il avait abattu le frère, Blaise regretta encore une fois de savoir si peu de choses sur son ennemi et ses techniques de combat. Malgré tout ce que lui avait dit Valéry sur les habitudes de ceux qui se servent d'épées incurvées — habitudes que Blaise connaissait fort bien —, on ne savait pas grand-chose en réalité sur Quzman en dehors de ce qui était évident. C'était un homme robuste, vif comme un chat et courageux, aspirant à se venger et n'ayant rien à perdre ce jour-là. « Je pourrais bien être mort avant que le soleil ne se lève beaucoup plus haut », songea Blaise.

Cette possibilité avait toujours été là. Il n'y avait pas d'honneur à chercher ou à trouver dans un duel sans signification, pas d'élévation aux yeux du monde réuni sous la bannière des rois du Gorhaut — qui était, évidemment, l'axe de tout ceci.

S'avançant, Blaise découvrit ce qu'il cherchait. Son petit bouclier rond était posé sur son avant-bras gauche, laissant ses doigts libres. Il fit passer son épée dans cette main et se pencha vivement.

Du même mouvement, tandis que Quzman se dirigeait vers lui, il saisit une motte de terre et la lança droit sur le bouclier étincelant de l'Arimondain. Quzman s'arrêta, surpris, et Blaise eut le temps de lancer une autre poignée de boue pour ternir l'éclat du bouclier avant de se redresser et de faire repasser son arme dans sa main droite.

Quzman ne souriait plus. C'était Blaise qui le faisait à présent, d'un air moqueur. « Trop joli, ce jouet », dit-il. Tout était devenu silencieux et il n'avait pas besoin d'élever la voix. « Je le ferai nettoyer quand tu seras mort. Combien d'hommes as-tu tués en commençant par les aveugler comme un lâche ?

— Je me demande », répondit Quzman, sa belle voix amplifiée par la colère, « si tu peux te figurer le plaisir que ta mort me procurera.

— Probablement. Les fourmis rouges dans la plaine. Tu m'en as déjà parlé, répliqua Blaise. Pour moi, au contraire, ta vie ou ta mort ne signifient pour ainsi dire rien. Bienvenue dans la danse. As-tu l'intention de passer toute la matinée à parler ou es-tu capable de te servir de ton arme ? »

Il l'était. Il était davantage que cela et, de plus, il était gravement provoqué. Comme Valéry l'avait prévu, le premier coup fut porté à l'angle vers le bas du revers de la main. Blaise le para lestement, le guidant pour qu'il frôlât son corps, mais il eut ensuite à peine le temps — même en sachant ce qui allait se produire — de bloquer le coup suivant, un violent retour de la lame incurvée à la hauteur de ses genoux. L'impact, une grinçante collision d'armes, suffit presque à paralyser son poignet. Son adversaire était fort, très fort même, et il réagissait plus vite que Blaise ne l'avait pensé.

En en prenant conscience, Blaise se tourna désespérément et, guidé par ses seuls réflexes, il fit un mouvement tout à fait instinctif mis au point par des années de combats dans les tournois et à la guerre, l'effort primitif pour la survie lui permettant de réagir à l'épée incurvée brusquement plantée, frémissante, dans la terre, à la main gantée de Quzman cherchant à atteindre l'arrière de son mollet et à la lame du poignard dirigée dans un geste confus vers sa gorge. Blaise sentit une douleur cuisante sur le côté de sa tête. Il porta vivement à son oreille la main qui portait son épée et, lorsqu'il la retira, elle était pleine de sang. Il entendit alors une rumeur provenant des pavillons, profonde et basse comme le vent sur la lande.

Ayant repris son épée avant même qu'elle n'eût cessé de vibrer dans la terre, Quzman avait retrouvé son sourire, et ses dents blanches luisaient. « Voilà qui est joli, dit-il. Pourquoi n'y appliques-tu pas la même boue comme un paysan ? Tu as l'air d'aimer tripoter ça. »

La douleur était violente et allait sans doute empirer, mais Blaise ne croyait pas avoir perdu son oreille. Pas complètement, en tout cas. Il semblait encore entendre les sons venant de ce côté. Il songea soudain à Bertran à qui il manquait aussi le lobe d'une oreille. Il songea que tant de choses dépendaient de sa survie. Et la colère l'envahit, le démon familier et terrifiant qui s'emparait de lui pendant la bataille.

« Économise ton souffle », dit-il d'un ton rude et il bondit pour affronter son adversaire. Aucune parole ne fut alors prononcée ; on n'entendait plus que le cliquetis des lames glissant l'une contre l'autre ou le bruit métallique plus dur, plus lourd de l'épée bloquée par le bouclier, les grognements retenus des deux hommes tournant l'un autour de l'autre, essayant avec leurs armes froides, leurs yeux glacés, de trouver comment tuer l'autre.

Quzman d'Arimonda était vraiment très habile ; il était en outre animé par l'orgueil féroce de son pays et de sa famille, et il avait juré de se venger. Il se battait avec la passion fluide et fatale d'un danseur, et Blaise reçut, au cours des trois premiers engagements, deux nouvelles blessures, l'une à l'avant-bras et l'autre à l'arrière d'un mollet.

Mais la cuisse de Quzman fut entaillée et l'armure de cuir protégeant sa poitrine ne parvint pas à parer tout à fait le coup de l'épée d'Aulensburg maniée par un homme animé par sa propre passion, sa propre fureur.

Blaise ne s'arrêta pas pour évaluer la gravité de la blessure infligée à son ennemi. Il s'avança, attaquant des deux côtés, para les coups chaque fois avec des impacts qui résonnaient jusque dans son coude et dans son épaule. Il nota que du sang coulait sur le flanc gauche de Quzman, ignorant du mieux qu'il le pouvait la douleur que lui-même éprouvait à sa jambe qui se raidissait quand il la bougeait. Il savait que ce coup bas aurait pu facilement le mutiler. Cela ne s'était pas produit. Il était encore debout et devant lui un homme faisait obstacle à… quoi donc ?

À bien des choses, son propre rêve du Gorhaut n'étant pas la moindre. À ce que son pays aurait dû être aux yeux du monde, de Corannos et dans son propre cœur. Deux nuits auparavant, il l'avait déclaré, presque dans les mêmes termes, au roi Daufridi de Valensa. On lui avait demandé s'il aimait son pays.

Il l'aimait. Il l'aimait avec un cœur qui lui faisait mal comme les doigts d'un vieillard quand il pleut, qui lui faisait mal pour le Gorhaut tel qu'il le voyait, ce pays digne du dieu qui l'avait choisi et digne de l'honneur des hommes. Non pas un lieu de ruses et de complots, gouverné par un roi vil, aux sens corrompus, où le peuple était dépossédé de ses terres par un lâche traité, ou un lieu de desseins odieux sous l'égide fausse et pervertie de Corannos ne visant rien d'autre que l'anéantissement du pays situé au sud des montagnes.

C'était une chose de nourrir des ambitions pour son pays, de rêver d'expansion. C'en était une autre d'utiliser le vêtement bleu ciel du dieu pour camoufler un enfer enfumé — toute une nation précipitée dans les bûchers des hérétiques. Enfant, Blaise avait vu ces bûchers. Jamais il n'oublierait la première fois. Son père avait agrippé son épaule et ne lui avait pas permis de détourner la tête.

Il savait exactement ce que voulait Galbert, ce qu'il amènerait Adémar du Gorhaut à faire lorsqu'il descendrait vers le sud. Il savait à quel point l'armée gorhautienne serait puissante et riche au printemps lorsque fondraient les neiges. Il avait déjà vu des bûchers, il n'en verrait pas d'autres. Il en avait fait le serment des années auparavant en voyant une vieille femme périr en hurlant, des flammes dans ses cheveux blancs. Et pour les empêcher, pour arrêter son père et son roi, il devait commencer par vaincre cet Arimondain qui lui barrait le chemin avec une épée incurvée déjà rougie de son propre sang.

Les plus célèbres troubadours et ménestrels n'assistaient pas aux tournois dans les terrains réservés au peuple. Avec la permission d'Ariane de Carenzu, comme une preuve de l'estime en laquelle on les tenait en Arbonne, on leur avait accordé un pavillon à proximité de celui d'Ariane. Chaque année, les musiciens considéraient comme l'une des premières mesures de leur succès le fait d'être invité à prendre place dans ce pavillon et, cet automne, Lisseut était pour la première fois au nombre des élus. C'était à Alain qu'elle le devait, elle le savait ; à la renommée croissante du petit homme et à sa fougueuse affirmation de lui-même au cours de cette inoubliable soirée à Tavernel alors que Lisseut avait chanté sa chanson devant la reine de la Cour d'amour et les ducs de Talair et de Miraval.

De même qu'au coran barbu du Gorhaut qui défendait à présent sa vie sur l'herbe devant eux. Il semblait toutefois qu'il était davantage qu'un simple coran. Du moins depuis que les deux éclatantes bannières avaient été hissées au-dessus de sa tente et que le héraut avait été obligé de crier pour se faire entendre au-dessus des clameurs de la foule. Elle connaissait depuis la mi-saison l'identité de Blaise de Garsenc et avait tenu parole en ne la révélant à personne. Il s'était à présent fait connaître et avait fait quelque chose de plus. Cet homme qu'elle avait réprimandé avec tant de désinvolture à *La Liensenne* une saison plus tôt avant de le suivre dans les jardins des de Correze un peu plus tard dans la même nuit réclamait à présent la couronne du Gorhaut.

Ce fut avec un sentiment de profonde irréalité que Lisseut se souvint de l'avoir invité à rentrer avec elle cette nuit-là à Tavernel. « Cela porte malheur de passer la nuit tout seul dans cette ville », lui avait-elle dit. Impossible d'être plus présomptueuse. Si sa mère l'apprenait, elle l'enverrait se coucher. Même aujourd'hui, des mois plus tard, Lisseut ne pouvait s'empêcher de rougir à ce souvenir.

Levant les yeux vers les deux bannières qui flottaient dans le vent, elle se demanda ce qu'il avait dû penser d'elle, chanteuse impertinente aux cheveux mouillés et emmêlés qui l'avait accosté à deux reprises ce soir-là, lui avait pris le bras dans la rue et lui avait proposé de coucher avec elle. Elle se rappela qu'il n'aimait même pas le chant. Au milieu d'amis dans un pavillon animé, Lisseut s'était de nouveau crispée à cette pensée. Personne ne s'en était aperçu. Les autres s'agitaient à l'approche de la bataille et misaient sur la mort d'un homme.

Ensuite, ses réflexions à son propre sujet et les souvenirs de l'été précédent s'étaient envolés, car les deux hommes sur l'herbe avaient tiré leurs armes, l'épée droite et l'épée incurvée, et s'étaient avancés l'un vers l'autre. Blaise s'était penché pour ramasser de la boue et la lancer sur le bouclier de l'autre et elle n'avait pas compris pourquoi jusqu'à ce qu'Aurélien, sans qu'elle le lui demandât, se penchât vivement pour lui chuchoter l'explication. Elle avait été incapable de quitter des yeux les deux hommes sur l'herbe, même si une partie d'elle-même se recroquevillait d'horreur devant le spectacle. Les deux hommes s'étaient parlé, mais personne n'avait entendu leurs paroles. Elle vit l'Arimondain réagir comme s'il avait été ébouillanté par quelque chose que l'autre lui disait, puis bondir pour attaquer. Pratiquement incapable de respirer, elle le vit esquiver des coups une fois puis une autre encore. La Mort était présente. Ce n'était plus seulement un spectacle. Cette réalité lui apparut et ce fut à ce moment qu'elle vit, de façon inattendue, l'épée incurvée plantée dans le sol.

Ce fut immédiatement après, Lisseut s'en souviendrait toujours par la suite, que vola la dague de l'Arimondain, tranchant l'oreille de Blaise au moment où il se retournait, qu'apparut le sang et que Lisseut de Vézet réalisa, sentant naître en elle un désespoir glacé, que son cœur bondissait hors de sa poitrine. C'était arrivé à son insu, comme un oiseau en hiver volant sans espoir dans une mauvaise direction, vers le nord, là où tout havre, toute chaleur, tout accueil étaient inconcevables.

« Oh ! maman », chuchota-t-elle alors, tout doucement, à une femme au loin, au milieu des oliveraies plantées au-dessus d'une ville côtière. Personne ne lui prêta attention. Deux hommes étaient en train d'essayer de se tuer devant la foule, et l'un d'eux réclamait une couronne. Quoi qu'il arrivât, c'était là un sujet de chanson, un sujet de conversation dans les tavernes et les châteaux pour des années à venir. Serrant les mains sur ses genoux, Lisseut adressa alors une prière à la douce Rian et regarda devant elle pendant que son cœur s'envolait de sa poitrine pour planer au-dessus de l'herbe verte et brillante.

Blaise avait dû apprendre tout seul certaines techniques de combat, ou les apprendre de son frère lorsque, en de rares occasions, il se trouvait chez lui et que Ranald consentait à lui donner une leçon en secret : Blaise était destiné à la vie religieuse, à quoi lui aurait-il servi de savoir manier une épée ? Pendant un an, après que le roi l'eut sacré coran, davantage pour exprimer au primat son mécontentement que pour reconnaître le mérite de Blaise, celui-ci avait appris d'autres choses des hommes qui l'avaient guidé dans son métier de guerrier, des choses que la plupart des jeunes du Gorhaut avaient apprises quelques années plus tôt.

La plus grande partie de son éducation, toutefois, Blaise l'avait faite lui-même sur le terrain, à la guerre et aux tournois, la chose la plus proche de la guerre que l'on pouvait trouver en temps de paix. Il avait eu de la chance de survivre au cours de ces premiers mois et années. Il le savait à présent. Il était alors beaucoup trop inexpérimenté et brouillon pour avoir le droit de s'attendre à sortir indemne des champs de bataille à Thouvars, Graziani ou Brissel, ou aux premiers tournois tenus à Aulensburg ou Landeston en Valensa. À l'époque du pont Iersen, il était néanmoins devenu un expert dans l'art de tuer et de survivre. Et c'était là, sur ce champ hivernal, qu'il avait été le plus près de la mort : ce qui était, évidemment, la plus sombre des nombreuses ironies qui marquent la vie d'un soldat.

En tout cas, ce que Blaise devait faire à présent était aussi évident pour lui que l'orientation du soleil levant ou le vol des oiseaux en hiver. L'Arimondain était grièvement blessé au côté gauche. Il ne restait plus maintenant qu'à lui faire utiliser son bouclier encore et encore, à le lui faire lever haut pour parer les coups dirigés à la hauteur des épaules et de la tête. Peu importait que les coups atteignent leur cible ; contre un bon adversaire, c'était improbable. Mais chaque fois que Quzman lèverait son bouclier pour les parer, sa blessure s'ouvrirait davantage, affaiblissant par le fait même son bras et son flanc. C'était la simple routine ; n'importe quel soldat compétent savait que cela se passerait ainsi.

Au bout d'un moment, Blaise se rendit compte que c'était exactement ce qui était en train de se passer. Il commençait à le voir sur le visage de l'Arimondain, même si son expression arrogante et concentrée ne changeait pas vraiment. Davantage de sang coulait maintenant de sa blessure. Méticuleusement, avec la précision qui manquait à la plupart des chirurgiens de champs de bataille en dépit de leurs prétentions contraires, Blaise se mit à exploiter la blessure qu'il avait infligée.

Il se concentrait de façon précise, calme, méthodique, patiente, au point qu'il faillit mourir.

Il avait été cruellement berné. Quzman feignit de lancer son autre poignard. Pour la deuxième fois, il recula de quelques pas et planta son épée dans l'herbe aplatie, portant sa main libre derrière sa jambe. Attendant le coup, Blaise avait déjà commencé à l'esquiver, se penchant encore lorsque Quzman, sur un genou, lança plutôt son lourd bouclier avec sa main gauche, comme le disque d'un athlète, qui heurta si violemment les tibias de Blaise que celui-ci s'étala dans l'herbe en criant de douleur. L'Arimondain saisit de nouveau son épée et se redressa avec une rapidité terrifiante, plongeant en avant d'un mouvement visant à décapiter son adversaire.

Blaise roula désespérément sur lui-même et s'effondra sur un côté, la douleur dans ses deux jambes lui arrachant des cris étranglés. L'épée qui descendait vers lui mordit la terre en frôlant sa tête, mais Quzman cherchait maintenant à attraper son deuxième couteau car, tombé sur Blaise, il n'avait pas assez de place pour utiliser son épée.

Il ne parvint jamais à toucher ce couteau.

Des années auparavant, au cours d'une de ces interminables campagnes contre la Valensa, le roi Duergar du Gorhaut, qui avait continué à s'intéresser au fils cadet de Galbert de Garsenc, curieusement rebelle, avait un matin demandé à Blaise de l'accompagner pour faire le tour du camp. Durant cette randonnée, il avait mentionné, comme on fait une remarque en passant, un endroit très utile pour camoufler une lame sur soi, avant de poursuivre en disant que les cerisiers en fleurs constituaient une excellente cachette pour les archers.

Souffrant de façon atroce, son épée à présent inutile, Blaise roula de nouveau désespérément et relâcha son bouclier. Ce faisant, il tira sa propre dague de la gaine de fer que, à la suggestion du roi, il avait fabriquée sur la face interne du bouclier. Comprimant son bras droit contre le sol en terminant ce mouvement disgracieux de rotation, il frappa durement de son bouclier l'épaule de Quzman puis, libérant sa main gauche qui tenait le couteau, il poignarda l'Arimondain à deux reprises, une fois profondément dans les muscles du bras droit avant d'entailler en fouillant le flanc déjà blessé.

Il se dégagea ensuite de son ennemi qui se tordait de douleur sur lui et réussit à se redresser. Il reprit vivement son épée. Secoué de soubresauts, son bras droit désormais inutile, son côté gauche baigné de sang frais, Quzman resta étendu sur l'herbe tachée. Blaise entendait des gens hurler loin de lui, étrangement loin. Il se rendit compte qu'il vacillait sur ses jambes. Il avait l'impression d'avoir l'oreille déchiquetée, en feu. Après le premier coup d'épée puis le coup de bouclier, ses jambes pouvaient à peine le supporter. Mais il était debout, il avait son épée à la main, et l'autre homme était à terre.

Il visa, aussi fermement que possible, la gorge de Quzman. Les yeux noirs de l'Arimondain le fixaient, implacables, sans peur, même en voyant la mort arriver.

« Fais-le, dit-il, que mon esprit puisse rejoindre celui de mon frère.

— Suis-je libéré de ton sang devant le dieu ? » bégaya péniblement Blaise, cherchant son souffle. « Ce fut fait de façon juste ? J'ai ta dispense ? »

Quzman parvint à esquisser un sourire amer. « Cela t'importe ? » Il prit une inspiration. « Tu l'as. Ce fut fait de façon juste. » Une autre inspiration rauque. « Plus que juste, après ce qui s'est passé dans les appartements de la femme. Tu es libéré de ma mort. Fais ce que tu as à faire. »

Les cris et les hurlements s'étaient tus. Un silence étrange régnait autour du terrain. Du côté des roturiers, un homme cria quelque chose. Sa voix s'éleva, puis s'éloigna, laissant le silence se réinstaller. Blaise comprit qu'il pouvait encore faire une chose ce matin. Et, bizarrement, il avait l'impression d'en avoir vraiment envie.

« Tes blessures ne sont pas mortelles, dit-il lentement en s'efforçant de contrôler sa respiration. Pour accomplir ma tâche, j'aurai besoin de bons guerriers. J'ai tué ton frère lorsque j'ai été attaqué par six corans et seulement après qu'ils eurent tiré les premiers. Veux-tu que ce combat efface les griefs du passé pour nous ? Je déteste tuer un homme courageux. Je ne veux pas être responsable de ta mort, même avec ta dispense. »

Quzman secoua la tête ; son expression était à présent curieusement tranquille. « J'aurais peut-être accepté, dit-il en haletant, si ce n'était d'une chose. Mon frère n'a jamais porté d'arc et il a été abattu d'une flèche à la gorge. Tu aurais dû te battre avec lui, nordique. Pour avoir tué un homme à distance, tu dois mourir, ou c'est moi qui le dois. »

Blaise secoua lui aussi la tête. Il était à présent extrêmement épuisé. « Faut-il vraiment qu'il soit écrit devant le dieu que nous sommes des ennemis ? » Il lutta contre une nouvelle vague de douleur. Il sentait le sang couler de son oreille. « Il ne s'agissait pas d'un tournoi ce jour-là près du lac. Je défendais ma vie contre six hommes. Je ne vais pas te tuer, Arimondain. Si je le demande, on te laissera partir. Fais ce que tu veux de ta vie, mais sache que je serais heureux de t'avoir à mes côtés.

— Ne fais pas ça », dit Quzman d'Arimonda.

Blaise fit comme s'il ne l'avait pas entendu. Il se tourna et commença à marcher avec précaution en direction du pavillon où la comtesse était assise en compagnie d'Ariane, de Bertran et du roi de Valensa. Cela paraissait très loin. Et c'était presque la chose la plus difficile qu'il eût jamais accomplie : ne pas essayer d'aller plus vite, ne pas regarder derrière lui.

Il ne fit que cinq ou six pas. Il l'avait prévu. Après tout, cet homme était un Arimondain. Il n'y avait eu qu'une chance très mince, pas plus.

« Je t'ai dit de me tuer ! » cria Quzman di Peraño. Blaise entendit des pas sur l'herbe. Il dit rapidement une prière, à quiconque pouvait l'entendre sur ce champ d'Arbonne, le dieu ou la déesse qui représentait davantage ici que la jeune fille du dieu. En même temps qu'il faisait cette invocation silencieuse, il entendit des flèches siffler.

Derrière lui, l'Arimondain grogna étrangement et prononça un nom, puis on entendit le bruit d'un corps tombant dans l'herbe.

Pendant un long moment, Blaise resta immobile, en proie à un regret inattendu. Lorsqu'il se tourna, ce fut vers sa tente, pour voir approcher Valéry de Talair et Rudel Correze, les deux plus habiles archers de sa connaissance ; tous deux arboraient un air sombre, tous deux avaient leur arc à la main dont les flèches n'étaient plus là. Il alla lentement jusqu'au corps de l'Arimondain. Quzman était allongé face contre terre, agrippant encore sa splendide épée, mais Blaise, le regardant fixement, vit quelque chose d'incompréhensible. Il y avait quatre flèches et non pas deux dans ce cadavre. Il semblait mou, presque comique, transpercé de flèches comme la poupée d'un sorcier. Une fin laide pour un homme aussi fier.

Blaise leva les yeux, plissant le front, et aperçut un troisième homme armé d'un arc qui s'avançait comme s'il avait attendu qu'on le remarquât. Des derniers pavillons, il commença, d'une démarche hésitante, à marcher dans l'herbe vers eux. Stupéfait, Blaise cligna les yeux en le reconnaissant. L'homme avait tiré de très loin, mais Blaise se rappela qu'Hirman de Baude, le meilleur coran de ce domaine, était un archer exceptionnel.

Hirman s'approcha et s'inclina devant lui ; il avait l'air gêné et anxieux. « Je dois vous demander de me pardonner, dit-il. J'ai vu cet homme se lever avec son épée. J'ignorais que vous aviez donné des instructions aux deux autres.

— Je n'avais donné aucune instruction, répondit doucement Blaise. J'ai agi spontanément. » Il tendit la main et toucha le grand coran à l'épaule. « C'est bon de te revoir, Hirnan, et ce n'est pas vraiment le moment de me demander pardon… tu viens peut-être de me sauver la vie. »

Soulagé, Hirnan prit une longue inspiration, mais ne sourit pas. Il paraissait embarrassé, là, sur l'herbe, avec tous ces regards fixés sur eux. « J'ai entendu ce que le héraut a dit, murmura-t-il. Nous ne connaissions pas votre identité, vous comprenez. Mais je me suis fait une idée de votre valeur, le printemps dernier, ajouta-t-il en regardant Blaise dans les yeux. Je ne prétends pas posséder dignité ou talents particuliers, mais si vous voulez utiliser un homme de confiance, je serai honoré de vous servir. Mon seigneur. »

Blaise sentit une chaleur vraiment inattendue monter en lui, chassant la douleur. Il aimait cet homme et le respectait. « L'honneur sera tout autant pour moi, dit-il gravement. Je me suis fait une idée de ta valeur, moi aussi, dans le haut pays. Mais en tant que coran, tu as juré de servir le seigneur du château de Baude. Je ne crois pas que Mallin ait très envie de se séparer d'un homme tel que toi. »

Pour la première fois, Hirnan se permit d'esquisser un sourire. « Regardez là-bas, dit-il. C'est messire Mallin lui-même qui m'a ordonné de préparer mon arc, à la fin, lorsque l'Arimondain est tombé et que vous êtes resté debout à lui parler. Je ne crois pas vraiment qu'il s'opposera à ce que je me joigne à vous. »

Blaise leva alors les yeux dans la direction indiquée par Hirnan, un pavillon jaune vif très loin des lisières, et il vit que Mallin de Baude était debout. Même à cette distance, il vit que le jeune baron souriait. Les souvenirs de ce printemps affluèrent tandis que Blaise levait la main pour le saluer. Et comme s'il était né pour de tels gestes, pour les accomplir devant le monde rassemblé, Mallin de Baude lui rendit son salut en levant la main, puis s'inclina devant lui comme l'on s'incline devant les rois. À côté de lui, avec une grâce exquise, Soresina de Baude, portant une jupe aussi verte que l'herbe, fit une profonde révérence et resta ainsi quelques instants avant de se relever. Un murmure monta des pavillons et des espaces réservés au peuple.

Blaise déglutit, tentant sans grand succès d'ajuster ses pensées à ce genre de situation. Il était difficile de résister à l'envie de rendre ce salut, mais un homme réclamant une couronne ne pouvait s'incliner devant les barons d'importance mineure. Les règles du jeu changeaient ; elles avaient changé ce matin pour le reste de sa vie, quelle qu'en fût la durée. Cette pensée avait quelque chose de terrifiant.

Une toux sèche se fit entendre derrière lui. Blaise regarda Valéry et Rudel par-dessus son épaule. « Il faudra s'occuper de cette oreille. Et il y a une quatrième flèche », fit prosaïquement Valéry.

Rudel semblait partagé entre la stupéfaction et l'envie de rire. « Et l'homme qui l'a tirée fait actuellement son apparition tel le coran démasqué à la fin d'un spectacle de marionnettes. Voici la fin de la pièce, Blaise. Pense vite. Regarde l'autre tente. »

Derrière la tente de l'Arimondain, comme surgissant de derrière un rideau de scène, resplendissant dans une tenue vert et or, son arbalète à la main, apparut Urté de Miraval.

Comme tant le public des pavillons que celui des terrains réservés au peuple pouvaient à présent le voir, la rumeur, naturellement, s'amplifia de nouveau. Au milieu du brouhaha, Urté commença à marcher vers eux d'une démarche mesurée, sans hâte, comme s'il se promenait sur les terres de Miraval.

Il se dirigea vers Blaise et s'arrêta, droit comme une lance malgré son âge. C'était silencieux là où ils se trouvaient, bien que la rumeur continuât à s'intensifier tout autour d'eux.

« N'attendez pas un autre salut, dit Urté. La dernière fois que j'ai considéré la question, Adémar était le roi du Gorhaut. Je ne m'incline pas devant la présomption des prétendants.

— Pourquoi leur sauvez-vous la vie, alors ? » demanda Rudel tandis que Blaise gardait le silence, réfléchissant aussi vite qu'il le pouvait.

Le duc l'ignora. Son regard soutenait celui de Blaise et un mince sourire se dessinait sur ses lèvres. « L'Arimondain m'avait déçu. Il m'a coûté dix corans avant-hier soir et mille en or ce matin, que je dois payer à Massena Delonghi. En outre, je n'avais pas vraiment envie d'être le seigneur d'un coran qui avait tué son adversaire dans le dos au cours d'un duel. C'est mauvais pour mon image, vous comprenez.

— Je crois comprendre, en effet », rétorqua Blaise. Une colère froide montait en lui. « S'il survivait, vous étiez en danger, n'est-ce pas ? Comme vous l'aviez trahi dans les appartements de Lucianna, il aurait pu continuer à raconter à quel point vous étiez réellement impliqué dans cet attentat contre ma vie avant-hier soir. Très mauvais pour votre image, je l'admets. Vous ne m'avez pas sauvé, mon seigneur, vous avez éliminé un homme importun. »

Le duc resta imperturbable. « Je dirais que c'est une bonne raison pour tuer un homme. Vous pourriez veiller à éviter de devenir vous-même importun tout autant que présomptueux. »

Rudel eut un rire indigné. « Vous êtes fou ? Vous le menacez ? »

De nouveau, Urté l'ignora. Blaise dit alors, très posément : « Ce que je fais a-t-il vraiment beaucoup d'importance ? J'ai entendu dire qu'une simple erreur suffisait à vous pousser au meurtre. Des musiciens qui se trompent de chanson, des corans loyaux qui ont commis la faute de vous obéir au mauvais moment. » Il s'arrêta et regarda fixement Urté. Il savait qu'il n'aurait pas dû dire ça, mais sa rage était trop forte et cela lui était à présent égal. « Et puis il y eut un enfant qui commit la regrettable erreur de jugement d'être engendré par le mauvais homme, et une jeune épouse qui...

— Je crois que ça suffit», interrompit Urté de Miraval. Il ne souriait plus.

«Croyez-vous? Et si moi je ne le croyais pas, mon seigneur? Et si je préférais suggérer autre chose? Devenir vraiment importun, comme vous dites? Vous dénoncer moi-même d'avoir comploté de me faire assassiner? Et d'autres choses encore, même si elles se sont passées il y a longtemps?» Blaise sentit que ses mains commençaient à trembler. «Si vous le souhaitez, je peux me battre contre vous maintenant. Mes écuyers sont ici et deux corans de Miraval attendent déjà près de cette tente. Je serais heureux de vous affronter. Je n'aime pas les hommes qui tuent les bébés, mon seigneur de Miraval.»

L'expression d'Urté de Miraval était devenue méditative. Il était de nouveau calme, bien que très pâle. «C'est de Talair qui vous a dit cela?

— Il ne m'a rien dit. Je ne le lui ai jamais demandé. Ceci n'a rien à voir avec Bertran.»

Le duc sourit. Cette fois non plus, son sourire n'était pas agréable. «Ah, ainsi c'était Ariane, l'été dernier, murmura-t-il. J'aurais dû le deviner, bien sûr. J'adore cette femme, mais elle parle trop au lit.»

Blaise redressa brusquement la tête. «Je vous l'ai déjà proposé une fois. Dois-je répéter? Vous battrez-vous contre moi, mon seigneur?»

Après un moment, Urté de Miraval secoua la tête. Il semblait à présent avoir totalement recouvré son sang-froid et, de plus, trouver la situation vraiment amusante. «Non. D'abord, vous êtes blessé et, d'autre part, vous êtes peut-être important pour nous actuellement. Vous avez combattu courageusement ce matin, nordique. Je suis capable de rendre hommage à un homme pour ça, et je le fais. Regardez, les femmes vous attendent. Allez jouer votre rôle puis vous faire soigner l'oreille, coran. Je crains que vous ne ressembliez à de Talair une fois que ce sang aura été nettoyé.»

Il s'agissait, en réalité, d'un congédiement, celui d'un grand seigneur s'adressant à quelque jeune guerrier prometteur, mais, tout en le comprenant clairement, Blaise ne savait pas comment tourner cela en quelque chose d'autre. Valéry le fit à sa place.

« Il reste encore une question sans réponse, mon seigneur », murmura le cousin de Bertran. Et Urté se tourna vers lui alors qu'il avait omis de le faire dans le cas de Rudel. « Est-ce la honte qui vous fait garder le dos si droit en ce moment ? La honte parce que vous avez, avec un Arimondain, suivi le noir chemin du meurtre alors que nous, y compris messire Bertran, nous efforçons de sauver l'Arbonne d'une ruine que nous savons imminente ? Jusqu'où dans le présent porterez-vous le passé, mon seigneur, que vous ayez ou non tué l'enfant ? »

L'espace d'un instant, Urté resta muet et pendant cet instant, sentant sa fureur s'atténuer et une bouffée de satisfaction pénétrer en lui comme une brise fraîche, Blaise lui adressa un signe de tête poli et lui tourna le dos, devant tous les spectateurs. Il entendit ses amis le suivre tandis qu'il s'avançait vers le pavillon de la comtesse d'Arbonne et de la reine de la Cour d'amour, laissant le duc de Miraval seul sur l'herbe avec son arbalète près du corps du coran mort, dans la lumière éblouissante du soleil.

Se tenant discrètement debout à l'arrière du pavillon blanc et or de la comtesse, mais prêt à accourir en cas de besoin, Roban le chancelier vit le fils de Galbert de Garsenc tourner le dos à Urté de Miraval et s'avancer dans leur direction. Il se crispa. Il n'avait bien sûr pas entendu un mot de leur conversation, mais la froide effronterie du geste portait son propre message.

Les messages d'une rare violence arrivaient à une allure folle ce matin, et ils allaient tous dans le même sens. Roban n'aimait toujours pas ce qui se passait — c'était trop retentissant, beaucoup trop provocateur pour lui —, mais il devait admettre que le Gorhautien s'en tirait avec beaucoup de grâce. Étant donné ce qui venait de se produire, il ne pouvait honnêtement prétendre continuer à douter de lui. Il se trompait peut-être, comme tous les autres, mais Blaise de Garsenc avait renoncé à toute possibilité de les trahir lorsqu'on avait hissé la bannière des rois du Gorhaut au-dessus de sa tente ce matin.

Roban fit un signe discret et l'un de ses serviteurs accourut de l'espace libre derrière le pavillon. Il envoya l'homme chercher le médecin de la comtesse, de même que la prêtresse guérisseuse.

Au milieu du champ, il vit messire Urté faire enfin un geste impérieux, indiquant aux deux corans de Miraval d'emporter le corps de l'Arimondain. Roban avait passé la majorité de sa vie à la cour. Il savait parfaitement pourquoi Urté avait tiré cette longue, splendide flèche de derrière la tente. Le duc, il en était convaincu, avait vraiment cru trouver Blaise du Gorhaut déjà mort en entrant avec la comtesse dans les appartements de la femme Delonghi deux nuits plus tôt. Ce n'était pas parce qu'il haïssait particulièrement le jeune coran — de Miraval ne savait sans doute même pas qui il était vraiment — ; il s'agissait simplement d'un autre coup, plus stupide, plus trivial, plus destructeur dans l'interminable guerre entre Miraval et Talair. Bertran estimait le Gorhautien et le gardait près de lui, et c'était pourquoi, sans aucune autre raison, Urté de Miraval aurait été content de le voir mort. Après quoi l'Arimondain aurait été abandonné à son sort, tout comme il l'avait d'ailleurs été, tandis que la comtesse se serait occupée de l'inquiétante et potentiellement dangereuse dame de Portezza. Roban aussi, bien entendu ; c'était toujours Roban qui se chargeait des choses difficiles.

Il regarda Blaise approcher, marchant avec peine. À une certaine distance derrière lui, les deux corans de Miraval vêtus de vert couraient dans l'herbe à l'appel de leur seigneur. Roban était un homme pondéré et il était depuis longtemps étonné par le fait que jamais — encore maintenant — les flèches des deux ducs belligérants n'étaient dirigées contre eux. C'était comme si, tacitement, sans le reconnaître, ils avaient besoin l'un de l'autre pour garder en vie certains souvenirs clairs et douloureux, pour se donner mutuellement, bien que cela semblât inexplicable, une raison de continuer à vivre.

Pour Roban, c'était ridicule, désespérément irrationnel, aussi obscur qu'un rite païen, mais pourtant une chose que la comtesse avait dite une fois lui semblait vraie : il était presque impossible de penser à l'un des deux hommes sans que l'autre vînt aussitôt à l'esprit. Ils étaient liés et agrippés l'un à l'autre, pensa Roban, comme dans un filet, par la mort d'Aëlis de Miraval. Roban leva les yeux et vit Bertran, détendu et confortablement installé dans un fauteuil sous le dais doré de la comtesse. Il arborait un large sourire en contemplant Urté qui marchait devant ses corans portant le cadavre de l'Arimondain.

Cela ne cessait jamais. Cela continuerait tant qu'ils vivraient tous les deux. Et qui sait combien de gens — et de nations — ils entraîneraient avec eux dans ce sinistre filet, à jamais suspendus à ce jour où, vingt ans auparavant, une femme aux cheveux noirs était morte à Miraval.

L'homme qui venait de réclamer le trône du Gorhaut se tenait à présent devant la comtesse. Roban se dit que quelque chose avait changé en lui, même en faisant abstraction du fait que, la dernière fois que le chancelier l'avait vu, il était attaché, presque nu, sur le lit d'une femme. Malgré la douleur que ses blessures lui infligeaient — du sang coulait de son oreille entaillée —, le Gorhautien gardait sa contenance devant les deux dames régnantes d'Arbonne et le roi de Valensa. Il était en outre moins jeune que Roban ne l'avait d'abord cru. En ce moment, son visage exprimait, de façon inattendue, une légère tristesse. Ce n'était pas l'expression d'un homme jeune.

Le cousin de Bertran et le fils de Vitalle Correze se tenaient derrière lui, ainsi qu'un troisième coran portant la livrée du château de Baude. Ils avaient déjà l'air de former un entourage, songea le chancelier. Ou bien c'était l'attitude même du Gorhautien qui donnait cette impression. Était-il possible que le simple fait d'affirmer ce qu'on réclamait produisît un tel changement? Oui, décida Roban, si la réclamation avait l'envergure de celle-ci. Souvent, les hommes n'étaient ni plus ni moins que ce que les autres voyaient en eux, et personne au monde ne pourrait jamais voir ce grand coran nordique comme avant. Voilà qui pouvait expliquer sa tristesse, pensa-t-il soudain.

La comtesse se leva, faisant signe à ses compagnons de rester assis. Roban ne pouvait voir son visage, mais il savait qu'elle ne souriait pas. Pas maintenant, pas avec tout ce qui avait été livré au hasard ce matin-là. « Sur ce champ, vous vous êtes comporté de façon honorable, Blaise de Garsenc, et avez été favorisé par Rian et Corannos, dit-elle d'une voix légère et claire. Nous demandons à toutes les personnes ici présentes de porter témoignage que cette affaire de sang entre vous et Quzman di Peraño est terminée et réglée à jamais. » Elle leva les yeux vers la bannière des rois du Gorhaut qui claquait dans la brise au-dessus de sa tente. « Quant aux autres questions soulevées ce matin, nous devrons en discuter beaucoup ensemble dans les jours à venir et nous sommes convaincus que le roi de Valensa voudra bien nous éclairer de ses conseils. Nous nous pencherons bientôt sur ces questions. Pour le moment, nous vous offrons les soins de nos guérisseurs à Barbentain et nous n'ajouterons rien d'autre, conclut-elle en jetant un bref regard à Roban qui hocha la tête, qu'une prière pour que la sainte Rian vous accorde sa grâce. »

Roban songea mélancoliquement que c'était déjà beaucoup. La comtesse avait déjà réglé la question en se levant pour saluer le Gorhautien au moment où ses bannières avaient été hissées, mais elle venait encore de faire connaître son point de vue, de façon non équivoque. Le chancelier regarda par-dessus son épaule. Le médecin et la prêtresse étaient arrivés ; ils se pressaient vers eux, courant presque. Mais Roban savait qu'il restait une chose à faire avant que Blaise de Garsenc ne pût se retirer pour être soigné. C'était du théâtre, et il était sur scène.

La comtesse se rassit et Ariane se leva à son tour, superbe dans sa robe aux teintes automnales de roux et d'or pâle. Le soleil levant et le soleil couchant, songea le chancelier en contemplant les deux femmes, ou, comme Ariane n'était plus très jeune, le lever de la lune et le crépuscule conviendraient peut-être davantage comme images. La beauté de la dame de Carenzu était éblouissante dans la lumière. C'était toutefois à la plus âgée des deux femmes qu'il vouait son amour, pour la grâce de la fin du jour, et il l'aimerait jusqu'à sa mort.

Il fallait à présent donner une rose. Se demandant, un rien curieux, ce que le Gorhautien allait faire, Roban entendit Ariane prononcer la formule officielle invoquant les rituels symboliques de la Cour d'amour. Roban le chancelier n'était ni un troubadour, ni un coran, ni un danseur, ni un homme d'esprit, ni ce type d'homme qui établit les modes à la cour parmi les femmes. Et pourtant, il aimait son pays avec une passion tenace, une flamme intérieure, intime, et il savait que ces rituels avaient beau paraître futiles, c'étaient pourtant eux qui définissaient l'Arbonne et la distinguaient du reste du monde. Et lui aussi avait beau paraître prosaïque, sec et sobre le jour dans les couloirs du palais, il rêvait pourtant de gagner cette rose et de l'offrir — évidemment — à la comtesse devant des foules en délire. Il n'avait pas fait ce rêve depuis quelque temps, mais pas depuis très longtemps non plus.

« Nous avons nos traditions en Arbonne, commença Ariane. Ici, où la déesse Rian est beaucoup plus que Corinna, la jeune fille du dieu. Notre déesse a un grand nombre d'incarnations et porte en elle la vie comme la mort. C'est pourquoi », reprit-elle, sa voix sonore résonnant à présent dans le silence qui régnait dans les pavillons, « il existe une cérémonie visant à honorer Rian et les femmes mortelles qui sont toutes ses filles. Nous demandons au vainqueur, l'élu de la déesse et du dieu, de donner une rose. » Elle fit une pause. « Parfois, pour reconnaître encore davantage son mérite, nous l'invitons à en offrir trois. »

Elle ouvrit le coffret qu'on lui avait apporté et Roban constata qu'elle avait en effet opté pour la cérémonie complète ce matin-là. C'était rare, mais Cygne et Ariane cherchaient de toute évidence à marquer ce moment et cet homme de façon aussi indélébile que possible. Il se demanda combien de temps vivrait le coran du Gorhaut — mais cela dépendait bien sûr du temps qui restait à chacun d'eux avec l'imminence de la guerre, aussi certaine que l'étaient l'hiver et le printemps qui allaient suivre.

« Blanche pour la fidélité », poursuivit Ariane, élevant le coffret pour qu'on pût le voir. Un murmure anxieux se fit entendre le long des pavillons. La matinée offrait davantage que ce à quoi l'on s'était attendu. « La jaune est pour l'amour, et la rouge, pour le désir. Vous pouvez les offrir à qui vous voulez, mon seigneur de Garsenc, ajouta-t-elle en souriant. Nous serons toutes honorées. »

Maculé d'herbe et de sang, Blaise du Gorhaut s'inclina devant Ariane et prit le coffret qu'elle tenait dans ses longs doigts. Roban savait que c'était purement cérémonial, un spectacle destiné au public des autres pavillons et des espaces réservés au peuple, de même que pour servir de source d'inspiration aux troubadours et aux ménestrels qui, une fois la foire terminée, se rendraient dans les châteaux et les villages loin de ce champ. Il avait beau le savoir et avoir vu si souvent cette scène, Roban était néanmoins bouleversé.

L'air sérieux, l'homme tendit le coffret ouvert au fils de Vitalle Correze, puis il prit la rose blanche. Il la regarda silencieusement pendant un instant avant de se retourner vers la reine.

« La fidélité, je l'offre à celle qui la mérite le plus, si l'on m'autorise à désigner une femme qui n'est pas avec nous en ce moment. Puis-je vous prier de la garder pour elle et de la déposer en mon nom à ses pieds lorsque vous le pourrez ? »

Ariane hocha gravement la tête. « Vous le pouvez et je le ferai. À qui dois-je la porter ?

— À ma sœur », répondit Blaise, et Roban fut presque certain que l'émotion qui faisait vibrer sa voix n'était pas feinte. « À Rosala de Savaric de Garsenc qui a été fidèle à son enfant et à sa propre vision du Gorhaut. Et dites-lui, si vous le voulez bien, que je serai loyal envers elle jusqu'à la fin de ma vie. »

Roban savait que Rosala était encore au château. Ce champ ouvert n'était pas un endroit convenant à une femme qui venait d'accoucher. Le héraut était maintenant en train de proclamer son nom pour que tout le monde pût entendre. Des rumeurs avaient circulé, mais ceci serait la première confirmation officielle de l'identité de la dame mystérieuse accueillie à Barbentain. On parlerait longtemps de ce matin dans les six pays, songea Roban en secouant la tête.

Blaise s'était déjà tourné pour prendre la rose rouge. Il paraissait à présent hésiter, les sourcils froncés, mais Roban le vit alors sourire légèrement pour la première fois depuis qu'il s'était approché. La portant devant lui, couchée dans ses paumes, il se dirigea en boitant vers un pavillon un peu plus loin et s'arrêta devant le fauteuil somptueusement sculpté et décoré de Lucianna Delonghi qui, deux nuits auparavant, l'avait lié avec des cordes et transpercé de sa dague. Tendant les deux mains, il lui donna, en s'inclinant de nouveau, la rose rouge du désir.

Observant la scène avec une franche curiosité, Roban vit la femme blêmir pendant qu'à côté d'elle son père souriait, puis cessait peu à peu de sourire en prenant conscience des conséquences de ce geste. Lucianna Delonghi ne prononça pas une parole ; elle paraissait ébranlée, et c'était la première fois que le chancelier la voyait ainsi. Avec son instinct de courtisan, Roban se tourna alors pour regarder Ariane et vit qu'elle avait les lèvres très serrées. « Un nouveau tournant, songea-t-il. Je me demande quand cela s'est produit. »

« Je commence à penser », murmura Bertran de Talair, prenant enfin la parole, « que cet homme va peut-être nous offrir davantage que nous ne l'escomptions. J'apprendrai peut-être même à le craindre. Il vient de prendre une pleine revanche sur Borsiard d'Andoria. »

Roban se rendit compte que c'était la vérité. Il s'agissait d'une rose de désir offerte publiquement à une femme mariée dont l'époux avait été banni de la foire pour avoir tenté de faire assassiner Blaise. Toutes les personnes présentes dans les estrades et dans la plus grande partie des terrains du peuple seraient à présent certaines de savoir pourquoi. Rien d'étonnant à ce que Massena Delonghi eût cessé de sourire. Se retournant vers le pavillon portezzain, Roban eut le temps de voir le Gorhautien dire un mot à la femme et la ligne de vision du chancelier était assez claire pour qu'il eût la quasi-certitude que ce mot était « adieu ». Il conclut que Blaise ne s'était pas seulement vengé du mari.

Le héraut était en train de crier le nom de Lucianna d'Andoria lorsque Blaise revint chercher la rose jaune.

Comme il l'avait fait pour les deux autres, il la prit dans ses deux mains et se tourna vers la comtesse et la reine. Il les regarda l'une et l'autre, et dit d'une voix calme dans le silence matinal : « Si vous me le permettez, je conserverai celle-ci quelque temps. Dans mon pays du Gorhaut, nous déclarons notre amour en privé avant de le faire savoir au monde. »

Puis, avant que l'une ou l'autre n'ait eu le temps de répondre, il s'évanouit tout simplement.

Et, comme le chancelier d'Arbonne le pensa avec sagesse en se hâtant d'aller chercher les guérisseurs, cet évanouissement était probablement le premier acte de toute cette matinée qui n'avait pas été fait pour le public.

Il avait pourtant tort.

« Tu pourrais perdre connaissance si tu trouves que cela dure trop longtemps et si tu veux t'en sortir, avait murmuré Rudel sans remuer les lèvres lorsque Blaise avait pris la première rose. Le vaillant vainqueur poussé à ses dernières limites. Ils vont aimer ça. »

Vers la fin, tandis qu'il revenait du pavillon de Lucianna, Blaise avait décidé que, en effet, cela s'éternisait. Il ne s'était pas attendu à voir une véritable douleur dans les yeux de Lucianna. De la colère, oui, et peut-être une fierté méprisante, mais pas cette souffrance soudaine.

Après tout le reste, cela lui procura une sensation extrêmement étrange. Comme il ne voulait pas vraiment s'effondrer, il décida de suivre le conseil de Rudel et de faire semblant de s'évanouir, glissant dans l'herbe et laissant ses yeux se fermer. Il entendit au-dessus de lui des voix inquiètes, la comtesse appelant à l'aide, la voix de Bertran guidant les médecins jusqu'à lui à travers les sièges des pavillons. Rudel et Valéry firent à toute vitesse un brancard pour le transporter, et il entendit Hirnan avec son accent prononcé du haut pays leur frayer un chemin tandis qu'ils l'emportaient loin du soleil trop ardent et de la curiosité de tous ces gens.

Blaise fut bel et bien inconscient pendant une partie du trajet vers le château ; avant, il lui vint toutefois cette pensée tout à fait saugrenue tandis que son esprit était pour l'instant sans défense : Cadar, l'enfant de Rosala, était presque sûrement son propre fils.

La majorité des troubadours exprimèrent bruyamment, presque sauvagement, leur enthousiasme. Même l'évanouissement de messire Blaise de Garsenc ne parvint pas à freiner leur humeur exubérante. Rémy avait l'air d'avoir décidé d'oublier sa rencontre avec l'épée de Blaise la veille de la mi-saison. Il finirait sans doute par considérer cela comme un lien de sang entre eux. Jourdain et Alain parlaient déjà de travailler ensemble l'après-midi même afin d'avoir au moins une chanson prête pour le banquet qui aurait lieu le soir à Barbentain.

« Tu n'as pas l'air en forme. Qu'est-ce qui se passe ? » C'était bien entendu Aurélien qui posait la question, celui qui remarquait toujours tout, même au milieu d'un tohu-bohu.

Lisseut lui adressa un sourire tremblant. « Je viens de découvrir que je n'aime pas beaucoup ce genre de chose.

— Moi non plus, et je le sais depuis quelque temps. C'est terminé, maintenant. Nous pouvons nous en aller. » Il hésita, la regardant d'un air songeur. « Il va s'en tirer, tu sais. J'ai vu arriver le médecin et une prêtresse.

— Moi aussi. Je suis sûre qu'il va s'en tirer. » Aurélien avait compris quelque chose que la brève réponse de Lisseut confirma. Quelle importance ? Blaise avait offert la rose blanche à la femme de son frère et la rouge à Lucianna Delonghi qui était aussi belle qu'Aurélien le lui avait affirmé. Il avait gardé la rose jaune.

À côté d'elle, Aurélien resta un instant silencieux. Elle vit des enfants courir dans l'herbe, jouant à la guerre. Des gens commençaient à quitter leurs pavillons pour se joindre à la foule bouillonnante. Les auberges de Lussan allaient bientôt être fort occupées.

« Et toi, ma chère ? demanda enfin Aurélien. Est-ce que tu vas t'en sortir ?

— Je ne sais pas », répondit-elle sincèrement.

Chapitre 6

La lune bleue était pleine, ce soir-là, comme le constata Ranald ; elle prêtait son étrange luminosité aux arbres et aux rochers du col de la montagne. On prétendait que les nuits où Escoran était pleine, les créatures de l'au-delà pouvaient se mouvoir entre les deux mondes. Dans les légendes des bergers, les montagnes étaient le refuge d'un grand nombre d'entre elles : êtres éthérés de la taille d'une fleur, monstres velus aux pieds immenses, capables de saisir et de dévorer un cheval et son cavalier sans méfiance dont, au matin, on ne retrouvait que les os, ou encore esprits qui s'emparaient de bébés dans leurs berceaux près du feu et les emportaient pour toujours dans les tumulus et les collines.

Ranald essaya, encore une fois, de comprendre pourquoi il était si mécontent d'être ici. Il aimait la chasse, et la nuit ne lui faisait certainement pas peur, surtout pas en compagnie des cinquante meilleurs hommes du roi. Dans un sens, il ne s'agissait que d'une partie de chasse de plus grande envergure.

Dans un autre sens, plus honnête celui-là, cela n'avait rien à voir.

Il regarda vers la gauche et fixa un long moment le profil mélancolique du seul homme qui paraissait encore moins content que lui d'être ici. Fulk de Savaric avait eu le malheur de faire l'une de ses rares visites à Cortil lorsqu'on avait appris la fuite de sa sœur. Le roi avait décidé de partir le soir même. Adémar avait exprimé clairement sa volonté : les ducs de Garsenc et de Savaric devaient se joindre à lui. Le message était explicite : cette chevauchée était dans une large mesure une question de loyauté.

Pendant deux jours et une nuit, et avec une deuxième nuit devant eux, ils avaient été en selle, changeant de chevaux à trois reprises, mangeant en vitesse et la plupart du temps en galopant. Ranald n'avait jamais vu le roi Adémar dans un tel état, aussi intensément concentré sur sa colère.

C'était sans doute cela qui le dérangeait le plus. Que le roi fût visiblement aussi courroucé que lui par la fuite de Rosala avec l'enfant. On aurait dit que Rosala avait quitté Adémar plutôt que Ranald. D'une certaine façon, c'était peut-être même la vérité. Ranald ne nourrissait pas d'illusions sur la force de sa relation avec sa femme, mais il se demanda, presque avec mélancolie, si elle aurait pris autant de risques, allant jusqu'à mettre en péril la vie de son enfant encore à naître, seulement pour quitter Garsenc et sa compagnie si son père et le roi n'avaient pas aussi fait partie du décor. Ils avaient tous les deux joué un rôle considérable, Galbert menaçant de prendre l'enfant et Adémar menaçant de... quoi donc ? De séduire l'épouse du duc le plus puissant du pays ? De la contraindre si elle résistait ?

Elle avait de toute évidence résisté et choisi une solution stupéfiante, sûrement terrifiante, celle de fuir seule dans un autre pays plutôt que de compter sur son mari pour la protéger de son père et du roi. Et que révélaient ces choses, se demanda-t-il, selon qu'on les considérât à la lumière du jour ou à la clarté bleue de la lune, à propos du caractère et de la force de Ranald, duc de Garsenc, qui même maintenant, bien que contre son gré, chevauchait à la suite de son roi à travers le défilé de montagne pour aller faire un massacre en Arbonne ?

Tout se déroula très simplement — n'importe quel soldat inexpérimenté aurait pu le prédire. Habitués à voir passer des gens du nord pendant le mois de la Foire de Lussan, les trois corans arbonnais se trouvant dans la tour de guet du versant sud de la chaîne de montagnes se fièrent entièrement — comme ils étaient en droit de le faire — à la trêve qui accompagnait toujours une foire.

Adémar fit arrêter toute sa compagnie à l'écart et envoya cinq corans à la tour. Les gardes les accueillirent courtoisement, leur offrirent l'hospitalité, de la nourriture et de la paille pour la nuit, et furent abattus alors même qu'ils faisaient ces offres. Sur les instructions du roi, lorsque le signal fut donné et que le reste de la compagnie s'avança, les trois sentinelles furent décapitées et castrées, et l'on mit le feu aux bâtiments de bois qui flanquaient la tour.

Ils avancèrent alors plus rapidement afin de devancer tout message pouvant être transmis par les flammes. Peu de temps après, ils entrèrent dans le hameau d'Aubry, tout près de là, comme une horde sauvage venue des terreurs nocturnes des bergers : cinquante cavaliers hurlant, brandissant leurs épées, portant des torches dans leurs mains libres, brûlant et tuant sans crier gare, sans expliquer pourquoi, sans répit. Cette razzia pendant une trêve constituait un message, et le message devait être aussi clair que possible.

Observé par le roi et l'ecclésiastique présent à titre de représentant de son père, Ranald, légèrement nauséeux, s'obligea à débusquer les quelques villageois qui avaient une arme quelconque à la main lorsqu'ils sortirent en titubant de leurs huttes au milieu des cris des bêtes et des enfants. Il était un excellent combattant, célèbre un jour, bien que son frère fût à présent plus réputé, parcourant le monde à la recherche de tournois et de guerres. Mais c'était Ranald qui, le premier, avait enseigné à Blaise tout ce qu'il savait sur le maniement de l'épée, et c'était lui qui, l'année de ses dix-neuf ans, avait été nommé champion du roi au Gorhaut par Duergar.

Il pensait souvent que cette époque, alors qu'il était honoré par le roi et la cour pour ses prouesses, adulé par les femmes de tous rangs, constamment valorisé pour ses talents, et ce sans qu'il eût à fournir le moindre effort, plongé dans l'insouciante et exubérante confiance de la jeunesse, et libre — plus que tout libéré de son père pendant quelque temps—, cette époque avait été la meilleure de sa vie.

Puis son oncle, Éreibert de Garsenc, était mort et Ranald était devenu duc avec de nouvelles charges, de nouveaux pouvoirs et tout ce qui découlait de la proximité d'un trône souvent contesté. Un nouveau champion avait été solennellement désigné au moment où Ranald retournait vers Garsenc, et son père avait recommencé à lui dicter sa conduite. Il y avait plus de dix ans de cela. Pendant toutes ces années, il avait obéi à Galbert en presque tout. Il se demanda s'il pourrait nommer une seule chose lui ayant procuré un véritable plaisir pendant cette période.

Certainement pas ce massacre, et ce qu'il signifiait en période de trêve. Ranald de Garsenc n'était pas un homme sentimental, peu s'en fallait, et l'art de la guerre ne lui causait aucun problème, ni la perspective de conquérir l'Arbonne. Mais la guerre n'avait pas été déclarée, pas encore. Cette vengeance avait quelque chose de hideux. C'était censé être sa propre vengeance, il le savait. Il n'avait toutefois pas été consulté ; il n'avait fait que suivre son roi pour aller livrer un message de sang et de feu.

Un petit temple consacré à Rian s'élevait à proximité du village ; c'était le temple le plus au nord de l'Arbonne, le plus proche du Gorhaut — raison de leur présence ici. Réveillés au milieu de la nuit, les trente ou quarante habitants d'Aubry furent tués, jusqu'au dernier enfant. Comme les gardes de la tour en flammes, les hommes — pour la plupart des bergers et des fermiers — furent décapités et leurs parties génitales furent tranchées. Adémar du Gorhaut savait comment dire ce qu'il pensait des mâles arbonnais, gouvernés par une femme.

Ensuite, ils galopèrent vers le temple.

Sous la lumière d'Escoran à présent pleine et du premier croissant de Vidonne, les huit prêtresses de Rian dans leur petit sanctuaire furent arrachées à leurs lits et brûlées vives. Sur l'ordre du roi, les soldats purent d'abord abuser d'elles. Adémar ne cessait de faire avancer et reculer son grand cheval ; il regarda pour commencer une femme aux prises avec un groupe de corans, puis une autre. On entendait beaucoup de cris et le bûcher fabriqué en hâte avec du bois sec d'automne grondait de plus en plus fort. Adémar lança un regard à Ranald et éclata de rire.

« Vous n'avez pas envie d'une femme, mon seigneur de Garsenc ? Un cadeau de votre roi pour vous consoler de votre perte irréparable ? » Il cria ces paroles de sorte que tout le monde pût les entendre.

« Pas avant vous, Sire. Je vous suivrai en ceci comme en toute chose », répondit Ranald, son épée à présent inutile à la main.

Adémar rejeta la tête en arrière et rit de nouveau. Pendant un instant, Ranald craignit que le roi ne descendît vraiment de cheval et ne se joignît à ses corans pour violer les femmes, mais Adémar se contenta de cravacher sa monture et s'approcha du bûcher que contemplait l'ecclésiastique délégué par Galbert. Ranald avait le cœur rempli de tristesse en regardant s'éloigner le roi. Il savait ce qu'il devrait faire. Dans la lueur mêlée du feu et des lunes, ses yeux croisèrent ceux de Fulk de Savaric. Les deux hommes détournèrent silencieusement leur regard.

Ranald avait déjà vu des bûchers auparavant, il avait lui-même fait brûler un certain nombre de personnes sur les terres de Garsenc, puisque son père considérait comme essentiel d'organiser ce genre de spectacle à peu près tous les ans pour garder les serfs et les villageois soumis. Il avait chaque fois été un témoin impassible, donnant l'exemple. Il n'avait cependant jamais vu huit femmes brûlées en même temps. Le nombre ne devrait pas avoir d'importance, mais lorsqu'il commence à en avoir, il semble que cela fasse une différence.

Au milieu des hurlements et des bruits des animaux épouvantés de la ferme tout autour, Ranald entendit l'ecclésiastique délégué par son père prononcer la formule rituelle d'accusation et la malédiction officielle de Corannos, puis, sa voix devenant véritablement triomphante, il invoqua le feu donné en cadeau par le dieu pour anéantir l'hérésie.

Un châtiment du dieu, comme Galbert avait défini ce raid dans la salle du trône de Cortil après l'entretien avec le roi. Ce dernier avait alors annoncé qu'il partirait le soir même pour une expédition punitive contre l'Arbonne.

On entendit des hurlements au milieu des flammes jusqu'à ce que la fumée y mît fin, comme cela se produisait toujours. Les femmes noircissaient lentement et l'odeur de la chair calcinée était très forte. Adémar décida de s'en aller. Ayant achevé ce qu'il était venu faire, sa fureur pour l'instant apaisée, le roi du Gorhaut ramena ses corans vers le défilé de montagne. Lorsqu'ils passèrent à côté des dépendances de la tour de guet solitaire où le feu couvait encore, un coran entonna un chant de victoire. Il fut bientôt imité par tous les autres, les guerriers élus de Corannos dans son pays bien-aimé.

Trois sentinelles dans une tour de guet, un hameau de bergers et de fermiers, huit prêtresses violées et brûlées. Un châtiment du dieu.

Ce n'était qu'un début.

Le vent de l'ouest poussait la fumée de l'autre côté de sorte que, de la butte où il se trouvait, à l'orée de la forêt, il pouvait voir clairement ce qui se passait plus bas. Il contempla, imperturbable, le massacre du village et éprouva une vibration troublante mais indubitable au creux de ses reins en voyant des hommes qu'il connaissait faire sortir les femmes du temple, certaines nues, certaines en chemise de nuit vite déchirées en lambeaux. Il était assez près, bien que caché au milieu des arbres. Il n'entendit pas seulement les cris, mais aussi les plaisanteries braillées par les corans. Il reconnut tout de suite le roi et, un instant plus tard, il aperçut son propre seigneur, le duc de Garsenc. Il s'agissait, en fait, des hommes qu'il cherchait, chevauchant vers le nord.

Le bûcher le dérangea bien que, en lui-même, il n'eût pas été suffisant pour l'obliger à s'arrêter. Il s'arrêta pourtant, silencieux et attentif sur son cheval devant Aubry tandis que les corans du Gorhaut terminaient leurs jeux et leur travail, et que les hurlements se taisaient. Il ne bougea pas non plus, même s'il était largement temps qu'il reprît la route, lorsqu'il vit le roi faire tout à coup un grand geste de la main et cinquante cavaliers remonter aussitôt en selle et repartir vers le nord-est en direction du défilé.

Il tremblait, en réalité, confus et inquiet devant sa propre hésitation, hanté, comme il l'avait été toute la journée, par des pensées sur lesquelles il ne se serait jamais attardé avant ce matin. L'habitude et la crainte, les obligations dictées par sa discipline l'avaient fait quitter Lussan à midi et se diriger vers le nord pour rapporter à la cour de Cortil ce qu'il avait vu au tournoi le matin même. Il s'était arrêté dans une auberge au bord de la route pour boire une bière, y avait flâné absurdement longtemps, ne cessant de se répéter qu'il était temps de repartir, qu'il était porteur de nouvelles importantes, dangereuses, qu'on risquait même de douter de lui s'il tardait trop.

Il n'avait pourtant pas quitté cette auberge avant la fin du jour, galopant sans toutefois forcer l'allure. Il avait une longue route à faire pour atteindre Cortil, s'était-il dit, et devait veiller à ne pas épuiser son cheval. La nuit était déjà tombée lorsqu'il était arrivé à proximité d'Aubry qu'Escoran nimbait de sa clarté bleutée ; il se disposait à dépasser le village par la route menant au défilé lorsqu'il avait entendu un bruit de sabots et des hommes qui hurlaient.

Il s'était arrêté à l'orée de la forêt pour voir ce qui se passait et, ahuri, il avait reconnu le roi qu'il allait avertir.

Il était resté immobile à les observer massacrer les habitants d'un village et d'un temple avant de s'en aller. Il n'avait pas été particulièrement choqué par ce que les corans avaient fait aux prêtresses, ni même, réellement, par l'immolation des femmes sur le bûcher une fois qu'ils en avaient eu terminé avec elles bien qu'aucun homme même à moitié normal ne pût vraiment aimer assister à un tel spectacle. Ce n'était pourtant pas cela qui l'avait obligé à rester silencieux sur la butte. Il avait déjà vu des choses pires, ou du moins aussi cruelles, pendant les brutales années de la guerre contre la Valensa, particulièrement dans les fermes et les villages des deux côtés de la frontière. Comme son père le lui avait dit un jour, plus une guerre durait, plus on pouvait voir et faire des choses terribles. Il lui semblait que c'était vrai ; les années passant, il avait d'ailleurs l'impression que son père avait presque toujours eu raison.

Ce n'était même pas, bien que cela pût en partie l'expliquer, l'émotion ressentie ce matin-là alors que le dos droit et les cheveux hérissés il avait vu Blaise de Garsenc hisser la bannière des rois et se diriger vers le combat. Il avait toujours cru — et l'avait dit deux ou trois fois, mais seulement à des amis en qui il avait une totale confiance — que le plus jeune des Garsenc était de beaucoup le meilleur des trois.

Cela, en soi, ne faisait pourtant aucune différence. Au Gorhaut, un coran apprenait très tôt à garder ses pensées à leur place : loin de toutes les actions qu'on pourrait lui ordonner d'accomplir. Son propre seigneur était Ranald, duc de Garsenc, et si c'était le père du duc à Cortil qui lui donnait la plus grande partie de ses ordres, eh bien, les corans de Garsenc n'étaient pas censés avoir d'opinion sur le sujet.

Encore assis silencieusement sur son cheval longtemps après le départ de la troupe du roi, contemplant le feu qui se propageait de deux maisons de bois à une troisième, il réalisa finalement qu'il aurait poursuivi sa route avec ses nouvelles n'eût été une autre chose, tirée lentement de son propre passé, comme un seau d'un puits, au cours de cette longue journée.

On n'entendait à présent rien d'autre que le crépitement des flammes et le très faible gémissement d'un enfant ou d'un animal qui n'était pas encore tout à fait mort. Après un moment, ces pleurs se turent aussi et il n'y eut plus que le bruit du vent et du feu, s'amplifiant comme un grondement lorsque s'enflamma la dernière des maisons de bois.

Ce qui l'avait retenu ici, rivé à cette arête à regarder son roi, son seigneur et les corans qu'il connaissait depuis des années, c'était le souvenir de la dernière année de son père.

Le domaine familial consistait en un petit lopin de terre fièrement inscrit à leur propre nom sur les registres du baron depuis que la dernière épidémie de peste avait rendu la main-d'œuvre rare et laissé trop de fermes à l'abandon. Un minuscule lopin de terre, mais il appartenait à son père après que celui-ci se fut épuisé à travailler toute sa vie pour quelqu'un d'autre. Cette ferme se trouvait sur les bonnes terres à céréales du nord du Gorhaut. C'est-à-dire, pour être plus précis, au nord de ce qui avait été le Gorhaut. Depuis la signature du Traité, c'était à présent la Valensa.

Il avait lui-même participé à la bataille du pont Iersen. Il s'était battu et il avait vaincu dans la glace et le sang au sein de l'armée gorhautienne, tout en souffrant amèrement pour son roi une fois que les épées avaient été rengainées et les lances, déposées. Une saison plus tard, pas davantage, de retour au château de Garsenc où, à la grande fierté de sa famille, il servait le jeune duc comme coran consacré, il avait appris que ses parents, de même que tous les autres fermiers et habitants de villages entiers au nord, avaient reçu l'ordre de faire leurs bagages et de partir vers le sud, là où ils voudraient et pourraient trouver un abri.

C'était seulement temporaire, leur avait affirmé le messager d'Adémar, le nouveau roi. Dans sa sagesse, celui-ci avait pensé à eux et leur donnerait très bientôt des terres plus vastes, plus riches. En attendant, le rêve et la prière que son père avait faits toute sa vie n'existaient plus, ils avaient été offerts aux Valensains qu'ils avaient combattus pendant cinquante ans. Juste comme ça.

D'une certaine façon, ses parents faisaient partie des chanceux ; ils avaient trouvé un endroit à l'est de Cortil, chez un oncle du côté maternel ; ils avaient recommencé à travailler pour autrui, mais ils avaient au moins un toit sur la tête. Les deux fois où il avait vu son père, il n'avait pu lire dans ses yeux aucune sorte de bonheur bien que, en véritable nordique, son père fût un homme très taciturne même quand tout allait bien.

Tout le monde savait où les terres promises étaient censées se trouver. On en parlait ouvertement tant à la campagne que dans les tavernes et les châteaux. Son père n'avait fait qu'un seul commentaire à ce sujet, à la fin de sa deuxième et dernière visite à la hutte dans la cour de la ferme où vivaient désormais ses parents.

Au crépuscule, ils étaient sortis pour se promener et ils avaient contemplé les landes grises dans la bruine. « Qu'est-ce que je connais des oliviers ? » avait demandé son père, se détournant pour cracher dans la boue.

Son fils n'avait pas répondu. Il avait regardé la pluie fine tomber sur la lande. Il n'y avait rien à dire. Ou plutôt rien qui ne fût une trahison, ou un mensonge.

Ce matin pourtant, avant le duel sous le ciel clair de l'Arbonne, il avait entendu le plus jeune fils Garsenc traiter Adémar de traître et réclamer le trône du Gorhaut devant les seigneurs et les dames des six pays. Et, comme il en prit enfin conscience, assis sur son cheval devant un hameau en flammes, il approuvait Blaise de Garsenc.

Son père aurait pensé comme lui, il le savait avec certitude, même si jamais il n'aurait osé verbaliser sa pensée. Ils étaient des citoyens du Gorhaut, leurs vies et leurs terres étaient sous la protection du roi — et celui-ci avait sacrifié leur sécurité, leur histoire et leur confiance en signant une feuille de papier. On racontait que Galbert de Garsenc était derrière toute l'affaire. Qu'il voulait détruire l'Arbonne à cause de la déesse qu'on y vénérait.

Il ne savait pas grand-chose à ce sujet et cela lui était plutôt égal, mais il avait vu son père anéanti par l'obligation de vivre dans la ferme d'un autre homme, loin des terres du nord qu'il avait connues toute sa vie. Son père était décédé à la fin du même été ; incapable de se lever de son lit un matin, comme l'avait dit la lettre du scribe, il était retourné au dieu quatre jours plus tard sans avoir prononcé une seule parole. Il ne paraissait pas avoir beaucoup souffert, précisait le scribe. Sa mère avait apposé sa marque à la fin de la lettre, après le paragraphe lui souhaitant bonne chance. Il la portait toujours sur lui, cette lettre.

Il jeta un dernier regard sur Aubry en flammes. Il prit une profonde inspiration ; il savait à présent ce qu'il devait faire, mais cela ne l'effrayait pas. Lorsqu'il repartit sur son cheval, ce fut vers le sud, de là où il venait, portant un message différent, assombri par le feu, la mort et ce qui restait à venir.

Il comprit qu'il avait vraiment fait son choix le soir de sa dernière promenade avec son père sous la pluie. Il n'avait eu aucun moyen de mettre sa décision en application. À présent, il en avait un.

Il éperonna son cheval et s'éloigna des feux d'Aubry. Il fixait son regard sur la route déserte devant lui, constatant comme elle était devenue étrange et brillante dans les clartés mêlées des deux lunes.

❋

Cela n'avait pas rendu Blaise très heureux, mais les prêtresses et le médecin avaient, d'un commun accord, insisté pour lui faire boire une infusion d'herbes qui l'avait fait dormir une grande partie de la journée.

À son réveil, dans une chambre de Barbentain, il avait vu qu'à l'ouest le ciel avait pris les douces teintes du soleil couchant, rose foncé et violet, avec le bleu nuit du crépuscule encore à venir. De son lit, il ne pouvait apercevoir le fleuve, mais il l'entendait couler par la fenêtre ouverte ; à une distance moyenne, des lumières commençaient à s'allumer dans les logis de Lussan. Il contempla un instant le paysage, se sentant curieusement en paix tout en ayant conscience de la douleur qu'il ressentait dans les jambes et des bandages entourant son oreille gauche. Il leva une main et les toucha.

Il tenta de tourner sa tête de l'autre côté et s'aperçut ainsi qu'il n'était pas seul.

« Cela aurait pu être pire », dit calmement Ariane. Elle était assise dans un fauteuil à mi-chemin de la porte. « Tu as perdu une partie du lobe de ton oreille, mais on affirme que ce sera tout. À peu près comme Bertran, en fait.

— Depuis quand es-tu ici ?

— Peu de temps. Ils m'ont dit que tu dormirais jusqu'au coucher du soleil. J'ai demandé la permission de te parler seule à seul à ton réveil. »

Elle avait retiré sa toilette somptueuse du matin et revêtu des vêtements plus sobres ; elle portait une robe bleu foncé garnie aux manches d'un volant rouge, sa couleur habituelle. Il la trouva très belle. Elle sourit. « Bertran a passé la journée à parcourir le château en proclamant que vous êtes deux frères séparés depuis longtemps. Selon la version actuelle, des brigands t'ont kidnappé dans ton berceau au château de Talair quand tu étais bébé et vendu pour trois chèvres dans un village au Gorhaut.

— Trois chèvres ? Quel outrage ! soupira Blaise. Au moins cinq. Dis-lui que je refuse d'être sous-évalué même dans une histoire. »

Le sourire d'Ariane s'estompa. « Il est peu probable que tu sois sous-évalué, Blaise, tant ici que n'importe où ailleurs. Pas après ce matin. Tu vas presque certainement avoir des problèmes contraires. »

Il hocha lentement la tête. Il pouvait le faire sans que cela fît trop mal. Avec un effort, il se redressa pour s'asseoir. Il y avait une carafe sur la table de chevet.

« Qu'est-ce que c'est ? demanda-t-il.

— La même chose que tu as bue avant. Ils ont dit que tu en voudrais peut-être encore. »

Il secoua la tête. « Est-ce qu'il y a autre chose ? »

Il y avait du vin dans un carafon près du mur opposé. Il y avait également de la nourriture : viandes froides, fromages et pain frais cuit dans la cuisine du château. Blaise s'aperçut qu'il était affamé. Ariane mit de l'eau dans le vin et le lui apporta sur un plateau. Blaise avala en vitesse quelques bouchées, puis leva de nouveau les yeux. Elle souriait, l'observant attentivement assise dans son fauteuil.

« Ils ont dit que les herbes te donneraient peut-être faim à ton réveil.

— Qu'est-ce qu'ils ont dit encore puisqu'ils ont l'air de si bien me connaître ? grogna-t-il.

— De ne rien faire qui puisse t'agiter ou t'exciter », répondit-elle d'un air sage.

Blaise se sentit soudain bizarrement heureux. Une sensation de bien-être l'envahit tandis qu'il regardait la femme et se laissait bercer par la sérénité et le silence du crépuscule. Lorsqu'il quitterait cette chambre, il lui faudrait se charger des fardeaux du monde. En cet instant, quelle que fût sa brièveté, tout cela paraissait agréablement lointain. Il fut une fois de plus conscient de l'odeur d'Ariane, subtile comme toujours, mais qui n'appartenait qu'à elle.

« Tu n'es pas très douée pour cela », dit-il.

Étonnamment, elle rougit. Blaise esquissa un sourire. Il changea de position et posa le plateau laqué sur le coffre à côté du lit. Elle resta assise où elle était.

« S'est-il passé quelque chose que je doive savoir ? » demanda-t-il. Il se sentait vraiment très bien. Il se demanda si les deux médecins avaient prédit cela aussi. « A-t-on besoin de moi, ou de toi, pendant un petit moment ? »

Écarquillant ses yeux noirs, Ariane secoua la tête.

« Cette porte ferme-t-elle à clef ? »

Elle retrouva son petit sourire. « Bien sûr. Et il y a aussi quatre gardes de la comtesse à l'extérieur qui entendraient tourner la clef. Tout le monde sait que je suis ici, Blaise. »

Elle avait évidemment raison. Dépité, il s'adossa de nouveau à ses oreillers.

Ariane se leva alors, grande et mince, ses cheveux noirs dénoués comme d'habitude. « D'autre part, murmura-t-elle en se dirigeant vers la porte, les corans de Barbentain sont reconnus pour leur discrétion légendaire. La clef tourna dans la serrure avec un bruit métallique. « Et comme tout le château sait que je suis ici, nous ne pourrions certainement rien faire d'autre que discuter de ce qui va se passer maintenant, n'est-ce pas ? »

Elle revint lentement vers lui et resta debout à côté du lit. Blaise leva les yeux sur elle et but, comme on boit un vin frais et vivifiant, sa beauté parfaite.

« C'est ce que je me demandais », dit-il au bout d'un moment. La main d'Ariane jouait distraitement avec la couverture, la tirant un peu de la poitrine de Blaise puis la remontant. Dessous, il était nu. « Ce qui va se passer maintenant, je veux dire. »

Ariane éclata de rire et retira complètement la couverture. « Il faut que nous en discutions », répondit-elle en s'asseyant sur le lit et en se penchant pour l'embrasser. Son baiser fut bref, délicat, subtil. Il se souvenait de cela. Sa bouche descendit ensuite, trouva le creux de sa gorge, puis descendit encore sur sa poitrine, puis plus bas.

« Ariane, dit-il.

— Chut, murmura-t-elle. J'ai promis de ne rien faire qui pourrait t'agiter. Ne me fais pas mentir. »

Il ne put s'empêcher de rire, puis, peu de temps après, il cessa de rire alors que d'autres sensations prenaient possession de lui. Il faisait sombre dans la chambre car, dehors, la nuit était tombée. Ils n'avaient pas allumé de bougies. Dans la pénombre, il la vit relever la tête, puis retirer sa robe à côté du lit. Elle se déplaça de nouveau, entourée d'une bouffée odorante et d'un froufrou de tissu pour se dresser au-dessus de lui.

« À présent, rappelle-toi, tu ne dois pas t'exciter », dit gravement Ariane de Carenzu et, d'un mouvement doux et fluide, elle s'installa sur son sexe.

Les lumières de la ville miroitaient maintenant sur le fleuve ; on entendit quelqu'un marcher dans le corridor, une voix répondre à une tranquille boutade des gardes et les pas s'éloigner. Le fleuve coulait doucement, vers la mer lointaine. Blaise sentait comme le rythme des vagues les mouvements d'Ariane au-dessus de lui. Il leva les mains vers les seins de sa compagne, puis se mit à tracer les traits de son visage dans le noir comme un aveugle. Il glissa les doigts dans sa longue et magnifique chevelure. Encore une fois, tout en sachant combien c'était injuste, il ne put s'empêcher de la comparer à Lucianna. C'était la différence, songea-t-il soudain, entre faire l'amour comme un moyen d'échanger et le faire comme un geste esthétique. Les deux manières comportaient des dangers pour les gens sans méfiance. Il lui vint à l'esprit qu'il aurait très facilement pu donner à cette femme la rose rouge ce matin-là s'il n'avait pas voulu envoyer un message privé et public sous le dais du pavillon portezzain.

Il avait sans doute dormi après, il ignorait combien de temps. Ariane s'était rhabillée et des bougies étaient allumées dans toute la pièce. Elle ne l'avait pas quitté toutefois et, assise de nouveau dans son fauteuil, elle le regardait comme s'il s'éveillait pour la première fois. Il y avait quelque chose de profondément rassurant dans le fait de se réveiller et de la trouver auprès de lui. Le savait-elle ? Il se sentait différent, cette fois, plus engourdi. Son regard quitta le visage serein d'Ariane pour se poser sur la fenêtre. La nuit s'était transformée pendant son sommeil ; un moment plus tard, il comprit pourquoi : la lune bleue, qui serait pleine cette nuit, se levait sur le château et sur le monde.

Blaise se retourna vers Ariane et le souvenir du matin lui revint alors à l'esprit, l'image claire et ensoleillée de la bannière des rois flottant en son nom. D'un geste instinctif, il leva une main. Et toujours à demi endormi, comme dans un rêve, il chuchota : « Mais je ne veux pas être le roi du Gorhaut.

— Je sais, répondit Ariane sans bouger. Je sais que tu ne le veux pas. » Avec ses cheveux de jais et sa peau pâle, presque translucide, elle ressemblait à un fantôme, un racoux, à la lueur des chandelles. « Mais je ne m'inquiéterais pas à ce sujet, Blaise. Nous ne vivrons probablement pas assez longtemps », ajouta-t-elle avec un sourire ironique.

Elle partit peu après. Bertran entra quelques instants pour faire part à Blaise de sa nouvelle plaisanterie à propos de leur fraternité et évita délibérément tout autre sujet plus sérieux. Rudel et Valéry vinrent eux aussi le voir et Blaise mangea de nouveau, un repas normal cette fois, apporté par Hirnan ; il avait toujours faim. Le médecin et la prêtresse arrivèrent ensuite et le pressèrent de boire encore de leur infusion aux herbes. Il refusa. Il se sentait bien. Son oreille le faisait un peu souffrir, de même que ses tibias et l'arrière de ses mollets, là où il avait été frappé par l'épée de l'Arimondain, mais, dans l'ensemble, il était plus en forme qu'il ne s'y serait attendu. Il ne voulait pas d'autre drogue.

Ils le laissèrent seul pour descendre au banquet et écouter les chanteurs. Blaise s'assoupit quelques instants, puis sortit du lit, alla s'asseoir près de la fenêtre et regarda dehors. La musique qu'on jouait au rez-de-chaussée lui parvenait, atténuée. Il pensait à Rosala lorsqu'on frappa à la porte. La comtesse en personne entra, accompagnée d'Ariane et de Bertran. Rudel et le chancelier Roban suivaient. Ils arboraient un air sombre. Ariane, Blaise le comprit immédiatement, avait pleuré. Avant qu'ils ne commencent à parler, Blaise prit une lente et profonde inspiration, et revint sur terre.

« Un homme est venu », annonça Bertran tandis que la comtesse, très pâle, restait silencieuse. Son visage était un masque sculpté dans le marbre. Jamais pourtant Blaise n'avait vu ses yeux exprimer une telle rage. « Un homme du Gorhaut, poursuivit Bertran. Il nous a communiqué des nouvelles extrêmement mauvaises et a demandé la permission de vous parler. »

Valéry et Hirnan le firent entrer. Blaise le connaissait, bien que très peu. Un coran de Garsenc, un des meilleurs, avait un jour déclaré Ranald. Sans prononcer une parole, l'homme se jeta à genoux devant Blaise. Ses mains étaient levées et jointes en position pour prêter serment. Lentement, conscient que cela aussi était le début d'un processus irrévocable, Blaise se leva et entoura de ses mains celles du coran. Il entendit, comme si c'était la première fois, l'antique serment de Corannos qui lui était fait dans cette grande chambre du château de Barbentain. Cela se passait exactement comme pour la bannière, songea-t-il: c'était différent quand cela s'adressait à vous. Pendant un moment, il regarda Ariane. Elle pleurait de nouveau. Il se tourna vers le coran, se concentrant sur ses paroles.

« Je vous jure loyauté au nom de Corannos, le grand dieu du feu et de la lumière, et sur le sang de mon père et du père de mon père. J'offre mon service aux portes de la mort. Je vous reconnais comme mon seigneur aux yeux des hommes et du dieu très saint. »

L'homme se tut. Blaise se souvint alors de son nom: Thaune. Il venait du nord comme le révélait son accent. Thaune leva les yeux pour la première fois vers lui. « Et je vous reconnais également comme mon vrai roi », poursuivit-il d'une voix étonnamment forte à présent que ses paroles ne faisaient plus partie de l'ancien serment. « Je n'aurai plus de repos la nuit et je ne détacherai plus la ceinture qui porte mon épée avant que vous ne soyez assis sur le trône à Cortil à la place du traître qui l'occupe à présent. Au nom de Corannos, j'en fais le serment. »

Blaise s'éclaircit la voix. Il éprouvait un sentiment d'épouvante devant les larmes d'Ariane, le silence qui l'entourait. « J'accepte ton hommage. Je fais de toi mon vassal, Thaune du Gorhaut. À titre de suzerain, je t'offre l'abri et le secours, ainsi que mon propre serment de fidélité. Relève-toi. » Il bougea ses mains et aida le coran à se redresser. « Et maintenant, reprit-il, j'aimerais savoir ce qui s'est passé. »

Thaune le lui raconta. Pendant qu'il parlait, Blaise fut obligé de se rendre compte qu'il n'était pas aussi rétabli qu'il l'avait cru. Hirnan, qui l'observait avec attention, se hâta de lui avancer une chaise. Blaise s'y laissa tomber.

Il semblait que son père et le roi Adémar n'avaient pas commencé par envoyer des messagers porteurs de lettres élégantes demandant le retour de Rosala avec son enfant. Ils avaient commencé par le feu.

Cadar passait une nuit agitée, se réveillant souvent pour téter et se rendormant presque aussitôt que la nourrice le posait contre son sein. La prêtresse était indulgente, sans inquiétude. Certains nourrissons, disait-elle, avaient besoin de quelques semaines pour apprendre qu'il faut dormir et moins se nourrir durant la nuit. Consciente que chez elle, dans des circonstances normales, elle serait séparée de son bébé qui vivrait avec sa nourrice dans une autre aile du château sinon à l'extérieur, Rosala n'avait pourtant pas encore réussi à s'empêcher de traverser le couloir pour venir s'occuper de lui quand il pleurait.

Elle revenait vers sa chambre, à demi endormie, revêtue uniquement de la chemise de nuit que la comtesse lui avait donnée, lorsqu'elle aperçut quelqu'un qui attendait dans l'ombre près de la porte de sa chambre. Elle s'arrêta, terrifiée, portant une main à sa robe pour mieux la fermer.

« Pardonnez-moi, dit le duc de Talair en s'avançant dans la lumière. Je ne voulais pas vous effrayer. »

Rosala, frémissante, respira. « Depuis quelque temps, il est facile de me faire peur. Je n'étais pas comme cela, avant.

— Vous vous trouvez dans un lieu étranger, murmura gravement messire Bertran. Et vous avez une nouvelle responsabilité. C'est tout naturel, à mon avis.

— Voulez-vous entrer ? demanda-t-elle. Je crois qu'il me reste du vin. Je peux envoyer une servante en chercher davantage.

— C'est inutile, répondit-il. Mais je vous remercie, je vais entrer. J'ai des nouvelles à vous communiquer. »

Il était très tard. À l'intérieur de Rosala, quelque chose donna de grands coups : son cœur, qui battait comme un tambour. « Que s'est-il passé ? » demanda-t-elle vivement.

Il ne répondit pas tout de suite, mais ouvrit la porte et la fit passer devant lui. Il attendit qu'elle fût installée dans un des fauteuils près de la cheminée et s'assit sur le banc de l'autre côté. À la lueur du feu, ses yeux étaient remarquablement bleus et sa cicatrice se détachait, très blanche sur sa joue.

« Il s'agit de Blaise ? » demanda-t-elle. Plusieurs personnes lui avaient raconté ce qui s'était passé le matin. La duchesse de

Carenzu lui avait apporté une rose blanche en lui expliquant ce qu'elle signifiait. La fleur était à présent dans un vase près de la fenêtre. Rosala l'avait contemplée longtemps après le départ d'Ariane, réfléchissant à ce que Blaise avait fait et s'étonnant elle-même en fondant en larmes.

« Il va bien, répondit Bertran d'un ton rassurant. Il va me ressembler, je le crains, poursuivit-il en tripotant son oreille, à un égard, du moins, lorsqu'on lui aura retiré ses bandages, mais autrement, il n'est pas grièvement blessé. » Il hésita. « J'ignore ce que cela peut vouloir dire pour vous à présent, mais je peux vous affirmer que, ce matin, il a honoré son nom et son pays.

— On me l'a dit. Cela signifie évidemment quelque chose pour moi, étant donné ce qu'il a déclaré avant le duel. Ils n'attendront pas longtemps avant de se lancer à sa poursuite. »

Le duc de Talair bougea un peu sur son siège et resta un moment silencieux.

« Je vois, dit Rosala en serrant les mains sur ses genoux. Ils sont déjà là.

— Ils sont là, mais pas pour lui. Ils n'apprendront pas avant quelques jours ce qu'il a fait. Ce soir, ils ont détruit un village nommé Aubry, ils ont tué tous les habitants ct brûlé les prêtresses du temple. »

Rosala ferma les yeux. Ses mains se mirent à trembler. « C'était donc pour moi », dit-elle. Sa propre voix la bouleversa, évoquant un ruisseau en période de sécheresse. C'était comme si quelqu'un d'autre parlait, très loin. « C'était à cause de moi.

— Je le crains.

— Combien étaient-ils ?

— Nous n'en sommes pas sûrs. Peut-être cinquante.

— Qui était là ? Du Gorhaut, je veux dire. » Elle n'avait pas rouvert les yeux. Elle leva les bras et s'en entoura. Elle avait froid tout à coup.

Bertran lui parlait d'une voix douce, mais sans l'épargner. Elle comprit que, dans une large mesure, il agissait ainsi parce qu'il la respectait. « Le roi en personne, d'après ce qu'on nous a rapporté. Votre mari et votre frère aussi », ajouta-t-il après une légère hésitation.

Rosala ouvrit les yeux. « Ils n'ont sans doute pas eu le choix. Je ne crois pas que ni l'un ni l'autre l'aient fait de bon gré. »

Bertran de Talair haussa les épaules. « Je n'en sais rien. Ils étaient là. » Il l'observa attentivement quelques secondes, puis se leva pour attiser le feu. Il ne restait que de la braise, mais il y avait des bûches et du bois d'allumage à côté, et Bertran s'agenouilla pour en prendre. Rosala regarda les gestes nets, précis. Il ne ressemblait pas à l'homme qu'elle s'était attendue à rencontrer après avoir lu ses vers ou après avoir entendu raconter ses aventures avec des femmes de tant de pays.

« Comment l'avez-vous appris ? demanda-t-elle enfin.

— D'un coran de Garsenc qui se trouvait ici pour le tournoi, répondit-il sans se tourner. Il a vu Blaise ce matin et s'en retournait vers le nord pour raconter au roi ce qui s'était passé.

— Pourquoi a-t-il changé d'idée ? »

Bertran regarda brièvement par-dessus son épaule et secoua la tête. « Cela, je l'ignore. Je devrai le demander à Blaise plus tard. » Il continua à s'occuper du feu, à remuer le bois. Un côté s'enflamma, puis l'autre. Poussant un grognement de satisfaction, il se redressa. « Il a fait le serment de féodalité à Blaise ce soir, le reconnaissant comme son seigneur et son vrai roi. Il a qualifié Adémar de traître.

— C'est donc le pont Iersen, dit calmement Rosala. C'est la raison pour laquelle il s'est conduit ainsi. C'est sans doute un homme du nord. Ils sont nombreux à considérer le Traité de cette façon.

— Combien ? » demanda le duc de Talair. Elle comprit qu'il posait la question sérieusement, qu'il la traitait comme quelqu'un dont l'opinion comptait.

« C'est difficile à estimer », répondit-elle. Le feu avait pris à présent et la réchauffait. « Pas suffisamment, je ne crois pas. La majorité des hommes de rang qui pourraient avoir une certaine importance ont peur du roi, et le peuple craint encore davantage les prêtres de Corannos dirigés par mon beau-père. »

Bertran resta silencieux. Regardant le feu, Rosala vit un avenir fait de flammes. Ce soir, cinquante personnes avaient péri à cause d'elle. Elle referma les yeux, mais l'empreinte du feu demeura derrière ses paupières. Le choc commençait à s'estomper.

« Oh ! mon fils, dit-elle. Oh ! Cadar ! Il faudra que je le ramène, continua-t-elle. Je ne peux les laisser faire ça aux gens d'ici. C'est parce que c'est un garçon, vous voyez. Ils ne nous permettront pas de vivre. »

Des larmes se mirent à ruisseler sur son visage devant le feu. Elle entendit le bruit d'une chaise raclant le sol, un froissement de tissu, puis deux mains fermes la prirent et sa tête se posa sur une épaule robuste. Un bras l'entoura.

« Ni lui ni vous n'allez retourner là-bas, dit Bertran de Talair d'un ton bref. La comtesse en personne a répondu de l'enfant devant Corannos et Rian, et j'ai fait de même. Je vous ai fait un serment la nuit où Cadar est né. Je ne l'ai pas fait de façon insouciante. Je vous le jure de nouveau : tant que je serai en vie, ni lui ni vous ne retournerez là-bas. »

En Rosala, quelque chose de dur et de serré sembla se relâcher, ou bien elle cessa de le retenir et se permit de sangloter sans honte dans les bras du duc de Talair. Elle pleura pour Cadar, pour elle-même, pour ceux qui étaient morts cette nuit, celles qui avaient été brûlées, et tous ceux qui allaient périr sous peu. Il la tenait fermement, lui parlant à voix basse, murmurant des paroles réconfortantes et tendres. Depuis la mort de son père, personne ne l'avait jamais tenue ainsi, pensa Rosala. Elle pleura aussi pour cela.

Elle ne pouvait le savoir, mais les pensées de Bertran de Talair étaient alors presque un reflet des siennes : il pensait qu'il ne pouvait se rappeler la dernière fois qu'il avait tenu ainsi une femme dans ses bras, lui offrant refuge et force, et non simplement une passion éphémère. Puis, un instant plus tard, il réalisa que c'était faux : il pouvait se rappeler la dernière fois, et même très bien, s'il permettait à sa mémoire de traverser ses barrières.

La dernière femme qu'il avait ainsi tenue dans ses bras, son propre cœur battant à tout rompre, était morte à Miraval en donnant le jour à son enfant, vingt-trois ans auparavant.

Blaise s'arrêta devant la porte entrebâillée de la chambre de Rosala. Il était venu lui communiquer les nouvelles apprises le soir même ; il éprouvait le sentiment terrible que l'on ressent en portant de telles nouvelles, mais il ne voulait pas qu'elle eût un choc en les apprenant de la bouche d'un étranger. Thaune avait affirmé qu'il avait vu Ranald à Aubry, de même que Fulk de Savaric, le frère de Rosala. Sur le point de frapper à la porte, il entendit deux voix et, un instant plus tard, il comprit ce à quoi il s'était attendu en se rendant auprès de sa belle-sœur. Il éprouva des émotions confuses. Surtout du soulagement, à la fin.

Ne sachant pas s'il devait entrer ou s'en aller, Blaise entendit Rosala parler d'une voix bouleversée de ramener son enfant au Gorhaut. Souffrant pour elle, comprenant exactement ce qu'elle voulait dire, et éprouvant de nouveau une grande humilité devant ce qu'elle semblait être, il entendit Bertran de Talair répéter, d'une voix étonnamment rude, un serment qu'il lui avait, de toute évidence, déjà fait. Blaise entendit alors Rosala recommencer à pleurer et, dans l'entrebâillement de la porte, à la lueur du feu, il vit le duc se diriger vers son fauteuil et la prendre dans ses bras.

Il eut l'impression d'être un intrus, l'une des causes de la détresse que l'autre homme tentait d'apaiser. Il se dit que c'était lui qui aurait dû être en train de la consoler. Il lui devait au moins cela. Blaise regarda dans le corridor et aperçut Hirnan qui attendait discrètement à l'autre extrémité. Ses blessures avaient recommencé à le faire souffrir et il était encore épuisé. Éprouvant néanmoins le besoin urgent de terminer ce qu'il avait commencé le matin en offrant la rose blanche, il frappa à la porte et dit d'une voix calme pour ne pas trop les surprendre : « Pour ce qu'il vaut, j'ai moi aussi fait ce matin un serment que je veux répéter maintenant. »

Les deux autres levèrent les yeux : Bertran, calmement, Rosala, essuyant vite ses larmes. Elle bougea un peu et le duc se redressa, lui permettant ainsi de se lever et de s'avancer. Blaise comprit un peu trop tard ce qu'elle était sur le point de faire. Essayant de la devancer, il se déplaça rapidement dans la pièce et ils se retrouvèrent tous les deux à genoux, face à face devant le feu. Il n'aurait pas blâmé Bertran s'il s'était mis à rire, mais le duc, silencieux, les observait attentivement.

« Les enfants perdus du Gorhaut », avait dit Lucianna deux nuits auparavant. C'était la vérité, pensa Blaise. Il vit qu'elle lui offrait, à travers ses larmes, l'éclat de son sourire.

« N'accepterez-vous pas mon hommage, mon seigneur ? »

Il secoua la tête.

« Il vous faudra pourtant vous y habituer, murmura-t-elle. Les rois ne peuvent se mettre à genoux devant les femmes.

— Je ne suis pas encore un roi, répondit-il. Et devant certaines femmes, je crois qu'ils peuvent s'agenouiller. Si je comprends bien, le duc de Talair a juré de ne pas les laisser vous enlever tant qu'il sera en vie. » Il regarda Bertran dont l'expression demeurait dénuée d'ironie. « Écoutez-moi donc, poursuivit-il. Au nom du dieu le plus saint, je vous jure loyauté, Rosala. Ma prétention au trône ne signifie rien si nous vous abandonnons, vous et Cadar. » Il s'aperçut que, à la fin, sa propre voix était rude.

C'était la première fois qu'il prononçait le nom de l'enfant — un nom étrange pour un bébé. Pour Blaise, pour toute une génération au Gorhaut qui gardait du père de Rosala des images vivantes, Cadar était un nom de pouvoir. C'était un nom de fierté et d'espoir… si l'enfant vivait suffisamment longtemps.

Rosala secoua la tête. « Nous ne devrions pas avoir autant d'importance, lui et moi, murmura-t-elle. Trop de choses sont en jeu ici.

— Il arrive que les gens prennent davantage d'importance qu'on n'aurait pu s'y attendre, interrompit calmement Bertran derrière elle. C'est vous deux qui êtes en jeu, ma dame. Ils vont se servir de vous pour déclarer la guerre. Ils ont déjà commencé.

— Alors, renvoyez-nous », chuchota-t-elle. Elle regardait Blaise, et non Bertran.

« Cela ne changerait plus rien, répondit posément le duc. Plus maintenant. Ils vous tueraient, le garderaient et trouveraient une autre raison pour nous attaquer. Dépossédés, tous les habitants de leurs terres du nord sont affamés ; il faut qu'ils les apaisent. Ce n'est pas comme dans les vieilles romances : Élienna enlevée à Royaunce et toute une armée qui part à sa recherche. Tout n'est à présent que simple politique, l'impitoyable jeu des nations. Ma dame Rosala, permettez-moi de vous dire que l'Arbonne est la dernière clause du Traité du pont Iersen. »

Blaise observait Rosala avec attention ; il vit le beau visage intelligent accepter la vérité des paroles de Bertran. Sur ces questions, elle en savait autant qu'Ariane ou Lucianna ou même que lui et Bertran. Il y avait encore des larmes sur ses joues, la lumière du feu les révélait ; maladroitement, regrettant de trouver ces gestes si difficiles à faire, Blaise leva une main et les essuya. Il aurait voulu être plus adroit, plus détendu. « Vous ne me devez aucun hommage, Rosala », dit-il.

Elle le regarda de nouveau comme si elle voulait protester, mais dit seulement : « Puis-je vous remercier pour la fleur ? »

Blaise parvint à sourire. « C'est la moindre des choses. »

Bertran rit tout bas. Rosala rendit timidement son sourire à Blaise, puis elle enfouit son visage dans ses mains.

« Comment pouvons-nous parler ainsi ? s'écria-t-elle. Ils ont brûlé des femmes ce soir. À cause de moi. Elles ne savaient même pas qui je suis et les corans d'Adémar les ont arrachées à leur lit et les ont violées et, ne dites rien, je sais qu'ils ont fait ça ! Ensuite, on les a brûlées vives. Avec tout ce que vous savez, me direz-vous comment je peux continuer à vivre avec ce fardeau ? Je les entends hurler maintenant. »

Blaise ouvrit la bouche et la referma. Il regarda Bertran dont les yeux étaient assombris par le feu allumé derrière lui. Le duc resta également silencieux. « Avec tout ce que vous savez... » Il ne savait plus rien. Il ne pouvait rien trouver à répondre.

Alors il dit le nom de Rosala. Qu'est-ce que cela pouvait bien faire ? Lentement, il tendit les bras et prit doucement la tête de Rosala dans ses mains, puis, s'inclinant, il baisa son front. Il aurait voulu faire davantage, mais cela ne semblait pas possible. Des femmes avaient péri ce soir sur un bûcher dont rêvait depuis longtemps son père. Des hommes avaient été tués et mutilés. Lui aussi pouvait entendre les hurlements.

« Ce matin..., dit-il brusquement, nous serons tous plus forts ce matin. » Des mots banals, une vérité vide. C'était à cette nuit qu'il fallait faire face. Il regarda encore le duc, puis se leva et quitta la chambre. Bertran ferait cela mieux que lui, se dit-il. C'était moins compliqué pour le duc, il connaissait tellement mieux les femmes. Blaise souffrait cependant en quittant la pièce.

« Oh ! Ranald », songea-t-il. En fait, il prononça le nom à voix haute, doucement dans le couloir désert. « Elle aurait même été capable de faire un homme de toi, si on l'avait laissée faire. » Son frère avait été vu à Aubry ce soir. Blaise était presque certain que Ranald n'avait pas eu envie d'y aller, mais quelle importance cela avait-il, n'est-ce pas ? Il avait quand même obéi.

Accablé par des fardeaux passés et futurs, Blaise s'immobilisa soudain. Un enfant avait pleuré dans une chambre derrière lui. Il écouta, mais n'entendit rien d'autre. Sans doute un cri dans un rêve. Le rêve de Cadar.

Les nouveau-nés rêvaient-ils ? Blaise l'ignorait. Il savait seulement qu'il ne pouvait retourner en arrière, pas maintenant, sinon jamais, aller poser à Rosala la question qui le hantait. «Cela n'a aucune importance, se dit-il. Cela ne change rien à la situation.»

C'était un mensonge, bien sûr, mais le genre de mensonge qui nous permet de continuer à vivre.

❖

Lorsqu'elle parvint au sommet de l'escalier et aperçut les gardes devant la porte, Lisseut regretta d'être venue. Elle n'avait rien à faire là, ne pouvait prétendre attirer l'attention de cet homme, surtout à cette heure de la nuit après qu'il eut été grièvement blessé au cours d'un combat. Elle ne savait même pas exactement ce qu'elle ferait ou dirait si jamais il était réveillé et acceptait de la recevoir. Un bon jour, songea-t-elle désespérément, il faudrait bien qu'elle comprît le conseil que sa mère lui avait si souvent répété et acceptât qu'on ne doit pas toujours agir sous le coup de l'impulsion.

Plus que toute autre chose, elle savait que c'étaient les nouvelles d'Aubry qui l'avaient attirée ici. Elles n'avaient pas mis beaucoup de temps à se propager dans le château de Barbentain et à circuler dans la grande salle du rez-de-chaussée où les ménestrels et les troubadours ayant eu l'honneur d'occuper une place ce matin dans le pavillon offraient un spectacle après le banquet.

La musique s'était tue, évidemment. On ne chantait pas des liensennes sur les amours déçues, ou encore des grivoiseries enthousiastes et passionnées dans les forêts arbonnaises en apprenant que le roi du Gorhaut venait de détruire un village et d'immoler des femmes sur un bûcher. Dans le sillage de tant d'horreur, l'amour n'avait plus sa place.

Mais si c'était le cas, que faisait-elle ici, approchant d'un pas hésitant d'une porte à l'étage ? Alain avait accepté de l'attendre au rez-de-chaussée. Elle n'avait pas très envie de rentrer toute seule à l'auberge. Un vieil homme avait été tué dans une ruelle quelques nuits auparavant. Trop d'inconnus venus de trop de pays erraient dans l'obscurité de Lussan pendant la foire. Elle n'avait pas eu le courage de demander à Aurélien de l'attendre ; depuis ce matin, il en savait trop. C'était la première fois que Lisseut se rappelait avoir voulu lui cacher quelque chose. C'était plus facile avec Alain ; après avoir passé deux saisons ensemble, ils avaient leurs ententes. Il ne se poserait même pas de question.

L'horreur des nouvelles d'Aubry l'avait ramenée, par un seul bond de la mémoire, à ce jardin de Tavernel l'été précédent lorsque, cachée en haut du mur, elle avait appris qui était le coran nordique barbu et l'avait écouté parler avec Rudel Correze d'une guerre imminente contre le Gorhaut. Depuis ce matin, tout le monde connaissait son identité et la guerre avait cessé d'être imminente. Elle avait commencé. Et le coran qu'elle avait impulsivement suivi en cette nuit de carnaval avait aujourd'hui réclamé la couronne du Gorhaut.

À cette pensée, elle faillit faire demi-tour, mais elle était arrivée à un endroit où le corridor était éclairé par des torches murales et elle s'aperçut que les gardes l'observaient. Elle connaissait l'un d'entre eux, un coran de Vézet, venant d'une ferme proche de celle de son père. Elle n'était pas certaine que cela lui fît bien plaisir.

Ayant été vue et presque certainement reconnue, elle n'allait pas rebrousser chemin. Soulagée d'être au moins présentable dans sa tunique neuve achetée pour la foire et la veste qu'Ariane lui avait donnée, et sachant que, si les gardes la reconnaissaient, ils sauraient sans doute qu'elle était au nombre des artistes choisis pour le spectacle de ce soir, Lisseut s'avança la tête haute.

« Bonsoir, Fabrice, dit-elle à l'homme qu'elle connaissait. J'ignorais que tu étais à Barbentain. Comment va ton père ?

— Il va bien, je te remercie, répondit-il en faisant une petite grimace. Nous diras-tu ce que tu fais ici ? » Il parlait d'un ton officiel, très officiel. Aucune chaleur. Ils avaient reçu des instructions précises : cette nuit, monter la garde devant cette porte n'avait rien de cérémonial. C'était bien naturel après la déclaration faite par Blaise ce matin-là et, après le massacre d'Aubry pendant la soirée, tous les corans d'Arbonne seraient sur les dents. Encore une fois, Lisseut se demanda pourquoi elle n'avait pas davantage écouté sa mère.

« Je pensais que si Blaise de Garsenc était réveillé, il accepterait peut-être de me parler », expliqua-t-elle péniblement. Personne ne lui répondit. « Nous sommes des amis », ajouta-t-elle. D'une certaine façon, c'était presque la vérité. « Et je voulais voir comment il allait. Dort-il ? »

Pendant un long moment, quatre corans mécontents la dévisagèrent en silence. Finalement, l'un d'entre eux, concluant de toute évidence que, qui qu'elle fût, elle ne représentait aucun danger immédiat, prit une expression ironique. « Qu'est-ce qu'elles ont, vos femmes de Vézet ? » demanda-t-il à Fabrice.

Ce dernier fronça les sourcils. Lisseut se sentit rougir. Cela ressemblait beaucoup à ce qu'elle avait appréhendé. « Oh ! maman », pensa-t-elle. À plusieurs reprises durant la journée, elle s'était dit qu'il serait temps de faire un petit séjour chez elle. Elle pourrait dormir dans son ancien lit, voir les gens auprès de qui elle avait grandi, bavarder avec sa mère pendant leurs interminables travaux d'aiguille sur le seuil de la porte, ou avec son père au cours de leurs promenades dans les oliveraies. Voilà ce qu'elle devrait faire. Il y avait longtemps qu'elle n'y était pas allée, et c'est parfois chez soi qu'on arrive le mieux à guérir un cœur brisé.

« Je connais cette femme. Elle n'est pas comme ça », dit Fabrice de Vézet. Le pouls de Lisseut battit plus vite devant cette marque de loyauté.

« Et cette nuit, aucun homme d'Arbonne n'a le droit de calomnier les femmes de son pays », ajouta-t-elle, enhardie, refusant que quelqu'un la défendît, même pour un détail. « J'accepterai tes excuses, coran, si tu m'en présentes. »

Il y aurait beaucoup à dire sur la formation que donnent les apparitions régulières en public. Il était facile pour Lisseut de faire perdre contenance au coran qui avait fait cette plaisanterie. Celui-ci baissa la tête et marmonna des paroles inintelligibles qui paraissaient repentantes. Il avait l'air jeune, pensa Lisseut. Il n'avait sans doute pas eu l'intention de l'offenser, même s'il avait encore beaucoup à apprendre.

D'un autre côté, par quel innocent motif pouvait-elle justifier sa présence ? En vérité, le jeune coran avait raison, sinon à propos des femmes de Vézet, du moins certainement à propos de celle-ci. « Nous sommes des amis », avait-elle déclaré. Si toutefois l'on pouvait se prétendre l'amie de quelqu'un après l'avoir épié clandestinement comme un audrade du haut d'un mur de jardin pour ensuite se faire refuser une invitation à partager son lit la nuit de la mi-saison. Il lui avait souri ici à Barbentain deux nuits auparavant. Cela comptait-il ? Elle avait même cru qu'il allait venir vers elle avant que Rudel Correze n'eût apparu à ses côtés et que les deux hommes ne se fussent éloignés.

Cela s'était cependant passé avant le duel de ce matin : avant que tout n'eût changé. Elle se répéta encore une fois en pensée que ces corans dans le couloir avaient été désignés pour protéger un homme qui réclamait un trône.

Lisseut se mordit la lèvre. Commença à reculer. « Il est tard, je le sais..., murmura-t-elle.

— Il ne dort pas, dit Fabrice, mais il n'est pas dans sa chambre. Il est allé voir sa sœur. La femme de son frère, je veux dire. Celle qui a accouché la semaine dernière. Je pense qu'il voulait être celui qui lui apprendrait la nouvelle.

— Son mari était là », ajouta le coran qu'elle avait réprimandé, comme s'il désirait faire amende honorable. « Je veux dire à Aubry. De même que son... » Il se tut en poussant un grognement lorsque l'un de ses compagnons lui donna un coup de coude dans les côtes.

Les quatre hommes regardèrent vivement dans le couloir et, se tournant en même temps qu'eux, Lisseut aperçut Blaise de Garsenc qui émergeait de l'ombre.

« De même que son frère », termina celui-ci. Il marchait à pas lents, en boitant un peu ; il paraissait pâle sous sa barbe et ses yeux étaient cernés de fatigue. Il s'avança vers eux et s'arrêta, regardant les quatre hommes, non pas elle. « Il y aura évidemment des potins, mais vous ne pensez pas que nous pourrions laisser les autres les raconter ? »

C'était dit d'une voix douce, mais le jeune coran rougit jusqu'à la racine de ses cheveux. Lisseut se sentit vraiment désolée pour lui. Puis elle l'oublia tout à fait en se rendant compte que Blaise l'observait avec curiosité.

« Bonsoir Lisseut », dit-il. Elle n'avait pas été certaine qu'il se souviendrait de son nom. Il ne semblait pas surpris de la trouver dans le corridor devant la porte de sa chambre.

Elle prit une longue inspiration et dit, s'efforçant d'adopter un ton naturel : « Je ne suis pas sûre, dois-je faire la révérence ?

— Je n'en suis pas sûr non plus, répondit-il calmement. Pourquoi ne pas l'omettre pour l'instant ? Je crois avoir entendu ta voix un peu plus tôt. La chanson de la mi-saison, la femme qui chante dans le jardin ?

— Je ne pensais pas que vous aviez alors écouté aussi attentivement, dit-elle.

— Moi non plus, murmura-t-il. De toute évidence, il m'en est resté quelque chose. Veux-tu entrer ? » Il ouvrit la porte de sa chambre et se mit sur le côté pour la laisser passer.

Lisseut entra, soudain intimidée. Il la suivit et referma la porte derrière eux. Des chandelles étaient posées sur les coffres de chaque côté et au pied du lit ainsi que sur les deux tables de la chambre. Elles avaient cependant coulé très bas et d'autres étaient au bout de leur mèche. Il s'affaira un instant à en allumer de nouvelles.

« Il y a du vin sur la table près du mur du fond, dit-il par-dessus son épaule. Aurais-tu la gentillesse de nous en verser chacun un verre ? » Contente d'avoir quelque chose à faire, elle se dirigea vers la desserte et lui obéit. Un léger parfum flottait dans l'air. Elle se dit que, si elle faisait un effort, elle le reconnaîtrait. Elle n'en fit pas. Elle apporta les coupes et se tint, indécise, au milieu de la pièce. Elle remarqua que les couvertures du lit étaient en désordre. Il parut s'en apercevoir en même temps et alla les replacer de son mieux.

« Pardonne-moi, dit-il. Cette pièce n'est pas en état de recevoir une dame. »

Sa gentillesse la stupéfia. Ce n'était pourtant pas de gentillesse dont elle avait besoin. « Même le genre de dame qui vous espionne la nuit ? » demanda-t-elle.

Il réussit à sourire malgré sa fatigue. Il s'approcha et prit son vin, avançant pour elle l'un des fauteuils près de la fenêtre. Il se laissa tomber dans l'autre en essayant de réprimer un soupir de soulagement.

« Vous souffrez, dit vivement Lisseut. Je n'ai pas le droit de vous empêcher de vous reposer.

— Tu ne pourras m'en empêcher bien longtemps, répondit-il d'un air confus. J'aimerais bien bavarder avec toi, mais on m'a fait boire une décoction d'herbes un peu plus tôt et je me sens encore somnolent. Ils voulaient m'en faire prendre davantage, mais j'ai refusé.

— Vous avez peut-être eu tort», dit-elle.

Il sourit d'un air moqueur. Elle se rappela qu'il avait cette vivacité l'été précédent, une qualité qui l'avait étonnée chez un coran du Gorhaut. «Je ne te croyais pas si docile. Fais-tu toujours ce qu'on te dit de faire?» demanda-t-il.

Elle sourit alors, pour la première fois. «Toujours, répondit-elle. Je n'arrive pas à me souvenir de la dernière fois où j'ai désobéi.»

Il rit et prit une gorgée de vin. «Je t'ai vue dans le pavillon des troubadours ce matin», reprit-il, la surprenant de nouveau. «Ariane m'a dit que seuls les artistes de plus haut niveau y sont invités. Dois-je te féliciter?»

Ariane. C'était son parfum. Évidemment, pensa-t-elle. Ils avaient tenu un conseil ici quand les nouvelles étaient arrivées. Mais elle n'avait pas oublié les cinq corans en livrée écarlate qui avaient escorté Blaise la nuit de la mi-saison.

Il lui avait posé une question; Lisseut secoua la tête pour chasser ces pensées. Elle dit: «Me féliciter? Ce serait absurde. Après avoir refusé mon hommage.»

À la lueur de la bougie, les yeux de Blaise étincelaient et sa barbe semblait très rouge. «Si tu y tiens vraiment, d'accord. Fais la révérence et mets-toi à genoux. Baise mon pied trois fois. Tu m'aideras à m'y habituer.» Cette amertume l'étonna. Il se tut un instant. «Je ne suis pas encore roi, tu sais. Je ne le serai sans doute jamais. Je suis seulement quelqu'un qui a réclamé une chose importante et folle parce que je déteste ce qui est arrivé à mon pays.

— D'après ce que je comprends des hommes du Gorhaut, c'est une chose digne d'honneur, murmura-t-elle.

— Je ne suis pas sûr que ce ne soit pas une attaque plutôt qu'un compliment, dit Blaise en changeant d'expression.

— Pouvez-vous me blâmer, cette nuit?» demanda-t-elle.

Il y eut un silence. Sans répondre, il secoua la tête. Elle but rapidement une gorgée de vin et détourna le regard. La conversation ne s'orientait pas du tout dans la direction qu'elle avait souhaitée. Elle ne savait pas vraiment ce qu'elle voulait, mais ce n'était pas cela. Elle réfléchit vite, cherchant une nouvelle orientation, et dit : « Vous avez vraiment manqué quelque chose... d'unique dans la grande salle, ce soir. Une canzone célébrant votre triomphe de ce matin, composée à une vitesse étourdissante, rimée en triplets, avec un refrain qui était simplement votre nom répété trois fois en diminuendo.

— Quoi ? »

Elle continua à parler d'un ton aimable et naïf. « Nous devons cependant être justes à propos de ce refrain : Garsenc est une rime difficile en arbonnais. »

Il avait l'air de souffrir. « Tu ne parles pas sérieusement ?

— Je suis une personne sérieuse, vous ne l'avez pas remarqué ? Cette canzone a été composée par l'un de vos anciens compagnons, Évrard de Lussan.

— Un ancien quoi ? s'écria-t-il en clignant les yeux. Évrard ? C'est lui qui a prétendu cela ? » Il paraissait si interloqué qu'elle ne put s'empêcher de rire. « Comment... comment peut-on connaître mes relations avec lui ? »

Elle souriait maintenant, s'amusant énormément. « Dans l'île de Rian ? Il a commencé à nous raconter l'histoire aussitôt après le duel, ce matin. Avant, personne n'était au courant, mais, à partir d'aujourd'hui, vous êtes devenu un filon digne d'être exploité. Apparemment, c'est à vous-même et à aucun autre mortel de moindre importance que messire Mallin de Baude a confié la tâche délicate d'apaiser la sensibilité blessée d'Évrard le printemps dernier. C'est vrai, Blaise ? »

Il secoua lentement la tête, non pas pour nier, mais parce qu'il était éberlué. « Je trouvais que c'était un imbécile pompeux et déplaisant, mais comme Mallin m'avait demandé de le ramener, j'ai obéi. Il était inconscient, pour dire la vérité. » Il grogna. « Nous l'avons jeté comme un sac de grain dans la barque. Je n'aurais pas eu trop de chagrin s'il était passé par-dessus bord. » Il secoua de nouveau la tête, comme si ce souvenir le laissait songeur. « J'ai cru que tous les troubadours étaient comme lui.

— Et tous les ménestrels ? Le croyez-vous toujours ?

— Pas précisément », répondit-il avec franchise, sans se donner la peine de faire une plaisanterie ou un compliment ou autre chose. Il soutint un instant le regard de Lisseut et ce fut elle qui détourna les yeux pour regarder par la fenêtre. Ils restèrent silencieux. Elle était assise, contemplant les étoiles de la nuit, écoutant couler le fleuve. Ce n'était pas un silence pénible, se dit-elle.

« Puis-je te demander une faveur ? » dit-il enfin, d'un ton calme. Elle le regarda. « Je suis vraiment exténué, Lisseut. Je crains d'être trop fatigué pour continuer à converser avec toi. Je suis presque trop fatigué pour dormir, et j'ai beaucoup de choses à faire demain. J'ignore si j'abuse de ta gentillesse, si l'on ne demande pas cela à un artiste professionnel, mais accepterais-tu de chanter pour moi, pour m'aider à me détendre ? Pour me prouver une fois de plus que vous ne ressemblez pas tous à Évrard ? ajouta-t-il en esquissant un faible sourire.

— Je ne pensais pas que vous aimiez la musique. » Elle regretta ses paroles aussitôt qu'elles furent prononcées. Pourquoi fallait-il toujours qu'elle le provoquât ?

Blaise ne parut pas offensé, ou peut-être se montrait-il très patient avec elle. « Si j'ai dit ça, j'en suis désolé. J'ai grandi avec la musique au Gorhaut, même s'il s'agissait d'une musique très différente. Un jour, j'essaierai de t'expliquer que mon pays n'est pas seulement... ce qu'on a fait de lui ce soir. Je crois qu'ici... » reprit-il d'une voix hésitante, choisissant ses mots, « je trouve troublantes certaines parties du monde des troubadours, de l'amour courtois. J'ai peut-être besoin de temps pour le comprendre mieux. Avant, je pensais qu'il rendait vos hommes faibles, vos femmes prétentieuses. » Il s'arrêta de nouveau. « Je n'ai trouvé aucune faiblesse chez les hommes d'Arbonne.

— Et les femmes ? »

Elle comprit qu'il s'attendait à cette question. « Les femmes sont insupportablement prétentieuses. » Elle connaissait cependant ce ton et il lui souriait de nouveau, malgré son épuisement. Elle s'aperçut qu'elle était capable de lui rendre son sourire.

« Je serai heureuse de chanter pour vous, dit-elle d'une voix sereine. Ce n'est pas abuser de ma gentillesse. Pas quand c'est un ami qui le demande. » Voilà, elle l'avait dit.

Il eut, encore une fois, l'air surpris, mais pas d'une façon embarrassée. Il ouvrit la bouche, puis la referma. Elle le conjurait silencieusement d'exprimer sa pensée, mais après un moment il se contenta de dire : « Merci. » Il se leva et, avec une difficulté qu'il ne chercha pas à camoufler, il boita jusqu'à son lit. Il retira ses bottes, mais garda ses vêtements et s'allongea sur les couvertures.

Rien de très important n'avait été fait, rien n'avait été dit, mais Lisseut se leva aussi, sentant à l'intérieur d'elle une chaleur et un calme inattendus. Se déplaçant calmement dans la pièce, elle commença à souffler les chandelles. Elle en laissa deux allumées, une sur la desserte et l'autre sur la petite table près de la fenêtre, puis, dans la pénombre, elle se mit à chanter. Pas une chanson sur l'amour, la guerre, la déesse ou le dieu, rien du monde des adultes. Le jour où il s'était lui-même déclaré roi du Gorhaut, la nuit où Aubry avait été détruite par le feu, Lisseut chanta pour Blaise de Garsenc des berceuses de son enfance, celles que sa mère lui chantait autrefois.

Ce ne fut qu'une fois certaine qu'il dormait, par la régularité de sa respiration, qu'elle se permit une dernière chanson pour libérer son propre cœur. C'était une autre mélodie très ancienne, si ancienne que personne ne savait qui l'avait composée, ni quelle obscure légende à demi oubliée elle racontait. Lisseut l'avait toujours trouvée presque insupportablement triste. Elle n'aurait jamais cru qu'elle aurait envie un jour de l'appliquer à sa propre vie. Mais dans la chambre de Blaise de Garsenc cette nuit, pendant qu'il dormait, elle la chanta à voix basse pour elle seule et, quand elle arriva aux vers de la fin, elle s'aperçut qu'elle les offrait pratiquement comme une prière :

Sur la table, les vins les plus capiteux
Des viandes délicates, des fruits mûrs et suaves,
Et la lueur des bougies tandis que nous dînons
À Fionvarre.

Sur nous deux les hautes étoiles scintilleront
Et la lune sacrée déversera sa lumière.
Si ce n'est pas ici, tu m'appartiendras
À Fionvarre.

Son oncle lui avait appris cette chanson à Vézet, longtemps avant de lui faire quitter la maison de son père pour lui offrir la vie des chanteurs sur la route. Et les routes avaient été bonnes pour elle, elles lui avaient donné des amis et des compagnons, une généreuse part de succès, presque la célébrité, et elles l'avaient conduite ici cette nuit, mue, comme toujours, par les vifs élans de son esprit et à présent par le besoin de son cœur, un besoin qu'elle n'avait pas souhaité.

Étrangement paisible maintenant, Lisseut comprit qu'elle était venue dans cette chambre à la recherche d'une réponse et qu'elle avait fini par la trouver. Elle n'avait pas le droit de partager la vie de cet homme. Il était un ami ; elle le savait désormais, elle savait qu'il lui réserverait une place dans son existence, qu'elle fût longue ou brève. Mais elle n'avait pas le droit de demander plus que cette petite place, et il n'était pas en mesure de lui offrir davantage avec ce que sa vie était à présent devenue. La bannière dans le vent en avait décidé ainsi ce matin.

Et ce serait bien, songea Lisseut, une fois sa chanson terminée. Elle n'était plus une enfant. La vie ne répond pas toujours, ni même normalement, aux désirs du cœur. Parfois elle s'en approche, parfois elle ne s'en approche pas du tout. Lisseut accepterait avec gratitude ce qui semblait lui avoir été accordé ce soir — en espérant, en priant Rian que d'autres moments semblables lui fussent encore gracieusement accordés avant que la déesse ne rappelât l'un ou l'autre, ou tous les deux, à elle.

Elle le laissa dormir avec les deux dernières bougies allumées et les lunes depuis longtemps figées et le fleuve qui murmurait sa propre chanson interminable, infiniment plus ancienne, loin sous la fenêtre.

Quatrième partie

L'hiver

Jusqu'à ce que tombe le soleil
Et que meurent les lunes…

Chapitre 1

Le soir désigné, il y avait du brouillard au château de Garsenc. Roulant depuis l'est avec l'obscurité de la fin du jour, il avalait le donjon et les tours de guet extérieures du château. On pensait à un dragon de brume des vieux contes racontant une époque lointaine, avant que Corannos n'eût déplacé le soleil.

Seul sur les remparts devant le pont-levis, Thaune de Garsenc frissonnait malgré la chemise de laine et la veste de fourrure qu'il portait en hiver. Il pensait au serment qu'il avait fait trois mois auparavant, un vœu de féodalité qui avait transformé le coran d'humble extraction sans grand avenir qu'il était alors en un conspirateur presque sûr de mourir avant la fin de la nuit.

Il regarda les bouffées de fumée que faisait son haleine dans le froid gris, se mêlant au brouillard ; il ne parvenait pas à voir plus loin que cela. Les lunes étaient invisibles, évidemment, de même que les étoiles. On avait choisi une époque où les deux lunes auraient dû briller, hautes dans le ciel, éclairant le passage du col, mais les hommes ne peuvent contrôler le temps envoyé par le dieu, et les éléments avaient causé la défaite de plus d'une campagne passée — même récemment. Thaune se rappela le froid sauvage au pont Iersen. Jamais il ne l'oublierait. Il posa les deux mains sur la pierre et scruta les tourbillons de brume dans la pénombre grise. Rien. Une centaine d'hommes devaient se trouver à l'extérieur des murs au-dessus de lui et, s'ils restaient silencieux, ni lui ni personne à Garsenc ne pourraient deviner leur présence.

Il entendit un murmure venant de la petite maison des gardes à côté de la herse. Quatre hommes étaient en service la nuit. Ils jouaient sans doute aux dés à la lueur du feu. Dans le brouillard, Thaune ne distinguait même pas la lumière là-bas. Peu importait. Il entendait les voix, assourdies dans la grisaille, et trois d'entre elles étaient amies. On s'occuperait de la quatrième au besoin.

Mais il ne fallait pas tuer. Il avait reçu des instructions précises. Blaise de Garsenc voulait que, pendant ces premiers jours, le moins de personnes possible fussent tuées. Il semblait avoir toujours su exactement ce qu'il voulait, même pendant l'automne, dans les jours ayant suivi sa première déclaration. Il avait envoyé Thaune au nord chez les corans du Gorhaut pour leur faire part de ce qu'il avait fait et dit avant le duel. Thaune se rappela que tous les Gorhautiens présents à la foire avaient été rassemblés dans une très grande salle à Barbentain et, après que la comtesse d'Arbonne leur eut ordonné de quitter le pays et confisqué leurs biens, Blaise leur avait adressé la parole avec une froide précision qui les avait fortement impressionnés. Il avait dit que, à cause du Traité du pont Iersen — un traité qui était en lui-même une trahison —, le roi Adémar était sur le point d'engager le Gorhaut dans une autre guerre ici en Arbonne. C'était une guerre inutile, découlant d'un traité qui n'aurait jamais dû être signé. Il invita les personnes rassemblées à réfléchir à ses paroles et leur promit qu'elles pourraient retourner vers le nord à travers les montagnes sans qu'on leur fît de mal.

On avait simulé une tentative de meurtre, une flèche manquant Blaise de très près au moment où il sortait du château le lendemain matin. Le tournoi avait été annulé à la suite des événements survenus à Aubry et dans la tour de guet où l'on avait retrouvé les corps mutilés des trois gardes. Tous les membres de la cour de Cygne de Barbentain avaient assisté aux obsèques dans le temple de Rian. Blaise de Garsenc était présent, aux côtés de la comtesse.

On avait dit à Thaune de raconter, tant sur la route montant vers le nord à travers le défilé qu'une fois arrivé au château, que c'était lui qui avait tenté d'assassiner le prétendant au trône — un coran de Garsenc aurait besoin d'une telle histoire, avait affirmé Blaise. Se rappelant les craintes qui l'avaient conduit à tuer le dresseur d'animaux, Thaune avait accepté avec reconnaissance. Il était vraiment étrange de travailler pour un chef qui se préoccupait de ce genre de détails. Après avoir hésité, Thaune avait même avoué à Blaise le meurtre dans la ruelle. Il ne voulait rien cacher à cet homme.

Blaise avait paru consterné, mais ne l'avait pas jugé. « Tu avais peur, dit-il, et c'est la peur qui t'a dicté ton devoir. Les choses se sont toujours passées ainsi à Garsenc. J'espère que tu accompliras désormais ce que tu considères comme ton devoir, mais sans la peur. »

Thaune se souvenait de cela. Il avait fait ce qu'il pouvait, ce qui s'était avéré considérable. Il avait plus de talent qu'il ne l'avait cru pour ce genre d'intrigues. Son groupe remontant vers le nord ne comptait qu'une douzaine de soldats — les corans du Gorhaut ne participaient pas souvent aux tournois tenus en Arbonne.

Il n'existait pas de règles à ce sujet, mais les corans de réputation attendaient habituellement un autre mois et participaient au tournoi d'Aulensburg, à l'est. On préférait le Götzland à l'Arbonne ; il était honorable d'y combattre. Seuls les plus jeunes, èt parfois une poignée d'espions, étaient envoyés à Lussan en automne avec les marchands et les amuseurs publics. Leur petit groupe ne comptait toutefois aucun espion, Thaune en était certain. Les jeunes gens l'écoutèrent, respectueux et craintifs, raconter hargneusement comment le vent avait fait dévier la flèche qu'il avait tirée de loin.

Ils auraient probablement aimé avoir tenté la même chose, avait-il songé la première nuit, à l'auberge qui se trouvait au bord de la route, parmi les feuilles mortes de l'automne. Ils rêvaient sans doute d'avoir réussi et de rentrer couverts de gloire au Gorhaut. Les jeunes gens font ce genre de rêves.

Thaune avait toutefois eu l'impression que deux des corans pensaient ou rêvaient peut-être différemment. Il avait couru le risque de se confier à l'un des deux. Il avait vu juste ; courir des risques calculés avec soin faisait partie de sa mission. Avant que leurs routes ne se séparent, lui se rendant à Garsenc et l'autre coran au château de Cortil, Thaune avait gagné sa première recrue à la cause de la rébellion de Blaise de Garsenc. C'était l'accent qui l'avait décidé. On pouvait presque toujours être sûr qu'un homme du nord était malheureux avec le roi Adémar.

Sur les remparts de Garsenc, il se pencha en avant, soudain tendu, scrutant comme un aveugle le brouillard. Il était aussi épais que l'était, disait-on, la brume au-dessus du fleuve du pays de la mort. Thaune était incapable de distinguer quoi que ce fût, mais il entendit un bruit provenant de l'herbe de l'autre côté du mur extérieur et du fossé sec.

❖

La même nuit, au-dessus d'un autre château par-delà les montagnes au sud, le ciel était clair et brillant, les étoiles scintillant comme des diamants et les deux lunes éclairant suffisamment pour donner des ombres aux arbres qui s'inclinaient sur le passage du sirnal — le vent du nord qui soufflait dans la vallée de l'Arbonne avec derrière lui la violence de l'hiver.

À Barbentain, les feux brûlaient dans toutes les cheminées. Cygne portait des vêtements superposés en fin lainage garnis de fourrure au col et aux poignets, et un chapeau entouré de fourrure couvrait sa tête, même à l'intérieur. Elle détestait l'hiver, elle l'avait toujours détesté, surtout quand soufflait le sirnal qui faisait couler ses yeux et élancer ses doigts. Habituellement, avec Guibor, elle se rendait dans le sud à cette époque, à Carenzu chez Ariane et Thierry, ou à leur palais d'hiver à Tavernel. Le temps était plus toujours plus clément là-bas, les coups du sirnal étaient moins cinglants, tempérés par la forme du pays et l'influence de la mer.

C'était différent, cette année. Il fallait qu'elle restât à Barbentain parce que cet hiver-ci on ne pouvait pas s'abriter comme d'habitude derrière les murs du château et du village pendant que le vent fouettait les vallées et les routes désertes. Les événements qui prenaient place cette saison allaient déterminer leur avenir à tous, d'une façon ou d'une autre. En fait, ils prenaient place cette nuit même, à la clarté des deux lunes derrière les montagnes, au Gorhaut. Cygne se demanda ce que voyaient Vidonne et Riannon la bleue.

En proie à une angoisse presque insupportable, incapable de rester en place, elle marchait d'un feu à l'autre dans son salon. Elle savait qu'elle dérangeait ses dames de compagnie et sans doute aussi Rosala qui était néanmoins assise calmement sur la chaise qu'elle avait approchée du feu, les mains affairées à un travail d'aiguille. Cygne s'étonnait que Rosala pût rester si placide, sachant, comme sûrement elle le savait, ce qui était en jeu ce soir dans le nord.

C'était venu de Blaise de Garsenc, comme Béatrice l'avait prévu presque un an auparavant lorsqu'on avait compris que le nouveau coran du château de Baude était plus important qu'il ne semblait l'être. Beaucoup plus, vraiment. Une fois de plus, la comtesse regretta que Béatrice ne fût pas avec elle en ce moment, qu'elle fût restée sur son île si loin au sud. Des images de l'année précédente l'avaient harcelée toute la soirée, dansant dans les lueurs clignotantes des feux. Il lui semblait parfois qu'elle passait la moitié de sa vie en compagnie d'images du passé. Elle ne pensait toutefois pas à Guibor, à présent. Elle se rappelait ce qu'avait dit Bertran de Talair sur le terrain du duel tandis que le nordique offrait une rose rouge devant le pavillon portezzain : « Cet homme va peut-être nous offrir davantage que nous ne l'escomptions. »

Une nouvelle image surgit alors, un souvenir de ce qui s'était passé dans ce château, également cet automne, lorsqu'on avait convoqué tous les marchands et corans du Gorhaut, le matin qui avait suivi le massacre d'Aubry, et qu'on leur avait annoncé la confiscation de leurs biens et leur départ imminent.

Urté de Miraval voulait qu'ils fussent tous exécutés et Cygne, submergée par une implacable fureur, avait dû résister au même désir. Il y avait eu des précédents. Tous les citoyens d'un pays étaient tenus pour personnellement responsables quand leur seigneur violait une trêve. C'était Blaise qui avait insisté pour qu'on laissât les marchands rentrer chez eux et il avait expliqué pourquoi.

« En ce moment, je n'ai rien à offrir au Gorhaut », avait-il déclaré avec sincérité dans cette même pièce, lorsqu'ils étaient tous descendus pour décider du sort des individus rassemblés. « Il faut qu'ils retournent au Gorhaut en sachant que je leur ai sauvé la vie qu'Adémar, en violant la trêve, avait mise en danger. Il faut qu'ils en parlent en rentrant chez eux. » Il s'était tu un instant. « Ou bien est-ce que nous ne valons pas mieux que ceux que nous essayons de combattre ? »

Cygne avait alors éprouvé une véritable colère contre lui, un Gorhautien qui lui parlait ainsi alors que tant de personnes de son propre peuple avaient été tuées la nuit précédente. Mais elle était la comtesse d'un pays en danger et elle avait toujours été capable de maîtriser ses émotions lorsqu'il avait fallu conseiller Guibor sur les décisions à prendre ou les prendre elle-même. Blaise disait la vérité, avait-elle finalement conclu, et elle lui avait accordé ce qu'il demandait.

Dans la pièce du rez-de-chaussée où elle était descendue parler aux marchands, l'un d'eux avait protesté bruyamment à l'annonce de la saisie de leurs biens, comme s'il ne se rendait pas compte qu'ils avaient tous été sur le point d'être exécutés le matin même : pas plus innocents que les villageois et les prêtresses d'Aubry. L'homme s'était plaint furieusement une deuxième fois, puis une troisième, s'exprimant avec colère et sans faire preuve du moindre respect, l'interrompant avant qu'elle n'eût terminé. D'une façon insolite et troublante, elle s'en était réjouie. Elle avait adressé un signe de tête à Urté qui l'observait, n'attendant que ce signal. Le duc de Miraval avait calmement condamné le marchand à mort. L'homme s'était alors mis à hurler et les corans du palais l'avaient rapidement entraîné hors de la pièce.

Blaise avait paru vouloir s'objecter même à cela, mais il était resté immobile pendant que les gardes emmenaient le marchand qui se débattait. Cet acte comportait un autre message et Cygne le savait ; elle gouvernait un pays depuis déjà quelque temps, après tout, avec Guibor et à présent toute seule. Les images du pouvoir avaient de l'importance : on ne devait pas permettre que les gens du Gorhaut considèrent comme faibles et mous les Arbonnais gouvernés par une femme. Ils avaient déjà cette impression, Cygne le savait. On ne devait pas permettre qu'ils s'y complaisent. Elle avait regardé Blaise d'un air sévère, et avait attendu qu'il hochât la tête.

« Je ne peux pas sauver un fou », avait-il déclaré aux marchands et aux corans du Gorhaut. C'était ce qu'il fallait dire ; les autres s'en souviendraient. Un peu plus tard le même matin, l'homme avait été exécuté, mais proprement, sans être marqué ni mutilé ; il était un symbole et n'avait pas lui-même violé la trêve. Ici, en Arbonne, on n'était pas comme ceux qu'on avait décidé de combattre. Cette affirmation, Cygne la défendrait jusqu'à son dernier souffle.

Tout cela s'était passé en automne, à l'époque des vendanges, alors que les feuilles changeaient de couleur. À présent, dans l'éclat clair et froid d'une nuit hivernale, elle écoutait le sirnal heurter les fenêtres comme l'esprit d'un mort et sirotait son vin chaud et épicé, tenant le gobelet dans ses deux mains, réconfortée tant par sa chaleur que par l'odeur et la saveur du breuvage. Assises sur leurs bancs près de la porte, les deux jeunes filles tenaient dans leurs mains des boules creuses en argent qui contenaient des charbons ardents. Cygne se souvint que c'était Bertran qui, des années auparavant, avait rapporté cette idée d'un de ses séjours dans les contrées sauvages situées à l'est du Götzland. Il avait effectué bien des voyages dangereux pendant les années ayant suivi la mort d'Aëlis. « Il a des remords, avait dit Guibor avec patience. Nous n'y pouvons rien. »

Regardant plus attentivement les deux jeunes filles, Cygne s'aperçut que Perrette, la plus jeune, frissonnait. Elle secoua la tête avec agacement. « Au nom de Rian, approchez-vous du feu, toutes les deux, ordonna-t-elle d'une voix plus irritée qu'elle ne l'aurait voulu. Vous ne me serez d'aucune utilité si vous prenez froid et mourez. »

Elle avait tort, bien entendu, elle n'aurait pas dû faire subir ses angoisses à son entourage. Mais que pouvait faire d'autre une vieille femme dans un château glacé en hiver sinon s'asseoir ou rester debout près du feu et attendre de voir si la déesse et le dieu leur permettraient de réussir leur coup de dés alors que tant de vies et la destinée de deux peuples étaient en jeu ?

Nerveusement, les jeunes filles s'empressèrent d'obéir. Rosala leva les yeux de son ouvrage et sourit.

« Comment pouvez-vous rester si calme ? l'apostropha Cygne. Comment pouvez-vous rester assise si tranquillement ? »

Le sourire s'estompa. Rosala leva son travail et la comtesse vit alors les points entrelacés, gâchés, et les mains qui tremblaient en tenant l'ouvrage.

❖

Le brouillard rendait les choses horriblement difficiles. Thaune avait beau scruter les ténèbres grises et denses, il ne parvenait encore à rien distinguer en bas. Il aurait dû voir un seul flambeau vite allumé puis éteint à l'orée de la forêt. Cette nuit sur les remparts, il n'aurait pas vu une torche même si elle s'était trouvée directement en dessous de lui.

Même les sons étaient assourdis, mais pas assez pour que — à cet endroit précis ! — il ne pût enfin discerner le tintement d'un harnais de cheval, puis le même son répété, à proximité. Ils étaient venus, enfin. Conscient de tout ce qui pouvait se passer pendant les prochains instants et en proie à la crainte qui accompagnait — qui devait accompagner — cette conscience, Thaune marcha d'un pas vif le long du rempart jusqu'à la cage d'escalier et commença à descendre vers la salle des gardes, une main sur le mur pour garder son équilibre dans l'obscurité.

Lorsqu'il apparut à la porte, les quatre gardes à la table se levèrent précipitamment. Thaune hocha la tête.

« C'est l'heure, dit-il.

— L'heure de quoi ? » demanda Erthon juste avant que Girart ne l'assommât avec le manche de son poignard. Erthon — Thaune avait été incapable de déterminer s'il pouvait ou non lui faire confiance — tomba en avant et Thaune dut faire vite pour le rattraper avant qu'il ne heurtât la table et ne fît tintinnabuler les dés.

« C'est bien ma chance, marmonna Girart. J'étais sur le point de gagner pour la première fois de la soirée. » Thaune réussit à sourire ; les deux autres gardes, plus jeunes, manifestement nerveux, en furent incapables.

« Nous jouons à présent un jeu plus important, dit Thaune. Récitez vos prières et ouvrez la porte et le pont-levis. » Il sortit pour se tenir derrière la herse de fer pendant qu'elle commençait à monter. Les chaînes qui tournaient faisaient du bruit, évidemment, mais, pour une fois, le brouillard fut utile et Thaune douta que quiconque à l'intérieur du château puisse entendre le son assourdi à travers la cour.

Une fois que les barres furent assez hautes, il s'avança, penchant la tête pour passer sous les pointes inférieures et attendit encore une fois, scrutant la brume froide. Toujours pas de torches, rien à voir dans la nuit ; on ne discernait encore que le bruit des chevaux traversant faiblement le brouillard qui flottait très bas. Puis, un autre bruit se fit entendre derrière lui, métallique, lorsque la herse s'inséra dans sa niche au sommet de la barrière et que les gardes commencèrent à faire descendre le pont-levis au-dessus des douves desséchées.

Lorsque le pont fut descendu, le château de Garsenc était ouvert à ceux qui attendaient dans la brume, et Thaune avait accompli la première partie de sa mission. La plus facile.

Il sortit sur le pont de bois et, sans vraiment l'entendre, il sentit quelqu'un qui approchait en même temps à l'autre extrémité. Il était toujours incapable de voir quoi que ce fût. La brume redoublait son anxiété, favorisant des sensations d'épouvante primitives et irrationnelles. Il ne parvenait même pas à distinguer les planches du pont sous ses bottes. Il cessa de marcher. « Allumez votre torche », ordonna-t-il d'un ton aussi calme qu'il le put. Le son de sa voix résonna faiblement dans l'obscurité environnante et fut avalé.

Les pas qui approchaient s'arrêtèrent aussi et ce fut le silence. Thaune avait l'impression d'être enveloppé dans un linceul gris, prêt à être enterré. Il frémit à cette pensée.

« Allumez votre torche », répéta-t-il aux silhouettes silencieuses qui l'entouraient sur le pont.

Il finit par entendre le bruit grinçant d'un silex que l'on frottait et, un moment plus tard, lui parvint l'odeur résineuse d'une torche allumée. Dans le brouillard, sa lueur n'éclairait qu'un tout petit bout de chemin, un cercle minuscule, une île de lumière à peine perceptible sur le pont.

Assez claire cependant pour révéler Galbert de Garsenc, le primat du Gorhaut, imposant et facilement reconnaissable, debout juste en face dc lui, encadré de deux corans.

« Je suis très heureux de te rendre ce service, dit le primat de sa voix inoubliable. Éclairer le premier des traîtres que nous aurons le plaisir de brûler. J'allumerai ton bûcher avec la torche que tu as toi-même demandée. »

Thaune eut l'impression que le monde venait de s'écrouler sous ses pieds, que l'obscurité définitive de la fin du monde était arrivée. L'horreur lui coupa le souffle. Il était incapable de bouger. Il avait vraiment peur de s'effondrer.

« Ne songe même pas à fuir », reprit Galbert, sa voix profonde exprimant un mépris infini. « Il y a quatre archers derrière moi qui te visent avec leur arc et cette lumière leur suffit amplement. »

Un autre pas résonna à l'extrémité du pont, approchant derrière le primat, juste derrière la lumière. « Amplement suffisante, je suis d'accord. Encore faudrait-il qu'ils soient conscients et capables de tenir leur arc », dit une voix plus légère, plus froide, celle de Blaise de Garsenc. « Tout va bien, Thaune, nous avons la situation en main. »

Deux bruits se succédèrent rapidement et les corans, de chaque côté de Galbert, grognèrent et glissèrent sur les planches, leurs épées raclant le bois. La torche tomba, mais une main invisible la rattrapa avant qu'elle ne s'éteignît.

« Dis-moi, père, poursuivit Blaise en s'avançant dans la lumière, pourquoi as-tu tellement envie de voir des gens brûlés vifs ? » Ses paroles étaient cavalières, mais Thaune discerna la tension qu'elles camouflaient. Il se demanda quand le père et le fils s'étaient vus pour la dernière fois. Galbert ne répondit pas ; son regard furieux était tout à fait terrifiant à la lueur de la torche.

« Blaise, dit une voix à l'accent portezzain dans l'obscurité, il semble que ton frère soit ici, lui aussi.

— Magnifique ! Une réunion ! s'écria Blaise avec une gaîté forcée. Amène-le-moi, Rudel, que je puisse revoir son cher et bon visage. »

Galbert se taisait toujours. Thaune était incapable de regarder le visage du primat. Il entendit encore des pas, et deux hommes s'avancèrent qui en encadraient un troisième.

« Nous nous sommes occupés de tous les autres, dit une voix que Thaune se souvint d'avoir déjà entendue en Arbonne. Ils étaient à peu près quinze, comme vous l'aviez deviné. » Ils étaient en train d'allumer d'autres torches et, à leur lumière, Thaune reconnut Bertran de Talair.

« Tu as bien travaillé, Thaune, dit Blaise sans quitter des yeux son père et le beau visage de Ranald de Garsenc à ses côtés. Nous devions toutefois présumer qu'il y aurait un informateur parmi tes hommes, que tu aurais besoin de faire confiance à trop de personnes pour qu'on puisse compter sur tous. Nous sommes donc arrivés ici deux jours plus tôt que je ne te l'avais dit et j'avais des hommes qui surveillaient les routes à l'est pour voir qui allait venir. J'ai pensé que mon père aimerait sans doute faire lui-même les honneurs. Après tout, ajouta-t-il avec une ironie soudaine et corrosive, il n'a brûlé personne depuis des mois. La dernière fois, c'était à Aubry, mais cela ne compte pas vraiment vu qu'il n'a pu venir en personne. Dis-moi, cher frère, t'es-tu bien amusé là-bas ? Tu as fait bonne chasse ? Les cris des femmes étaient plaisants à entendre ? » Ranald de Garsenc bougea ses pieds sans répondre.

Des hommes passaient à présent des deux côtés de Thaune et pénétraient dans le château. Le grand coran arbonnais qui s'appelait Valéry s'arrêta à côté de lui. « Beau travail, dit-il calmement. Maintenant, dis-moi combien ils sont à l'intérieur. Avons-nous une bataille sur les bras ?

— Combien d'hommes avez-vous ?

— Seulement cinquante. Mais ce sont des mercenaires bien entraînés de la Portezza et du Götzland. L'Arbonne n'est pas en train d'envahir le Gorhaut. Il s'agit d'un soulèvement. Nous l'espérons. »

Thaune s'éclaircit la voix. « Je pense que la moitié du château sera avec nous. » Portant la main à son ceinturon, il décrocha un gros trousseau de clefs. « Ceci déverrouille la salle des armes, à droite, de l'autre côté de la cour, les doubles portes avec l'arc. Girart, qui est juste derrière moi, vous montrera où c'est. Vous pouvez lui faire confiance. Une centaine, peut-être davantage, résisteront, mais ils ne seront pas armés. » Il se racla de nouveau la gorge. « Si messire Blaise leur fait savoir qu'il est ici, je crois qu'ils seront moins nombreux à se battre. »

Blaise l'entendit. « Leur faire savoir ? » répéta-t-il, simulant l'indignation. « Bien sûr que je vais le leur faire savoir. Je suis le fils prodigue qui rentre chez lui et à qui son père ouvre les bras. Il devrait y avoir de la musique, un festin, du vin et des femmes sur le bûcher pour mon plaisir. C'est peut-être pour cela que tu es venu, père ? Pour me surprendre par la chaleur de ton accueil ? » Il parlait d'un ton cassant, fébrile. À côté de Thaune, Valéry fit entendre un petit son, mais ne dit rien.

Thaune s'aperçut que le primat s'était mis à murmurer doucement, sans toutefois s'adresser à aucun d'entre eux en particulier. Sa voix, son attitude avaient quelque chose de si intense et de si recueilli que le silence s'installa sur le pont embrumé et, graduellement, avec une horreur croissante qui mordait plus fort que le froid, Thaune comprit que le primat était en train de déclamer la condamnation du dieu.

« … au froid infini qui existait avant la création du monde, avant que les lunes n'existent, que le soleil ne soit déplacé et que les étoiles ne soient autorisées à briller. Ô très saint Corannos de glace et de toutes les saintes langues de feu, aussi indigne que je sois d'être vu par vous, je vous conjure, au nom des présents que vous nous avez vous-même offerts, de livrer cet homme aux tourments jusqu'à la fin des temps. Qu'il ait des asticots sous sa peau et des vers dans son cœur, qu'il soit atteint de la gangrène et de la peste qu'on ne peut guérir. Je vous supplie d'envoyer à cet homme qui n'est désormais plus mon fils...

— Ça suffit. » Une deuxième voix, froide de dégoût. Bertran de Talair. Blaise lui-même se taisait, figé devant ce que son père était en train de faire.

« ... la démence immonde et la douleur qui tord les entrailles, la cécité, les furoncles et la corruption puante de la chair...

— J'ai dit que ça suffit !

— ... tout ceci et plus encore, ô très saint Corannos. Je prie pour qu'il soit également frappé de la pestilence qui... »

Bertran alla se placer en face de Galbert et, pendant que ce dernier prononçait la plus sombre malédiction connue du clergé de Corannos, il le frappa au visage de sa paume ouverte, comme on gifle un serviteur. Le choc fit taire Galbert. Blaise n'avait toujours pas bougé. Il ouvrit la bouche pour parler, puis la referma. À côté de son père, Ranald de Garsenc semblait pâle et agité.

« Vous allez vous taire, ordonna brutalement Bertran. Dix mots de plus et un archer commencera à tirer. Votre fils, pour des raisons qui m'échappent, refuserait peut-être de donner cet ordre, mais soyez assuré que ce n'est pas mon cas. Je vous prie de ne pas me mettre à l'épreuve.

— Qui êtes-vous ? » gronda Galbert en grinçant des dents.

Messire Bertran éclata alors de rire, et ce fut le son le plus incongru que Thaune entendit cette nuit dans le brouillard. « Trois mots, dit-il. Il vous en reste sept. Gardez vos réserves. Je suis toutefois gravement offensé. J'aurais cru que vous sauriez sûrement reconnaître l'homme que vous avez voulu faire assassiner à si grand prix l'été dernier.

— Bertran de Talair », dit Ranald de Garsenc, prenant la parole pour la première fois. « Je me souviens de vous avoir vu à des tournois. »

Les yeux de Galbert se rétrécirent jusqu'à devenir des fentes, mais il resta silencieux, le corps raide de colère. Thaune vit que ses mains gantées ne cessaient de bouger, s'ouvrant et se refermant à ses côtés comme si elles voulaient serrer une gorge.

Ranald se détourna du duc de Talair et fixa son frère. « Qu'est-ce que tu as fait ? Tu es devenu un traître ? Tu le ligues avec l'Arbonne pour nous envahir ?

— Pas précisément », répondit Blaise qui commençait à reprendre sa contenance, mais évitait toujours soigneusement de regarder son père. « Bertran est ici à titre d'ami. Mes hommes sont des mercenaires recrutés pour moi par Rudel Correze ; tu dois en connaître un certain nombre. La plupart viennent du Götzland. Nous nous emparons du château de Garsenc, frère. Je suis désolé, mais il s'agit d'une première étape nécessaire vu que, toi-même, tu ne fais rien. Pire que rien, en fait. J'ai l'intention d'enlever le Gorhaut des mains d'Adémar, et ce avec l'aide de mes compatriotes et sans brûler de femmes. »

— Je n'ai pas eu le choix, dit furieusement Ranald.

— Ce n'est pas tout à fait vrai. » Chose étonnante, c'était Valéry de Talair qui parlait, derrière Thaune à côté de la herse. Il était invisible dans le brouillard, et sa voix désincarnée était froide et inexorable comme celle d'un juge aux barrières de fer de l'autre monde. « On peut dire non et mourir. C'est un choix, mon seigneur de Garsenc. Lorsqu'on nous demande de faire certaines choses, c'est le seul choix. »

Personne ne répliqua. Sur le pont, le silence était aussi lourd que le brouillard. Thaune n'entendit que des pas rapides et il vit des silhouettes couvertes de capes qui se hâtaient : les mercenaires de Blaise passaient à côté de lui dans l'avant-cour. L'alarme n'avait pas été donnée à l'intérieur du château ; le monde était recouvert de brume comme dans un rêve.

Et c'est dans ce silence, comme s'il s'agissait d'un rêve, que Thaune entendit le vacarme de sabots venant de l'est. Un grand nombre, comme si les cavaliers du dieu et de la nuit descendaient du ciel pour fondre sur eux, pour galoper sur la terre enveloppée de brume et pour détruire.

« Qu'est-ce que c'est ? demanda Valéry qui avança de deux pas et s'arrêta.

— Faites entrer les hommes, coupa Blaise. Il faut que nous prenions le château. Ils ont envoyé une armée ! Thaune, fais descendre la herse, vite ! »

Thaune s'était déjà précipité, hurlant un ordre à ses deux gardes. Plus loin, dans le brouillard, le roulement de tambour d'invisibles sabots était de plus en plus fort. On distinguait à présent des torches et des chevaux dans l'ombre et, en estimant la distance qui séparait les premières et les dernières de ces flammes, Thaune conclut qu'il s'agissait vraiment d'une armée.

Leur échec avait toujours été prévisible. Si Thaune avait fait ce choix l'automne précédent, ce n'était pas parce qu'il avait estimé le succès possible. Il ne voulait pas périr sur le bûcher, cependant. En ce moment, il pria seulement pour que cette grâce lui fût accordée. Il se demanda si, lorsqu'il retournerait au dieu, il serait autorisé à accompagner de nouveau son père dans la lumière douce des vastes prairies de Corannos.

« J'allumerai moi-même la torche qui enflammera ton bûcher », dit Galbert de Garsenc à son fils comme s'il verbalisait la terreur de Thaune. Il avait recommencé à sourire, un éclair de triomphe étincelait dans ses yeux, reflétant la lueur des flambeaux.

« Trois mots de trop, dit Bertran de Talair.

— Bertran ! cria Blaise.

— Valéry », dit en même temps le duc de Talair. Quelque chose siffla alors en passant près de Thaune et il entendit le primat de Corannos pousser un cri tandis qu'une flèche s'enfonçait dans son épaule à travers les mailles de sa cotte.

« Encore dix mots, reprit calmement Bertran de Talair, et nous ferons la même chose à votre autre bras. Dites-moi, en moins de dix mots je vous prie, à votre avis, ces cavaliers vont-ils nous attaquer au risque de votre vie, mon seigneur le primat ? Pourquoi ne pas les attendre ici et étudier la question à loisir ? »

Il était incroyablement calme, songea Thaune.

Le bruit des sabots avait roulé comme le tonnerre, mais il s'était à présent peu à peu arrêté de l'autre côté du pont, dans la vaste clairière avant la forêt. Il y avait beaucoup de torches ; Thaune pouvait distinguer le contour des chevaux et des cavaliers, silhouettes robustes lourdement armées.

« Nous détenons le primat et le duc de Garsenc », cria Blaise, sa voix tranchant la brume. « Ne mettez pas leur vie en danger. Qui êtes-vous ?

Agrippant son bras gauche, son père éclata de rire. Un son brutal et laid, contrastant avec sa belle voix coulante. « À ton avis, qui est-ce ?

— Six mots », dit posément Bertran.

Au milieu de la brume et des torches entrelacées, une voix répondit, froide et austère. « Aucun otage n'arrêtera mon bras ou celui de mes hommes si nous avons décidé de frapper. Est-ce à Blaise de Garsenc que je parle ?

— Sois prudent ! souffla Rudel Correze.

— Inutile de le nier, répondit doucement Blaise. Notre seul espoir est dans les otages, quoi qu'il dise. Il essaie peut-être de nous abuser. Il doit essayer de nous abuser. »

On entendit des chevaux approcher de l'autre côté du pont, puis un cavalier en armure descendit de cheval. Derrière, Thaune entendit enfin les bruits métalliques de la herse que les gardes avaient fini de descendre. Valéry de Talair était à côté de lui, une autre flèche à son arc. Thaune leva son épée.

« Je suis Blaise de Garsenc, dit le grand coran que Thaune avait juré de servir et de reconnaître comme son roi.

— C'est ce que je pensais, reprit l'homme invisible d'une voix sèche et résolue. J'espérais que mes renseignements seraient justes et que je vous trouverais ici ce soir. »

Et dans la lumière des flambeaux, chaudement habillé pour se protéger du froid, Fulk de Savaric s'avança et s'agenouilla devant Blaise sur le pont de planches.

Il leva la tête et la lueur voltigeante tomba sur le visage carré, intelligent, encadré de cheveux blonds, le même visage que tous les membres de sa famille. Retenant son souffle, faisant involontairement un pas en avant, Thaune vit que le duc de Savaric ne souriait pas. « Mon seigneur, voulez-vous accepter mon hommage et la main d'un ami ? Pouvez-vous utiliser un millier d'hommes de Savaric et des terres du nord qui partagent vos sentiments à propos du Traité du pont Iersen et des hommes qui nous gouvernent maintenant ? »

Longtemps après, Thaune se rappellerait avoir alors levé les yeux, s'attendant presque à voir les lunes apparaître comme des phares dans le brouillard, comme si le firmament et la terre sombre qui les entouraient devaient d'une façon ou d'une autre refléter la lueur qui semblait émaner du pont. Au-dessus d'eux, la brume était néanmoins toujours aussi épaisse que la boue du fleuve, on ne pouvait voir le ciel et seules les torches les plus proches éclairaient la scène lorsqu'il se retourna et vit messire Blaise prendre officiellement entre les siennes les mains que Fulk de Savaric lui tendait.

Thaune comprit que c'était dans son cœur et non pas dans le ciel que les lunes avaient recommencé à luire. Le froid de cette longue nuit semblait atténué par la chaleur d'une clarté intérieure. Plus tard, il se demanderait si les autres personnes présentes sur le pont avaient aussi eu cette illusion, si elles avaient toutes levé les yeux pour voir si le ciel avait vraiment changé.

Cela expliquait peut-être, sans toutefois le justifier, ce qui se passa alors.

Au moment précis où son fils cadet acceptait officiellement l'hommage du seigneur le plus puissant du nord du Gorhaut, Galbert de Garsenc donna un violent coup d'épaule au coran qui se trouvait à sa droite, frappa de son avant-bras musclé le visage de l'autre garde et sauta du pont, une flèche vibrant encore dans son bras gauche, et disparut dans les ténèbres voilées du fossé à sec.

Après un moment de stupéfaction, une rumeur monta sur le pont. Valéry de Talair et Rudel Correze se précipitèrent à la poursuite de Galbert dans le fossé. Thaune entendit le dernier grommeler une obscénité en portezzain en atterrissant maladroitement sur la surface inégale et rocailleuse en bas.

« Il n'ira pas loin », dit Fulk de Savaric lorsque Blaise l'aida à se relever. Par-dessus son épaule, de Savaric lança sèchement des ordres dans l'obscurité. Un instant plus tard, Thaune entendit des chevaux qui galopaient et vit des torches bouger de nouveau dans la brume.

De tous, c'était Blaise qui paraissait le moins surpris. « S'il arrive à la forêt, je doute que nous puissions le retrouver, observa-t-il d'un ton presque songeur.

— Il doit d'abord sortir du fossé, dit Bertran de Talair, et il est blessé à un bras.

— Pas grièvement », répondit Blaise en secouant la tête avec le même air détaché, comme s'il s'était attendu à tout ceci. « Il porte une épaisse cotte, à doubles mailles. Je ne crois pas que la flèche ait pénétré très profondément. Encerclez quand même le fossé, dit-il à Fulk de Savaric. Vos hommes auront peut-être une chance de le voir quand il essaiera de sortir. »

On entendit alors un éclat de rire moqueur où se mêlait quelque chose que Thaune n'arriva pas à identifier. « Il ne sortira pas, dit Ranald à son frère. Il est déjà sous le château et il en sera sorti au matin. Il existe un tunnel sous la douve que personne ne connaît et un autre au niveau du donjon qui conduit à l'extérieur. Très loin. Tu ne le trouveras pas, frère. » Les deux hommes se dévisagèrent en silence.

« Blaise, vite, savez-vous où il conduit ? Nous pouvons arriver à la sortie avant lui. » C'était Bertran qui, pour la première fois, parlait d'un ton pressant. Thaune se rappela brusquement que Galbert de Garsenc avait, l'été précédent, offert deux cent cinquante mille pièces d'or pour faire assassiner de Talair.

Blaise secoua toutefois la tête en regardant son frère. « Ces tunnels ont été construits après mon départ. Autrement, Ranald ne les aurait pas mentionnés, ajouta-t-il en tordant légèrement sa bouche.

— Nous pourrions vous forcer à nous dire où ils sont », déclara d'une voix très posée messire Bertran à Ranald de Garsenc. Sa voix avait à présent quelque chose de terrifiant. Thaune se demanda comment il avait déjà pu se figurer que les Arbonnais étaient mous.

Le duc de Garsenc était encore un bel homme, grand et bien bâti, l'image de ce à quoi un seigneur doit ressembler. Il regarda de haut le visage mince et guère avenant du duc de Talair, et dit d'un ton méprisant : « Vraiment, mon seigneur ? Qu'allez-vous me faire ? Me transformer en torche vivante ? »

Blaise dit des paroles que Thaune fut incapable d'entendre. Son frère les entendit toutefois et se tourna vivement vers lui, perdant son arrogance.

« Va-t'en, répéta Blaise d'une voix plus forte. Je parle sincèrement. Si tu veux partir avec lui, personne ne t'en empêchera et tu ne seras pas suivi. »

Ranald eut soudain l'air confus, hésitant. L'air d'un homme qui a besoin d'un verre, pensa Thaune. C'était une pensée cruelle, il le savait, mais elle était là. Il y avait assez longtemps qu'il vivait dans ce château. Il connaissait le duc.

« Mais si tu le désires, tu peux rester, ajouta Blaise. Je te ferai confiance si tu me prêtes serment. Je sais que tu n'as jamais menti, Ranald. Je ne pense pas que tu le ferais maintenant. Si tu es capable de voir les choses clairement cette nuit, tu dois sûrement comprendre que c'est la chance de ta vie. Probablement ta dernière chance, frère. Veux-tu te libérer de lui, oui ou non ? Il est parti dans ce tunnel, loin de nous deux, il est retourné vers Adémar. Tu n'es pas obligé de le suivre, Ranald, et je ne te forcerai pas à rester. Il y a longtemps que tu n'as pas eu le libre choix de tes actes.

— Si je m'agenouille et fais le serment de féodalité à un frère cadet qui aurait dû être un prêtre de Corannos ? C'est là mon choix ?

— Est-ce si terrible ? Ce qu'il était censé devenir il y a des années a-t-il de l'importance ? » demanda Fulk de Savaric tandis que Blaise restait silencieux et regardait son frère à la faible lueur des torches dans la brume.

Au-delà du pont, Thaune entendit des hommes hurler et des chevaux galoper : des corans se hâtaient d'encercler la douve. Il partageait la certitude de Ranald : on ne trouverait pas Galbert de Garsenc, pas dans le brouillard de cette nuit, ni le matin, même si le soleil revenait. Au fond de lui, tout en ayant conscience du miracle de leur victoire et du serment d'allégeance fait par Fulk de Savaric, il sentait la peur le mordre comme une langue de feu.

Blaise se racla la gorge, étrangement timide avec son frère comme il l'avait été avec son père. « Je ne te demande pas de te mettre à genoux devant moi, seulement de me suivre, Ranald. Tu dois savoir, poursuivit-il en hésitant, que si les rôles avaient été inversés, j'aurais été fier de te prêter serment. » Il se tut de nouveau, cherchant manifestement ses mots comme s'il luttait avec quelque chose de difficile. « Tu dois savoir que, à une certaine époque, je t'aurais suivi au bout du monde si tu me l'avais demandé.

— Mais pourquoi, répondit Ranald de Garsenc après un instant de silence, aurais-je eu envie d'y aller ? Ou que tu viennes avec moi ? »

Blaise ne répondit rien. Il baissa la tête.

« Vous êtes encore plus stupide que je ne l'imaginais », dit Bertran de Talair, mais d'une voix adoucie, comme avec regret. « Amenez le cheval du seigneur Ranald, cria-t-il aux corans invisibles à l'autre extrémité du pont. Le très puissant duc de Garsenc quitte notre misérable compagnie pour le plaisir de retrouver son père et la très gracieuse cour d'Adémar. »

Blaise se taisait toujours. Se trouvant derrière lui, Thaune ne pouvait voir son visage. D'une certaine façon, il en était soulagé. Même après des années passées dans ce château, il trouvait parfois encore insupportables les rapports qu'avaient entre eux les trois hommes de Garsenc — tel un buisson de hampes de lances fichées dans la terre. Cette nuit, il ressentit cela tout à coup, comme si le destin des nations était lié dans les ténèbres de ce château, des ténèbres bien plus profondes que la brume et le brouillard d'une nuit d'hiver. On entendit le bruit d'un cheval qu'on amenait sur le pont.

« Qu'on aide le duc à se mettre en selle, ordonna Bertran avec la même sombre courtoisie.

— Inutile », rétorqua sèchement Ranald et il monta d'un seul mouvement agile. Il obligea sa monture à s'incliner et baissa les yeux vers son frère. « Est-ce que tu t'attends à ce que je te remercie maintenant ? » persifla-t-il. Il avait encore cette intonation que Thaune ne parvenait pas à identifier.

Blaise leva les yeux et secoua la tête. « Je pensais toutefois que tu demanderais des nouvelles de ton fils. » Si la question était cruelle, l'intention ne l'était peut-être pas. Thaune n'en était pas sûr ; il ne comprenait pas le fils cadet non plus. Il vit Ranald serrer les mâchoires. « Je me propose de le nommer mon héritier au Gorhaut, avec Fulk comme régent, si je mourais pendant cette guerre, ajouta-t-il d'un ton neutre. Est-ce que cela t'intéresse ? »

Il fallait qu'il fût vif, pensa Thaune, très vif pour y avoir déjà songé. Il se tourna pour regarder Fulk de Savaric, mais son expression restait indéchiffrable, tout comme celle de Bertran de Talair à ses côtés. Habitués au jeu du pouvoir, ces hommes savaient cacher leurs réactions.

Ranald était moins habile à masquer ses sentiments. « Très touchant, riposta-t-il comme s'il tirait une flèche de son arbalète. C'est vraiment merveilleux de voir tous les projets que les membres de ma famille font pour mon fils. Je dois dire que cela me libère de mes soucis de père.

— Étant donné que tu ne t'es pas donné la peine de t'informer de son état ni même de son nom, ce ton te sied mal, frère », reprit Blaise avec la même gravité.

Il y eut un silence. Le calme même avec lequel ces paroles avaient été prononcées les rendait encore plus cinglantes. Thaune eut l'impression que lui et ses compagnons, sur le pont, étaient devenus des étrangers, qu'ils ne faisaient qu'attendre l'issue de cet interminable et âpre combat au sein de la famille de Garsenc.

« Alors ? dit finalement Ranald comme si ce seul mot lui coûtait un effort considérable. Dis-moi. »

Derrière Blaise, Thaune vit ce dernier baisser de nouveau la tête pendant un long moment, puis la relever. « Il se porte bien. C'est un bel enfant en parfaite santé. Il ressemble aux de Garsenc. Il s'appelle Cadar en l'honneur de son grand-père de Savaric. »

Ranald eut alors le même rire sec, amer et corrosif que lorsque son père s'était échappé. « Bien entendu, dit-il. Elle a fait ça.

— Peux-tu l'en blâmer ? »

Contre toute attente, Ranald cessa de rire. Il secoua la tête. « Tu ne me croiras pas, dit-il, mais j'ai dit à père et au roi que j'étais prêt à la laisser partir si elle rendait l'enfant. Ils n'étaient pas d'accord et, de toute façon, elle n'aurait pas accepté. » Il fit une pause. « J'aurais été exécuté sommairement si je n'avais pas accompagné Adémar l'automne dernier. Demande au duc de Savaric, ton nouvel allié si courageux. Il a participé au massacre lui aussi, pour les mêmes raisons. »

Blaise resta à son tour silencieux. « Je le sais, dit-il enfin. Je sais pourquoi tu étais là, Ranald. Mais Fulk de Savaric a réparé cela cette nuit. Il est désormais avec nous. Toi, tu es sur le point de retourner à Cortil. À cette laideur. Je ne comprends pas. Je ne peux pas comprendre. Veux-tu m'expliquer pourquoi, Ranald ? » Il parlait d'une voix douloureuse. Tous les hommes sur le pont le perçurent.

Ranald de Garsenc secoua encore lentement la tête. « Non, répondit-il. Je ne te dois pas tant que ça. » Il s'arrêta, paraissant maintenant plus posé que son frère cadet. « Je ne te remercierai pas non plus de ne pas m'avoir torturé pour me faire avouer où se trouvent les tunnels. Je vous dirai ceci, ajouta-t-il en regardant le duc de Talair. Je ne retourne pas à Cortil. Dans votre hâte de ridiculiser et de diminuer vos ennemis, n'oubliez pas avec qui et avec quoi vous traitez. Moi, je ne l'oublie jamais, ni le jour ni la nuit. »

Il se retourna vers son frère. « Adieu, petit Blaise qui sera notre roi à tous. Je me rappelle t'avoir montré à te servir de l'épée que tu portes. Je me demande si tu t'en souviens aussi. »

Il fit volte-face et disparut dans la nuit et le brouillard ; seul le bruit des sabots de son cheval dans la brume révélait qu'il se dirigeait vers l'est.

« Bien sûr que je m'en souviens », dit Blaise, ne s'adressant à personne en particulier.

Il se tourna alors et commença à marcher sur le pont vers le château, passant devant les deux ducs et les corans qui se hâtèrent de lui faire de la place. Il se tint immobile devant la herse jusqu'à ce qu'on l'eût remontée pour lui permettre d'entrer dans sa demeure ancestrale.

Secoué par la vitesse à laquelle se déroulaient les événements, Thaune de Garsenc se sentit plus que soulagé en remarquant le teint coloré et l'air songeur des autres lorsqu'ils se rassemblèrent dans la grande salle.

Il n'y avait finalement pas eu de résistance. L'annonce de l'arrivée de Blaise de Garsenc à laquelle s'ajoutait la présence encore plus tangible de près d'un millier d'hommes armés avec le duc de Savaric, tout cela incita les corans de Garsenc, qui autrement auraient peut-être tenté de résister, à accepter sans broncher la situation actuelle.

Le problème n'était pas là. Il émergea lorsque les explications commencèrent ; entre-temps, on avait envoyé les serviteurs du château chercher du vin et de la nourriture, et faire des lits de fortune non seulement pour les personnes rassemblées dans la salle, mais aussi pour les soldats du nord et les fermiers qui avaient accompagné Fulk, munis d'une variété d'armes.

Ce fut justement la présence des fermiers que Fulk avait reçu l'ordre d'amener qui souleva la question. C'était l'hiver, après tout. Les corans suivaient souvent leur seigneur où il allait et il n'était pas inhabituel de voir un duc amener une partie de ses serviteurs s'il se rendait à Cortil pour passer les mois froids à boire et à se quereller parmi les courtisans du roi. Il s'agissait là d'une coutume depuis longtemps établie. C'était pour cela, avaient-ils supposé, que le château de Garsenc ne serait pas fortement défendu. Mais si Adémar ordonnait aux hommes ordinaires du pays de prendre les armes au cœur de l'hiver, c'était parce qu'il se mijotait autre chose.

Fulk de Savaric le savait. Il ignorait toutefois ce qui couvait parce qu'il n'avait pas encore atteint Cortil lorsque les instructions avaient changé. Son histoire était simple. Il avait reçu l'ordre d'amener vers le sud autant d'hommes que possible. Vu l'état d'esprit du roi depuis l'automne, Fulk s'était dit qu'il valait mieux ne pas faire fi de ces ordres. On mobilisait de bonne heure pour attaquer au printemps, avait-il conclu ; c'était là l'hypothèse la plus probable.

À mi-chemin vers Cortil, il avait été rejoint par un messager du primat qui l'avait informé d'un changement : il devait tourner vers l'ouest et rencontrer Galbert au château de Garsenc. Une menace venait du sud, avait dit le messager, la trahison était au cœur même du Gorhaut cet hiver. Fulk savait, comme la plupart des habitants du Gorhaut ne l'ignoraient plus, que Blaise de Garsenc avait réclamé le trône l'automne précédent.

S'il lui manquait l'éclat de son père ou la confiance que le monarque avait témoignée à Cadar de Savaric, le duc Fulk était néanmoins un homme de volonté. Il avait obéi et obligé ses mille hommes à faire demi-tour sur un sentier enneigé dans la vallée, mais il les avait fait s'arrêter deux jours plus tard au bord d'une rivière gelée, à une demi-journée de route du château de Garsenc. Et là, sous le ciel gris, il avait prononcé un discours.

Fulk n'était pas éloquent et les hommes du nord n'étaient pas non plus très portés à écouter des exhortations, surtout dans le froid. Mais il avait exprimé sa pensée d'une façon aussi précise et laconique que possible, et ses paroles avaient marqué un changement dans sa vie. Il aurait nié que c'était Aubry qui l'avait conduit là, mais il n'aurait pas pu dire que cela n'avait rien à y voir.

Il n'avait jamais aimé le Traité du pont Iersen, avait-il déclaré à ses hommes rassemblés, vociférant les mots dans le vent qui se levait. Il n'avait jamais aimé l'autorité que le primat de Corannos exerçait sur un roi de plus en plus complaisant. Il éprouvait du dégoût et une véritable colère devant la façon dont un quart de la population du Gorhaut avait été dépossédée de ses terres et avait reçu l'ordre de trouver refuge ailleurs, n'importe où, tandis que le roi et son primat complotaient de conquérir le sud. Fulk de Savaric ne croyait pas qu'ils parviendraient à garder les terres prises au sud des défilés ; les autres pays du monde ne le leur permettraient pas, avait-il dit. Le déséquilibre serait trop grand. Ils ne feraient qu'échanger une guerre frontalière avec la Valensa contre un énorme combat contre toutes les autres nations, et les Arbonnais, avait-il ajouté, mourraient avant d'accepter de vivre sous le joug de l'occupant gorhautien. Ils seraient chassés de l'Arbonne, avait-il assuré à ses hommes, ne laissant derrière eux que ruines, cendres et des légions de cadavres.

Le prétexte de cette guerre n'avait probablement aucune importance pour le primat, avait poursuivi Fulk. Le véritable enjeu de ce qui se passait à présent n'avait pas grand-chose à voir avec le fait de conquérir des terres pour les dépossédés du nord. Galbert voulait seulement détruire l'Arbonne et sa déesse, et le Traité du pont Iersen avait représenté le premier pas dans cette direction. Fulk de Savaric se fichait pas mal de la déesse arbonnaise ; elle ne l'avait jamais dérangé. Ce qui le dérangeait cependant, ce qui l'enrageait, c'était le peuple déraciné des terres du nord. Son roi l'avait vendu à la Valensa pour de l'argent et de l'or qui serviraient à lever une armée pour aller brûler les femmes arbonnaises.

D'autres personnes pensaient comme lui, avait-il affirmé à ses compagnons silencieux. Un grand nombre d'entre eux connaissaient sans doute Blaise de Garsenc, le fils cadet du primat. Il n'était même pas du nord, mais il avait préféré quitter le Gorhaut que de vivre avec les conditions établies par le Traité du pont Iersen. Il revenait maintenant chez lui, peut-être même cette nuit, à la tête d'un soulèvement contre les maux mêmes dont Fulk parlait. Le duc se proposait de se joindre à lui pour l'honneur du nord et en mémoire de son père et du roi Duergar qui avait sincèrement aimé et servi le Gorhaut. Il invitait les membres de son armée qui pensaient comme lui et faisaient confiance à son jugement à l'accompagner. Ceux qui étaient d'un autre avis étaient libres de s'en aller et il les remerciait de l'avoir servi dans le passé.

C'était tout ce qu'il avait dit. Le vent soufflait dans la vallée, entassant la neige sur les rives de la rivière gelée et la faisant tomber des branches des arbres dénudés.

Des mille hommes présents, dix-huit s'en étaient allés.

Les hommes du nord s'étaient toujours montrés confiants et les seigneurs de Savaric les avaient rarement trompés, quelle que fût la conduite des rois à Cortil. Le duc Cadar de Savaric était mort en défendant leurs terres et les siennes au pont Iersen. Son fils avait veillé aux intérêts du nord avec une diligence prudente au milieu des bouleversements qui avaient suivi l'accession au trône du roi Adémar et le traité signé par lui. Si l'époque de la prudence était à présent révolue, celle de la loyauté ne l'était pas, et la loyauté envers le nord était la première loi des nordiques.

Si Fulk de Savaric n'était pas homme à se laisser submerger par les émotions fortes, il avait toutefois été ému par ce qui avait suivi ses paroles au cours de cet après-midi d'hiver. Il proposait la trahison, après tout.

Personne n'avait crié à la fin de son discours, il n'y avait pas eu de cris d'approbation ni de hourras accompagnant son nom. Il n'y avait eu que le silence lugubre et austère qui avait toujours caractérisé le nord tandis que six cavaliers et douze fantassins se détachaient de la compagnie pour se diriger vers l'est à partir de ce cours d'eau gelé, vers Cortil et le roi Adémar qui, malgré tout, était encore l'élu du dieu.

Les autres l'avaient suivi jusqu'au château de Garsenc et le suivraient maintenant où il leur demanderait d'aller, confia-t-il sobrement à Blaise, à Bertran et aux hommes qui étaient avec eux dans la grande salle.

« C'est là que réside la véritable question, je le crains », dit Blaise. Il semblait avoir graduellement retrouvé sa contenance après les affrontements avec son père et son frère. « Nous avons planifié de prendre ce château, de l'utiliser comme base d'hiver, de point de ralliement pour tous ceux qui voudraient se joindre à notre cause, puis de voir ce que le printemps nous réservait en matière d'effectifs et de possibilités. Je n'ai jamais proposé de faire la guerre en hiver.

— Nous l'avons déjà fait avant la bataille du pont Iersen, dit Fulk de Savaric.

— Je le sais. J'étais présent. C'était contre un envahisseur et nous n'avions pas d'autre choix. La situation est différente aujourd'hui : je ne veux pas commencer moi-même à attaquer dans la campagne, ruinant les châteaux ou les villes. Si c'est possible, je veux que cela se termine par une bataille contre Adémar, seulement une. Mon armée — si j'en ai une — contre la sienne sur un champ de bataille quelconque. Si je dois rentrer chez moi comme le sauveur du Gorhaut — l'homme qui nous ramène au dieu et à notre vrai destin —, je ne dois pas commencer par tuer mon propre peuple et détruire ses maisons et ses champs. Je ne veux pas cela, Fulk, pour la même raison que je refuse d'envahir avec une armée arbonnaise.

— Vous en ont-ils offert une ? » demanda Fulk de Savaric.

Blaise se tourna vers Bertran de Talair. Thaune vit que le duc paraissait étrangement méditatif, comme s'il n'avait pas suivi avec attention la dernière partie de la conversation. Un moment plus tard, Thaune comprit qu'il avait vu juste.

« Vous rappelez-vous, demanda Bertran à Blaise d'une voix douce sans répondre à la question, ce que votre frère a dit juste avant de partir ? Les dernières paroles qu'il m'a adressées ? » Sa voix avait quelque chose d'étrange, et l'assemblée eut froid de nouveau, malgré les feux allumés dans toutes les cheminées. Près de la porte menant au corridor, Thaune essaya de se rappeler ce que Ranald de Garsenc avait dit.

« Il a dit qu'il ne retournait pas à Cortil. » Debout près du plus grand des feux, Blaise fit deux pas vers le duc de Talair et s'arrêta.

« Voulait-il te dire quelque chose ? » demanda Rudel Correze d'une voix dure. Il se leva de son siège. « Parce que dans ce cas...

— Dans ce cas, termina le duc Bertran d'un ton neutre, nous savons pourquoi Fulk a reçu l'ordre d'amener le plus grand nombre d'hommes possible. Et pourquoi votre frère ne retournait pas à Cortil. Adémar n'est pas à Cortil.

— Par où êtes-vous passés pour traverser les montagnes ? » demanda brusquement Fulk de Savaric. Il s'était lui aussi levé de sa chaise.

« Par le col inférieur du Gaillard vers l'ouest, répondit Blaise. Nous n'étions que cinquante, sans chariots ni marchandises. Nous ne voulions pas être vus. On nous aurait peut-être repérés si nous étions passés par le col de la grand-route.

— Bien sûr, dit Fulk. Mais si messire Bertran a raison...

— Alors pendant que nous allions vers le nord, Adémar et son armée se dirigeaient vers le sud par le col de la grand-route. » Bertran de Talair avait posé sa coupe de vin. Thaune vit que son visage était très blanc, l'ancienne cicatrice s'y dessinant en relief. « C'est ce qui s'est passé, j'en suis certain. Cela concorde avec ce que nous savons. Tout compte fait, ils ont décidé de ne pas attendre le printemps. Ce sera une guerre d'hiver, mes amis. En Arbonne. Ils sont peut-être même déjà sur place.

— Et qu'est-ce que nous faisons ici avec un millier d'hommes ? Nous prenons Cortil ? Nous soulevons le pays ? » Les yeux de Rudel Correze étincelaient à la lueur du feu. Blaise ne dit rien ; il regardait fixement le duc de Talair.

« Il n'y a pas de pays à soulever, répondit lentement Fulk de Savaric. Tous les hommes capables de se battre seront avec le roi. Je crois comprendre ce qu'il pense : ce que vous faites ici lui est parfaitement égal. S'il réussit à prendre l'Arbonne assez vite — et le pays lui sera sans doute grand ouvert maintenant que c'est l'hiver, peu importe le nombre d'hommes qu'il va perdre dans les montagnes —, il pourra rentrer triomphalement avec une armée après avoir mis le pays à feu et à sang, puis s'occuper de nous au printemps, où que soit Blaise.

— Vous comprenez que ce n'est pas la manière de penser d'Adémar, dit enfin Blaise avec une amertume évidente. Ce sont les stratagèmes de mon père, et son rêve. Il a toujours voulu détruire l'Arbonne. Toujours. Je n'étais encore qu'un enfant qu'il me racontait comment il fallait abattre les temples de Rian pour les empêcher de corrompre le monde entier. Et il me connaît. Il savait que je ne viendrais pas ici avec une armée, qu'Adémar pourrait quitter le Gorhaut en toute sécurité en laissant le pays presque sans défense, puis revenir, comme dit Fulk, pour faire face à ce qui se serait passé pendant son absence. Vous savez ce qu'il va faire, n'est-ce pas ? » ajouta-t-il en se tournant vers Bertran.

Ce dernier arborait une expression aussi morne que la nuit hivernale. Il hocha lentement la tête. « Il ne s'occupera pas des châteaux ou des villes. Il ne tentera pas d'en faire le siège en hiver. Il va forcer nos corans à sortir en attaquant les villages et les temples. Comme il l'a fait à Aubry.

— Comme il l'a fait à Aubry, répéta Blaise.

— Y allons-nous alors ? demanda Fulk de Savaric. Vous vouliez un affrontement, Blaise. On dirait que vous l'aurez, mais ce sera en Arbonne. »

— Bien sûr que ce sera en Arbonne, dit le duc de Talair avec une ironie sauvage. Il fait plus chaud là-bas, pas vrai ? Le soleil brille, même en hiver. Si l'on descend assez loin au sud, il n'y a pas de neige du tout. On peut même respirer l'air de la mer. »

— À travers la fumée, rétorqua Blaise d'un ton bref. Allons-y. »

Ils laissèrent deux cents des hommes de Fulk pour garder le château de Garsenc et faire savoir, du mieux qu'ils le pourraient, qu'ils étaient là. Le reste de la compagnie partit la nuit même dans le brouillard et le froid sur la longue route qui menait aux montagnes. Plus tard, la brume commença finalement à se lever et, à travers les nuages mouchetés poussés par le vent, ils purent apercevoir un fragment de la blanche Vidonne à l'ouest, suspendue très bas dans le ciel avant le matin.

Chapitre 2

Sur l'île de Rian dans la mer, Roche le prêtre avait mauvaise conscience. Quelqu'un qui cherchait du bois d'allumage avait décelé l'odeur d'un feu provenant d'une crique sur la grève au sud et était allé voir de quoi il retournait ; bien que moindre en hiver, le risque des incendies de forêt était toujours présent. Un petit foyer avait été découvert, enfoui sous le sable froid, couvert d'une pierre plate. Soulevant cette pierre avec une longue branche, l'homme avait trouvé une douzaine de poissons-lanternes en train de griller.

Roche aurait bien tenté de nier sa culpabilité si, quelques instants plus tard, le même forestier importun ne l'avait pas pris sur le fait dans un petit abri à proximité, béatement assoupi, une canne à pêche à côté de lui et l'odeur du poisson sur ses mains.

Le forestier lui avait, avec insolence, donné un coup avec sa branche ; Roche lui avait alors offert en bégayant de manger avec lui ses prises clandestines du matin sous le doux soleil d'hiver pendant qu'ils contempleraient de la plage la mer se gonfler doucement. Le forestier ne fut touché ni par le décor idyllique ni par la succulente promesse de poissons-lanternes. Il était l'un de ces types à la déprimante piété ayant quitté leur foyer après que quelque vision nocturne ou autre les eut enjoints d'aller servir la déesse sur son île, travaillant pour les prêtres, devenant souvent attachés avec davantage d'acharnement que le clergé lui-même aux doctrines et aux codes de conduite.

C'était une loi établie, affirma le forestier avec une opiniâtre satisfaction, en agitant l'index : tout le poisson et le gibier entourant les rives de l'île étaient interdits aux mortels et consacrés, entonna-t-il d'un ton vertueux, à la sainte Rian dans son incarnation de protectrice de la faune.

Roche essaya, sans vraiment beaucoup d'espoir, d'expliquer que cette règle ne s'appliquait qu'aux pêcheurs et aux chasseurs du continent. Comme il s'y attendait, le forestier savait de quoi il parlait. Un tel sacrilège, déclara-t-il avec raison, devait être rapporté directement à la grande prêtresse en personne. Il mit ses fagots de bois sur son épaule, prit les rênes de son âne chargé comme lui et se mit en marche vers le nord, en direction du complexe du temple. Ils voulaient toujours s'adresser directement à la grande prêtresse, songea Roche la mort dans l'âme en le regardant s'éloigner. Comme si elle n'avait rien de mieux à faire que d'écouter des rapports de délits mineurs commis par ses prêtres et prêtresses.

Dans son cas, il s'agissait toutefois du troisième délit mineur — toujours le même — de l'année. Désespéré, Roche se demanda s'il serait renvoyé, rétrogradé pour servir dans quelque temple des champs de blé ou des montagnes. Il ne voulait pas quitter l'île de Rian. Il ne voulait pas quitter la mer. Il avait grandi au bord de l'océan ; c'était l'océan qu'il connaissait et aimait — comme il aimait les gracieuses récoltes que, dans sa générosité, Rian offrait dans les vagues. En particulier le poisson-lanterne.

Morose et déprimé, maudissant sa propre faiblesse et le fait qu'il avait été assez idiot pour s'endormir si près du feu, il songea à rattraper le forestier, à essayer de le devancer ou de concocter quelque histoire qui servirait sa cause avant qu'ils n'aient tous deux atteint le complexe. C'était inutile, conclut-il mélancoliquement. Roche se sentit si malheureux qu'il en perdit presque l'appétit.

Le poisson était prêt, il le savait à l'odeur qui lui parvenait. Poussant un profond soupir, Roche revint vers son feu et contempla tristement les six trésors alléchants qui grésillaient, saupoudrés d'herbes choisies avec soin. Ce faisant, il eut la surprise, vu l'extrême gravité de sa situation, de découvrir que l'appétit semblait lui être revenu.

Il retourna au complexe un peu plus tard, quoique bien à temps pour accomplir ses tâches au temple. Il était un bon prêtre, songea-t-il, mais il aimait le poisson.

Comme il l'avait prévu, on lui ordonna de se rendre immédiatement auprès de la grande prêtresse. Il aperçut le forestier et son âne près de la porte de la boulangerie. L'homme avait l'air suffisant et vertueux lorsqu'il passa à côté de lui. S'essuyant les lèvres et frottant les taches sur sa tunique, Roche l'ignora de son mieux.

À l'autre extrémité du dôme du temple, où la grande prêtresse et le Cercle interne avaient leurs appartements et salles de réunion, Roche fut introduit par une femme de Cauvas au visage de marbre. Il n'avait jamais aimé les gens de Cauvas — ou de n'importe où dans l'arrière-pays, songea-t-il soudain. Seules les personnes qui avaient grandi près de la mer pouvaient comprendre les rythmes de la vie sur l'eau. Roche se demanda s'il pouvait dire cela à la grande prêtresse. Elle venait toutefois de Barbentain ; il n'eut pas l'impression qu'il serait prudent de lui présenter cet argument.

Il attendit dans un silence lugubre, seul dans l'antichambre, frottant en vain les taches révélatrices sur sa tunique. Il flaira tout à coup ses mains et grimaça. Il comprit qu'il aurait dû les laver. Il transportait la preuve de son péché dans le temple de Rian. Et c'était la troisième fois cette année. On allait le muter dans le nord, conclut Roche, complètement désespéré. Il méritait d'être envoyé dans les montagnes, loin de son océan bien-aimé, débordant de séduction et de générosité. Il était incapable de se maîtriser, se reprocha-t-il, il n'avait aucun respect pour les traditions de la sainte Rian qu'il avait pourtant juré de faire respecter toute sa vie, il n'avait aucun sens de sa propre solennelle responsabilité de servir de modèle aux…

La porte s'ouvrit. Une autre servante au visage austère hocha froidement la tête dans sa direction. Les laïcs étaient toujours contents quand un prêtre ou une prêtresse avait des ennuis. Roche s'essuya une dernière fois les mains sur sa tunique et entra dans la pièce, avec autant de dignité qu'on peut en avoir quand on sent le poisson-lanterne et la braise, pour apprendre de la bouche de la grande prêtresse de Rian en Arbonne le sort qui lui était réservé.

Il était sérieusement ébranlé lorsqu'il en ressortit quelques minutes plus tard. La grande prêtresse ne s'était pour ainsi dire même pas donné la peine de remarquer sa faute. Elle l'avait réprimandé en quelques mots sans jamais se tourner vers lui, sans que son regard aveugle quittât le feu qui brûlait dans l'âtre. Elle lui avait pardonné presque distraitement, l'enjoignant, avec une formule rituelle, de prier dans le temple qu'on lui accordât la force de résister à sa faiblesse. Rien d'autre. Pour la troisième offense de l'année. Elle lui avait donné congé. Même son hibou blanc n'avait pas semblé lui porter assez d'intérêt pour le regarder.

Roche n'arrivait pas à comprendre. Son acte constituait un grave méfait, un exemple terrible pour les travailleurs laïques. Comment la grande prêtresse pouvait-elle réagir avec une telle indifférence ? Comment les coutumes de la déesse pouvaient-elles être convenablement préservées si les têtes dirigeantes du temple y accordaient si peu d'attention ? Il se sentait presque indigné du répit qui lui était accordé. Bon sang, il méritait au moins un exil temporaire ! Même si une telle punition l'aurait rendu malheureux, il la méritait sans aucun doute.

Quelque chose clochait, conclut Roche. Il avait beau n'être qu'un prêtre de niveau inférieur, il ne pouvait pourtant s'empêcher de se demander si les dirigeants du clergé de Rian la servaient adéquatement ces jours-ci. Où le monde s'en allait-il ?

En sortant, il prit cependant un malin plaisir à adresser un large sourire à la femme sévère qui se trouvait à la porte et, passant à côté de la boulangerie dans l'après-midi frais et ensoleillé, il salua le forestier en agitant joyeusement la main. Ce n'était peut-être pas le geste le plus judicieux qui fût, mais Roche se savait incapable de résister à certaines tentations.

Lorsqu'il eut fini d'exécuter ses tâches dans le sanctuaire ce soir-là, alors que le soleil s'était couché et qu'il faisait de plus en plus froid, il se lava avec soin le visage, les mains et le corps, et revêtit des habits propres avant de retourner prier pendant les deux veilles complètes de la soirée. Comme on l'y avait exhorté, Roche pria humblement la déesse de lui accorder la force de résister à ses pulsions indésirables. L'idée lui vint ensuite de demander à Rian de prêter sa sainte sagesse et sa présence éternelle à la grande prêtresse qui paraissait depuis peu perturbée par des problèmes qui dépassaient la pauvre compréhension de Roche.

Il se sentait mieux lorsqu'il se releva enfin, même si le froid faisait craquer ses genoux et son dos raides. Il quitta le temple pour retourner au dortoir et à son lit sous les étoiles hivernales et les deux lunes.

En sortant du dôme, il aperçut un groupe de prêtres et de prêtresses debout dans l'atrium autour d'un petit feu. À cette heure tardive, c'était inhabituel. Il les rejoignit. Comme ils s'écartaient pour lui faire de la place, Maritte, qui allait bientôt accoucher de l'enfant qu'elle avait conçu avec lui au printemps, apprit à Roche qu'un message venait d'arriver : l'armée du Gorhaut avait été vue deux jours auparavant au défilé de la grand-route dans les montagnes ; elle se dirigeait vers le sud, vers l'Arbonne, avec des engins de guerre.

❖

Cela avait toujours été probable et même plus que probable.

Dès le moment où le Traité du pont Iersen avait été signé, Béatrice avait été sûre que le Gorhaut chercherait à les envahir. *Jusqu'à ce que meure le soleil et que tombent les lunes, l'Arbonne et le Gorhaut ne vivront pas en harmonie côte à côte.* C'était le vieil adage — dans les deux pays. Le soleil n'était pas tombé et elle savait que les deux lunes luisaient cette nuit dans le ciel d'hiver, consciente de leur présence même si elle ne pouvait voir leur clarté.

Enfoncée dans son fauteuil rembourré, elle était également consciente du feu qui brûlait dans l'âtre, à cause de sa chaleur, certes une chaleur bienvenue, mais d'autre chose aussi, qui n'était ni un son ni une brûlure, sûrement pas une lumière — source tant de danger que de connaissance. Elle était entrée dans un univers si complexe, celui de la nuit, lorsqu'elle avait renoncé à ses yeux pour acquérir l'autre vision de Rian. Elle voyait désormais de façon si différente, elle voyait mieux dans le noir, encore mieux sur l'île, et rien du tout sans Brissel sur son épaule. Elle leva la main et flatta le hibou ; elle pouvait sentir son inquiétude ou plutôt le sentir réagir à la sienne. Elle essaya de lui communiquer des pensées apaisantes, d'accompagner en pensée le geste doux de la main, mais c'était difficile ce soir.

Aubry avait été un coup porté à son cœur, aussi lourd que si on lui avait assené un coup de marteau, et cela n'avait été qu'un premier geste, rien de plus qu'un petit groupe de corans gorhautiens écrivant un premier message en lettres de feu l'automne précédent.

Une armée avançait à présent et l'Arbonne serait détruite par le feu comme en rêvait depuis si longtemps Galbert de Garsenc.

Et Béatrice n'y pouvait presque rien. Elle avait déjà fait ce qu'elle pouvait, lançant très loin ses lignes de connaissance, quittant l'île plus souvent qu'elle n'aurait dû le faire, négligeant les besoins localisés mais vitaux de ses prêtres et de ses prêtresses pour assister à des réunions avec sa mère, Roban et les représentants les plus importants de la noblesse — Bertran, Thierry et Ariane, Urté. C'était Béatrice qui, sentant en elle la pulsation rare de la déesse, avait conseillé qu'on approchât avec prudence Blaise de Garsenc qui, on le savait, avait quitté le Gorhaut dans un état de fureur. Elle se rappelait les premières réactions : il était le fils du primat, leur pire ennemi. Roban l'avait qualifié avec dérision de mercenaire ignorant et désagréable.

Il était plus que cela, leur avait affirmé Béatrice, se fiant à son intuition et au silence de son hibou. Bertran avait été d'accord avec elle, même si c'était surtout pour s'amuser et aussi parce que — ils ne le comprirent qu'après — sa proposition coïncidait parfaitement avec la poursuite d'une de ses conquêtes. C'était ainsi que les choses se passaient avec Bertran parfois. Il fallait l'accepter tel qu'il était, ce qui n'était pas rien, et garder pour soi le regret qu'il ne donnât pas sa pleine mesure.

Elle avait su qu'elle ne se trompait pas à propos de Blaise de Garsenc lorsque, dans une sainte intercession, Rian s'était arrangée pour amener l'homme à l'île avant même que Bertran ne se rendît au château de Baude. Béatrice avait fait ce qu'elle avait pu, s'efforçant de l'effrayer pour qu'il renonçât à sa suffisance mélancolique, si évidente, tentant de franchir ses barrières et de toucher cette chose protégée qu'elle sentait à l'intérieur de lui. Brissel lui avait fait comprendre que lui aussi sentait quelque chose et elle avait depuis longtemps appris à écouter l'oiseau quand il lui faisait ce genre de confidence.

Elle se souvint de Brissel s'envolant de son épaule la nuit de la mi-saison à Tavernel lorsque Blaise avait pour la première fois parlé de la couronne du Gorhaut. Tant les paroles de l'homme que l'envol soudain du hibou blanc l'avaient prise au dépourvu. Elle devenait vraiment aveugle quand Brissel n'était pas avec elle, mais sa mère avait tendu la main pour prendre la sienne, lui avait expliqué d'une voix calme où l'oiseau s'était posé, et Béatrice avait aussitôt senti la présence de Rian.

Si seulement elle pouvait faire plus souvent appel à cette présence. Si seulement elle possédait un dixième des pouvoirs magiques et mentaux que les superstitieux lui attribuaient. Mais en Arbonne, la magie était une chose ténue, presque inexistante, quoi qu'elle pût être dans ces terres inconnues s'étalant dans les déserts très loin au sud et dont des navigateurs burinés par les tempêtes lui avaient parlé. Ici, la magie se limitait aux petites choses, celles du foyer et celles du cœur. Le contrôle de la conception, la prédiction du sexe d'un enfant, et même pas toujours avec certitude. La connaissance des chagrins et une certaine aptitude à les apaiser. Un certain talent avec les bienfaits de la terre : herbes, fleurs, fruits, arbres. Une certaine connaissance que Béatrice elle-même possédait — quoique seulement ici dans l'île ou dans l'île du lac Dierne et seulement depuis qu'elle était aveugle — de la vie intérieure en ce qui concernait l'amour et la haine. Certains pouvoirs pour guérir, pouvoirs qui lui venaient en partie de la science des herbes.

C'était là la somme de ses pouvoirs magiques, de ses dangereux pouvoirs. Il avait été utile que d'autres pensent qu'elle en possédait davantage ; inspirer la crainte du clergé de Rian et de ses rassemblements nocturnes pouvait se révéler être un moyen de défense.

Jusqu'au moment où cette peur se transformait en une terreur si profonde et si froide qu'elle devenait la cause même de leur péril. Galbert de Garsenc semblait avoir, un jour ou une nuit de son propre passé, franchi cette ligne de démarcation. Sa peur des femmes d'Arbonne, sa haine de Rian et de tout ce que représentait la déesse, c'était à cause de cela qu'une armée se trouvait dans les montagnes au cœur de l'hiver, une armée en proie à une frénésie meurtrière inspirée par le primat de Corannos. Elle devait à présent être sortie des montagnes, se corrigea Béatrice, le cœur douloureux, une lente et froide épouvante se propageant en elle comme un poison dans ses veines.

Elle ne savait que faire. C'était pire que tout. Elle pouvait prier, rassembler tous les gens de l'île sous le dôme du temple pour offrir jour et nuit des hymnes et des incantations, chercher à atteindre la déesse, la supplier d'intervenir. Mais on ne pouvait contraindre Rian. C'était la plus ancienne, la plus profonde loi ; Rian était capricieuse et inviolée, et la mort faisait partie de son domaine — la mort était, en fait, l'une de ses incarnations. Elle était mère, elle était épouse, mais elle était aussi celle par qui la mort survenait.

C'était peut-être la déesse elle-même qui avait ordonné ce châtiment pour chasser les maux de leur époque. Béatrice ignorait ce qu'avaient pu être ces si graves péchés, mais une simple servante de la déesse comme elle n'était pas dans le secret de la conscience divine. Elle aurait cru, elle aurait dit qu'il n'existait pas de noirceur ou de mal en Arbonne justifiant ce qui était arrivé aux corans de la tour de guet sous le grand défilé l'automne précédent ou aux prêtresses du temple d'Aubry la même nuit.

Elle l'aurait dit à la sainte Rian elle-même. Comme si cela pouvait compter. Le hibou ébouriffa ses plumes, la ramenant à la réalité. Elle avait examiné des solutions possibles, des réponses. Elle se rappela comment son père avait coutume de le faire, énumérant rapidement à voix haute toutes les possibilités avant de choisir résolument le chemin à suivre. Elle trouvait parfois difficile d'accepter qu'il était mort, que c'était désormais sa mère et elle qui portaient tous les fardeaux avec l'aide à laquelle elles pouvaient faire appel au sein de la noblesse arbonnaise douloureusement divisée.

Il n'y avait pas d'héritier. Cela avait toujours constitué un problème et Guibor IV de Barbentain avait été incapable d'en désigner un pendant les dernières années de sa vie de peur de déchirer le pays. Il avait même essayé d'inciter Béatrice à quitter le sanctuaire de la déesse l'année qui avait suivi la mort d'Aëlis et de son enfant à Miraval. Guibor avait prévu les problèmes à l'époque qui avait suivi le décès de sa cadette. Il avait toujours été habile à prévoir les événements ; c'était aussi une erreur d'essayer de faire coïncider trop de choses. Pour commencer, cela s'était passé ainsi lors du mariage d'Aëlis avec Urté de Miraval : un duc puissant, l'un des plus influents du pays, un choix qui ne pouvait être mis en doute, et un homme désireux d'engendrer des enfants, un fils ou même une fille pour gouverner l'Arbonne à la mort de Guibor.

Mais Aëlis était morte la première, de même que, presque certainement, son fils. Personne ne pouvait en être tout à fait sûr, quoique chacun sût ce qu'elle avait révélé à son mari sur son lit de mort concernant la paternité de l'enfant : ce faisant, elle avait donné le jour à l'affreuse, catastrophique querelle qui avait marqué l'Arbonne depuis. On ne pouvait même pas effleurer ce sujet avec Urté. Béatrice avait essayé une fois, à la fin de l'année de la mort d'Aëlis — et avait essuyé la plus cinglante rebuffade de sa vie. Il aurait fallu soumettre le duc à la torture pour tenter de le faire parler. Mais même là, il n'aurait pas révélé ce qui était arrivé à l'enfant.

Même le comte Guibor n'avait pas été capable d'étouffer ou de contrôler ce qu'Aëlis avait amorcé entre Talair et Miraval cette nuit d'autrefois. Alors, cherchant des solutions de rechange, il avait essayé d'amener Béatrice à quitter le clergé pour revenir à Barbentain, se préparer au mariage et concevoir un enfant.

C'était à ce moment-là qu'elle avait renoncé à ses yeux dans ce petit temple des montagnes du Götzland, franchissant l'étape qu'aucune prêtresse n'avait franchie depuis des années, s'alignant à Rian de façon irrévocable. Elle était devenue grande prêtresse deux ans plus tard et était venue habiter dans l'île.

Son père ne lui avait jamais vraiment pardonné. Elle en avait toujours souffert, car elle l'aimait. Pas comme sa mère, avec une éternelle passion de l'âme, pas même comme sa sœur Aëlis, avec un sentiment où se mêlait quelque chose de complexe et de douloureux. Béatrice connaissait trop les faiblesses et les imperfections de son père pour éprouver cette sorte d'amour : elle comprenait son orgueil, sa volonté de tout diriger. C'était son principal défaut à elle aussi. Elle était bien la fille de Guibor. Mais l'appel de Rian avait toutefois été authentique, c'était la chose la plus vraie de sa vie, elle l'avait su dès son plus jeune âge.

Contre toute attente, sa mère l'avait comprise. Superbe et scintillante comme un bijou sous la lumière des flambeaux à Barbentain, Cygne paraissait néanmoins comprendre beaucoup de choses, toujours. Béatrice souffrait pour elle ce soir ; elle se la représentait dans son château hivernal, avec les cruelles nouvelles qu'elle avait récemment apprises et la conscience terrible, écrasante, qu'elle régnerait peut-être sur l'Arbonne au moment où celle-ci disparaîtrait à jamais.

Le hibou devint de nouveau nerveux ; c'était un avertissement. Des solutions. Elle avait examiné des solutions. Elle pouvait elle-même partir vers le nord, quitter l'île et le siège de tout pouvoir ou don de voyance qu'elle pouvait y trouver, prêter sa force purement mortelle, sa sagesse, à sa mère et à ceux qui l'appuyaient.

Ils n'avaient pas besoin d'elle ; elle en prit conscience avec un terrible sentiment d'impuissance. Elle avait des conseils à offrir en temps de paix ou de préparation d'intrigues de petite ou grande envergure, les nouvelles que son propre réseau d'informateurs pouvait rassembler, mais que connaissait-elle de l'art de la guerre ?

Elle se dit avec amertume que c'était désormais une époque pour les hommes. L'ironie était éclatante. L'Arbonne allait être détruite à cause de ses femmes, à cause de la déesse qui se partageait avec Corannos dans le ciel leur amour et leur dévotion, parce qu'elle était à présent gouvernée par une femme, à cause des symboles et de la musique de la Cour d'amour et des modèles de grâce établis par des femmes comme Cygne et Ariane. Et maintenant que cette ruine fondait sur eux sous la forme d'une armée d'épées, de haches et de brandons, maintenant que des images de viol et de feu allaient danser derrière les paupières closes de toutes les femmes arbonnaises, c'était, en fin de compte, par les hommes qu'il fallait qu'elles fussent sauvées.

Et malgré les efforts déployés pendant vingt ans par son père, puis ceux de sa mère, malgré la patience, les ruses et même les tentatives de Guibor pour acquérir le pouvoir absolu, les deux hommes les plus puissants d'Arbonne continuaient à se haïr avec une férocité, une obsession sauvage et éternelle qui les empêchait de collaborer, même s'il s'agissait de sauver leur vie et leur pays.

Béatrice le savait avec un sentiment de désespoir qui faillit la submerger. Ceci avait toujours été au cœur de la vulnérabilité de l'Arbonne à leur époque, ouvrant ses portes à la destruction. Ce n'était pas parce qu'une femme gouvernait. Pas non plus à cause de la prétendue mollesse de ses corans — un mensonge évident. Pas non plus à cause de l'influence corruptrice des troubadours et de leur musique ; il n'y avait pas de corruption dans l'épanouissement de leur art. Le danger, la blessure qui les minait, c'étaient Talair et Miraval.

Béatrice songea, avec une vieille et implacable amertume, que sa sœur Aëlis avait dans cela une grande part de responsabilité.

C'était là une pensée injuste, supposa-t-elle. Sa mère n'avait cessé de le lui répéter au fil des années. Injuste ou non, elle était là,

Béatrice y pensait et y penserait jusqu'à sa mort, elle mourrait en se rappelant Aëlis, sombre et mince, beaucoup trop fière, avec sa volonté comme de l'acier trempé et son refus de pardonner.

En cela, elle ressemblait à Bertran, songea Béatrice. À Urté. « Et à moi », pensa-t-elle pour la première fois en levant de nouveau la main pour calmer son hibou agité.

« Oh ! Aëlis, murmura-t-elle à voix haute. Oh ! ma sœur, avons-nous tous commencé à mourir la nuit de ta mort, avec ou sans ton enfant ? »

C'était possible. Les événements faisaient des vagues et ils allaient loin à travers les étangs noirs du temps et du monde.

Brissel bougea de nouveau sur son épaule et replia soudain ses serres acérées d'une façon qu'elle reconnut. C'était toujours ainsi : sans aucun avertissement, la présence de la déesse pouvait se manifester. Retenant son souffle, sentant l'accélération familière de son pouls, Béatrice attendit et reçut sa réponse, apaisée, avec des images dans ses ténèbres, des images qui tournoyaient pour prendre forme comme si elles émergeaient de quelque brouillard primitif d'avant la création du monde.

Elle vit deux châteaux et les reconnut aussitôt — Miraval et Talair — ; elle connaissait depuis toujours ces deux affirmations orgueilleuses, jumelles. Une nouvelle image apparut en un éclair : un arc, démesurément ancien, massif, écrasant, avec des images de guerre et de conquête gravées comme des présages. Ensuite, dans un spasme d'amour et de douleur qu'elle fut incapable de retenir complètement, la grande prêtresse de Rian vit un lac dans sa tête avec une petite île délicate au centre, trois rubans de fumée qui montaient, droits comme des épées, vers le ciel d'hiver dans l'air immobile. La dernière chose qu'elle vit fut un arbre. Puis les images disparurent et elle se retrouva de nouveau dans les ténèbres, Brissel sur son épaule.

Cela venait et repartait comme ça, jamais contraint, jamais en réponse à une prière. La déesse se souvenait parfois de ses enfants et parfois elle les oubliait au gré de sa nature. Elle pouvait déverser ses bienfaits comme une pluie au printemps, ou tourner le dos et laisser place à la glace et au feu. Elle avait un visage de joie et un visage de désir, une attitude de véritable compassion et un terrible visage de jugement. En Arbonne, on enseignait que la bonté était davantage l'apanage de Corannos le dieu ; c'était lui qui aimait le plus simplement les hommes et les femmes. Rian les subissait et, si elle les aimait, elle pouvait néanmoins se montrer cruelle à l'instar de la nature. C'était le dieu qui avait toujours à l'esprit leurs enfants mortels, qui ne manquait pas de voir leurs souffrances ici-bas. C'était ce qu'on enseignait en Arbonne depuis des générations.

Ailleurs, les enseignements étaient différents. Ils étaient très différents au Gorhaut.

Béatrice comprit qu'elle devait rester dans l'île. C'était seulement ici qu'elle aurait accès à de telles prémonitions. Il faudrait envoyer un message à Barbentain cette nuit même. Elle demanderait aux deux jeunes troubadours qui passaient l'hiver avec eux d'y aller. Ils ne refuseraient pas ; ils n'étaient pas hommes à se cacher au milieu de la mer quand la mort et la ruine fonçaient sur eux depuis le nord. Elle les enverrait vers la comtesse, les avertissant, leur disant à tous où se tiendrait l'ultime affrontement.

Cela se passerait à l'endroit que lui avait montré sa vision : près de cette petite île dans le lac Dierne, près de l'arc, des deux châteaux, c'est là que tout se terminerait.

Bien sûr, songea-t-elle, consciente du silence intérieur qui suivait la présence de Rian. Bien sûr que cela se passerait là. Elle se sentit frappée par un vieux chagrin. « J'aurais dû le savoir. C'est là que tout a commencé. »

Elle était sage et n'était plus jeune, Béatrice de Barbentain, connaissant parfaitement les modes de pouvoir dans le monde, et depuis longtemps habituée à ses ténèbres et aux portes que cela lui ouvrait parfois vers la connaissance. En réalité, elle connaissait mieux les chemins de Rian qu'elle ne se permettait de l'admettre, car elle avait toujours voulu plus que ce qu'elle ne possédait. C'était la nature de sa famille, l'héritage du sang. Et pourtant, la déesse ne l'avait encore jamais totalement abandonnée, même si les intervalles entre ses manifestations étaient parfois très longs. Elle savait beaucoup de choses car on lui avait accordé, à des moments comme celui-ci, des visions claires, précises à travers des crevasses de temps cachées de tous les autres enfants vivants de Corannos et de Rian.

Il existait par ailleurs des choses que même la grande prêtresse dans son île ignorait et avait toujours ignorées, appartenant à l'avenir, au présent ou aux grandes vagues du passé qui leur donnait forme. Cela valait mieux ainsi. Les serments faits aux mourants étaient des choses sacro-saintes en Arbonne.

※

Une fois enfin sortis des neiges du col et entrés en Arbonne, les croisés gorhautiens firent halte sur l'ordre de leur chef spirituel et, massés sur un haut plateau, tous les hommes s'agenouillèrent dans leur armure pour écouter le primat rendre grâce au dieu.

Ils avaient traversé les montagnes avec une facilité inspirant crainte et respect, n'ayant perdu que quelques centaines d'hommes et de chevaux dans le froid intense, sur la route glacée et traîtresse, et dans l'unique — par miracle il n'y en avait eu qu'une — avalanche qui rata le gros de l'armée par moins d'une portée de flèche, n'entraînant que l'arrière-garde dans une mort blanche et sans véritable sépulture.

Cela aurait pu — aurait dû — être tellement pire, cette folie de faire traverser les montagnes à une armée en hiver pour profiter de l'avantage de la surprise. Le primat lui-même avait échappé de justesse à la mort. Debout à côté de leur grand roi, il s'adressa aux soldats en brandissant une flèche, un pansement écarlate au bras gauche se découpant sur sa tunique bleue et la neige blanche derrière lui. Bien que grièvement blessé, il les avait rattrapés au milieu du défilé, chevauchant tout seul, ce qui, comme le savaient tous les hommes rassemblés, était d'une témérité indicible. Mais on aurait pu parler de témérité seulement s'il s'était agi d'une personne n'accordant pas une confiance totale à Corannos, d'une personne qui ne bénéficiait pas — comme le faisait si manifestement Galbert de Garsenc — de la bénédiction et de la protection du dieu. Ce qui signifiait que ses compagnons étaient également bénis, qu'ils étaient les élus, les armes de Corannos.

Ce fut, en fait, le message que le primat leur transmit quand ils se redressèrent, une fois la prière terminée. Il leva pour que tous la vissent la flèche arbonnaise — tirée par un lâche en temps de paix — qui aurait pu le tuer dans son propre château. « Le dieu est avec nous, leur déclara-t-il, nous sommes ses agents et son instrument. »

Il était difficile de ne pas être d'accord, et les hommes de l'armée du Gorhaut, en présence de leur roi, n'étaient pas du genre à se montrer cyniques ou à douter à un moment pareil. Ils avaient miraculeusement traversé les montagnes en hiver, et la terre promise s'étalait à présent devant eux, chatoyante et blonde comme un rêve sous le ciel bleu.

Promise, c'est-à-dire une fois que le châtiment aurait été infligé. Ils étaient les marteaux du dieu, proclama le primat. Les temples et les villages d'Arbonne, et les femelles sales, dépravées qui les habitaient étaient les enclumes sur lesquelles les coups devaient tomber.

D'abord les temples, leur dit-il. Les châteaux suivraient. Tout leur serait donné si seulement ils suivaient leur grand roi. Les Arbonnais étaient des lâches, ils se laissaient dominer par une femme, leurs épouses les cocufiant avec leurs propres musiciens et valets de ferme. Comment des hommes aussi mous réagiraient-ils, demanda Galbert de Garsenc, lorsqu'ils se retrouveraient face à la puissance du Gorhaut fondant sur eux avec le pouvoir du dieu ?

Ils mourraient, leur dit-il, répondant à sa propre question tandis qu'une rumeur où se mêlaient la faim et l'excitation montait au sein de l'armée. Ils mourraient comme les incroyants poltrons et quand cela serait fait, quand le saint Corannos serait de nouveau vénéré comme il se devait dans ce pays, alors les hommes du Gorhaut seraient vraiment dignes de la grande faveur que le dieu leur avait toujours accordée. Alors le monde entier connaîtrait leur valeur. Alors ce chaud soleil, ces vallées vertes, ces vignes, ces châteaux et ces champs de blé, ces villes et ces ports si riches et la grande mer au loin, tout cela serait vraiment donné au Gorhaut par la haute et pure grâce de Corannos.

« N'est-ce pas ainsi que cela doit être ? » leur cria-t-il, le magnifique instrument de sa voix portant la question dans la brise jusqu'à tous les soldats rassemblés.

Ils lui répondirent, d'une seule voix, fervente et exaltée.

Le roi descendit alors de son promontoire, le primat à ses côtés portant toujours la flèche très haut. Ils se placèrent côte à côte, beaux, austères et majestueux devant leur armée. Près d'eux, mais à une distance convenable en arrière, chevauchait le seigneur

Borsiard d'Andoria à la tête de sa compagnie. Comme on l'avait expliqué à l'armée, la présence des Portezzains parmi eux montrait à quel point non seulement le dieu mais tous les pays du monde les appuyaient pour purger cette noire impiété.

Le roi Adémar leva une main, et les trompettes du Gorhaut résonnèrent dans l'air pur et frais sous un ciel où les oiseaux tourbillonnaient et piquaient dans les rayons du soleil. Devant eux, les pentes descendaient vers le sud, tapissées de l'herbe verte de l'hiver. À mi-chemin, le fleuve que la plupart d'entre eux n'avaient jamais vu miroitait, tout bleu, puis blanc là où il y avait des rapides, puis bleu de nouveau, courant vers la mer au loin. Les ports de cette mer leur appartiendraient bientôt, on le leur avait promis. Le dieu les accompagnait.

Les envahisseurs gorhautiens se mirent en marche vers le sud dans un vaste scintillement de lances et d'armures. Plus tard le même jour, avec des épées, des lances et des brandons, au milieu des cris des femmes corrompues et de leurs enfants hérétiques et sans âme, des hurlements désespérés des hommes poltrons — fermiers, laboureurs, artisans, tous des lâches — la destruction de l'Arbonne commença.

Le dieu était avec eux. Après le froid gris des montagnes et le miracle de leur passage, ils pouvaient le sentir dans la grâce du soleil sacré qui brillait au-dessus d'eux. Tout ce qu'ils côtoyaient était clair, accueillant et luisait merveilleusement dans la lumière.

Ils étaient les marteaux de Corannos, ils châtiaient l'hérésie, cette guerre était bénie par le ciel; tous les hommes de l'armée le savaient désormais, et ils tuaient en chantant.

Que l'Arbonne apprît les chants de guerre du Gorhaut. Qu'elle les entendît entonnés par des hommes courageux, les véritables guerriers du nord, au milieu du crépitement régulier des feux.

❖

« Ils ne sont pas très pressés, fit remarquer d'un air mécontent la comtesse dans la salle du conseil. Ils attendent que nous sortions. » C'était quatre jours après le premier incendie de la guerre. On disait que l'armée du Gorhaut se déplaçait lentement, méthodiquement vers le sud, détruisant tout sur son passage.

« Ils prennent chacun des villages, brûlent tous les temples », poursuivit-elle. Assise sur l'un des bancs, les mains serrées sur ses genoux, Rosala fut émerveillée de la façon dont elle contrôlait sa voix ; elle connaissait assez bien Cygne maintenant pour savoir combien il devait être dur pour elle d'employer ce ton sans passion. Une vingtaine d'hommes et de femmes étaient présents dans la pièce, réunis à Barbentain sur l'ordre de la comtesse. « Ils n'ont aucun intérêt à nous assiéger dans les châteaux ou les villes, reprit Cygne. Pas en hiver, alors qu'il leur serait difficile de trouver à manger.

— C'est presque vrai, mais pas complètement, Votre Grâce. Je crains que la nourriture ne représente pas un problème pour eux », dit Urté de Miraval d'un ton lourd. Il était appuyé sur le manteau de la grande cheminée, robuste et imposant, vêtu d'une robe vert foncé bordée de fourrure. « J'ai reçu des renseignements dernièrement à ce sujet. Ils ont utilisé leur argent de la Valensa, l'énorme somme versée pour les terres du nord qu'ils ont cédées, pour s'assurer que des vivres leur soient envoyées ici depuis le Götzland. Comme nos villageois se réfugient dans les villes et les châteaux, nous risquons d'être affamés avant eux. Nous pourrions peut-être attaquer leur ligne d'approvisionnement.

— Cela ne sera pas nécessaire », coupa Bertran de Talair, écartant cette suggestion. Rosala se tourna pour le regarder près du mur opposé.

Il n'était arrivé que la veille au soir en compagnie de Blaise, de ses mercenaires et de huit cents Gorhautiens armés. Le conseil rassemblé ne s'était pas encore remis du choc causé par leur arrivée et par la présence du duc Fulk de Savaric parmi eux depuis le matin. Rosala s'efforçait elle aussi de se faire à la situation quoique pour des raisons différentes. La fierté, la crainte et l'incertitude la submergeaient chaque fois qu'elle regardait son frère. Ils n'avaient pas encore eu l'occasion de s'entretenir en privé.

« Je voudrais bien savoir pourquoi, dit Urté de Miraval en dévisageant Bertran d'un air hostile. Les stratégies militaires ont-elles tellement changé au cours des dernières années ?

— À peine sinon pas du tout. » Bertran, portant sa banale tenue de cheval brune, tourna le dos à de Miraval pour regarder la comtesse. « Vous vous rappellerez, Votre Grâce, que j'ai conclu des arrangements avec le roi Daufridi de Valensa pendant la Foire de Lussan. » Il s'arrêta. L'assistance s'agita ; la plupart des personnes rassemblées n'étaient pas au courant. Bertran ignora leur réaction. « Ces entretiens ont porté fruit même si ce n'est pas de façon spectaculaire, j'en ai peur. Daufridi a persuadé Jörg du Götzland de ceci : leurs intérêts communs ne seront pas servis par une rapide destruction de l'Arbonne. Ils n'iront pas jusqu'à intervenir en notre faveur, mais, d'après ce que je sais, les vivres promis de l'est arriveront, hélas ! en retard. Lorsqu'elle rejoindra l'armée du Gorhaut, la nourriture sera dangereusement avariée, en grande partie impropre à la consommation. Le roi Jörg présentera bien entendu ses plus sincères excuses à Adémar. Il promettra de faire enquête, offrira de rembourser une partie de l'argent reçu. C'est utile », ajouta-t-il, imperturbable, « d'avoir des renseignements à jour en temps de guerre.

— C'est utile, rétorqua la comtesse d'Arbonne d'un ton glacial, si les commandants qui nous servent partagent leurs renseignements les uns avec les autres et avec nous-mêmes. »

Bertran ne se laissa pas intimider bien que la comtesse eût, contrairement à son habitude, utilisé le langage royal, ce qui constituait un avertissement. « Je ne suis rentré qu'hier soir, dit-il doucement. La confirmation de Valensa m'attendait. J'aurais pu m'attendre à recevoir l'approbation de ma comtesse et des personnes réunies ici pour ce que j'avais fait, plutôt qu'un blâme.

— Espèce de paon prétentieux ! » s'écria Urté de Miraval d'une voix râpeuse. Comparant la carrure des deux hommes, Rosala trouva l'expression presque amusante. Mais ce n'était vraiment pas le moment de s'amuser. « Une armée deux fois plus considérable que celle que nous pourrions lever est en train d'envahir et de brûler l'Arbonne, poursuivit sèchement Urté en dévisageant Bertran d'un air furibond, et vous cherchez des éloges comme un enfant vaniteux, vous rengorgeant de vos petites victoires en diplomatie.

— Petites peut-être, mon seigneur — et vous vous rappellerez que je l'ai moi-même précisé au début —, mais accordez-nous la grâce de nous apprendre ce que vous-même avez accompli pendant ce temps-là. » Les yeux bleus et durs de Bertran croisèrent ceux d'Urté et, cette fois, aucun des deux hommes ne détourna le regard. Rosala sentit la haine dans la pièce comme une présence glacée.

« Il me serait très agréable, reprit Bertran d'une voix qui ne l'était pas du tout, d'être en mesure de vous faire part de résultats plus substantiels en ce qui concerne mes efforts auprès de la Valensa, mais nous pouvons difficilement blâmer Daufridi ou les Götzlandais de se montrer prudents, n'est-ce pas ? Nous pourrions peut-être faire plutôt quelques commentaires au sujet des seigneurs d'Arbonne dont la principale activité cette année semble avoir été d'approuver la tentative de meurtre d'un ami et allié, sinon de se trouver au cœur même du complot visant à l'assassiner. »

Se remémorant cette nuit dans les appartements de Lucianna Delonghi, Rosala vit Blaise s'avancer. « Cela suffit, je crois, dit-il calmement à Bertran. Il ne nous servira à rien de revenir là-dessus.

— Cela suffit ? Vraiment ? demanda Bertran de Talair en tournant de nouveau le dos à Urté. Je suis vraiment désolé. Veuillez, je vous prie, pardonner mon lamentable penchant pour l'excès. » Sa voix était trempée dans l'acide, mais comme le remarqua Rosala, il ne discuta pas et renonça à poursuivre sur le sujet. Blaise le regarda encore un moment sans rien ajouter.

« Nous pardonnons presque tout en ce moment parce que nous n'avons guère le choix. » C'était la comtesse qui réclamait l'attention de l'assemblée. Serrant dans ses mains l'une des petites boules chauffantes que ses dames de compagnie appréciaient tant, Cygne attendit un instant, puis ajouta : « Et aussi parce que nous avons désespérément et dangereusement besoin de vous, mon seigneur de Talair, malgré tous vos... penchants. Après avoir bien réfléchi à la question, nous avons résolu de vous désigner dès à présent pour diriger nos armées pendant cette guerre. Nous vous confions maintenant la souveraineté de l'Arbonne et le destin de nos enfants. »

Rosala ferma les yeux. Cadar était avec sa nourrice à l'étage supérieur ; elle se demanda soudain si Fulk exprimerait le désir de le voir. C'était improbable. Elle rouvrit les yeux. Cygne s'était tue, plongeant son regard dans celui du duc de Talair.

« Bertran, reprit-elle d'un ton totalement différent quand on sait ce qu'Adémar du Gorhaut a lancé contre nous, il est peut-être injuste de dire : " Soyez à la hauteur ", mais je vais néanmoins le dire, car si vous échouez, nous sommes perdus et rien ne renaîtra des cendres de l'incendie qui s'ensuivra.

— Non ! Vous ne pouvez pas faire ça ! » Dans le silence total qui avait suivi les paroles de la comtesse, la voix d'Urté de Miraval avait résonné, brutale et âpre. Elle exprimait la passion et une souffrance véritable.

Rosala le vit s'éloigner d'un pas mal assuré de la cheminée et tomber à genoux devant la comtesse. « Je me prosterne devant vous, ma dame, dit-il d'un ton farouche. Je ne demande pas, je supplie. Ne faites pas ça. Ne me mettez pas dans cette position, je vous en supplie, Votre Grâce. Je ne servirai pas si c'est lui qui commande. Je ne peux pas. Vous savez que cela m'est impossible. Pour l'amour de l'Arbonne, en mémoire de votre mari, et pour l'honneur que vous pouvez encore accorder à mon nom, choisissez un autre chef. Il n'est pas nécessaire que ce soit moi, cela ne peut être moi, sinon vous feriez le même affront à de Talair, mais choisissez un autre chef, comtesse, sinon vous me déchirez en pièces. » Sous les cheveux gris coupés court, son visage charnu, toujours beau, exprimait une émotion intense.

Les traits de Cygne de Barbentain évoquaient un masque superbe et implacable tandis qu'elle contemplait le duc à genoux devant elle. « Avez-vous déjà pensé, demanda-t-elle avec une clarté glaciale, à quel point vous êtes des enfants tous les deux ? » Elle prit alors une longue inspiration et Rosala frémit en prévoyant ce qui allait suivre. Elle ne se trompait pas.

« Ma fille Aëlis, reprit la comtesse d'Arbonne, était volontaire et orgueilleuse et elle était aussi une enfant lorsqu'elle est morte. Cela fait maintenant vingt-trois ans, au nom de notre très sainte déesse ! Vous ne le comprenez donc pas ni l'un ni l'autre ? » Rosala vit Urté reculer en entendant le nom d'Aëlis ; Bertran détourna la tête. Cygne ignora leurs réactions et poursuivit d'une voix aussi dure qu'un marteau. « Elle a trompé Urté avec Bertran. Nous le savons tous. Elle portait un enfant qui n'était pas celui de son mari et elle le lui a dit. Nous le savons aussi. C'était là une action totalement absurde. L'enfant est mort ou non. Ma fille est morte. C'est une vieille histoire. Vous m'entendez, tous les deux ? C'est de l'histoire ancienne ! Qu'on laisse Aëlis reposer en paix dans sa tombe avec son enfant ou sans lui. Je ne permettrai pas que l'Arbonne soit ensevelie dans la même tombe ou piégée dans le labyrinthe que vous avez tous les deux fabriqué avec cette histoire. C'est fini ! Il le faut ! Ne vous y trompez pas, je désigne Bertran comme chef ce matin parce qu'il connaît le Gorhaut mieux que quiconque ici et que Blaise de Garsenc et Fulk de Savaric sont à ses côtés. Ma décision est irrévocable. Les vieilles passions usées de cette histoire ancienne ne sauront l'influencer, mon seigneur de Miraval. »

Le silence tomba comme le calme après la tempête. Et dans ce calme résonna enfin la voix posée et prudente de Bertran de Talair, empreinte d'une modestie inhabituelle. « Je suis profondément conscient de l'honneur que vous me faites, Votre Grâce. Je vous dirai que j'accepte sans peine d'y renoncer si cela peut nous... faciliter les choses. Je serai fier de servir sous les ordres du duc Thierry par exemple, ou de votre frère Malmont, si vous le préférez.

— Je ne le préfère pas, rétorqua Cygne d'un ton cassant. Comprenez-moi bien, Bertran, cela n'est pas une proposition, c'est un ordre. Je considérerais un refus de votre part comme une trahison en période de guerre et agirais en conséquence.

— Ma dame ! » commença Ariane de Carenzu en rougissant. « Comtesse, il s'agit d'une chose... » Elle se tut brusquement sur un geste vif et impérieux de la comtesse.

Cygne ne s'était pas donné la peine de la regarder. Elle fixait toujours Bertran de Talair, le défiant de reprendre la parole. « Vous conduirez nos armées, mon seigneur, reprit-elle d'un ton neutre. C'est un ordre. » Puis, très clairement, en articulant bien chaque syllabe : « Soyez à la hauteur ! »

Urté de Miraval se leva lentement, lourdement. L'observant, Rosala se sentit oppressée comme si elle avait une charge de pierres sur les épaules. Ce n'était même pas son histoire, même pas son pays, mais elle avait l'impression de savoir ce qui allait se passer et quelles en seraient les conséquences. Toutes les personnes réunies à Barbentain avaient, d'une façon ou d'une autre, l'air piégées dans une toile d'araignée noire, tissée depuis très longtemps.

« Il conduira donc ces armées en se passant des hommes de Miraval », déclara Urté avec un calme grave et inhabituel qui semblait, d'une certaine façon, répondre à l'attitude même de Cygne. « C'est donc sur vos épaules, comtesse, que doit reposer ce fardeau. Vous auriez peut-être dû vous rappeler, puisque vous avez décidé de parler aussi librement des morts, que dans cette salle personne n'est aussi proche de vous que moi qui suis presque un fils. » Il fit volte-face et se dirigea vers la porte.

« Attendez, mon seigneur ! » cria Thierry de Carenzu.

Urté ne se retourna pas. Il ouvrit la porte et sortit. Le bruit qu'elle fit en se refermant avait quelque chose d'inexorable.

Les échos, songea Rosala en avalant péniblement sa salive. Les échos d'un passé qui menaçait de détruire le présent. Elle parcourut la pièce des yeux : tous paraissaient sérieusement ébranlés. Seule la comtesse paraissait immunisée, seule Cygne ne montrait ni crainte ni doute.

« Combien d'hommes est-ce que cela signifie ? » C'étaient là les premières paroles prononcées par son frère Fulk et, comme il fallait s'y attendre, elles abordaient l'aspect le plus prosaïque de la situation.

« Quinze cents, peut-être davantage. La plupart sont entraînés », répondit Thierry de Carenzu qui était le seul à avoir essayé d'empêcher le départ d'Urté. Il s'agissait d'un nombre considérable et Rosala séjournait depuis assez longtemps en Arbonne pour comprendre pourquoi : deux décennies d'escarmouches entre Talair et Miraval avaient amené les deux ducs à s'entourer d'armées importantes. Et ce matin, cette même hostilité bien enracinée venait de leur coûter la moitié de ces hommes.

« Je vois », dit Fulk d'une voix calme. Son frère n'était pas homme à expliquer longuement ses pensées. Cela n'était d'ailleurs pas nécessaire ; toutes les personnes rassemblées dans la pièce connaissaient les conséquences du départ d'Urté. « Le ferez-vous arrêter ? »

Personne ne lui répondit. Bertran regardait par la fenêtre, manifestement secoué. Rosala vit le chancelier Roban s'appuyer contre le mur, comme s'il avait désespérément besoin de soutien. Il était livide, comme la plupart des autres personnes présentes, constata Rosala. Sauf la comtesse.

Rosala s'éclaircit la voix. « Va-t-il réellement rester à l'écart ? » demanda-t-elle. La chose lui semblait incroyable et pourtant prédestinée, d'une certaine façon terrifiante. Pour une raison quelconque, elle s'était tournée vers Ariane de Carenzu en parlant.

Le visage d'Ariane était également très pâle. « J'en ai bien peur », répondit-elle avec une toute petite voix, dans laquelle il ne persistait rien du ton autoritaire et sec qu'elle avait d'habitude. « S'il ne va pas encore plus loin.

— C'est injuste ! » protesta vivement son mari en faisant un geste vif de la main. Il secoua la tête. « Urté n'est pas un traître.

— Non ? » demanda Blaise encore sur ce ton où perçait une nouvelle autorité légèrement troublante.

« Comment qualifierez-vous un homme qui agit ainsi, peu importe la route qu'il suivra par la suite ? »

Si la question était brutale, elle était néanmoins juste. Fulk venait de la poser. La réponse était facile : un tel homme, on le qualifiait de traître.

Rosala regarda son frère et s'aperçut qu'il la fixait pour la première fois ce matin-là. Dans les yeux de Fulk, identiques à ceux de Rosala, elle lut la même réponse. Si ceci s'était passé au Gorhaut, songea-t-elle tout à coup, on n'aurait jamais permis à Urté de quitter la pièce vivant.

Épouvantée, Rosala commençait à avoir un aperçu du prix payé par l'Arbonne pour ses libertés et ses grâces délicates.

Elle se demanda combien le pays aurait encore à payer.

Et ce fut à ce moment précis, comme Rosala s'en souviendrait par la suite, que l'on frappa à la porte et que les gardes ouvrirent pour laisser entrer deux troubadours exténués, salis par la poussière de la route, l'un blond, l'autre brun. Ils apportaient un message de l'île de Rian dans la mer : la déesse avait envoyé à la grande prêtresse la vision d'une bataille près du lac Dierne.

Chapitre 3

Un message identique, porté par un messager différent, arriva à l'île du lac le même matin. Lisseut, qui, sagement ou non, n'était en fin de compte pas rentrée passer l'hiver chez sa mère, entendit la nouvelle en traversant la pelouse en direction de la salle à manger pour aller déjeuner.

Personne n'était vraiment étonné. On s'attendait à être attaqué par l'armée du Gorhaut. Cette île était le sanctuaire de Rian le plus sacré au nord de l'Arbonne et, à présent, chacun savait que les guerriers du Gorhaut avaient entrepris une croisade au nom du dieu. Peu importait que Corannos fût également vénéré ici. Si cela avait importé, songea amèrement Lisseut, les prêtresses, les enfants et ceux qui avaient tenté de les défendre ne seraient pas à présent morts et carbonisés.

Elle s'éloigna un peu du groupe de prêtres et de prêtresses qui discutaient avec anxiété. Il n'était pas facile de trouver de l'intimité dans une île si petite et, chose peut-être étonnante pour une personne qui était arrivée à l'âge adulte dans le milieu intensément social des troubadours, Lisseut semblait depuis peu attirée par la solitude. Plus précisément depuis la nuit où elle avait chanté des berceuses pour endormir Blaise de Garsenc, puis quitté sa chambre pour rentrer à son auberge en compagnie d'Alain. Elle ne sentait toutefois plus aucun tumulte douloureux en elle, aucune souffrance aiguë. Elle semblait avoir laissé ces émotions derrière elle à présent que l'hiver était venu. Une pierre éclabousse en frappant l'eau, avait songé Lisseut, debout devant cette même rive le jour de son arrivée vers la fin de l'automne, mais c'est sans bruit qu'elle s'enfonce dans le lit profond du lac. C'était ainsi qu'elle se sentait, ou plutôt qu'elle s'était sentie, jusqu'à ce que viennent la guerre et les atroces nouvelles de morts et de bûchers, banalisant et chassant ce genre de pensées intimes.

Elle contempla les eaux agitées du lac Dierne, puis les pierres couleur de miel de Talair sur la rive nord et l'herbe de la vallée jusqu'aux vignes d'hiver et à la forêt qui se dessinait au loin. Quelque part là-bas, une armée approchait avec des haches, des épées et des brandons, des têtes tranchées oscillant sur des perches devant eux. Les survivants, fuyant vers le sud devant la furie du Gorhaut, avaient rapporté avec eux des histoires horribles.

Lisseut enfouit les mains dans les poches de la veste que lui avait offerte Ariane de Carenzu. C'était un matin froid, limpide comme un diamant, et le vent piquant poussait les trois rubans de fumée presque directement vers le sud. L'air était frais et net, et Lisseut pouvait voir très loin. À l'ouest, lorsqu'elle se retourna, les pierres massives de l'Arc des Anciens se dressaient distinctement au bout de l'allée d'ormes qui semblaient marcher au pas. Lisseut détestait cet arc. Elle le détestait depuis le moment où elle l'avait vu pour la première fois, sept ans auparavant: trop de puissance oppressive y était imprimée, l'art indiscutable du sculpteur s'étant exclusivement consacré à ce message explicite et brutal. À présent, l'arc lui rappelait chaque jour ce qui s'en venait.

Elle savait qu'elle aurait été plus en sécurité chez elle. Il faudrait du temps avant que Vézet ne fût touchée par une armée d'envahisseurs et, si jamais cela se produisait, une chanteuse réputée pouvait embarquer sur un navire depuis la côte et trouver facilement refuge en Portezza ou en Arimonda.

Cette dernière pensée ne s'était pas attardée assez longtemps pour être sérieusement considérée. Même lorsqu'il devint clair que la flatteuse invitation qu'elle et Alain avaient acceptée — passer l'hiver sur l'île de Rian — les avait tout simplement entraînés sur le sentier de la mort, Lisseut sut qu'elle ne partirait pas.

Elle aurait pu donner une raison si quelqu'un lui avait posé la question, mais personne ne l'interrogea. Elle resterait surtout à cause de la chanson chantée par Ramir à la Foire de Lussan. Si Lisseut avait un rôle quelconque à jouer en cette époque consternante, il ne consistait pas à se cacher loin au sud près de la mer ou à fuir sur les eaux. Imaginer cette pierre à l'intérieur d'elle, s'enfonçant silencieusement comme dans les eaux sombres et immobiles du lac, y avait aussi été pour quelque chose. Elle l'aurait admis ; elle était en général honnête avec elle-même, et la partie la plus douloureuse de cette souffrance semblait à présent avoir disparu. Des mois avaient passé depuis la Foire de Lussan ; elle ne savait même pas où se trouvait Blaise. En pensée, elle l'appelait désormais par son nom. Elle avait sûrement le droit de faire au moins cela, non ?

Alain était également demeuré sur l'île, comme elle l'avait prévu. Elle éprouvait chaque jour davantage d'affection pour le petit troubadour. Il avait même commencé à s'entraîner avec une épée, traversant tous les après-midis le lac en bateau pour aller rejoindre les corans de Talair sur l'autre rive. Il n'était pas très habile. Lisseut était allée l'observer un jour et elle avait depuis de funestes pressentiments.

Elle ressentait encore cette appréhension en contemplant, par-delà les crêtes blanches des vagues, les pierres de l'arc au loin sur la rive nord tout en essayant d'assimiler les nouvelles apportées par le messager de la grande prêtresse.

« Penses-tu qu'ils vont construire leur propre arc s'ils nous détruisent tous ? »

Lisseut n'avait pas entendu Rinette approcher. Légèrement contrariée car elle n'avait pas encore réussi à démêler ses sentiments à l'égard de cette froide et arrogante jeune prêtresse, elle se tourna pour la regarder.

Comme toujours, ce fut le hibou qui la fit hésiter. Seule la grande prêtresse de chacun des temples ou celles qui étaient désignées et entraînées pour leur succéder portaient des oiseaux. Du même âge que Lisseut, Rinette était très jeune pour être ainsi marquée comme l'héritière de la grande prêtresse de l'île de Rian. Une fois qu'elle aurait accédé à ce rang, elle deviendrait celle qui suivrait immédiatement Béatrice de Barbentain au sein de la hiérarchie de la déesse en Arbonne. Lisseut avait même entendu les prêtres et les prêtresses de l'île dire que Rinette avait l'intention de suivre la voie de Béatrice et de renoncer à ses yeux le temps venu.

Enfant de ce monde, trouvant ses joies et ses souffrances au milieu des hommes et des femmes, Lisseut de Vézet avait été troublée par cette idée. Si Rinette avait été plus âgée, si elle avait été une fanatique austère et pieuse, cela aurait peut-être été plus facile à accepter, mais la prêtresse aux cheveux bruns était belle et intelligente, et elle semblait connaître et apprécier le répertoire de chansons de troubadours presque aussi bien que Lisseut et Alain eux-mêmes. Un jour, elle avait repris Alain sur un vers pendant qu'il récitait l'une des anciennes pièces parlées du comte Folquet. Vraiment choquée par cette interruption, Lisseut s'était hâtée de vérifier pour s'apercevoir que la prêtresse avait raison. Cela ne l'avait pas rendue plus heureuse d'avoir entendu un auditeur interrompre un troubadour.

Elle se souvint de s'être demandé où s'en allait le monde.

Cette question semblait vraiment insignifiante depuis l'invasion commencée cet hiver et les nouvelles arrivées ce matin. Regardant la grande et mince jeune femme à ses côtés, Lisseut prit conscience que, dans l'éventualité d'une victoire gorhautienne, le destin de Rinette serait bien plus brutalement clair que le sien, et la prêtresse, par le serment qui la liait à la déesse, n'aurait même pas la possibilité de fuir vers le sud ou sur la mer. Considérant ces choses et la noirceur de l'époque, Lisseut trouva soudain qu'il n'était pas très aimable de garder rancune à cette femme parce qu'elle avait corrigé la mauvaise lecture d'un vers. Le monde avait beaucoup changé depuis qu'Adémar du Gorhaut avait fait traverser les montagnes à son armée jusque dans les collines et les vallées vertes de l'Arbonne.

« Un deuxième arc ? demanda Lisseut à son tour d'un ton posé. Je me demande. Construisent-ils quelque chose, ces nordiques ?

— Bien sûr. Ils ne sont pas inhumains, ils ne sont pas vraiment si différents de nous, répondit Rinette avec calme. Tu le sais. C'est seulement leur éducation qui fait défaut.

— Pour moi, cela fait une grande différence, reprit sèchement Lisseut, s'ils brûlent les femmes vivantes et tranchent la tête et les parties génitales des hommes morts.

— Mauvaise éducation, répéta Rinette. Pense combien ils ont perdu du mystère et du pouvoir de la vie en reniant Rian.

— Tu me pardonneras, mais, en ce moment, je suis incapable de passer beaucoup de temps à les prendre en pitié. Cela m'étonne que tu le puisses. »

D'un mouvement gracieux, Rinette haussa légèrement les épaules en regardant la rive ouest et l'arc plus loin. « Nous sommes formés à penser ainsi. Les temps sont durs, dit-elle. Les femmes et les hommes mortels sont ce qu'ils ont toujours été. Dans cinq cents ans, nous serons tous réduits en poussière et oubliés, de même que nos destins, mais Rian et Corannos continueront à présider à la marche du monde. »

Cette attitude sainte, c'était trop pour Lisseut. « Je me demande », dit-elle d'un ton dur, oubliant ses bonnes intentions, « si tu auras encore en tête cette vision à long terme en voyant l'armée du Gorhaut traverser le lac en brandissant des torches. »

Elle regretta ses paroles en les prononçant.

Rinette se tourna vers elle et Lisseut vit alors dans la claire lumière du matin que les yeux de l'autre femme n'étaient pas tout à fait aussi sereins que sa voix et ses paroles auraient pu le laisser supposer. Rinette ne faisait qu'essayer de maîtriser la peur.

« Je ne me réjouis pas à la perspective d'être brûlée vive, si c'est ce que tu veux dire, répondit Rinette. Si ce n'est pas le cas, tu pourrais peut-être m'expliquer ce que tu essaies de me faire comprendre. »

Après cela, Lisseut n'avait bien entendu rien d'autre à faire qu'à demander pardon de son mieux, puis à passer le reste de la journée et les deux suivantes enveloppée dans sa veste pour se protéger du froid et de ses propres peurs. Emportant l'épée qu'il avait empruntée, Alain ramait chaque jour à travers les vagues crêtées de blanc du lac jusqu'à Talair. Il revint le deuxième après-midi avec une contusion d'un rouge vif sur le front. Il raconta en plaisantant qu'il avait trompé tout le monde en simulant la maladresse, mais Lisseut avait vu ses mains trembler.

Les armées arrivèrent le quatrième jour.

❖

C'était, en fait, imminent. Debout sur les remparts de Talair à midi après la marche forcée depuis Barbentain et Lussan, Blaise baissa les yeux sur les hommes exténués qui se trouvaient dans l'espace ouvert au-dessous, puis vers le nord dans la claire lumière pour apercevoir le premier signe de leurs adversaires. Mal à l'aise, il se rendait compte que, outre la surnaturelle prémonition de la grande prêtresse, la seule chose qui leur avait permis d'atteindre à temps le lac Dierne avec une armée avait été la sage prudence de Thierry de Carenzu.

L'Arbonne aurait été désespérément prise au dépourvu par une invasion venue des montagnes en plein hiver — personne, en cette saison, ne se risquait à traverser les défilés en si grand nombre — si, à la fin de la Foire de Lussan, le duc de Carenzu n'avait pas donné l'ordre au nom de la comtesse de rassembler graduellement les armées de l'Arbonne sous le commandement des barons et des ducs. Il s'agissait de les armer et de les entraîner dans les châteaux pendant les mois d'hiver en vue de l'attaque prévue au printemps.

Blaise ne s'était jamais senti à l'aise avec les hommes qui préféraient leurs semblables au lit, et ses nuits avec Ariane avaient un peu compliqué ce problème particulier, mais il était obligé de reconnaître qu'il éprouvait de plus en plus de respect à l'égard du duc de Carenzu. Thierry était pondéré, pratique et extraordinairement digne de confiance. Dans un pays où les deux autres nobles les plus importants étaient les ducs de Talair et de Miraval, ces qualités n'étaient pas négligeables, conclut Blaise.

Ces dispositions avaient permis aux Arbonnais d'être beaucoup mieux préparés lorsqu'on avait appris que le Gorhaut traversait le défilé et descendait vers le sud. Ils furent en mesure de se déplacer en ordre et assez rapidement — bien que les pluies hivernales eussent rendu les routes boueuses — vers le nord en direction de Barbentain et de là vers Talair et le lac quand arriva le message de Béatrice.

Les corans de Bertran les avaient attendus et Blaise savait que les soldats de Miraval n'étaient pas loin, mais ceux-ci étaient à présent perdus pour l'armée, sinon pis encore.

Pour la centième fois depuis cette réunion à Barbentain quatre jours plus tôt, Blaise s'interrogea sur la sagesse de la décision que la comtesse avait prise de désigner Bertran comme chef des armées. Elle avait sans doute prévu la réaction d'Urté. Même Blaise, complètement étranger à cette douloureuse histoire de jadis, aurait pu deviner qu'Urté se rebellerait à la perspective de se soumettre à l'autorité de Bertran. Même si l'on admettait que Bertran était l'homme le mieux désigné pour diriger l'Arbonne, cela valait-il la perte de mille cinq cents hommes ? Thierry de Carenzu aurait-il constitué un choix si terrible ?

Ou était-il possible que Cygne ait cru que l'enjeu aurait amené Urté à changer d'attitude ? Dans ce cas, elle avait eu tort, et Blaise connaissait suffisamment l'histoire des guerres pour savoir que l'Arbonne ne serait pas le premier pays à tomber aux mains d'un envahisseur parce qu'il n'était pas parvenu à régler ses propres conflits internes.

Sur les remparts du château de Bertran, dans la brillante lumière du soleil, il secoua la tête, mais resta mélancoliquement silencieux, tout comme il l'avait fait dans la salle du conseil et depuis lors. D'une certaine façon, ce n'était peut-être qu'une question destinée aux historiens et aux froids philosophes du futur : les hommes qui picoraient les ossements des années mortes comme les nécrophages qui sortaient la nuit après une bataille pour dépouiller les cadavres et les moribonds.

Aujourd'hui, la réalité crue était que, même avec les corans de Miraval, ils auraient eu besoin d'une multitude de mercenaires pour pouvoir réellement se défendre, et l'invasion de l'hiver avait éliminé cette possibilité. Ils avaient été brutalement décimés par l'armée qu'Adémar du Gorhaut avait menée à travers les montagnes. Adémar et Galbert : Blaise était tout à fait convaincu que cette guerre d'hiver était un stratagème de son père — une planification lente et rusée à laquelle se mêlait la certitude sublime et inébranlable que le dieu lui permettrait de traverser le défilé. Et ce qui était vraiment terrifiant, c'était que Corannos l'avait exaucé. L'armée du Gorhaut, qui était l'armée du dieu, se trouvait en Arbonne, et Blaise, regardant vers le nord depuis les remparts en compagnie de Bertran, de Fulk de Savaric et des autres, sentit la peur comme un objet dur se loger dans son cœur.

« Seuls les fous et les idiots n'ont pas peur avant une bataille. » Son premier capitaine le lui avait dit, et Blaise avait, au cours des années, rassuré de même les hommes qu'il avait commandés. Il était toutefois persuadé que son père n'éprouvait à présent aucune crainte en galopant jusqu'ici à la poursuite du rêve de sa vie. Ce que cela signifiait, il l'ignorait.

« Nous allons nous déployer à l'extrémité sud-est de la vallée », entendit-il Bertran expliquer aux trois hommes qui venaient de les rejoindre. Des barons du sud. L'un d'eux était Mallin de Baude. Lui et Blaise n'avaient eu que le temps de se saluer rapidement et d'échanger des regards. Ils n'auraient peut-être jamais le temps de faire davantage. « Le château et le lac, poursuivit Bertran, seront derrière nous de sorte qu'ils ne pourront nous encercler. Il y a une pente légère un peu en dessous — si vous regardez attentivement, vous pouvez la voir —, dans la vallée à l'ouest. Cela nous sera utile. Les archers auront au moins un peu plus d'espace. » Blaise songea que Bertran connaissait cette terre comme une mélodie de son enfance. Cette image l'étonna lui-même. Peut-être devrait-il commencer à être moins surpris, pensa-t-il : après tout, il faisait partie de l'armée de l'Arbonne.

« Et l'île de Rian ? demanda l'un des barons. Peuvent-ils l'atteindre à partir de la rive nord du lac si nous leur laissons l'accès à ce côté ?

— Pas par bateau. Nous les avons tous amenés à notre quai ou fait traverser jusqu'à l'île. Quoi qu'il en soit, je ne crois pas qu'ils y penseront avant d'en avoir terminé avec nous. » La voix de Bertran était calme. Blaise en fut impressionné, bien que pas particulièrement étonné : il avait eu le temps d'évaluer cet homme. Il avait confiance en lui et l'aimait, et jamais il ne se serait attendu à éprouver l'un ou l'autre de ces sentiments à son égard un an auparavant.

Comme toujours, Bertran était tête nue et sans armure, vêtu de l'habit qu'il portait habituellement dehors, dans des banales teintes de brun. La première fois que Blaise l'avait vu chevauchant vers le château de Baude, le printemps précédent, ces vêtements grossiers lui avaient semblé être un signe d'affectation perverse de la part d'un seigneur aussi riche et puissant ; maintenant, chose curieuse, l'apparence de Bertran paraissait convenir totalement à un chef d'armée à la veille de livrer bataille. C'était comme si, d'une manière inexplicable, de Talair avait passé sa vie à s'y préparer. Blaise se demanda si cela pouvait être vrai : il se souvint — une autre image surgissant en lui — des vers mordants, sardoniques que le duc avait chantés au château de Baude à propos d'Adémar, de Galbert et de Daufridi de Valensa. L'homme qui avait écrit ces paroles aurait tout aussi bien pu prévoir une réponse. En regardant Rudel Correze un peu plus loin le long du mur, Blaise se rappela que la première avait été une flèche trempée dans le syvaren. La deuxième réponse semblait être la guerre.

Il regarda vers l'ouest. L'arc massif des Anciens luisait dans la lumière du soleil à l'extrémité de la rangée d'ormes. Un peu plus près, il distingua le rivage à côté de la route où six corans de Miraval avaient abattu son cheval et son poney avant d'être tués par ses flèches. Il se rappela la jeune prêtresse de l'île venue pour l'amener à Talair. « Nous vous attendions », avait-elle dit, avec l'assurance et l'arrogance qu'ils semblaient tous avoir. Il n'avait jamais véritablement compris ce que cela signifiait. Cela faisait partie du même inquiétant tissu de mystères qui les avait amenés ici en réponse à l'avertissement de Béatrice.

« Qui sait à quelles activités se livrent les femmes la nuit dans les bois ? » Des paroles prononcées un jour par son père, avant de brûler une autre prétendue sorcière sur les terres de Garsenc. Il y aurait des bûchers ici, cependant, un enfer presque inimaginable si Galbert remportait la bataille. Blaise s'efforça de chasser cette pensée, de revenir plutôt à la musique entendue lorsqu'il était entré dans ce château la première fois en compagnie de Valéry, ce même jour de printemps. Un jour qui semblait à présent très loin.

Fulk de Savaric s'approcha de Blaise et s'accouda à la balustrade de pierre. Sans quitter des yeux l'extrémité nord de la vallée, il murmura d'un ton désabusé : « Avez-vous quelque chose de très ingénieux en tête ? »

Blaise esquissa un rictus. « Évidemment, répondit-il sur le même ton. J'ai l'intention de provoquer Adémar en combat singulier. Lorsque, sottement, il acceptera, je le tuerai, prendrai le commandement de son armée reconnaissante et nous rentrerons tous au Gorhaut à temps pour les semailles du printemps. »

Fulk fit entendre un grognement amusé. « Cela me paraît bien, dit-il. Dois-je m'occuper de votre père ? »

Cette fois, Blaise ne sourit pas. « Rares sont les personnes qui pourraient en avoir envie, répondit-il.

— Y compris vous-même ? reprit Fulk.

— J'imagine. » Ses yeux ne croisèrent pas ceux de Fulk et, après quelques instants, ce dernier se détourna.

Au loin vers le sud-ouest, clairement visibles de cette hauteur dans l'air hivernal balayé par le vent, Blaise aperçut les tours de

Miraval. Même maintenant, avec tout ce qu'il avait appris, alors qu'il revoyait le duc Urté à genoux devant Cygne de Barbentain puis sortant à grandes enjambées de la salle du conseil, une partie de lui n'arrivait pas encore à croire que quinze cents soldats allaient rester à l'intérieur de ces murs pendant la bataille.

Il ne savait pas si cela lui donnait une étincelle d'espoir ou provoquait chez lui une peur plus profonde, plus froide.

Il savait seulement qu'il avait passé la majeure partie de sa vie à poursuivre un rêve, une vision du Gorhaut — ce que son pays devait être, ce qu'il avait déjà été —, et que Corannos avait été au cœur de cette vision. Et maintenant, ayant précipitamment réclamé la couronne, il était sur le point de se battre au milieu des Arbonnais gouvernés par une femme au nom d'une déesse contre son propre pays et son roi — et même son père — et contre une armée en marche sous la bannière du dieu qu'il avait juré de servir avec honneur jusqu'à la fin de ses jours.

Comment, songea Blaise, pouvait-on retracer la ligne d'une vie pour voir où apparaissait la fourche qui avait conduit à ces remparts ? Il lui était impossible de répondre à cette question. Peut-être un poète le pourrait-il, ou une prêtresse, mais il était un soldat et, oui, un roi potentiel, et le temps…

« Les voilà », dit calmement Rudel Correze, ses yeux d'archer captant la première lueur lointaine du soleil faisant briller le métal au milieu des arbres.

… et le temps pour de telles réflexions s'était à présent envolé comme une feuille au vent, une vague sur la grève rocailleuse, comme les matins d'un passé disparu. L'armée du Gorhaut était arrivée au lac Dierne.

Blaise les vit alors, avançant sur la route qui serpentait hors de la forêt, et leurs bannières étaient celles de son propre pays, leurs voix — il pouvait à présent les entendre — entonnaient un hymne qu'il connaissait et, grâce à la claire lumière de l'Arbonne, il put reconnaître le roi qu'il avait qualifié de traître, et le père… le père qui rêvait depuis si longtemps de cette armée. Il vit Ranald arriver au tournant du chemin et, sans véritable surprise, il reconnut la banderole de l'Andoria quand Borsiard apparut à la tête de sa compagnie. « Voilà un homme que je serai heureux de tuer », songea-t-il.

Au même instant, comme en réponse railleuse à cette pensée, il aperçut des piques se balançant, secouées légèrement, portées par des fantassins et, au bout de certaines de ces piques, tels des morceaux de viande à faire griller, des têtes d'hommes.

Bertran de Talair fit soudain un geste brusque en poussant un cri de dénégation qui était peut-être un nom et, un instant plus tard, Blaise vit une inoubliable crinière blonde et reconnut lui aussi la première de ces têtes tranchées. Il eut la nausée et fut obligé d'agripper les pierres du mur pour ne pas chanceler. Un moment plus tard, ce fut encore pire. Au milieu de l'armée du Gorhaut qui chantait et gesticulait, on put voir une plate-forme roulante au centre de laquelle un homme nu était attaché à un poteau. Ses parties génitales avaient été coupées ; à l'aine, du sang noirci. Moquerie symbolique, des oiseaux morts — des hiboux, nota Blaise — étaient attachés à des cordes autour de son cou penché, tourné de côté.

Il crut que cet homme aussi était mort jusqu'au moment où il vit la tête se lever un peu — en réponse à quel message intérieur, Blaise ne le sut jamais — et, même du haut des remparts, ils virent qu'on lui avait arraché les yeux.

Bien sûr, songea Blaise avec dégoût, luttant contre la nausée. Cela fait partie de la moquerie : la cécité et les oiseaux de Rian. Et alors, avec une horreur encore plus profonde, Blaise prit conscience qu'il connaissait aussi cet homme mutilé aux cheveux bruns. Il regarda de nouveau la tête sur la plus haute des perches oscillantes et se tourna, muet, vers Bertran de Talair. Il vit que le duc avait baissé la tête pour ne pas être obligé de regarder.

Le paysage et les hommes sur les remparts devinrent étrangement flous, et Blaise s'aperçut qu'il était sur le point de fondre en larmes, lui qui avait tué tant d'hommes à la guerre ou près de la rive du même lac ou dans les ténèbres d'une nuit portezzaine et qui en avait vu tant d'autres frappés par une mort terrible et n'avait considéré cela que comme la rançon de sa profession. Mais il n'avait jamais brûlé une vieille femme sans défense en la traitant de sorcière, jamais tiré une prêtresse hurlante hors de son lit, jamais mutilé ou brisé des hommes comme ceux-ci l'avaient été. C'était une façon différente de faire la guerre.

Il se rappela, presque malgré lui, la nuit du carnaval à Tavernel. Rémy avait été le blond, peut-être plus spirituel et artiste que sage et mûr, et Aurélien, le plus brun, le plus calme. Ils étaient tous les deux des musiciens, non pas des soldats, et tous deux étaient jeunes. Ils étaient venus de l'île pour apporter à Barbentain le message de Béatrice, et Blaise comprit qu'ils avaient dû s'en aller vers le nord une fois leur mission accomplie. Il ignorait pourquoi ; on ne le saurait peut-être jamais.

« Regarde », entendit-il quelqu'un dire. C'était Rudel, sa voix étouffée se mêlant au bruit du vent.

Blaise passa une main sur ses yeux et regarda de nouveau en bas. Regardant dans la direction que pointait Rudel, il vit, au milieu de l'armée d'Arbonne déployée sous les murs, une douzaine d'archers vêtus de rouge qui sortaient des rangs et s'avançaient. Il ne s'agissait peut-être que de la réaction instinctive de quelques-uns des hommes les mieux entraînés du pays, ceux qui avaient juré de garder et de faire respecter l'honneur de la reine de la Cour d'amour — au service et à la dévotion de laquelle les troubadours d'Arbonne avaient juré de consacrer leur vie.

Blaise vit les archers de Carenzu se placer en ligne, tendre ensemble leurs arcs et tirer leurs flèches haut contre le vent. Dans les rangs du Gorhaut, des cris retentirent soudain, mettant fin au chant ; les hommes levèrent leurs boucliers et se hâtèrent de baisser leurs heaumes.

Cela n'était pas nécessaire. Les flèches n'étaient pas une attaque. Les archers avaient tiré comme on prie, avec douleur, passion et rage, dans une tentative angoissée de mettre un terme aux souffrances de l'homme anéanti sur la plate-forme. La plupart ratèrent leur cible. Trois l'atteignirent, et l'une des flèches lui transperça le cœur. La tête de l'homme aux cheveux bruns fut rejetée brusquement en arrière, et ses orbites vides semblèrent regarder fixement le soleil brillant et perdu. On vit sa bouche s'ouvrir, mais aucun son n'en sortit. Aurélien mourut en silence, sans, comme un cygne, faire entendre une dernière note, même si toute sa vie on avait célébré la beauté pure et transcendante de sa voix.

« Oh ! ma Dame, chuchota Bertran de Talair, oh ! Déesse, accordez-leur réconfort et refuge dans l'infinie miséricorde de vos bras. » Blaise réalisa que ses propres mains tremblaient. Il les joignit sur la pierre devant lui.

« Je vous prie de m'excuser », dit Thierry de Carenzu, luttant visiblement pour garder sa contenance. « Je crois que je dois descendre annoncer la nouvelle à Ariane. Il ne faut pas qu'elle l'apprenne de quelqu'un d'autre. »

Blaise resta silencieux. Il ne trouvait rien à dire. Il songea soudain qu'il y avait une autre personne à qui il faudrait apprendre la nouvelle avec ménagement, mais il ne savait pas où se trouvait Lisseut et il ne pensait pas que c'était à lui de le faire, étant donné l'identité des responsables de cette horreur. Il observa son père enlever son heaume dans la vallée en bas, puis son roi consacré, grand et magnifique faire de même. Les yeux de Blaise étaient secs et ses mains cessèrent graduellement de trembler pendant qu'il les regardait.

❖

Dans cette verte vallée où soufflait le vent près du lac Dierne, Adémar du Gorhaut était un homme heureux. La présence de l'armée arbonnaise ici devant lui lui causait une certaine surprise, mais pas désagréable. Le primat lui affirmait depuis le début que la bataille qui anéantirait l'Arbonne se déroulerait près de ce lac. Ils s'étaient attendus à ce que les choses se passent d'une façon légèrement différente, que le saccage et les bûchers de l'île de Rian feraient sortir les soldats de la déesse, affligés, hors de leurs murs pour se battre.

Ils n'avaient pas pensé qu'une armée les attendrait, mais Adémar se détourna du chanteur à présent mort sur la plate-forme — l'un des deux fous qu'ils avaient surpris en train de les espionner sur leur route — et il constata que le primat souriait aussi.

« C'est bien », dit Galbert de sa voix vibrante et satisfaite, aux riches modulations. « Ils sont aussi ignorants que lâches. S'ils savaient que nous manquons de vivres, ils ne seraient pas ici. Ainsi, tout sera fini demain, Sire, et les greniers de l'Arbonne nous seront ouverts comme tout le reste. Vous voyez combien ils sont ? Et combien nous sommes ? Regardez le soleil du dieu qui brille au-dessus de nous.

— C'est bien », répondit Adémar d'un ton bref. Il se fatiguait parfois d'entendre Galbert psalmodier ainsi, et même ses appétits étaient à présent presque rassasiés devant la passion du primat pour le feu et les mutilations. Adémar était venu pour conquérir une terre fertile et réprimer la rébellion fomentée par le fils cadet de Garsenc et Fulk de Savaric. Galbert était ici dans un autre but. Le dieu recevrait son dû et même davantage, le roi l'avait promis. Il espérait seulement que cela ne durerait pas trop longtemps et lui laisserait, une fois le dernier incendie éteint, quelques champs à semer et à moissonner et un pays à gouverner. Galbert avait raison, ils avaient beaucoup d'hommes et quelques surprises en réserve.

« Si nous devons nous battre demain, dit Borsiard d'Andoria en s'approchant sur son splendide cheval, puis-je demander qu'on me laisse le fils déshérité du primat, le prétendant ? Vous comprenez que j'ai des raisons personnelles de vouloir m'occuper de lui. »

Adémar n'aimait pas cet homme vaniteux et colérique, mais on lui avait fait comprendre l'importance qu'une compagnie portezzaine dans leurs rangs aurait dans les jours qui suivraient la guerre. Le roi du Gorhaut était encore tolérant, bien qu'il eût parfois l'impression d'accepter trop de choses du primat. On lui avait promis beaucoup et ces promesses étaient sur le point de porter fruit.

Un autre cheval s'approcha et il entendit son cavalier rire sardoniquement. « Mon frère, dit le duc Ranald de Garsenc à l'élégant Portezzain tandis que les trois hommes se tournaient pour le regarder, pourrait vous découper en rondelles d'une seule main. Ne soyez pas trop pressé de l'affronter, mon seigneur, à moins que vous ne vouliez voir votre chère femme veuve une fois de plus et libre de se remarier. » Il n'arrivait pas à bien articuler ses mots. Ranald n'avait pas l'air dans son assiette. Il avait sans doute commencé à boire pendant la chevauchée du matin. Son père fronça les sourcils, mais Adémar était sincèrement amusé, pas du tout mécontent de voir un nouveau conflit opposer les de Garsenc, ou la déconvenue du Portezzain qui rougit violemment.

« Ma foi, si nous parlons de nos chères femmes..., commença Borsiard d'Andoria avec hargne.

— Nous n'en parlons pas », interrompit vivement Adémar, affirmant son autorité. Il ne voulait pas que l'on discutât de cela, pas maintenant, et jamais en public. Il se demanda si Rosala de Garsenc se trouvait à présent au château de Talair ou si elle était toujours à Barbentain. Avec perspicacité, il devina qu'elle avait accompagné l'armée, que la comtesse d'Arbonne se trouvait elle aussi à l'intérieur de ces murs, près du lac. Dans ce cas, tout serait vraiment fini demain, Galbert avait vu juste. Adémar se rappela, amusé une fois de plus, que Ranald lui avait un jour suggéré d'épouser Cygne de Barbentain afin de se rendre maître de l'Arbonne. Cela ne serait pas nécessaire.

« Il y a des formalités, dit le primat en tournant le dos à son fils aîné. Dois-je envoyer le héraut exprimer vos exigences, Sire ? » Cela aussi divertit le roi, cette si attentive observation du protocole et des rituels malgré la façon dont, tout au long de leur chemin vers le sud, ils avaient traité les hommes, les femmes et les enfants sans défense. « Voilà ce qui se passe lorsqu'on associe une croisade religieuse à une guerre de conquête », pensa Adémar avec sagesse.

« Envoyez-le, répondit-il nonchalamment, mais allons-y avec lui pour voir nos interlocuteurs. Qui sait, mon seigneur primat, nous aurons peut-être la chance de parler avec votre ambitieux fils cadet. Je me demande encore de qui il tient ce dangereux trait de caractère.

— Ce n'est pas mon fils ! » protesta un peu trop vivement Galbert, flairant le danger. « Je l'ai désavoué officiellement dans le sanctuaire de Corannos dans les montagnes. Vous étiez avec moi, Sire. »

Cette fois, Adémar éclata de rire. Il aimait la facilité avec laquelle il mettait ses conseillers à cran, même Galbert, qui se surveillait pourtant de près. Le roi découvrit alors, un peu étonné, qu'il éprouvait le besoin d'une femme. Cela n'avait peut-être rien d'étonnant, après tout. Il avait regardé ses soldats prendre leur plaisir avec les prêtresses depuis qu'ils étaient descendus par le défilé. Fier de lui, il s'était tenu à l'écart afin de préserver la dignité de la couronne pendant cette sainte croisade. Il regarda brièvement par-dessus son épaule vers Ranald de Garsenc, puis de nouveau vers les remparts de Talair. Il était convaincu qu'elle se trouvait à l'intérieur de ces murs.

Demain, se dit-il en souriant. Il n'était pas vraiment un homme habitué à attendre pour assouvir ses besoins, mais la satisfaction se trouvait peut-être intensifiée si on la retardait quelque temps. Pas trop longtemps, bien entendu. Il considérait cela comme une vérité sur le monde qu'il avait découverte pour lui-même. Il regarda encore une fois le mari, puis au loin.

*

Lisseut vit ce qu'on avait fait aux deux hommes qu'elle avait aimés lorsqu'elle sortit avec la comtesse d'Arbonne et d'autres personnes pour parlementer avec le roi du Gorhaut.

Si Thierry ne les avait pas avertis auparavant, la nausée qui la submergea en apercevant les deux corps aurait pu lui faire oublier toutes ses résolutions. Jamais dans sa vie elle n'avait eu à faire quelque chose de plus pénible que de passer à côté de ce qui restait de Rémy et d'Aurélien sans s'abandonner à la douleur poignante qui surgit en elle. Lisseut garda son regard fixé sur la silhouette droite de la comtesse devant elle et agrippa les rênes de son cheval avec des mains qui refusaient de cesser de trembler. Elle avait envie de hurler. Elle ne pouvait pas se le permettre.

Elle était avec Ariane, la comtesse et Rosala de Garsenc dans la salle de musique lorsque le duc de Carenzu était descendu de la tour pour leur dire que l'armée du Gorhaut était arrivée et que deux hommes qu'ils connaissaient tous avaient subi un sort horrible.

Elle se serait attendue à éclater en sanglots désespérés, à s'évanouir, à sentir son esprit se fermer comme une porte. C'était peut-être le choc, ou un profond refus d'y croire, mais ni elle ni les autres femmes présentes n'avaient réagi de la sorte. Ariane, à qui son mari avait, en bonne et due forme, annoncé la nouvelle concernant Rémy et Aurélien, s'était levée, toute raide, et s'était éloignée pour aller contempler fixement le feu, tournant le dos aux autres. Après quelques instants, elle était toutefois revenue parmi eux. Elle était livide, mais son visage parfait arborait une expression composée avec soin. Elle s'était assise à côté de la comtesse et avait pris la main de Cygne dans les siennes.

De toutes les personnes présentes, Alain de Rousset avait été le seul à pleurer ouvertement, et Lisseut était allée près de lui. Le petit troubadour portait son épée. Il n'était pas encore très habile au maniement des armes, mais il était ici pour se joindre aux soldats de Talair et avait traversé le lac pour se battre à leurs côtés.

Elle avait croisé le regard bleu clair de la femme appelée Rosala. Ce regard exprimait de la souffrance et quelque chose d'autre de tout aussi douloureux bien que plus difficile à cerner, mais Lisseut y puisa de la résolution et un certain réconfort.

« Il faudra composer une chanson pour eux », avait dit la comtesse en se levant de son fauteuil et en se tournant vers Alain et Lisseut. Le petit troubadour avait redressé la tête et essuyé ses yeux. « Mais je ne la demanderai pas maintenant, avait poursuivi Cygne de Barbentain. Le moment ne convient pas à la musique. »

C'était alors qu'ils avaient de nouveau entendu des pas dans le corridor et que Bertran était entré dans la pièce en compagnie d'autres hommes, dont Blaise. Il y avait en lui quelque chose de lugubre, de rébarbatif, comme si une partie de l'hiver était entrée dans son corps sur les remparts. Il avait d'abord regardé Rosala — la femme de son frère — et hoché la tête pour la saluer. Mais il s'était ensuite tourné vers Lisseut et, après un moment, avait fait un petit geste d'impuissance. Elle eut alors envie de pleurer, se rappelant la fois où il avait blessé Rémy avec son épée. Ce jour-là, elle s'était avancée pour l'affronter. C'était pendant le carnaval de la mi-saison à Tavernel. Difficile de croire qu'il y avait déjà eu un temps pour la fête en Arbonne.

« Ils ont fait sonner les clairons et viennent pour parlementer, avait dit Bertran à la comtesse. Adémar accompagne son héraut.

— Je dois donc accompagner le nôtre, avait calmement répondu Cygne. Si vous pensez que c'est juste.

— Nous sommes vos serviteurs, Votre Grâce. Mais oui, je crois que c'est juste. Je crois que vous devriez venir, ainsi qu'Ariane. Cette guerre est menée entre autres contre nos femmes et je crois que l'armée, les deux armées devraient vous voir ici.

— Moi aussi, avait alors ajouté Rosala en se levant. Je suis le prétexte de leur guerre. » Bertran avait vivement levé les yeux vers elle, comme s'il voulait soulever des objections. Il n'en avait rien fait.

Lorsque Lisseut avait elle aussi exprimé l'intention d'être présente, personne ne l'avait contredite. Elle ne s'était pas attendue à être contredite. Elle ne se trouvait même pas présomptueuse. Pas pour cela. Elle avait l'impression que tout le monde devait sentir la nécessité de la présence d'un musicien.

En fait, elle avait oublié pour le moment que Bertran de Talair était lui aussi un troubadour.

On s'aperçut bientôt que, pour sa part, le roi du Gorhaut ne l'avait pas oublié. Les deux groupes se rencontrèrent à la vue des armées, mais à une distance prudente. D'habiles archers se trouvaient dans les rangs des deux côtés. Les hérauts avaient choisi un endroit à l'ouest, le long de la rive nord du lac Dierne, à côté d'une grève rocailleuse. On pouvait distinguer le grand arc de pierre à proximité et, au loin, au sud-ouest, les tours de Miraval dressées comme une illusion au-dessus de la forêt qui s'étendait entre les deux.

Au milieu de cette compagnie, à côté du lac sillonné de petites vagues, la voix de Cygne de Barbentain résonna, plus froide que l'eau ou le vent. « Je pensais que le Gorhaut avait quelque peu déchu depuis la mort de votre père, commença-t-elle en regardant fixement la large silhouette d'Adémar. Ce n'est que très récemment que j'ai réalisé l'ampleur de votre déchéance. L'homme sur cette plate-forme était honoré dans tous les pays du monde. N'avez-vous pas honte devant Corannos d'avoir commis une telle infamie ? »

— Le nom du dieu est un sacrilège dans votre bouche », interrompit Galbert avant qu'Adémar n'ait eu le temps de répondre. Le roi lui lança un regard dur.

« Votre roi ne peut-il répondre lui-même à au moins certaines questions ? » demanda Cygne avec une douceur trompeuse. Lisseut vit Adémar rougir et regarder Rosala de Garsenc.

« Il a été capturé comme espion », répondit-il d'une voix étonnamment faible, mais contrôlée. Il aurait été traité et exécuté comme tel, de même que son compagnon aux cheveux blonds, mais il a commis une erreur. Il a décidé, comme un imbécile, de chanter certains vers d'une de vos chansons, mon seigneur, expliqua-t-il en se tournant vers Bertran de Talair. Les mauvais vers, la mauvaise chanson. Et l'autre homme a décidé de rire. Vous pouvez vous considérer comme responsable de ce qui leur est arrivé. »

Il sourit pour la première fois. Lisseut frissonna. Elle vit Rosala de Garsenc se détourner. Mais alors, malgré sa propre peur ou peut-être à cause d'elle et parce que ce qui s'était passé était maintenant clair, elle osa parler, même dans cette compagnie, pour les deux hommes morts qu'elle avait aimés.

« Il a chanté pour vous ? dit-elle au roi du Gorhaut. Vous étiez loin de mériter un tel honneur. Quels étaient ces vers ? N'était-ce pas par hasard : *Quelle sorte d'homme dont le père venait de tomber, pouvait anéantir d'un trait de plume un long rêve de gloire ?* » Jamais, de toute sa vie, elle n'avait éprouvé une rage pareille. Elle ajouta, en crachant presque : « Ou bien a-t-il posé l'autre question évidente de la même chanson : *Où donc étaient les hommes du Gorhaut... ?* Où, en effet. On se pose la même question partout dans le monde à propos d'un peuple qui brûle des femmes sans défense. » Elle prononça ces paroles avec toute la passion de son cœur.

Un rire brutal lui répondit. « J'aurais cru que la question de la virilité perdue s'appliquait davantage à celui qui est sur la plate-forme. » L'expression amusée du roi Adémar s'estompa et ses petits yeux pâles soutinrent son regard. « Mais comme vous avez choisi de soulever la question, je m'efforcerai de me rappeler votre visage insignifiant et de vous répondre personnellement demain lorsque nous aurons terminé ce que nous sommes venus faire.

— Votre père n'a jamais fait le fanfaron », dit Bertran de Talair d'une voix posée, prenant la parole pour la première fois. « Je me souviens de cela à son sujet.

— Ah ! s'écria Adémar en se tournant vivement vers lui. On recommence à parler des pères, n'est-ce pas ? » Il regarda d'une manière éloquente les lointaines tours de Miraval. « On m'a également parlé d'un fils bâtard et d'une femme lubrique écartant les cuisses avec n'importe quel homme à l'exception de son mari. Quel dommage que le duc de Miraval, ce cocu, ne soit pas ici pour vous offrir ses sages conseils. Et quelle honte, ajouta-t-il en se détournant de Bertran qui avait blêmi, que vous ayez été obligé de vous contenter d'aussi frêles vasseaux venant du nord pour combler vos rangs décimés. »

Lisseut s'était demandé quand ils en arriveraient à Blaise. Dans les instants qui suivirent, elle prit conscience qu'elle avait fini par se résigner à la situation. L'image de cette pierre s'enfonçant silencieusement dans l'eau noire la quitta alors pour ne jamais revenir.

Malgré le regard dur d'Adémar, Blaise l'ignorait totalement, comme si le roi du Gorhaut n'était qu'un fonctionnaire subalterne, indigne d'attention. Ses yeux demeuraient fixés sur le visage de son père, et Lisseut vit Galbert, silhouette menaçante dans sa tunique bleue d'ecclésiastique, regarder son fils cadet avec une expression qui l'épouvanta. Elle avait cru, naïvement, que ses voyages l'avaient amenée à comprendre quelque chose de la vie. Devant cet échange de regards, elle se rendait à présent compte qu'elle ne savait rien. À ce moment, elle comprit également que, effectivement, tout le conflit était celui de ces deux hommes.

« Dans les Livres d'Othair, dit doucement Blaise, qui sont les plus saints écrits de Corannos, il est dit que le dieu charge la terre du Gorhaut de porter la justice dans le monde. Il est enseigné que Corannos nous accorde la sainte tâche de protéger les démunis et les persécutés dans tous les pays que nous traversons, en échange de l'immense faveur qu'il nous accorde et de la promesse d'un refuge éternel à notre mort. » Il se tut et ce silence constituait une mise en accusation.

« Tu oses me parler des enseignements du dieu ? » demanda Galbert, sa voix sonore s'élevant, véritablement incrédule. Derrière lui, Lisseut vit un homme qui, selon toute apparence, devait être l'autre fils. Il montait un superbe cheval au milieu du petit groupe d'hommes qui accompagnaient le primat et le roi. Son expression était tendue, oscillant étrangement entre l'amertume amusée et la douleur. Impulsivement, Lisseut regarda Rosala. Celle-ci dévisageait son mari sans broncher ; son regard était indéchiffrable. Lisseut y perçut des rancœurs accumulées.

Blaise parut ignorer l'interruption de son père. « À la lumière de ces enseignements, poursuivit-il, tu trahis autant Corannos que ce roi faussement consacré trahit son peuple. Parce que tu es mon père et que le dieu nous enseigne qu'il faut respecter nos parents lorsqu'ils deviennent séniles, tu ne seras pas exécuté, mais tu seras démis de tes fonctions lorsque nous rentrerons au Gorhaut.

— Vous êtes fou », dit le roi Adémar d'un ton neutre, comme pour le congédier.

Blaise se tourna alors vers lui. « Je suis enragé », dit-il d'une voix pour la première fois féroce, enflammée. « Je suis révolté. La façon dont vous avez permis à vous-même et à votre pays d'être utilisés me fait horreur. Quel roi permet à la vile obsession d'un conseiller de le faire descendre aussi bas dans la profanation et la trahison ?

— Un faux roi», répondit Fulk de Savaric, sa voix claire résonnant soudain comme une cloche. «Un roi indigne de sa couronne.

— Ou de sa vie, ajouta Bertran de Talair.

— Ou que le monde se souvienne de lui après la mort que Rian est maintenant en train de lui préparer», renchérit la comtesse d'Arbonne, et, de toutes les personnes présentes, c'était elle qui avait la voix la plus lugubre, comme si elle parlait vraiment au nom de quelque puissance de l'au-delà.

Pour la première fois, le roi du Gorhaut parut ébranlé. Son conseiller s'avança alors pour rompre le silence qui avait suivi les paroles de Cygne.

«Voici, dit Galbert de sa voix profonde et autoritaire, les dernières contorsions des damnés. Nous faut-il reculer devant ces marmonnements? Vous devriez plutôt être tous à genoux à supplier que nous vous accordions une mort douce.

— Cela vous plairait, n'est-ce pas?» dit Ariane de Carenzu, faisant avancer légèrement son cheval. Elle souriait, mais pas avec ses yeux. «Je vois bien que cela vous plairait de voir les femmes d'Arbonne à genoux devant vous. Rien d'étonnant à ce que l'épouse de votre fils vous ait fui. Comment Corannos qualifie-t-il ce genre de désirs, Galbert de Garsenc?

— D'abominations, répondit calmement Blaise. Des abominations qu'il faut expier.» Il était à présent très pâle.

«Voilà qui devient ennuyeux, dit le roi du Gorhaut, retrouvant son sang-froid. Je ne suis ici que parce que le protocole de la guerre nous oblige à cette rencontre de hérauts. Entendez donc ce que j'ai à dire: nous sommes descendus vers le sud parce que la comtesse d'Arbonne a offert refuge et secours à une femme du Gorhaut et a refusé de nous la renvoyer. Comme le dit le primat, tout le reste n'est que pose. Je n'ai plus la patience de le supporter. Préparez-vous à mourir demain.

— Et si je rentre au Gorhaut? demanda soudain Rosala. Si je retourne vers le nord, votre armée se retirera-t-elle?»

Galbert de Garsenc eut un rire gras. Il ouvrit la bouche pour répliquer, mais fut devancé par le roi qui leva la main. «C'est beaucoup trop tard, répondit doucement Adémar. Il nous faut maintenant donner une leçon à ceux qui ont ignoré nos exigences les plus légitimes. Je suis heureux de vous voir désireuse de rentrer, mais cela n'a désormais plus d'importance. Aucune puissance ici ou ailleurs dans le monde ne pourra désormais m'empêcher de vous ramener à Cortil, Rosala.

— Avec l'enfant», ajouta vivement Galbert.

On l'ignora.

« À Cortil, mon seigneur ? » demanda Rosala, haussant la voix. « Vous en parlez à présent aussi ouvertement ? Vous ne voulez pas dire : à Garsenc chez mon seigneur et mari ? »

Dans le silence qui tomba alors, Lisseut comprit que le roi du Gorhaut venait de commettre, d'une façon qu'elle ne saisissait pas tout à fait, une erreur.

❖

Loin au sud, sur l'île de Rian dans la mer où, ce jour-là, le vent ne soufflait pas et où les eaux étaient calmes et bleues sous le pâle soleil hivernal, Béatrice de Barbentain, grande prêtresse de Rian, se leva soudain devant le feu qu'elle avait fixé sans le voir la plus grande partie de la journée.

« Quelque chose vient de se passer, dit-elle à voix haute même s'il n'y avait personne dans la pièce à l'exception du hibou blanc sur son épaule. Quelque chose qui pourrait avoir de l'importance. Oh ! douce Rian, souvenez-vous de nous, ayez pitié de vos enfants. »

Elle se tut alors, attendant, cherchant dans ses ténèbres la vision évanescente, impossible à demander à la déesse qui pourrait lui apprendre au moins une partie de ce qui se déroulait maintenant au loin où soufflait le vent.

❖

Et à cet instant précis, près du lac, au milieu de ces ennemis rassemblés, une voix s'éleva pour la première fois.

« Je crains », dit Ranald, duc de Garsenc, déplaçant son cheval dans l'espace libre entre les deux compagnies, « que ceci ne soit formulé un peu trop ouvertement à mon goût et pour l'honneur de ma famille. » Il dévisageait le roi du Gorhaut. Il n'avait pas utilisé son titre pour s'adresser à lui.

Personne ne répondit. Personne ne bougea. Après coup, Lisseut eut l'impression que les paroles du duc les avaient pour ainsi dire figés de stupéfaction. Ranald de Garsenc, seule silhouette animée dans un monde immobile, se tourna vers sa femme. Il paraissait à présent remarquablement à l'aise, comme si cette action ou cette décision, ce mouvement, l'avait libéré d'un poids. « Pardonnez-moi, ma dame, reprit-il, mais je dois vous poser cette question et j'accepterai votre réponse comme vraie : le roi du Gorhaut a-t-il été votre amant ? »

Lisseut retint son souffle. Du coin de l'œil, elle vit que Blaise était devenu livide. Immobilisant son cheval, Rosala de Garsenc semblait toutefois presque aussi calme que son mari. « Il ne l'a pas été, mon seigneur, même s'il cherchait à le devenir depuis quelque temps, répondit-elle d'une voix aussi claire qu'auparavant. Il retardait simplement l'échéance pendant que j'étais enceinte. J'ai le regret de vous dire que votre père l'a influencé pour ses propres desseins. Je vous jure pourtant, sur la vie de mon enfant, que je n'ai pas couché avec lui et que je mourrai avant d'accepter de le faire.

— Est-ce pour cela que vous êtes partie ? » Ranald parlait maintenant d'une voix différente, presque trop révélatrice ; Lisseut souhaita tout à coup ne pas être présente. « Tout cela ne nous regarde pas », songea-t-elle.

Mais Rosala répondit, levant haut sa belle et forte tête : « C'est en effet pourquoi je me suis enfuie, mon seigneur. Je craignais que vous ne puissiez ou ne vouliez me protéger contre votre père et votre roi, car le premier avait, vous le savez, réclamé l'enfant que je portais, et le second me convoitait. »

Ranald hocha lentement la tête, comme si ces paroles faisaient résonner des échos en lui.

« Ranald, au nom du dieu, commença brutalement Galbert de Garsenc, ne me fais pas honte en permettant à cette femelle dépravée et méprisable de formuler de telles…

— Tais-toi, ordonna d'un ton brusque le duc du Garsenc. Je m'occuperai de toi plus tard. » Le ton était si tranchant que c'en était choquant.

« Après quoi ? » demanda Adémar du Gorhaut. Il avait lui aussi la tête haute, se tenant magnifiquement sur sa selle. Ses yeux étincelaient. « Il sait, pensa Lisseut. Il connaît la réponse. »

« Après m'être publiquement vengé de vous pour le déshonneur que vous avez jeté sur ma maison. Aucun roi du Gorhaut n'a jamais eu le droit de traiter ainsi les seigneurs de notre pays. Je ne vous permettrai pas d'être le premier. L'épouse du duc de Garsenc n'est pas une babiole avec laquelle on s'amuse, quel que soit l'aveuglement de son mari. » Il s'arrêta un instant. « Je vous lance un défi officiel, Adémar, reprit-il. M'affronterez-vous en personne ou désignerez-vous un champion derrière lequel vous abriter ?

— Es-tu fou ? s'écria Galbert de Garsenc.

— C'est la deuxième fois que cette question est posée à propos d'un de tes fils, répondit gravement Ranald. En fait, je pense que nous ne le sommes ni l'un ni l'autre. On aurait de bonnes raisons de porter d'autres accusations contre moi, ajouta-t-il en se tournant vers Rosala. J'espère avoir la possibilité d'y répondre plus tard. »

Elle soutint son regard, mais demeura silencieuse, sévère et fière, semblable, songea Lisseut, à une déesse blonde du nord. Elle s'aperçut tout de suite que c'était simplement une création de son esprit : dans le nord, on ne reconnaissait pas les déesses.

Ranald se retourna vers Adémar. Toutes les autres personnes présentes firent de même. La première surprise passée, le roi du Gorhaut souriait, mais seulement des lèvres ; ses yeux étaient durs comme de la pierre.

« Nous nous trouvons en pays étranger et nous sommes en guerre, dit-il. Vous êtes un commandant de mon armée. Vous me provoquez à présent en duel parce que votre femme, dont la fuite est la cause de notre présence ici, prétend que je l'ai désirée. Est-ce que je comprends bien ce que vous voulez dire, mon seigneur de Garsenc ? »

Présenté ainsi, cela paraissait absurde, voire démentiel, mais Ranald de Garsenc ne recula pas. Il souriait à présent lui aussi, moins grand que le roi, mais tout aussi à l'aise sur sa selle. « Vous l'avez peut-être oublié, dit-il, mais j'étais dans cette pièce à Cortil avec mon père l'automne dernier lorsque vous êtes entré et avez exigé le retour de Rosala. Vous vouliez qu'on vous la ramène, avez-vous dit. » On vit changer l'expression du roi. Ses yeux se détournèrent de ceux de Ranald, puis se posèrent de nouveau sur lui.

« C'est à ce moment-là que j'aurais dû vous provoquer en duel, Adémar, poursuivit le duc. Vous vous serviez de la fuite de Rosala comme prétexte pour déclarer la guerre — une idée de mon père, évidemment. Vous manquez d'intelligence. Ce n'est pas moi qu'elle a fui, Adémar, je crois pouvoir l'affirmer. Elle a quitté son mari et mis en péril la vie de son enfant à cause de vous et de mon père. Je crois que je vois les choses clairement pour la première fois depuis bien des années. S'il vous reste quelque honneur ou courage, tirez votre épée.

— Tu vas périr sur le bûcher, mais avant je vais te faire arrêter et châtrer », gronda Galbert de Garsenc en pointant un doigt ganté en direction de son fils aîné.

Ranald se mit à rire. « Encore des bûchers ? À ta guise, dit-il. Le roi t'est sans doute reconnaissant pour cette protection. Mais je ne parlerai pas davantage avec des entremetteurs », ajouta-t-il avec ce même calme irréel. Il ne s'était même pas donné la peine de quitter Adémar des yeux. « On a parlé un peu à tort et à travers de trahison ici, poursuivit-il en s'adressant au roi. On en a accusé mon frère, celui-ci en a accusé mon père et vous. À mon avis, tout ceci n'est qu'un jeu de mots. Je préfère vous dire ce que vous êtes, Adémar : un dupe et un lâche qui se cache derrière son conseiller et refuse de se servir de son épée dans une affaire d'honneur.

— Ranald », coupa Adémar, presque doucement, « Ranald, Ranald, vous savez que je peux vous tuer. Vous n'avez rien fait d'autre que boire depuis dix ans — c'est pour cela que votre femme s'est enfuie dans le sud. Je doute que vous l'ayez satisfaite une seule nuit depuis des années. Ne vous trompez pas vous-même avant de retourner au dieu.

— Si je comprends bien, cela signifie que vous allez vous battre ?

— Il n'en fera rien ! cria Galbert.

— Oui, je me battrai, dit Adémar au même moment. Les fils de mon primat sont devenus trop ennuyeux à supporter. Je vais en finir avec eux. »

Et le roi du Gorhaut tira son épée.

On entendit alors une rumeur monter dans les rangs des armées déployées au nord, car tous virent cette lame dans la lumière. Puis le son se transforma en un cri de stupéfaction lorsque Ranald tira sa propre épée et amena sa monture à l'écart des autres près du lac. Adémar le suivit. On put voir le roi sourire tandis qu'il baissait la visière de son heaume. À l'ouest, pas très loin, les pierres de l'Arc des Anciens luisaient, couleur de miel.

« Eh bien ? murmura Bertran.

— Il y a dix ans, ils auraient été de taille à s'affronter, répondit doucement Fulk de Savaric. Plus maintenant, j'ai le regret de le dire. »

Même s'il avait entendu, Blaise n'ajouta rien. Il regardait son frère avec une expression douloureuse. Rosala le regardait aussi, mais son expression à elle restait indéchiffrable. Lisseut remarqua que Ranald ne s'était pas donné la peine de baisser la visière de son heaume.

« Cela ne changera rien, vous le savez », dit Galbert de Garsenc d'un ton lourd, s'adressant au groupe arbonnais. « Même si Adémar meurt, nous vous détruirons demain. Et il ne mourra pas. Ranald a bu toute la journée. Regardez son visage. Il est sur le point d'affronter le jugement du dieu souillé et disgracié.

— Racheté, je dirais. » La voix de Blaise était creuse. Il ne quittait pas des yeux les deux hommes qui tournaient à présent l'un autour de l'autre sur le chemin longeant la rive.

Et ce fut vraiment à une sorte de rédemption qu'ils assistèrent alors lorsque les longues épées étincelantes se touchèrent pour la première fois, délicatement, puis s'entrechoquèrent de nouveau, leur broyant les poignets. « Il y a vraiment une certaine grâce dans tout cela », songea soudain Lisseut, résistant à cette pensée. C'était la première fois qu'elle rencontrait Ranald de Garsenc et elle ne l'avait jamais vu combattre. Quelqu'un lui avait dit qu'il avait déjà été le champion du roi du Gorhaut, le père d'Adémar. Il y avait longtemps de cela.

Pendant un instant, on n'en eut pas l'impression en le voyant faire pivoter son cheval de guerre en se servant de ses genoux et de ses hanches et assener un coup rapide et dur contre le flanc d'Adémar. L'armure incurvée para le coup et fit dévier la lame, mais le roi du Gorhaut vacilla sur sa selle et on entendit de nouveau une rumeur au sein des armées. Lisseut ne put s'empêcher de regarder Blaise, puis, voyant son visage, elle se retourna vers les deux hommes qui se battaient sur la route.

Blaise ne vit même pas atterrir le premier coup de Ranald. Il avait fermé les yeux dès le début du combat. Il entendit néanmoins l'épée heurter l'armure avec un bruit métallique et ouvrit les yeux à temps pour voir Adémar osciller sur sa selle avant de se redresser pour assener un cinglant revers. Ranald l'amortit par une torsion de son bras droit et écarta son cheval quand Adémar essaya de revenir de l'autre côté.

Il s'agissait là d'un mouvement de cavalier, produit instinctif et presque inconscient d'une vie à cheval l'épée à la main ; cela ramena tout à coup Blaise à son enfance et aux premières leçons clandestines données par son frère, à une époque où Galbert avait interdit à Blaise de toucher une épée. Les deux gamins avaient été fouettés lorsque leur désobéissance avait été découverte, bien que Blaise n'eût appris que bien plus tard que Ranald avait été puni et seulement parce que l'un des corans lui en avait parlé. Son frère n'avait jamais dit un mot à ce sujet. Cette leçon avait toutefois été la dernière. Galbert avait gagné. Il gagnait presque toujours.

Blaise regarda alors le visage lisse et autoritaire de son père. Il n'avait plus l'air inquiet, son front n'était plus plissé ; il souriait à présent, de ce mince sourire suffisant que Blaise connaissait bien. Et pourquoi n'aurait-il pas souri ? Ranald ne se battait plus depuis dix ans et Adémar était très probablement le guerrier le plus fort du Gorhaut. L'issue du combat était assurée depuis l'instant où le défi avait été lancé et, comme Blaise le comprit aussitôt, Galbert se fichait éperdument de la vie de son fils. La mort de Ranald allait peut-être même simplifier les choses. Le primat n'accordait pratiquement plus aucune importance à son fils sauf, comme dans le cas présent, lorsque ce dernier menaçait le pouvoir que Galbert exerçait sur le roi.

En réalité, si l'histoire de Rosala était vraie — et, de toute évidence, elle l'était —, l'honneur ou la dignité de De Garsenc avaient cessé d'intéresser Galbert de quelque façon que ce fût. Le primat ne voulait plus qu'une chose : garder Adémar sous sa coupe et allumer en Arbonne tous les incendies que cela lui permettait. Le fruit mûr d'un rêve longtemps caressé. C'était cela qui importait, cela et Cadar. Ce petit-fils faisait également partie de la prise du pouvoir au Gorhaut et de l'anéantissement de l'Arbonne.

« Il ne faut pas qu'il l'ait », pensa Blaise.

Il se demanda — pensée terrible le fouillant comme une lance — si Rosala avait donné des ordres pour que le bébé fût tué en cas de défaite. C'était probable, se dit-il, et même presque certain.

On aurait dit que, de toutes les directions, la souffrance fondait sur lui tandis qu'il se détournait de son père pour regarder de nouveau son frère, d'une façon étrange cette fois, comme s'il le voyait de loin, comme s'il disparaissait déjà dans le passé, dans la brume, par une journée pourtant lumineuse en Arbonne.

Ranald de Garsenc songeait lui aussi au passé tout en laissant son corps répondre intuitivement aux exigences du combat. Pour le moment, comme débutaient les premiers pas de la danse, extraordinairement familiers, il se sentait bien et même, de façon inattendue, presque heureux. Absorbant une suite de coups sur son bouclier et son épée, et répondant par des coups d'estoc, il savait qu'il ne pourrait pas soutenir ce rythme. Il n'était pas tellement plus vieux que le roi, mais ses meilleures années étaient très loin derrière lui tandis qu'Adémar, fort comme un arbre, ne serait jamais aussi proche de son apogée.

Comme pour rendre explicite ce qu'ils savaient tous les deux, le roi parait les coups avec nonchalance et son épée frappait l'armure légère portée par Ranald. Celui-ci avait toujours préféré être plus léger sur sa selle, se fiant à sa rapidité. À présent, frémissant sous le coup d'une douleur lancinante dans les côtes, tirant son cheval pour qu'il fût hors de portée, il réalisa qu'il avait perdu presque toute sa rapidité.

« Il y a dix ans », songea Ranald, quoique sans amertume, « je l'aurais déjà désarçonné. » Il n'y avait aucun faux orgueil dans cette pensée : dix ans auparavant, il avait été nommé champion de la cour par Duergar et, pendant deux années complètes, combattant au nom du roi, il n'avait pas perdu un seul combat dans un tournoi du Götzland à la Portezza au sud et à la cour arimondaine.

Mais il ne s'attarda pas sur ces souvenirs. Tout en parant un nouveau déluge de coups, sentant le poids de l'assaut du roi heurter son épaule et son bras jusqu'à presque les paralyser, il s'aperçut que son esprit reculait encore plus loin, beaucoup plus loin.

Contrairement à Blaise qui ne l'avait jamais vue, Ranald se souvenait de sa mère.

Deux ou trois images, en fait, bien que la première fois qu'il les avait évoquées, enfant, son tuteur lui eût sévèrement dit qu'il s'agissait de faux souvenirs, de fantaisies indignes d'un futur guerrier. Ranald n'avait que deux ans à la mort de sa mère. Les enfants de cet âge étaient incapables de se rappeler quoi que ce fût, avait décrété le tuteur. Lorsque, peu de temps après, Ranald avait essayé d'interroger son père à propos de l'image récurrente d'une femme rousse chantant pour lui à la lueur des chandelles, Galbert lui avait tout simplement interdit, sous peine d'être fouetté, d'y faire allusion de nouveau. Ranald avait alors six ans. C'était la dernière fois qu'il avait tenté de confier quelque chose d'important à son père. Ou à qui que ce fût, réalisa-t-il soudain.

Le souvenir de la femme rousse l'avait accompagné toutes ces années, bien qu'il n'en eût jamais soufflé mot. Pour la première fois, il lui vint tout à coup à l'esprit qu'il aurait pu en parler à Rosala. Cela aurait pu être une chose à partager avec elle. Il guida sa monture par une vive pression de son genou droit, puis, se penchant en grognant sous un coup de côté, assena un revers qui résonna fort sur l'armure d'Adémar. Il remarqua que le roi avait tendance à donner de ces coups plats de côté ; une partie de son esprit enregistrait encore ces choses, comme s'il était encore capable d'y réagir. « J'aurais dû lui en parler », pensa-t-il. Rosala aurait peut-être voulu connaître ce souvenir — au début, en tout cas. Pendant la dernière partie de leur vie commune, il était moins certain de son intérêt, mais c'était vraiment sa faute à lui.

Tout comme c'était sa faute s'il manquait de souffle à présent. Il sentait les effets de la bière bue ce matin-là : une lourdeur dans les membres, dans l'intervalle entre le moment où il prenait conscience d'une menace ou d'une possibilité et la lente réponse de son corps. Et il savait que la situation allait empirer. Adémar n'était même pas encore essoufflé, mais Ranald voyait avec consternation que son bouclier et son armure étaient déjà cabossés par les coups portés par le roi. Il craignait d'avoir des côtes brisées du côté gauche ; il lui était devenu difficile de faire davantage que de parer les coups.

Adémar semblait en être conscient. À travers sa visière noire baissée, le roi du Gorhaut parla, accordant avec mépris un répit à Ranald. À voix basse, afin que personne d'autre ne pût entendre, il dit : « Je pourrais presque avoir pitié de vous si vous n'étiez pas aussi bête. Elle m'appartiendra demain, je veux que vous le sachiez. J'espère que vous y penserez au moment où je vous tuerai. Demain soir, quand ses cheveux seront dénoués et qu'elle prendra mon sexe dans sa bouche comme je lui montrerai à le faire, croyez-vous qu'elle regrettera le pauvre ivrogne triste auprès de qui elle fut un jour obligée de se coucher ? »

Ranald aurait voulu répliquer, mais il manquait de souffle pour railler et, d'ailleurs, il ne trouvait rien à répondre. La douleur à ses côtes était devenue vraiment insupportable ; chacune de ses respirations semblait enfoncer un poignard dans son flanc. Il croyait cependant que le roi se trompait et que Rosala avait dit la vérité quand elle avait affirmé qu'elle mourrait plutôt que de coucher avec lui. Cette pensée lui fit soudain prendre conscience de quelque chose : si le roi le tuait, il tuerait presque certainement Rosala par le fait même. Et — une deuxième pensée comme un coup de vent froid — il tuerait encore plus sûrement l'enfant. Le fils qu'il n'avait jamais vu.

« Je suis tout ce qu'il dit de moi, pensa Ranald de Garsenc avec une nouvelle amertume. J'ai gaspillé ma vie. »

Il se souvint — et ce souvenir aussi amenait maintenant de la tristesse — de son frère Blaise sur le pont-levis de Garsenc dans la brume : « Tu n'es pas obligé de le suivre, Ranald... Il y a longtemps que tu n'as pas eu le libre choix de tes actes. » Il avait répondu brutalement, d'une voix presque étranglée par la fureur et la confusion. Corannos savait combien de colère il y avait eu en lui cette nuit-là. Orientée dans la mauvaise direction cependant. C'était comme s'il avait passé sa vie à se tromper de chemin.

« À une époque, je t'aurais suivi au bout du monde », avait également dit Blaise la même nuit. « Je ne le savais pas », songea Ranald, les yeux fixés avec prudence sur le roi du Gorhaut. Blaise était présent lui aussi, il le regardait, il avait réclamé une couronne, défié leur père — il avait même pris Corannos à témoin. Il suivait un sentier d'honneur, un chemin dont même un frère pouvait être fier.

Adémar leva son épée et la pointa en avant comme un bourreau. Ranald savait qu'il jouait à présent pour les armées. Il les entendait, au nord, rumeur constante, murmure brisé par des cris soudains. Cela allait recommencer. Et finir, pensa Ranald de Garsenc. Il leva les yeux un instant vers le soleil qui brillait au-dessus des champs et des forêts de ce pays d'Arbonne.

Honnêtement, il n'avait pas peur, il était seulement triste et plein de regrets, mais c'était vraiment trop tard, pensa-t-il. Il n'aurait jamais assez de temps pour réparer toutes ses erreurs et ses faiblesses. Il songea à la femme aux cheveux roux qui lui chantait une berceuse. Il se demanda si elle l'attendait, si le dieu pourrait accorder une telle grâce à l'homme qu'il avait été. Il pensa de nouveau à son frère, puis, pour finir, à sa femme et à l'enfant qu'il avait laissé échapper. Cadar. Un nom fort, un nom honorable. Bien meilleur que ce que serait le souvenir de son propre nom, se dit-il, et ce fut cela qui, en fin de compte, lui fit le plus mal. Et l'incita à faire une dernière action, pour tenter de réparer.

Ignorant la douleur à son flanc, Ranald leva, d'un geste saisissant et théâtral, sa propre épée au-dessus de sa tête. Adémar hésita.

Ranald inspira un air précieux et s'écria aussi fort qu'il le put à travers la visière ouverte de son heaume, espérant se faire entendre des armées : « Devant notre dieu très saint, je déclare que tu es un faux roi, Adémar, et je dirige mon épée contre toi au nom du Gorhaut. » Il entendit alors une nouvelle rumeur monter au nord et comprit que ses paroles avaient été entendues. Il s'arrêta, respirant avec peine et parla de nouveau, s'adressant à présent à un coran de leur groupe, l'un des siens. « Bergen, ordonna-t-il d'une voix grinçante, retourne vers l'armée. Tu transmettras mes ordres : les corans de Garsenc ne combattront pas pour cet homme. Vous suivrez désormais mon frère », ajouta-t-il après un bref silence.

Cela avait été moins difficile qu'il ne s'y était attendu. Il quitta le roi des yeux assez longtemps pour regarder le chef de ses corans. Il vit Bergen hésiter puis hocher la tête, dans un soubresaut de surprise et de crainte. Il le vit tirer d'un coup sec les rênes de son cheval pour obéir. Il se retourna ensuite pour affronter l'assaut du roi devenu soudain enragé.

Ranald de Garsenc offrit alors, avec un manque total d'assurance, son âme à Corannos et décida impulsivement de faire un dernier acte, davantage pour l'ironie douce-amère de la chose. Quelque chose de l'enfance à leur laisser en souvenir. Il se demanda si quelqu'un verrait ou reconnaîtrait ce qu'il allait faire. Peut-être Blaise, songea-t-il avec mélancolie, puis il cessa de réfléchir, il n'en avait plus le temps, car l'épée d'Adémar se balançait et la danse était presque finie.

Pour les spectateurs, tout se passa alors très vite.

Blaise s'était détourné de la bataille lorsque Ranald, son épée levée de façon flamboyante, s'était adressé aux armées en hurlant puis avait donné ses ahurissantes instructions à Bergen, depuis longtemps capitaine des corans de Garsenc. Son cœur avait bondi lorsqu'il avait compris ce que son frère était en train de faire et il avait vu Bergen, inexorablement loyal, hocher la tête puis s'apprêter à s'éloigner pour obéir aux ordres de son seigneur.

Bergen de Garsenc fut abattu par un coup d'épée dans le dos avant même d'avoir fini de faire pivoter son cheval. Borsiard d'Andoria, élégant, imperturbable, dégagea négligemment sa longue épée du corps du coran et l'on vit Bergen tomber sur le sol. Le Portezzain fixa Blaise et esquissa alors un sourire.

Des cris de colère et d'embarras retentirent dans les rangs de l'armée du Gorhaut. Tous avaient entendu Ranald hurler puis vu le Portezzain abattre l'un des leurs. Des hommes des deux armées commencèrent à se rapprocher, ce qui était dangereux.

Blaise n'avait pas le temps de s'occuper de cela ni de Borsiard car, alors même qu'il enregistrait ces choses, un souvenir perdu remonta de loin dans son enfance, de l'époque où il avait coutume de regarder son frère s'entraîner avec les corans dans la cour du château. Ce geste spectaculaire de Ranald levant son épée lui rappela quelque chose, un jeu, une frivolité.

Le souvenir devint tout à coup très clair et, émettant un son qui, il le comprit ensuite, était le nom de son frère, Blaise pivota pour observer comment tout allait se terminer.

Il n'avait jamais considéré cela comme autre chose qu'une plaisanterie entre amis. Cela se passait vingt ans plus tôt. L'épée levée était une invitation, presque trop transparente, incitant l'adversaire à répondre par un revers de côté au flanc droit exposé. Quand on tentait ce coup dans la cour en pente de Garsenc, il s'ensuivait habituellement une manœuvre idiote, sans dignité, qui laissait les deux combattants roulant dans la poussière, jurant et s'esclaffant.

Personne ne s'esclaffait sur la rive du lac Dierne. Blaise regarda le roi du Gorhaut se laisser prendre par cette ruse, submergé par la fureur qu'avaient fait naître en lui les ordres donnés par Ranald à ses hommes. Adémar porta un coup d'une telle force qu'il aurait à moitié tranché le torse de Ranald à travers les mailles de son armure s'il avait atteint son but.

Ranald de Garsenc s'aplatit sur le cou de son cheval et laissa tomber son épée tandis que celle d'Adémar sifflait au-dessus de sa tête sans toucher autre chose que l'air. Entraîné par son mouvement, le roi vacilla de côté sur sa selle et tourna partiellement son cheval. Il commença, en jurant, à se redresser mais, pendant ce temps, Ranald, avec son armure légère, avait bondi de son cheval vers l'arrière de la selle du roi. Comme un gamin, pensa Blaise, le gamin pour qui tout ceci avait été découverte et allégresse, concepts tout à fait incompatibles avec la souffrance, la peine et le vieillissement.

La manœuvre réussit. Ranald atterrit, presque adroitement, derrière Adémar, lançant une jambe de l'autre côté de la croupe du cheval. Il cherchait déjà à saisir, à sa taille, le couteau qui tuerait le roi lorsqu'une flèche l'atteignit à la clavicule et s'enfonça dans sa gorge.

La dague qu'il avait à demi tirée tomba de ses doigts écartés et, un moment plus tard, Ranald de Garsenc glissa lentement sur le sol à côté de son arme dans l'herbe d'hiver. Du sang coulait à gros jets de son cou, d'un rouge étincelant dans la lumière du soleil.

Au-dessus de lui, maîtrisant avec peine sa monture, Adémar du Gorhaut baissa les yeux sur lui puis sur l'homme qui avait tiré cette petite flèche cachée.

« Vous êtes intervenu dans un duel », dit le roi du Gorhaut. Visiblement secoué, il parlait d'une voix mince, incrédule.

« Préféreriez-vous être mort à présent ? » demanda Galbert de Garsenc. Il ne regarda même pas le corps de son fils. Adémar ne répondit pas. Au nord, le tumulte ne cessait de s'amplifier.

« Surveillez-le », dit Blaise, ne s'adressant à personne en particulier, et il descendit de cheval. Ignorant totalement Adémar, il s'agenouilla à côté de son frère. Il entendit des pas derrière lui, mais ne se retourna pas. Ranald avait les yeux fermés ; il était encore vivant, mais à peine. Prenant toutes les précautions possibles, Blaise le bougea un peu afin de poser la tête de son frère sur ses genoux. Le sol était déjà trempé par le sang qui coulait de la blessure et commençait à s'infiltrer dans ses habits.

Au-dessus et derrière lui, il entendit son père parler au roi du Gorhaut. « Je ne suis pas arrivé aussi près du but pour me faire contrer par la folie de cet ivrogne ou votre propre imprudence», dit-il.

Ranald ouvrit alors les yeux, et Blaise vit que son frère avait conscience de sa présence. Un authentique sourire éclaira faiblement le visage de Ranald.

«Ça aurait marché, chuchota-t-il. J'ai essayé ça juste pour plaisanter.

— Ménage tes forces, murmura Blaise.

— Inutile, réussit à répondre son frère en secouant légèrement la tête. Je sens le poison. Il y avait du syvaren sur la pointe.»

Bien sûr. Il y avait évidemment du syvaren. Cette fois, ce fut Blaise qui ferma les yeux, éprouvant une souffrance et une rage ancienne, terrible, qui menaçait de le submerger. Il lutta désespérément pour se contrôler et, lorsqu'il rouvrit les yeux, il s'aperçut que le regard de Ranald fixait quelqu'un derrière lui.

«Je n'ai pas le droit de demander quoi que ce soit», entendit-il son frère chuchoter. Blaise regarda par-dessus son épaule et vit Rosala debout près d'eux, grande et grave.

«Je le sais», approuva-t-elle d'une voix posée, respectant, même aux derniers instants, ses propres lois intérieures. «Mais j'ai le droit de t'accorder ce que je désire.» Elle hésita et Blaise crut qu'elle allait s'agenouiller, mais elle n'en fit rien. «Tu t'es conduit courageusement à la fin, Ranald», dit-elle, d'une voix très calme.

Il y eut un silence. Au loin, Blaise entendit quelque chose qui ressemblait à des bruits d'hommes en train de se battre. Il savait qu'il devait se tourner, ce qui se passait était si important, mais il en était incapable.

«Protège-le si tu le peux. Cadar, je veux dire», reprit Ranald. Puis, si doucement qu'il était difficile de l'entendre: «C'est un beau nom.» Blaise eut l'impression que son cœur commençait à se briser lorsqu'il comprit ce qui était sous-entendu, le chagrin de toute une vie derrière les mots.

Et Rosala parut le comprendre elle aussi, car elle s'agenouilla dans l'herbe trempée à côté de son mari. Elle n'essaya pas de le toucher, mais Blaise l'entendit parler de cette même voix calme et grave. «Cadar Ranald de Garsenc maintenant, dit-elle. Tu l'as bien mérité. Si tu veux bien, mon seigneur.»

Les yeux voilés de larmes, Blaise vit son frère aîné sourire alors pour la dernière fois et l'entendit répondre dans un souffle : « Je veux bien, ma dame. »

Il eut l'impression d'agripper les deux mains de Ranald — il ne pouvait vraiment se rappeler les avoir saisies — et il fut presque certain de sentir une pression, les doigts forts serrant un instant les siens avant de relâcher leur étreinte.

Blaise baissa les yeux sur son frère mort, sentant la brise froide souffler au-dessus d'eux. Après un instant, il dégagea une de ses mains et ferma les yeux de Ranald. Il avait déjà vu d'innombrables hommes morts. Parfois, leurs visages semblaient s'apaiser tandis que la vie s'échappait d'eux et qu'ils entreprenaient leur deuxième voyage vers le dieu. Ranald ressemblait toutefois à ce qu'il avait toujours été ; lorsqu'il s'agit d'une personne que l'on connaît bien, les illusions réconfortantes de la grâce sont peut-être plus difficiles à trouver.

Il s'aperçut qu'il ne lui avait même pas dit adieu. Il n'avait rien dit. « Ménage tes forces » avaient été ses seules paroles. Paroles stupides, vraiment, à dire à un homme qui avait une flèche dans le cou et du syvaren se propageant froidement dans son corps. Peut-être le contact, lorsque leurs mains s'étaient touchées, avait-il été suffisant. Il fallait que cela en eût été ainsi ; il n'y en aurait jamais d'autre.

Il s'obligea à lever les yeux. Adémar, encore manifestement secoué par ce qui venait de se passer, se tenait à cheval devant eux. Blaise ne lui adressa pas la parole. Il regarda par-dessus son épaule et vit que son père tenait toujours la petite arbalète meurtrière qu'il avait apportée, cachée sur lui. Les anciennes règles, les rituels et les lois des palabres et des duels ne signifiaient absolument rien pour Galbert. Blaise l'avait toujours su. Pas Adémar, semblait-il.

Le roi du Gorhaut devait à présent se demander comment il pourrait garder la tête haute devant les nations — et même devant son propre peuple — après avoir été si honteusement secouru au milieu d'un duel officiel. Il serait sans doute indiqué de le narguer pour le troubler davantage, mais Blaise n'avait pas le cœur de le faire. En fait, à un autre moment, ailleurs dans le monde, il aurait même pu avoir pitié d'Adémar qui découvrait peut-être seulement maintenant à quel point il n'était qu'un instrument servant aux desseins de Galbert.

Il regarda de nouveau son frère, comme pour tenter de graver dans sa mémoire les traits de Ranald, à la fois si semblables aux siens et si différents. « Vous feriez mieux de vous lever », entendit-il Rosala lui dire, comme de loin. Elle aussi s'était redressée. Jamais elle n'avait, à ses yeux, autant ressemblé à l'une des filles-lances de Corannos, droite et fière, silhouette d'une frise de chapelle, avec son visage qui paraissait sculpté dans la pierre. Son regard égal soutint le sien. « Il est mort comme un homme digne d'être regretté, dit Rosala de Savaric de Garsenc, mais on dirait que cette bataille est commencée. »

Elle en avait tout l'air.

Blaise glissa les mains sous la tête de Ranald et la souleva de façon à se dégager, puis il allongea son frère sur l'herbe. Une fois debout, il regarda Adémar et lui dit d'un ton officiel, au-dessus de la clameur qui croissait au nord : « En tant que frère, je réclame ce corps. Me le contestez-vous ?

— Vous pouvez me croire, je n'en veux pas », répondit Adémar en secouant la tête.

Blaise hocha la tête. « Très bien », dit-il. Il se sentait à présent très calme, d'une façon presque irréelle, comme s'il était engourdi. « Je vous chercherai au coucher du soleil, si nous sommes tous deux encore en vie. »

Les yeux d'Adémar se détournèrent en papillotant vers l'endroit où gisait Ranald, puis revinrent se poser sur Blaise. Quoi qu'on eût pu dire de lui, il n'avait jamais été un lâche. « Vous n'aurez aucune peine à me trouver », dit-il. Sur ce, il fit pivoter son cheval et se dirigea vers le champ de bataille au nord.

À ce moment-là seulement, Blaise se tourna vers son père.

Regardant les autres partir, Galbert paraissait l'avoir attendu. Son visage large et lisse était peut-être un peu rouge, mais malgré tout très calme. « Je ne serai pas l'homme qui te tuera », dit Blaise, choisissant ses mots avec soin, « car je ne voudrais pas voir mon âme entachée par un parricide, mais tôt ou tard, aujourd'hui peut-être, tu devras retourner au dieu, et Corannos saura comment te juger pour cet acte. » Il se tut un instant. « De même que Rian, pour avoir violé une palabre et un duel, et pour le meurtre de ton fils. »

Galbert éclata de rire et ouvrit la bouche pour riposter.

« Allez-vous-en d'ici, ordonna Bertran de Talair avant que le primat n'ait eu le temps de répondre. Je n'ai jamais abattu un homme en présence de hérauts, mais je pourrais très bien le faire à présent.

— Quoi ? s'exclama Galbert d'un ton moqueur. Et affronter le même jugement que moi ? » Sur ces paroles, il fit tourner son cheval et s'éloigna. L'engagement était commencé entre les compagnies les plus proches, et les bannières claquaient au vent dans cette vallée au nord de Talair.

Blaise contempla le cadavre de son frère sur le sol, puis son père qui chevauchait vers le nord, cet homme immense, corpulent et pourtant à l'aise et même gracieux en selle. Ces deux images avaient quelque chose de profondément irréel comme si, d'une certaine façon, son esprit refusait d'accepter cette association. Mais des hommes se battaient à présent et il s'efforça de ne penser qu'à l'urgence de cette dure vérité pour émerger de l'engourdissement qui semblait essayer de le gagner.

Il entendit un bruit grinçant derrière lui et, lorsqu'il se tourna, il aperçut deux bateaux que l'on tirait sur la grève rocailleuse. Les femmes commencèrent alors à monter à bord. Dans l'une des deux embarcations, il reconnut sans surprise la jeune prêtresse élancée qu'il avait rencontrée près de ce lac la première fois qu'il était venu ici. Il se souvint que, cette fois-là aussi, des cadavres jonchaient le sol. Elle lui jeta un regard bref et inexpressif, puis tendit une main à la comtesse pour l'aider à embarquer.

Les autres femmes montèrent rapidement et les bateaux furent poussés sur les eaux tumultueuses. On hissa les voiles pour que le vent du nord les entraînât loin. Tandis qu'il observait la scène, hésitant, sur les galets de la grève, Blaise vit Ariane se tourner pour le regarder, sa longue chevelure noire flottant derrière elle dans le vent. Leurs regards se croisèrent le temps d'une pulsation, puis se détournèrent. Un moment plus tard, sur l'autre embarcation, Blaise vit que Lisseut de Vézet, qui avait elle aussi perdu des hommes qu'elle aimait ce jour-là, s'était à son tour tournée pour jeter un dernier regard en arrière. Elle ébaucha maladroitement le geste de lever une main, mais la laissa retomber. Il put constater qu'elle pleurait.

Rosala ne se tourna pas et il ne put voir son visage à la fin. Il ne la vit que de dos, assise bien droite à côté de la petite et délicate silhouette de la comtesse d'Arbonne tandis que les deux bateaux voguaient sur le lac Dierne en direction de l'île, laissant derrière elle l'herbe à côté des pierres de la grève nord où gisait le corps de son mari.

Blaise prit une longue inspiration. Il tourna le dos aux femmes dans les bateaux. Bertran de Talair s'approcha de lui.

« Vous allez bien ? » demanda calmement le duc. Blaise aperçut Fulk de Savaric derrière Bertran, la même question dans ses yeux.

Un troisième bateau était à présent tiré sur la berge, raclant les pierres. Blaise comprit que c'était pour Ranald. Il devait les laisser s'occuper de lui, et faire confiance au clergé de Rian pour qu'on traitât son frère honorablement. Il n'avait pas le choix, pas le temps de faire autrement. On lui avait enlevé le temps. Sa tâche était désormais ailleurs, au milieu des vivants et de ceux qu'il avait l'intention de tuer.

« Peu importe comment je vais », répondit-il au duc de Talair, un peu effrayé par le son de sa propre voix. « Peu importe, vraiment. Allons-y. »

Chapitre 4

La bataille qui mit fin au Gorhaut et à l'Arbonne tels que le monde les connaissait débuta une journée trop tôt. Dans le tumulte qui suivit les palabres avortées près du lac, les compagnies les plus proches engagèrent le combat, et rien alors n'aurait pu les séparer, sauf une manifestation de la déesse ou du dieu dans le ciel au-dessus. Les avantages que Bertran de Talair aurait pu tirer de la stratégie et de la connaissance du terrain, s'il avait eu le temps de se préparer, furent réduits à néant par le tumulte de la bataille commencée spontanément et qui se transforma presque aussitôt en un chaos général mêlé de hurlements.

Blaise savait que dans ce genre de combat, quand on est bloqué par un lac, le nombre seul compte, la plupart du temps. L'armée la moins nombreuse n'a une chance de s'en tirer que si l'autre est lâche, mal dirigée ou formée de mercenaires qui, voulant limiter leurs pertes, n'ont pas forcément envie de s'éterniser.

Rien de tout cela dans la vallée près du lac Dierne. Après avoir passé presque une année ici au sud des cols de montagnes, Blaise avait appris que les hommes d'Arbonne n'allaient pas se laisser refouler sans résistance — surtout qu'ils se battaient à présent pour leur pays et pour leur terre. Mais l'éducation des guerriers gorhautiens exaltait Corannos des Armées comme la plus haute incarnation du dieu, et ils avaient été énergiquement formés dans la pure tradition des Anciens, ces conquérants dont l'arc se dessinait à l'ouest de cette vallée comme une présence menaçante.

Cela avait toujours été comme ça chez les nations nordiques, au Gorhaut, en Valensa, au Götzland. Les pays du sud n'étaient pas obsédés ainsi par la guerre, et l'Arbonne vénérait une déesse qui était au-dessus du dieu. Toutes ces choses impliquaient des nuances et des subtilités dont Blaise n'aurait pas tenu compte un an auparavant, il le savait, mais l'enfer d'un champ de bataille n'était pas un endroit pour les subtilités. Elles n'y avaient pas d'importance. C'était l'entraînement qui importait, de même que les armes et la volonté des hommes qui les portaient. Et puis, pour finir, le nombre de guerriers de chaque côté.

« Il faudrait un miracle », pensa-t-il en s'immergeant lui-même dans la mêlée, cet après-midi d'hiver, comme un homme qui a une soif amère à étancher. Blaise avait toujours eu foi en Corannos et, si, contre toute attente, il commençait à sentir que Rian détenait un pouvoir très différent, il ne croyait toujours pas aux miracles. Les hommes et les femmes de sa connaissance — y compris lui-même — ne méritaient tout simplement pas une intervention aussi divine. Il taillait et frappait avec son épée, mortel affrontant la mort, conscient qu'il était en train de tuer des hommes auprès desquels il avait combattu au pont Iersen et bien souvent auparavant. Seul un effort de volonté lui permettait d'empêcher cette évidence de l'anéantir totalement.

Dans cette vallée battue par le vent, les armées de deux pays fonçaient l'une sur l'autre dans la claire lumière du cœur de l'hiver en Arbonne, et Blaise savait que la force du nombre allait les faire reculer. Reculer vers le lac, vers le bord de la douve du château, vers la fin de leurs vies. Parfois, le courage, le talent et la justice d'une cause ne suffisaient pas. Ces choses suffisaient rarement, songea-t-il, goûtant cette vérité comme un poison dans sa bouche : c'était là le monde créé par Corannos et Rian. Il avait conscience de la mort qui planait dans la clarté bleue du ciel, se préparant à descendre et à envelopper le monde dans les ténèbres.

Apparut soudain dans sa tête l'image ardente des feux, la nuit, sur l'île de Rian une fois que leur armée serait détruite. Il vit Cygne de Barbentain, frêle, élégante, fière, liée et immolée sur l'un des bûchers de son père, sa bouche ouverte dans un cri muet, sa blanche chevelure en flammes. Un sentiment de rage monta alors en lui, le libérant enfin de l'engourdissement qui était tombé sur lui comme une chape de brume à la mort de Ranald.

Blaise jeta pour la première fois un regard circulaire autour de lui et, ce faisant, il chassa ses souffrances intérieures et accepta le rôle qui l'attendait, le fardeau qu'il devait porter depuis le moment où il avait réclamé la couronne.

Il commandait le flanc gauche ; Rudel, Fulk et les barons et corans du sud de l'Arbonne, y compris Mallin de Baude, étaient avec lui. Bertran et Valéry tenaient le centre avec la majorité des hommes de Talair, tandis que Thierry de Carenzu était à droite avec les corans de l'est. D'après ce qu'il pouvait voir, les yeux plissés dans la lumière du soleil, ils tenaient toujours le terrain sur tous les fronts. Il distinguait Adémar à l'avant-garde de l'armée du Gorhaut, pas très loin de Bertran, en fait, même si des centaines d'hommes les séparaient. Galbert se tenait à côté du roi, une massue noire dans sa main droite. Pendant que Blaise le regardait, son père se pencha au-dessus de sa selle, immense, puissant, et en assena un coup sur le crâne d'un soldat arbonnais armé d'une pique. La tête écrasée, l'homme n'eut même pas le temps de crier. Il s'effondra sur le sol comme du grain répandu.

Les hommes mouraient dans les batailles. Des gens qu'on avait connus et aimés. Il ne fallait pas faiblir devant cela. Ils tenaient le terrain, mais ils ne pourraient le faire encore bien longtemps. Voyant soudain très clairement la situation, Blaise prit sa décision.

Cette même vivacité et clarté d'esprit lui fit aussi comprendre que cela faisait partie du rôle qu'il avait lui-même demandé de jouer sur la scène du monde : il fallait qu'il donnât pendant la bataille des ordres qui allaient influer sur le destin des nations.

C'était vrai, c'était sur le point de se vérifier, et Blaise comprit qu'il devait accepter ce poids, sans quoi il n'aurait plus qu'à se retirer dans l'ombre et mourir en trahissant tous ceux qui avaient cru en lui. Il fit alors son choix et se prépara à y répondre devant le dieu une fois son heure venue.

Sortant soudain de la cohue à l'avant des lignes, il fit tourner son cheval en direction de Fulk de Savaric, et lui fit signe de venir de toute urgence. Fulk le vit et recula lui aussi.

« Nous ne pouvons continuer bien longtemps ! » cria le frère de Rosala au-dessus du rugissement du combat. Près d'eux, un homme s'écroula, laissant tomber son épée, agrippant des deux mains une flèche dans sa gorge.

« Je sais ! Écoutez-moi ! Faites reculer vos hommes et tentez l'encerclement. Nous ferons de notre mieux pour tenir. Allez derrière Adémar si vous le pouvez ! Allez vers Bertran.

— Vous ne pouvez tenir ici sans nous ! » hurla Fulk. Il y avait du sang sur son visage, coulant dans sa barbe blonde. Blaise n'aurait pu dire s'il s'agissait du sang de Fulk ou de celui de quelqu'un d'autre.

« Nous devons essayer ! cria-t-il. C'est la seule solution. Nous ne pouvons continuer à nous battre à deux contre un. »

Il eut alors une autre idée et détourna son regard de Fulk pour regarder de nouveau le front. Il vit que Rudel le regardait aussi, qu'il attendait. Ils avaient souvent combattu côte à côte. Il vit son ami hausser les sourcils, lui posant une question muette, et Blaise hocha la tête.

« Fais-le ! » cria-t-il, sachant que Rudel l'avait compris. Son ami se tourna vers un mercenaire et lui donna un ordre.

Un moment plus tard, on entendit un cri féroce, inégal, monter parmi les hommes de Fulk de Savaric tandis que, au-dessus de leurs têtes, tenue par le coran à côté de Rudel, la bannière des rois du Gorhaut était hissée pour flotter à côté de l'étendard de l'Arbonne. « Nous deux sous la même bannière, songea Blaise. Cela comptera-t-il ? »

Un moment plus tard, son pouls s'accéléra lorsqu'il constata que cela compterait peut-être.

« Regardez ! » cria Fulk, en pointant le doigt.

Blaise avait déjà vu.

« À moi ! » hurla-t-il, tirant sur les rênes de son cheval pour se diriger vers l'étendard hissé par Rudel. « Au nom du Gorhaut, à moi, hommes de Garsenc ! »

Pendant qu'il criait de toutes ses forces, il vit que, en effet, des corans du domaine familial, de la compagnie derrière son père et Adémar se retiraient du combat au centre et se frayaient un chemin dans sa direction, levant leurs épées en signe d'hommage.

Blaise comprit que les dernières paroles de Ranald avaient vraiment été entendues. Et ces hommes avaient vu l'un des leurs, Bergen de Garsenc, se faire abattre par un Portezzain alors qu'il se préparait à revenir vers eux. Et sûrement certains de ces corans avec lesquels il avait grandi ne se réjouissaient pas à la perspective de brûler des femmes et de mutiler des hommes sans défense.

Il vit son père, alerté par les bruits différents qu'il entendait derrière lui. Galbert s'arrêta en voyant la scène, puis sa voix magnifique et tonitruante résonna au-dessus du champ de bataille comme la voix du destin, celle d'un dieu. « Arrêtez ces hommes ! claironna-t-il. Ce sont des traîtres ! »

La confusion régnait. Dans les rangs du Gorhaut, certains corans se tournèrent docilement et se mirent à tailler en pièces ceux qui, quelques instants auparavant, combattaient à leurs côtés. En face de Blaise, les guerriers du Gorhaut se tournèrent vers le centre pour voir ce qui se passait et les Arbonnais profitèrent de ce bref répit pour avancer à côté des mercenaires aguerris de Rudel et combattre à présent sous l'insolite bannière des rois du Gorhaut. Blaise vit Mallin de Baude s'avancer le premier dans la brèche.

« Vite maintenant ! cria-t-il à Fulk par-dessus son épaule. Nous avons une chance ! »

Sans répondre, Fulk de Savaric aboya des ordres à ses capitaines et, quelques instants plus tard, plus rapidement que Blaise n'aurait pu l'espérer, les hommes de Savaric s'étaient détachés et avaient commencé à se diriger vers le lac dans une tentative désespérée d'encerclement.

« Il va falloir faire vite », constata Blaise d'un air résolu, en voyant près de la moitié des hommes de leur secteur disparaître au loin. Rudel le regarda, comprit la situation et, contre toute attente, esquissa un sourire.

« Tu te venges de moi ? » cria-t-il à Blaise, penché sur sa selle. « Pour des péchés de jeunesse depuis longtemps oubliés ?

— Est-ce qu'autre chose pourrait me guider à présent ? » hurla Blaise à son tour, amenant sa monture près de son ami. Rudel éclata de rire. Puis il cessa de rire car les soldats du Gorhaut, voyant une brèche devant eux et le nombre de leurs adversaires soudainement réduit, reprirent leur assaut en poussant un cri collectif.

Après cela, il ne fut même plus possible de lever les yeux, encore moins d'affirmer son autorité. À leur paroxysme, c'était toujours ainsi que se déroulaient les batailles, devenant des îlots de combat désespérément serré, hurlements, sueur et pression des hommes et des chevaux, les vivants, les moribonds et les morts, empêchant toute possibilité d'avoir une vue d'ensemble. Blaise perdit Mallin de vue. Il savait que Bertran devait tenir le centre, sinon ils auraient été à présent écrasés de ce côté. Il savait que cela devait être vrai, mais il ne parvenait pas à trouver un moment pour s'en assurer.

Le monde se réduisit à ses dimensions les plus petites, les plus sanglantes, à une épée levée puis abattue, au hurlement d'un cheval mourant, à l'impact de son arme heurtant une armure, à la sensation d'une succion différente lorsqu'elle mordait dans la chair, à la conscience que Rudel était à sa gauche et un autre homme, un mercenaire qu'il ne connaissait pas, à sa droite. Lorsque, quelques instants plus tard, cet homme tomba, un autre coran se précipita pour le remplacer. C'était Hirnan de Baude, et Blaise finit par comprendre qu'ils le protégeaient. Il n'était plus simplement l'un de leurs capitaines. Il était l'homme au nom duquel flottait la bannière devant eux.

Un homme armé d'une hache apparut devant lui sur un cheval gris foncé ; Rudel Correze, d'un geste gracieux, presque désinvolte sur sa selle, glissa son épée dans la gorge de l'individu entre l'armure et le heaume, et Blaise le regarda s'écrouler. Hirnan fit aussitôt avancer sa monture de façon à combler le vide devant Blaise.

Ils le protégeaient, comprit ce dernier, au péril de leurs vies.

À cet instant, tout à fait calme au cœur de la bataille, avec un homme mort gisant sur le sol à ses pieds, Blaise de Garsenc prit véritablement conscience de son pouvoir. Sur un champ de mort, combattant ses compatriotes le jour même où son père avait assassiné son frère, Blaise comprit qu'il savait vraiment ce qu'il voulait pour le Gorhaut et qu'il croyait pouvoir le réaliser si on lui donnait une petite chance.

S'avançant entre Rudel et Hirnan, sentant les sabots de son cheval piétiner inévitablement le corps sous lui, il ne s'attendait pas à vivre assez longtemps pour faire quoi que ce fût dans ce sens.

Par la suite, il se rappellerait comment cette dernière et lugubre pensée lui était venue avant même qu'il n'ait entendu Rudel, son compagnon sur tant de champs de bataille, prononcer une malédiction d'une férocité amère et, jetant un regard à l'ouest, Blaise vit ce que son ami avait aperçu et il sentit quelque chose de plus froid que l'hiver pénétrer son cœur: c'étaient la trahison et la revanche inexorable du passé.

À l'orée de la forêt, à l'ouest de la vallée, on pouvait distinguer une compagnie d'hommes près des arbres. Une compagnie considérable, déployée en rangs précis, des hommes en armure, bien armés. Non pas une, mais deux bannières flottaient au-dessus de leurs têtes. L'une était l'étendard vert que Blaise avait fini par bien connaître en Arbonne. L'autre était celle des rois du Gorhaut.

Urté de Miraval était venu participer à la bataille et leurs pires cauchemars devenaient réalité tandis que ces rangées sombres, bien ordonnées, commençaient à descendre la pente. Blaise vit que Fulk de Savaric avait réussi à encercler l'adversaire par la rive du lac. Lui et ses hommes s'étaient déplacés vers le nord et s'apprêtaient maintenant à se retourner et à frapper le centre d'Adémar par-derrière.

Cela n'avait plus d'importance. Ils allaient être anéantis, leurs arrières étant complètement exposés aux hommes de Miraval qui gagnaient maintenant de la vitesse en se déployant dans la vallée. Si Fulk se tournait pour affronter Urté, ils se retrouveraient tous deux également démunis devant les corans d'Adémar. Blaise avait envoyé ces hommes à la plus atroce des morts.

La leur suivrait bientôt. Regardant alors loin devant lui — il semblait y avoir un répit à leur flanc car les soldats des deux armées s'étaient tournés pour voir ce qui se passait —, Blaise distingua la silhouette de Bertran de Talair qui se battait avec acharnement. Auparavant, il considérait cet homme comme un seigneur qui s'avilissait en fréquentant des chanteurs et en poursuivant frivolement toutes les femmes qui tombaient sous son regard bleu. Ces choses étaient vraies, on ne pouvait dire le contraire, mais ce qu'il voyait à présent avait une noblesse irréfutable tandis que Bertran se battait pour son pays devant la trahison et en sachant, conscience amère comme un poison, qu'Urté de Miraval serait à l'origine de leur défaite.

Avec une fascination horrifiée — comme on observe un serpent enroulé sur lui-même et sur le point de frapper —, Blaise vit les mille cinq cents corans de Miraval fondre sur eux derrière la silhouette majestueuse du duc. Il les vit rejoindre les premiers hommes de Fulk qui pivotaient et se faufilaient, leurs épées et leurs lances levées, pointées et prêtes à attaquer.

Puis il vit les soldats et les chevaux de la compagnie d'Urté foncer d'un même élan à côté de ces hommes désespérés, pour écraser, avec un bruit et un impact qui parurent faire trembler la terre, l'arrière-garde de l'armée du Gorhaut.

Dans l'instant qui précéda le choc, lorsque, sentant soudain son cœur s'emballer, il comprit exactement ce qui se passait, Blaise entendit la voix de son père s'élever de nouveau — pour dominer la vallée comme une présence, suppliant en hurlant le dieu de lui venir en aide. Il n'y eut toutefois aucune réponse de Corannos dans le ciel bleu et froid. Seuls le bruit de tonnerre des sabots sur la terre durcie et les cris des hommes épouvantés tandis que les corans fonçaient dans l'arrière-garde d'Adémar, que les guerriers de Savaric se hâtaient de les rejoindre et que les soldats de Bertran s'avançaient de l'autre côté, rugissant d'exultation, pour les prendre sans pitié dans un mouvement de tenailles.

« Il les a trompés ! cria Rudel à l'oreille de Blaise. Il s'est complètement joué d'eux ! » C'était vrai : la perturbation causée un peu plus tôt dans les rangs du Gorhaut par les premières défections des hommes de Garsenc s'était transformée en un chaos total. Les corans du château de Garsenc, des hommes que Blaise connaissait depuis toujours, se joignaient à présent à Fulk de Savaric, cernant de près les propres gardes d'Adémar au moment même où il regardait.

« Venez ! » hurla Blaise. En face d'eux, les hommes sur leur flanc reculaient en proie à la panique, craignant qu'on ne leur coupât la retraite. Blaise galopa avec insouciance dans l'espace qui séparait les armées. Il avait l'impression qu'un poids avait été enlevé de ses épaules, un poids venant des ténèbres du passé. Il se sentait léger, invulnérable, et il voulait Adémar. Il ne jeta même pas un regard en arrière pour voir s'il était suivi. Il savait qu'il l'était ; il était leur chef, et une chance, un espoir, une promesse leur étaient apparus là où on n'aurait jamais pu le prévoir, comme la lueur d'une lanterne aperçue de loin la nuit dans une forêt.

Blaise se dirigeait vers le centre et, ainsi, il était tout près lorsqu'il vit le duc Urté de Miraval rencontrer le roi du Gorhaut au milieu du tumulte.

Adémar avait l'impression d'étouffer sous le coup de la fureur. Il avait de la peine à respirer. Il transpirait dans son armure et sous son heaume malgré le froid de cet après-midi d'hiver. Il savait que c'était dû à la rage. La colère lui donnait presque le vertige. Pour commencer, les trahisons des de Garsenc : les de Garsenc l'avaient toujours contrecarré, songea-t-il, assenant à un fantassin de Miraval un coup d'épée si sauvage qu'il lui trancha pratiquement la tête. Il dégagea son épée en jurant. Il ne pouvait croire qu'avec une victoire si facile, si assurée, les corans de Garsenc eussent été assez fous pour changer de côté. N'importe quel homme sain d'esprit tenant à la vie aurait su qu'il était absurde de se ranger sous la banderole de ce prétendant condamné !

C'était avant qu'il ne prît conscience que Fulk de Savaric — un autre traître, un autre homme qui aurait dû être à ses côtés ! — était parvenu à entraîner sa compagnie derrière lui. Il y avait là un véritable danger et Adémar était en train de donner des ordres brefs lorsque l'un de ses capitaines avait triomphalement pointé le doigt vers l'ouest, et le roi du Gorhaut, regardant dans cette direction, avait senti sa colère s'estomper, apaisée par un sentiment proche de la joie. Il n'avait jamais eu peur, ce n'était pas son genre, mais, en apercevant les corans de Miraval sur cette arête derrière la bannière du Gorhaut, Adémar avait éclaté de rire en anticipant le plaisir à venir.

Il avait joui de quelques instants pour penser de cette façon, pour observer les corans bien entraînés du duc Urté dévaler aisément la pente, gagner de la vitesse, apportant avec eux la fin de la guerre et l'exaltation finale du Gorhaut.

Puis tout s'était mis à aller de travers, cruellement, désespérément de travers.

Pendant un instant, lorsque Urté de Miraval avait fouetté son cheval pour dépasser les corans de Savaric, Adémar avait connu la peur ; cela n'avait duré qu'un instant. Ensuite, il avait senti l'impact de ces terribles cavaliers de Miraval tandis qu'ils fonçaient dans son arrière-garde, faisant reculer les soldats devant eux comme des enfants sans défense.

À présent, ballotté au milieu d'un chaos cauchemardesque, le roi du Gorhaut était submergé par une rage écumante comme une rivière en crue. Il entendit le primat claironner son appel au dieu et, dans son cœur, il maudit jusqu'au nom de Galbert de Garsenc qui l'avait conduit à cette situation, l'ayant persuadé qu'il fallait rallier à leur cause le duc de Miraval, dont les approches au cours des derniers jours avaient été directes et explicites, et l'assurer qu'il deviendrait le premier régent de l'Arbonne après leur conquête.

C'était un piège. Il était clair qu'Urté n'avait fait que leur tendre un piège et qu'ils y étaient tombés, pris entre les corans de Talair et de Miraval pendant que Fulk de Savaric et les renégats de Garsenc les attaquaient férocement. Hurlant de fureur, Adémar cravacha son cheval pour l'entraîner vers l'ouest et, tandis que les soldats reculaient devant lui, il se dirigea à vive allure vers l'homme qu'il devait à présent tuer, maintenant, tout de suite, avant que cette bataille ne se tournât contre eux sans espoir de retour. Il prit vaguement conscience que ses propres corans avaient eux aussi reculé, qu'un cercle s'était formé autour de lui et de son ennemi, comme si même au cœur de la guerre on comprenait la nécessité de cet affrontement. Et c'est ainsi qu'Adémar du Gorhaut entreprit son deuxième duel de la journée.

Sans prononcer une parole, puisque les paroles étaient désormais inutiles et que personne n'aurait d'ailleurs pu les entendre, il fit décrire à son épée un grand arc de cercle en direction de la tête casquée du duc de Miraval. Il rata sa cible car Urté, étonnamment rapide pour un homme de sa corpulence et âgé de plus de soixante ans, se pencha sous la lame. Une seconde plus tard, Adémar vacilla sur sa selle en encaissant un formidable coup sur son propre heaume. Pour un instant, le monde autour de lui devint noir. Son casque avait été frappé obliquement ; il ne pouvait rien voir. Un sang épais et chaud coulait sur le côté de son visage.

Grondant comme un homme assailli par des furies, Adémar lança son bouclier et saisit son heaume avec ses deux mains, sentant un déchirement puis une violente douleur à l'oreille gauche. Il lança le casque au visage du duc de Miraval, puis assena à ce dernier le plus violent coup d'épée de sa vie.

En descendant, la lame atteignit l'armure du duc là où elle couvrait le cou et l'épaule, puis s'enfonça à travers les mailles, mordant profondément dans la chair. À travers sa propre vision voilée et assombrie, Adémar vit le duc de Miraval vaciller lourdement d'un côté sur sa selle et, sachant que cet homme maudit et fourbe était en train de tomber, qu'il était à présent presque mort, il dégagea néanmoins sa lame pour l'achever.

Le roi du Gorhaut ne vit même pas la flèche qui le tua.

La flèche qui vint des cieux vides au-dessus de lui pour l'atteindre à l'œil — de la même façon que son père avait été tué deux ans plus tôt au milieu des glaces et des cadavres empilés près du pont Iersen.

Mort sur le coup, le roi du Gorhaut ne vit pas que la hampe de cette flèche était d'un rouge profond, comme le sang. Il ne se rendit pas compte non plus, comme les autres le constatèrent peu après, s'approchant de l'endroit où le roi mort gisait sur le sol auprès d'Urté de Miraval mortellement blessé, que les plumes avec lesquelles cette flèche avait été empennée venaient — fait sans précédent — d'un hibou écarlate.

Les hommes virent ces choses et ne purent les comprendre ; ils ne comprirent pas non plus d'où cette flèche terrifiante, porteuse de mort, avait été tirée pour tomber du ciel, comme elle semblait vraiment l'avoir fait, directement sur le roi. On vit les corans des deux armées faire le signe pour conjurer le sort, pour se protéger des ténèbres et de l'inconnu.

Le roi du Gorhaut avait été tué par une flèche rouge tombée du ciel, empennée avec les plumes d'un hibou. Même les guerriers du Gorhaut savaient que cet oiseau était consacré à Rian. La déesse éternelle vengeait ses serviteurs profanés et massacrés : cette légende commença aussitôt à se propager dans la vallée. Elle ne s'arrêterait pas là. Elle avait encore un long chemin à parcourir. C'est toujours ainsi dans le cas de ce genre de légendes, dans le cas de la mort des rois.

❖

Après cela, tout devint vraiment facile. Presque trop, songea Blaise. Lorsque le roi Duergar était mort près du pont Iersen, l'armée du Gorhaut avait continué à se battre avec acharnement. La mort d'un roi n'implique pas forcément la déroute complète de son armée.

C'est pourtant ce qui se produisit cet après-midi-là. Blaise aurait pu donner plusieurs explications à cet état de fait, et chacune aurait pu représenter une partie de la vérité. Celle-ci, claire et brillante dans la lumière de l'après-midi, était que l'armée du Gorhaut avait été vaincue au moment où Urté de Miraval était apparu devant elle et que cette flèche rouge était tombée pour abattre son roi.

Luttant pour s'approcher de Bertran, Blaise commença à reconnaître des individus des deux armées qui se trouvaient plus près du centre du combat. « Au soleil couchant », avait-il dit à Adémar. Tout compte fait, ce duel lui avait été refusé. Jetant un regard circulaire autour de lui, il se rappela qu'il y avait un autre homme sur ce champ qu'il voulait affronter personnellement. Il l'aperçut un peu plus loin et comprit que ceci lui serait également refusé.

Bertran de Talair s'approcha du Portezzain, Borsiard d'Andoria, sur une butte couverte d'herbe au cœur de la mêlée tandis que le centre se déplaçait vers un côté. Manifestement, les deux hommes échangèrent des paroles, mais Blaise était trop loin pour les entendre. Il observa ensuite Bertran, qui avait entrepris sa carrière de guerrier plus de vingt ans auparavant, deux ans après la mort d'Aëlis au château de son mari, en finir avec le seigneur d'Andoria avec une précision qui rendait presque dérisoire la notion de combat singulier. Deux coups droits, une feinte, puis, tandis que Borsiard parait le coup, un coup droit devant qui l'atteignit à la gorge. Cela ressemblait davantage à une exécution qu'à un duel et, quand ce fut terminé, la première pensée de Blaise fut que Lucianna venait de se retrouver veuve une fois de plus.

Ensuite, en voyant les Andoriens commencer, comme c'était à prévoir, à jeter leurs armes et à se rendre rapidement aux plus proches des hommes de Bertran, il se dit qu'il lui restait encore une chose à accomplir et que cette chose serait plus difficile que n'importe quel combat. Il regarda autour de lui, à la recherche de Rudel, et s'aperçut que son ami n'était plus à ses côtés. Il n'eut pas le temps de se demander pourquoi. La bataille du lac Dierne était en train de se transformer en boucherie.

Il fallait qu'il y mît fin. Qu'il arrêtât le massacre même si les hommes d'Arbonne pouvaient voir les têtes coupées plantées sur des piques à l'arrière des rangs du Gorhaut, la ruine hideuse qu'on avait faite du corps du chanteur nommé Aurélien, et qu'ils portaient tous à l'intérieur d'eux-mêmes les images angoissantes de femmes sur des bûchers au nord de leur pays. Ils ne seraient pas portés à la clémence et à la modération en ce moment, alors qu'une défaite certaine avait été transformée en victoire. Tous les hommes de l'armée d'Arbonne savaient quel sort leur aurait été réservé, à eux et à leurs familles, si le Gorhaut avait triomphé.

Blaise vit que Bertran ne lui serait à présent d'aucun secours. Après avoir tué Borsiard avec désinvolture et avoir dépassé les Portezzains en train de se rendre, le duc ouvrait une brèche mortelle chez les hommes du Gorhaut les plus proches. À côté de lui, Valéry faisait exactement la même chose.

Éperonnant son cheval, Blaise se lança à leur poursuite. Il éleva la voix au-dessus des hurlements des moribonds et des cris sauvages et féroces des corans arbonnais. « Assez ! cria-t-il. C'est assez, Bertran ! »

Valéry ralentit, puis se tourna. Le duc ne l'entendit pas ou, s'il l'entendit, il ne lui accorda aucune attention. À sa gauche, derrière le centre du Gorhaut, Blaise vit Fulk de Savaric lever la tête à son appel, lever une main en réponse, puis se tourner pour donner vivement des ordres à ses hommes. Les corans de Miraval continuaient à attaquer, fonçant vers Bertran, tandis que, pris de panique, les soldats du Gorhaut tournaient en tous sens au milieu d'eux, encerclés désormais par des ennemis implacables et des hommes de leurs propres rangs passés à l'ennemi.

Blaise s'approcha des corans de Garsenc, ceux qui l'avaient suivi lorsque Rudel avait hissé la bannière. « On arrête de tuer ! ordonna-t-il. Faites-leur rendre leurs armes ! Ils seront épargnés s'ils obéissent ! » Il était presque certain que c'était vrai, mais pas tout à fait. L'armée arbonnaise était pratiquement impossible à maîtriser.

Il fonça, bouillonnant, dans le sillage du duc de Talair. Il comprenait parfaitement la réaction de Bertran, il savait à quel point la fureur de la bataille pouvait dominer le plus lucide des hommes — et il savait aussi que Bertran de Talair avait plus de raisons qu'aucun homme n'en aurait jamais de tuer en ce moment des Gorhautiens.

Ce fut finalement Thierry de Carenzu, au flanc droit, à proximité des têtes coupées et du cadavre mutilé du troubadour qui fit sonner les clairons pour mettre fin à cette tuerie.

Même Bertran tira sur les rênes de sa monture en entendant les notes hautes, claires et douces de ces clairons s'élevant au-dessus de la vallée. Cela évoquait une musique au milieu des soldats agonisants et des morts. Se frayant un chemin en avant, Blaise parvint enfin à le rejoindre.

« Arrêtez, Bertran, il le faut. Ces gens ne sont plus que des soldats, maintenant. Des fermiers et des villageois. Adémar est mort, c'est fini ! » Le duc de Talair se tourna alors pour le regarder et Blaise sentit son sang se glacer en voyant ce qu'exprimaient les yeux de Bertran.

« Mais ce n'est pas moi qui l'ai tué », répondit lentement celui-ci, comme s'il était en transe. Ces mots avaient quelque chose de terrible.

Blaise prit une profonde inspiration. « Moi non plus, dit-il prudemment, et j'avais peut-être autant de motifs de le faire. On ne doit pas permettre que cela prenne de l'importance pour aucun de nous deux. Nous avons gagné. Et regardez, les hommes de Garsenc forcent les autres à se rendre. »

C'était la vérité. Pendant qu'ils parlaient, on pouvait voir les soldats du Gorhaut, cette armée partie en croisade au nom du dieu, jeter leurs armes. Blaise aperçut Thierry qui chevauchait dans leur direction. Le voyant approcher, il hurla : « Nous ne devons pas tuer des hommes désarmés, Bertran.

— Pouvez-vous m'expliquer pourquoi ? On dirait que je l'ai oublié. » Les yeux de Bertran étaient encore sauvages, hagards.

« Non, tu ne l'as pas oublié », dit Valéry derrière son cousin. Ils se tournèrent vers lui ; ses traits avaient retrouvé leur calme, bien que Blaise pût voir que ce contrôle coûtait énormément à Valéry. « Tu ne l'as pas du tout oublié. Tu veux seulement l'oublier. Comme moi. Oh ! comme moi, Bertran, mais si nous l'oublions, nous deviendrons semblables à ceux que nous venons de vaincre. »

Blaise avait un jour tenu les mêmes propos, dans la sérénité d'une salle de conseil. On était à présent sur un champ de bataille et il y avait une sorte de folie dans les yeux bleus de l'homme auquel Valéry s'adressait. Pendant un long moment, Bertran dévisagea froidement son cousin. Puis Blaise le vit secouer plusieurs fois la tête, comme s'il essayait de se libérer de quelque chose. Blaise comprenait ; il comprenait mieux que Bertran ne pouvait le savoir combien il était difficile de triompher de sa rage sur un champ de bataille.

Mais lorsque Bertran se retourna vers lui et Thierry à ses côtés, Blaise reconnut son expression.

« Très bien, dit le duc de Talair, nous accepterons leur reddition. Il reste encore une chose à faire, bien qu'elle puisse vous affliger, Blaise, je ne sais pas. » Il se tut quelques secondes. « Où est le primat du Gorhaut ? »

Étonnamment, Blaise était parvenu à écarter de son esprit l'image de son père ; ou peut-être cela n'avait-il rien d'étonnant, étant donné tout ce qui venait d'éclater en morceaux dans le monde. Il se tourna vers le groupe de soldats à l'ouest et vit son père debout au milieu d'eux — descendu de cheval mais dominant même le plus grand de ces hommes.

Galbert avait retiré son heaume, ou se l'était fait enlever. Il se tenait tête nue dans la lumière de cette fin d'après-midi. Il y avait du sang sur son visage et sur sa tunique bleue. Un espace avait été dégagé autour de lui et, le regardant, Blaise finit par comprendre où Rudel était allé. Son ami se trouvait avec Galbert à l'intérieur de cet espace ; il avait tiré son épée et la pointait vers l'homme qui, un peu plus de six mois auparavant, lui avait offert un quart de million en or pour abattre Bertran de Talair.

Blaise comprit enfin qu'un point de plus venait d'être marqué, tandis que le soleil se déplaçait vers l'ouest dans le ciel d'hiver. Il se demanda pourquoi son père ne s'était pas suicidé plutôt que de se laisser livrer ainsi à ses ennemis. Cette pensée ne fit toutefois que traverser son esprit. Galbert n'était pas du genre à effectuer une telle sortie et, d'ailleurs, le suicide était interdit par le dieu.

Le calme semblait être revenu dans la vallée. Quelques nuages apparurent au nord-ouest. Blaise les regarda passer devant le soleil puis s'éloigner. Il faisait à présent plus froid, à la fin du jour et après tant d'efforts. Tout semblait néanmoins terminé ; le bruit des armes entrechoquées s'était tu. Un peu partout sur le champ de bataille, des hommes gémissaient et criaient de douleur. Blaise savait que cela durerait encore longtemps. Il frissonna.

« J'ai une cape pour vous. » C'était Hirnan. Blaise se tourna pour regarder le coran arbonnais qui l'avait protégé tout l'après-midi. Une nuit de printemps, ils étaient allés ensemble à l'île de

Rian dans la mer pour ramener un poète. C'était là que tout avait commencé ; Blaise avait l'impression que cela avait commencé avec la grande prêtresse dans la forêt, les trous sombres de ses yeux, le hibou blanc sur son épaule.

Après un moment, il hocha la tête et Hirnan drapa sur ses épaules une épaisse cape violet foncé. Blaise se demanda où il l'avait trouvée ; le violet était la couleur des rois. Puis il crut deviner la provenance de cette cape. Et cette pensée le fit se détourner de son père entouré d'épées pour regarder brièvement Thierry, puis plus loin, en direction de l'île où les femmes s'étaient réfugiées.

❖

Il était possible, maintenant que les combats s'étaient arrêtés, de distinguer des silhouettes dans la vallée de l'autre côté de l'eau. Debout au milieu des autres sur la grève nord de l'île, Ariane reconnut son mari ; à sa manière de se tenir en selle, elle conclut qu'il allait bien. Elle regarda Hirnan de Baude, non loin de Thierry, couvrir les épaules de Blaise de Garsenc avec la cape violette qu'elle lui avait confiée, et elle fondit en larmes.

Beaucoup de gens pleuraient en ce moment ; on ne savait pas encore combien de personnes étaient mortes, ni leur identité. La comtesse n'était pas avec eux sur la rive ; elle s'était jointe aux prêtresses et aux prêtres dans le temple pour célébrer un service d'action de grâce. Ariane savait qu'elle aurait dû être avec eux, mais en ce moment, depuis que les clairons avaient résonné, elle ne pensait qu'à ce monde-ci.

Les petites barques faisaient continuellement la navette sur l'eau agitée ; elles avaient traversé le lac pendant toute la bataille. Le dernier messager leur avait appris la mort du roi du Gorhaut, atteint par une flèche écarlate dans l'œil. Personne ne savait qui avait tiré cette flèche, dit le prêtre en s'agenouillant sur les sables de la déesse. Les plumes, ajouta-t-il, étaient celles d'un hibou. La flèche était tombée du ciel.

Il leur avait également appris qu'Urté de Miraval, l'homme qui, malgré tout, les avait sauvés à la fin, était mourant, peut-être déjà mort. Et cette dernière nouvelle signifiait pour Ariane davantage que pour n'importe qui dans l'île et ailleurs.

Elle pouvait désormais révéler au monde un secret qu'elle avait, depuis son adolescence, juré de garder. C'était pour cela qu'elle pleurait sur la grève, regardant vers le nord, dans la vallée, la silhouette de son mari dans son surcot rouge et le grand homme à ses côtés couvert de la cape violette, et le troisième, plus petit, qui les accompagnait, celui qui avait, tant d'années auparavant, surpris un groupe de voyageurs au milieu des ormes qu'elle distinguait à présent à l'ouest, près de l'arc.

Elle s'éloigna des personnes rassemblées sur la berge, se retirant dans ses souvenirs. Un autre bateau arrivait avec les dernières nouvelles ; les femmes se dirigèrent anxieusement vers lui. Ariane marcha plutôt vers l'ouest et resta seule, contemplant l'autre grève, la plus proche de Miraval.

C'était alors une nuit d'hiver, se rappela-t-elle, vingt-trois ans auparavant ; un vent de pluie fouettait les arbres et le lac lorsqu'elle était arrivée sur cette grève au cœur de la nuit. Vingt-trois ans et, oh ! si elle laissait son esprit vagabonder, c'était comme si tout cela s'était passé la veille. C'était aussi douloureux, aussi terrible que si elle avait à présent treize ans et qu'elle se tenait là, sur cette rive, réfugiée dans la hutte, venant de faire un serment, sanglotant sans pouvoir s'arrêter de douleur et de terreur.

Elle était une enfant lorsque la nuit avait commencé. Une fillette vive, curieuse et trop complaisante. À la fin de cette longue nuit, sa jeunesse s'était envolée tandis qu'elle contemplait un pâle soleil se lever sur le lac, écoutant les gouttes d'eau tomber mélancoliquement des arbres tout autour.

Elle avait tenu parole. Pendant toutes ces années, elle avait respecté la promesse faite à sa bien-aimée cousine Aëlis. Aujourd'hui encore, elle se revoyait clairement : adolescente mince et tremblante galopant dans la tempête déchaînée, son visage livide et ses cheveux noirs avalés par les ténèbres sauf quand des éclairs sillonnaient le ciel. Et elle avait pleuré, cravachée par le vent cruel. Elle pleurait encore maintenant, après toutes ces années, elle pleurait pour l'innocence perdue, pour la mort survenue cette nuit-là et pour le fardeau terrible qui lui avait alors été imposé et qu'elle avait porté toutes ces années.

Au bout d'un long moment, Ariane essuya ses yeux et redressa les épaules ; elle tourna le dos à la grève ouest et à son poids de souvenirs. Elle était la duchesse de Carenzu, reine de la Cour d'amour en Arbonne, une femme de pouvoir dans le monde, et il restait encore beaucoup à faire.

Tout d'abord, rompre le silence.

Aëlis, songea-t-elle, chuchotant le nom ; seulement le nom, rien de plus, comprenant en le disant que c'était une sorte d'abandon. Cela fit presque remonter les larmes à ses yeux, mais elle parvint cette fois à les refouler.

Elle emprunta le sentier sinueux qui menait au temple et, une fois là, elle attendit que le lent service magnifiquement chanté prît fin. Ensuite, dans l'intimité d'une petite salle, à côté du dôme, avec une économie nécessaire de mots mais de la manière la plus douce possible malgré les émotions et la fièvre de la journée, elle confia son secret à la première personne qui devait l'apprendre.

Après, retournant seule vers la berge, Ariane se fit conduire en barque de l'autre côté du lac, enveloppée dans sa cape écarlate pour se protéger du vent glacé, et alors elle se mit à la recherche de la deuxième personne à qui elle devait révéler son secret avant que le monde entier ne fût au courant.

On lui apprit que cette personne avait quitté la vallée et, n'ayant donc que le temps d'embrasser brièvement son mari et de lui chuchoter un mot, elle monta en selle et partit à sa recherche. En chemin, comprenant où cette personne s'était rendue, où elle se rendait à sa suite, elle se remit à pleurer, incapable de s'en empêcher, les larmes ruisselant, toutes froides, sur ses joues tandis que le soleil déclinait à l'ouest, rouge comme le feu.

❖

Blaise s'était précipité avec Bertran et Thierry à l'endroit où Urté de Miraval agonisait sur le sol, une cape repliée sous sa tête, et une autre, épaisse et bordée de fourrure, couvrant son corps. Urté était très pâle, et Blaise vit du premier coup d'œil que les linges dont on s'était servi pour étancher le sang de sa blessure étaient complètement trempés. Il avait déjà vu cela auparavant ; ce ne serait plus très long.

Urté était néanmoins encore conscient et une dure étincelle de triomphe brillait dans ses yeux. Thierry hésita un instant à côté de lui, puis il recula prudemment et s'éloigna pour laisser Bertran seul auprès d'Urté. Le silence qui suivit était tendu comme un arc.

Après un autre moment d'hésitation — Blaise savait que rien n'était facile ici —, Bertran s'agenouilla à côté de son aîné.

« Nous avons gagné, dit-il d'un ton calme. C'est votre décision de vous joindre finalement à nous qui a fait changer le cours de la bataille. »

Urté de Miraval éclata alors de rire, un son terrible, et le mouvement qu'il fit provoqua un nouvel écoulement de sang. Souffrant manifestement, il secoua la tête. « Finalement ? Vous ne comprenez pas, n'est-ce pas ? Il n'y avait aucune décision à prendre. Nous avions mis cette scène au point, toute la scène de la salle à Barbentain. »

Blaise resta bouche bée. Il la referma brusquement. Il entendit Thierry de Carenzu faire un léger bruit.

« Nous ? répéta Bertran.

— La comtesse et moi. La veille, je lui avais conseillé de vous nommer commandant des armées. Nous nous sommes mis d'accord pour que je quitte la salle enragé et entre en contact avec Adémar le lendemain.

— Oh ! douce Rian, je n'arrive pas à le croire, dit Thierry comme s'il priait.

— Pourquoi pas ? demanda prosaïquement le moribond. Ils étaient plus nombreux que nous, il fallait bien imaginer un stratagème. On dirait qu'il a fallu que ce soient deux personnes de la vieille génération qui l'imaginent. Les plus jeunes n'avaient aucune idée, pas vrai ? » Il ne souriait pas.

Il y eut un autre silence.

« Aucune, finit par répondre Bertran. Je suis stupéfait que la comtesse ne m'en ait rien dit.

— Je lui avais demandé de ne pas vous en parler, expliqua Urté. Je lui ai dit que vous pourriez modifier votre stratégie si vous étiez au courant. Faire un mouvement qui aurait pu les avertir que quelque chose clochait. C'est la raison que je lui ai donnée.

— Ce n'était pas la véritable raison, n'est-ce pas ? »

Urté de Miraval sourit alors. « Évidemment », répondit-il.

Bertran secoua lentement la tête. « Quoi qu'il en soit, je n'avais aucune stratégie aujourd'hui. La bataille a commencé trop tôt.

— Je sais. C'est pour cela que nous sommes arrivés en retard. »

Un autre silence. À l'ouest, le soleil nimbait la vallée d'une lumière rougeâtre. Urté eut soudain une expression ironique et Blaise y reconnut celle d'un homme fort luttant contre une douleur insupportable.

« Que puis-je vous dire ? » demanda Bertran de Talair.

On entendit un son étranglé qui aurait pu ressembler à un rire. « Épargnez-moi », chuchota Urté. Mais un instant plus tard, Blaise le vit tourner un peu la tête pour regarder Bertran en face. Il ouvrit la bouche, puis la referma comme s'il combattait quelque chose en lui, puis il articula très clairement : « Je le n'ai pas tuée, ni l'enfant. »

Bertran s'immobilisa, le visage aussi livide que celui du moribond.

« Je lui ai arraché le bébé », poursuivit Urté, les yeux plongés dans ceux de Bertran, « quand elle m'a dit... ce qu'elle m'a dit. Je l'ai descendu à la cuisine où un feu était allumé. Il faisait très froid, il y avait une tempête cette nuit-là. Vous n'étiez pas là, vous ne pouvez vous en souvenir. J'ai fait chasser la prêtresse du château. J'ai laissé l'enfant avec les femmes dans la cuisine. Je ne voulais pas qu'Aëlis l'ait... après ce qu'elle m'avait dit, et je n'allais pas reconnaître l'enfant. J'aurais pu décider de le tuer, j'aurais pu l'envoyer loin, dans un endroit où il n'aurait jamais été reconnu ni trouvé. Je savais que mes pensées étaient confuses ; j'avais besoin de temps. S'il avait été le mien, cet enfant aurait été l'héritier de Miraval et de Barbentain et il aurait gouverné l'Arbonne.

— Au lieu de cela ? » Bertran parlait d'une voix presque inaudible. Blaise vit qu'il avait croisé ses doigts.

« Au lieu de cela, Aëlis était morte quand je suis revenu dans sa chambre. J'allais lui annoncer qu'elle ne verrait jamais son enfant, que personne ne connaîtrait jamais son identité même si je décidais de lui laisser la vie sauve. Je voulais... me venger en lui faisant très mal. Mais elle a triché. Elle était déjà morte. Lorsque je suis redescendu, je leur ai dit de me donner l'enfant. Je l'ai porté dans la grande salle et je suis resté seul avec lui, le tenant dans mes bras près du feu. Je voyais qu'il n'était pas fort. Il est mort peu de temps après. Les bébés prématurés survivent rarement. Il était né deux mois avant terme.

— Je sais. C'est pourquoi je n'étais pas là. » Le silence de nouveau. Blaise entendait le vent siffler dans la vallée et les cris des blessés et des mourants. Haut dans le ciel, une volée d'oiseaux passa devant le soleil, se dirigeant vers le sud, tard dans l'année. Il vit que des prêtres et des prêtresses avaient traversé le lac pour venir soigner les blessés, qu'on avait allumé des feux sur le champ de bataille. Il frissonna de nouveau malgré son épaisse cape.

« Vous auriez pu me le dire, dit finalement Bertran.

— Pourquoi ? demanda Urté. Pour libérer votre esprit ? Pourquoi aurais-je voulu faire cela ? J'étais content que vous vous demandiez s'il était en vie — cela signifiait que vous ne me tueriez jamais, n'est-ce pas ? » Il eut de nouveau ce sourire furtif. Mais après un moment, son expression changea. « D'ailleurs, vous ne m'auriez pas cru. Vous le savez », ajouta-t-il.

Bertran secoua lentement la tête. « C'est vrai, je ne vous aurais pas cru. J'étais presque sûr que vous les aviez tués tous les deux.

— Je sais. Presque sûr, mais pas complètement. J'aimais que vous pensiez cela. J'espère que cela vous a empoisonné la vie pendant toutes ces années.

— Oui. C'était comme du poison. Toutes ces années.

— Elle était ma femme, reprit Urté de Miraval. Qu'allais-je faire, à votre avis, quand j'ai découvert la vérité ? »

Bertran resta immobile, la tête penchée. « Je l'aimais, répondit-il d'une voix rauque. Je n'ai jamais cessé de l'aimer. Vous, vous ne l'avez jamais aimée, mon seigneur. Pendant toutes ces années, tout cela n'a été pour vous qu'une question d'orgueil. »

Au prix d'un effort extraordinaire, Urté réussit à se soulever sur un coude. « Cela aurait été suffisant, dit-il. Plus que suffisant. Mais vous êtes une fois de plus dans l'erreur. Vous vous êtes toujours trompé à ce sujet, vous comme tous les autres. » Il s'arrêta pour reprendre péniblement son souffle haletant ; du sang coulait de sa blessure. « C'est Aëlis qui ne m'aimait pas, et non pas l'inverse. Je ne savais pas composer de chansons, voyez-vous. Je suis heureux que nous ayons gagné. Que Rian garde à jamais dans ses bras cette terre d'Arbonne. »

Puis, lentement, avec une grâce de soldat et un courage remarquable devant la douleur de la mort, il se recoucha sur le sol froid et ferma les yeux en rendant l'âme.

Bertran resta un long moment à genoux à côté du corps. Personne ne bougea, personne ne parla. Lorsque Bertran se releva enfin, il se tourna vers Thierry de Carenzu.

« Puis-je vous confier ce qui reste à faire ? demanda-t-il d'un ton neutre et officiel.

— Bien entendu », répondit l'autre.

Ils regardèrent le duc de Talair retourner à l'endroit où un coran tenait son cheval. Bertran l'enfourcha sans assistance et quitta gravement la vallée, vers l'ouest, en direction de l'allée d'arbres qui menait à l'arc.

Valéry ébaucha un mouvement brusque comme s'il avait l'intention de le suivre, puis se ravisa. Le regardant, Blaise vit que le visage habituellement calme du coran exprimait une énorme et vive souffrance. Il s'approcha, voulant être près de lui sans toutefois le toucher. Un moment plus tard, il s'aperçut que Thierry le considérait avec une compassion inattendue et il comprit alors ce qui restait à faire. Il ferma les yeux et ce fut Valéry qui tendit la main pour lui effleurer l'épaule.

Blaise leva les yeux vers Thierry de Carenzu. « Ai-je le droit de demander que cela soit fait proprement ? dit-il d'une voix posée.

— N'ayez crainte, répondit le mari d'Ariane. Nous le ferons pour vous et pour nous-mêmes, à cause de ce que nous sommes et de ce que nous refusons de devenir. »

Blaise hocha la tête. Thierry se tourna et Blaise le suivit, dans la lumière qui baissait, à travers le champ jusqu'à l'endroit où se tenait son père entouré d'hommes pointant leurs épées vers lui.

« Je livre cet homme au jugement de l'Arbonne », déclara Rudel Correze, parlant clairement et avec une gravité inaccoutumée tandis qu'ils approchaient.

« Si le jugement final appartient à Rian et à Corannos, répondit Thierry, et non pas à nous, nous avons toutefois le devoir de châtier à présent. Non pas pour les actes de guerre. S'il ne s'agissait que de cela, nous pourrions exiger une rançon et le libérer. Mais, pour ce qui a été fait aux prêtresses, cet homme doit sûrement mourir. »

Personne ne parla. Seuls les cris des blessés et le bruit du vent brisaient le silence. Des feux étaient maintenant allumés dans toute la vallée, avant tout pour réchauffer ; bien que le soir tombât, la lumière était encore claire.

« Nierez-vous que c'est sur vos ordres que des femmes furent brûlées ? demanda Thierry au prisonnier.

— Cela serait difficile », répondit Galbert de Garsenc.

Rien de plus. Le primat était debout, du sang sur son visage beau et lisse et sur sa tunique bleue, entouré d'ennemis mortels à la fin de sa vie, et son fils cadet avait l'impression que, même maintenant, il n'éprouvait que du mépris pour les hommes présents.

« Par respect pour votre fils, nous vous accorderons la mort par flèches », reprit impassiblement Thierry. À proximité, sur sa plateforme roulante, Aurélien le chanteur avait été détaché. Quelqu'un avait couvert son corps d'une cape.

« J'aimerais que l'on m'accorde quelques moments avec mon fils avant de mourir. » Blaise sentit sa bouche se dessécher. Il y eut un silence. « C'est ma dernière requête », ajouta le primat du Gorhaut.

Thierry et Rudel se tournèrent vers Blaise, de l'inquiétude dans leurs yeux, comme s'ils désiraient le protéger. Blaise secoua la tête. Il s'éclaircit la voix. « Je crois que cette requête est justifiée. Nous pouvons l'honorer. Si cela est acceptable pour vous », dit-il en regardant attentivement Thierry.

Thierry hocha lentement la tête. Rudel avait toujours l'air de vouloir protester et Blaise entendit Valéry murmurer derrière lui quelque chose de féroce, mais le duc de Carenzu, agitant la main, fit signe aux gardes qui encerclaient le prisonnier de reculer.

Alors Blaise s'avança. Le cercle d'hommes se sépara pour le laisser passer.

« On dirait que je me suis trompé à propos d'Urté de Miraval », commença son père tandis qu'il s'approchait de lui. Il aurait pu être en train de discuter d'une mauvaise piste suivie par des chasseurs ou d'une erreur dans la rotation des récoltes sur les terres de Garsenc.

« Il était peu probable qu'il se joignît à vous après que des femmes eurent péri sur le bûcher. »

Galbert haussa les épaules. « C'était ça, tu penses ? A-t-il changé d'idée ou était-ce prévu ?

— Prévu, répondit Blaise. Par lui et la comtesse. Personne d'autre n'était au courant.

— Brillant », reprit son père. Il soupira. « Eh bien, j'aurai au moins vécu assez longtemps pour savoir que mon fils gouvernera au Gorhaut.

— Avec toute ton aide et ta protection, rétorqua Blaise avec un rire amer.

— Ma foi, bien entendu. Il y a des années que j'y travaille. »

Blaise cessa de rire. « Tu mens », dit-il brusquement. Quelque chose de dur semblait s'être logé soudain dans sa poitrine. Il déglutit avec difficulté.

« Crois-tu ? demanda Galbert d'un ton placide. C'est toi qui es censé être intelligent. Réfléchis, Blaise. »

Ce dernier ne pouvait se rappeler la dernière fois que son père l'avait appelé par son nom.

« Réfléchir à quoi ? répliqua-t-il d'un ton cassant. Tu as montré ton dévouement envers ta famille avec Rosala et maintenant ici avec Ranald. Tu as tué ton propre fils.

— Je lui ai donné la vie et je l'ai reprise, répondit Galbert avec la même douceur, mais j'ai regretté d'être obligé de faire ça. Il s'est conduit avec indignité jusqu'à la fin, mais il était sur le point de me faire perdre ma seule chance de nettoyer ce pays.

— Bien sûr. C'est à cela que tu as travaillé pendant toutes ces années.

— Entre autres. J'aurais eu peu de valeur si je n'avais eu qu'un seul but dans la vie. Je voulais châtier l'Arbonne si cela pouvait se faire, et je voulais également un de mes fils sur le trône du Gorhaut. Je ne me suis jamais attendu à avoir les deux, mais je voyais des raisons d'espérer atteindre l'un ou l'autre.

— Tu mens », répéta Blaise, discernant une note de désespoir dans sa propre voix et essayant de la maîtriser. « Pourquoi fais-tu ça ? Nous savons ce que tu voulais : que je te suive au service du dieu.

— Mais naturellement. C'était la seule solution : tu étais le fils cadet. Ranald allait devenir roi. » Galbert secoua la tête, comme si Blaise se montrait inexplicablement idiot. « Puis tu as contrecarré mes plans, et ce n'était ni la première ni la dernière fois, et un peu plus tard il est devenu clair que Ranald était... ce qu'il était.

— À cause de toi. »

Galbert haussa de nouveau les épaules. « S'il n'était pas capable de me faire face, il n'aurait pas pu être roi. Tu semblais avoir trouvé une façon de t'en tirer avec les deux. Une fois que je me suis arrangé pour te faire partir. »

Blaise blêmit. « Tu vas à présent me dire...

— Que j'avais de nombreuses raisons pour conclure le Traité du pont Iersen. Oui, je suis. J'ai fait. Réfléchis, Blaise. De l'argent pour entreprendre cette guerre et un couteau dans le dos d'Adémar parmi les dépossédés du nord. Et j'ai finalement réussi à te faire quitter le Gorhaut, aller là où tu pourrais devenir un centre d'intérêt pour tous ceux qui pourraient s'opposer à Adémar. Et à moi, ajouta-t-il comme s'il venait d'y penser. Entre parenthèses, tu vas avoir besoin d'une grosse somme pour reprendre les frontières du nord, surtout après les pertes que nous avons subies aujourd'hui, poursuivit-il du même ton calme et neutre. Heureusement, Lucianna Delonghi est veuve une fois de plus. J'avais prévu faire tuer Borsiard ici au cas où personne de votre armée ne l'aurait fait. Je la considérais comme une épouse potentielle pour Ranald si les événements s'y étaient prêtés. À présent, c'est toi qui devras l'épouser, ce qui, je le sais, te rendra presque aussi heureux que son père. Une fois sa fille reine, il renoncera peut-être même à la ramener dans son propre lit à l'occasion. » Galbert sourit. Blaise se sentit faiblir. « Mais surveille-le, surveille attentivement Massena Delonghi. Entre les banques Correze et Delonghi, tu devrais toutefois être en mesure de traiter avec la Valensa, en différant les versements qu'ils doivent encore selon les conditions du Traité. »

Blaise commençait à avoir mal à la tête, comme s'il encaissait des coups.

« Tu mens, n'est-ce pas ? Dis-moi pourquoi. Qu'est-ce que tu gagnes maintenant à essayer de me faire croire que tu as tout manigancé ?

— Ne dis pas de bêtises, Blaise, je n'ai pas tout manigancé. Je ne suis pas un dieu, mais seulement un serviteur mortel de Corannos. Après ton départ pour le Götzland et la Portezza, j'ai cru que Fulk de Savaric et certains autres barons nordiques enverraient des hommes à ta recherche pour t'offrir le trône. Je ne m'attendais pas à ce que tu te proposes toi-même comme tu l'as fait. J'ignorais que tu avais tant de... d'impétuosité en toi. Je pensais bien que tu finirais par venir en Arbonne, même si c'était seulement parce que tu savais que j'y viendrais moi-même, mais je ne savais pas à quel point ils... t'influenceraient. J'admets que cela m'a étonné.

— Adémar», dit Blaise, luttant toujours. «C'est pour lui que tu as tout fait. Tu as même essayé de lui donner Rosala.»

Son père prit une expression méprisante. «Je n'ai rien fait d'autre pour Adémar que lui offrir la corde pour se pendre. Il n'a jamais valu davantage. Il était un instrument qui me permettait de m'emparer de l'Arbonne au nom du dieu. C'est tout. On dirait que nous avons échoué, poursuivit-il en haussant les épaules. C'est ce qui m'afflige au moment de mourir. J'étais vraiment convaincu que nous ne pouvions perdre. Je m'attendais à ce que le fils Correze te ramène en Portezza, et j'aurais pu réaliser les deux moitiés de mon rêve en temps et lieu. Adémar n'aurait jamais été capable de tenir l'Arbonne — pas après ce que j'avais l'intention de faire ici.» Sa belle voix était si séduisante, si lumineuse, songea Blaise. «Quant à Rosala, vraiment, Blaise, c'était pour aiguillonner davantage les barons contre lui. Et toi aussi, si tu avais besoin d'être poussé davantage, et cela devait se passer seulement après la naissance de l'enfant de Garsenc. Dis-moi, Blaise, ce garçon, Cadar, c'est ton fils, pas vrai?»

Blaise sentit que ses mains tremblaient. «Est-ce que tu vas souiller tout ce que tu touches, même à la fin de ta vie? Rien ne peut rester propre?

— Ma mort, du moins me l'a-t-on promis», rétorqua sèchement Galbert. Il esquissa un rictus. «Allons, Blaise, si ce n'est pas ton fils, je mourrai en me demandant qui est le père. Comme Ranald était marié depuis quelque temps et qu'il n'avait toujours pas d'héritier, j'ai fait une enquête. J'ai découvert que pendant toutes les années où il était le champion du roi, alors que les femmes se battaient pour avoir le privilège de coucher avec lui, il n'a jamais engendré un seul enfant que j'aie pu retracer. Tu te souviendras que mon frère non plus n'a pu avoir d'héritier. Il y a peut-être un défaut dans notre semence, quoique j'aie l'air d'avoir été épargné. Et toi?»

Blaise regarda ses mains tremblantes. «Rien n'a jamais compté pour toi, à l'exception de tes buts, n'est-ce pas? demanda-t-il. Rien n'a jamais eu de signification. Nous étions tous des instruments, tous, Adémar, Rosala, Ranald et moi, même quand nous n'étions que des enfants.»

Son père fit un petit geste de dénégation. « Qu'est-ce que tu voulais, Blaise ? Des berceuses ? Des tapes dans le dos ? Un père aimant te prenant par l'épaule quand tu t'étais bien conduit ?

— Oui », répondit alors Blaise, d'une voix aussi égale que possible. « Oui, je suppose que c'est ce que je voulais. »

Pour la première fois, Galbert parut hésiter. « Tu t'en es très bien tiré sans cela.

— Oui », admit Blaise, respirant lentement. « Je m'en suis tiré. Si nous avions le temps d'en discuter, poursuivit-il en regardant son père, je pourrais t'expliquer ma propre façon de voir les choses, mais je ne crois pas en avoir envie. » Il s'arrêta. Il se sentait à présent très calme. « Y a-t-il autre chose, père ? »

Un silence, puis Galbert secoua la tête. Ils se dévisagèrent encore quelques instants, puis Blaise se tourna et sortit du cercle. Les soldats se poussèrent pour le laisser passer. Il constata qu'une compagnie d'archers portant les couleurs rouges de Carenzu avait rejoint les autres. Plus loin, il vit son cheval dont Hirnan tenait les rênes. Il se dirigea vers lui, monta en selle et s'éloigna. Il ne regarda pas en arrière.

Derrière lui, il entendit Rudel poser une question et Thierry lui répondre très clairement, puis on donna un ordre et des flèches sifflèrent.

Chapitre 5

Pendant la première partie du trajet, Blaise ignorait qu'il suivait le même chemin qu'avait emprunté Bertran en quittant le champ de bataille. Se dirigeant vers l'ouest et le disque rouge du soleil, il parvint à l'allée bordée d'ormes qui conduisait à l'arc. Il s'arrêta et regarda alors en arrière les feux qui parsemaient le champ de bataille. Il éprouvait une sensation très étrange. Il eut l'impression, presque incidemment, d'être à présent seul au monde.

Ce fut alors que, baissant les yeux, il aperçut les traces fraîches d'un cheval et comprit que Bertran avait pris ce chemin avant lui. Le duc devait être à présent tout seul lui aussi, songea-t-il ; deux solitudes, à la fois différentes et semblables. Longtemps auparavant, Ariane avait dit quelque chose à ce sujet : Bertran avait perdu, avec la mort d'Urté, la haine passionnée qui avait orienté et modelé sa vie pendant plus de vingt ans. Blaise se dit que la haine pouvait être aussi puissante que l'amour, même si les chanteurs essayaient de vous faire croire le contraire.

Il tira sur les rênes de son cheval et reprit sa route. Il passa sous la voûte écrasante de l'arc, transi un instant malgré sa cape pendant qu'il passait dans son ombre, puis il ressortit de l'autre côté dans la lumière déclinante du soleil. Au-dessus de lui, une autre volée d'oiseaux planait vers le sud dans le vent. Son père était mort. Son frère était mort. Il allait sans doute être bientôt couronné roi du Gorhaut. Cadar Ranald de Savaric était probablement son fils. Cette pensée le tourmentait depuis l'automne. Il connaissait toutefois assez bien Rosala pour savoir que jamais elle ne parlerait.

Et, comme il fallait s'y attendre, cela lui rappela Aëlis de Miraval, morte autrefois et pour l'amour de qui deux hommes avaient enlaidi et ruiné leurs vies. Il continua à chevaucher en silence, à la suite de celui de ces deux hommes qui avait survécu, dans les vignes nues de l'hiver. Les raisins de l'automne avaient été cueillis depuis longtemps ; les premiers bourgeons n'apparaîtraient que dans plusieurs mois. Les vignes laissaient ensuite place à des prairies, et une forêt se dressait devant lui. Blaise arriva devant une hutte de charbonnier à l'orée de cette forêt et reconnut le cheval attaché dehors.

Bertran de Talair était assis sur le seuil de la porte, là où une femme aurait pu coudre à la fin du jour pour profiter de la bonne lumière qui restait.

Il leva les yeux lorsque Blaise descendit de cheval. Il paraissait surpris, mais pas fâché de le voir. Blaise n'avait pas été certain qu'il serait bien accueilli. Il vit que Bertran tenait une fiasque de séguignac. Cela lui rappela un souvenir, aussi clair qu'une cloche de temple. Un escalier au château de Baude. Les lunes que l'on voyait briller dans la fenêtre étroite. Cette fiasque qu'ils se passaient. Blaise qui broyait du noir en songeant à Lucianna Delonghi, Bertran qui parlait d'une femme morte plus de vingt ans auparavant, et non pas de celle dont il venait de quitter le lit.

Le voyant qui regardait la fiasque, le duc la lui tendit. « Il en reste un peu, dit-il.

— Mon père est mort », annonça Blaise. Il ne s'était pas attendu à dire cela. « Les archers de Thierry. »

Le visage expressif de Bertran se figea. « Il n'y a pas assez de séguignac pour cela, Blaise. Pas assez pour nos besoins aujourd'hui, mais asseyez-vous, asseyez-vous avec moi. »

Blaise alla s'asseoir à côté du duc sur le seuil de la porte. Il prit la fiasque offerte et but. Le feu se propagea en lui. Il but de nouveau, sentant la chaleur l'envahir, puis rendit la fiasque.

« C'est fini ? » demanda Bertran.

Blaise hocha la tête. « Ils doivent à présent avoir fini de se rendre. »

Bertran le regarda de ses yeux bleus entourés de cernes noirs. « Vous avez tenté de m'arrêter à la fin, n'est-ce pas ? Je vous ai entendu crier mon nom. »

Blaise approuva d'un signe de tête.

« Je ne crois pas qu'on aurait pu m'arrêter. Je crois que j'en aurais été incapable si Thierry n'avait pas sonné les clairons.

— Je sais. Je comprends.

— Je ne suis pas très fier de cela ». Bertran prit une autre petite gorgée de séguignac.

« Ce n'est pas le moment de se juger soi-même. Des femmes avaient été brûlées. Et les deux troubadours... »

Bertran ferma les yeux et Blaise se tut. Le duc ouvrit les yeux après un moment et tendit la fiasque à Blaise. Blaise la garda dans ses mains sans boire. Le séguignac lui montait déjà à la tête.

« J'ai une question à vous poser, reprit Bertran de Talair.

— Oui ?

— Vous objecteriez-vous à ce que je demande la femme de votre frère en mariage ? Si Rosala acceptait, j'aimerais élever Cadar comme mon fils, l'héritier de Talair. »

Une extraordinaire sensation de chaleur commença à se répandre en Blaise et il sut que, cette fois, ce n'était pas dû au séguignac. Il regarda Bertran en souriant pour la première fois de cette longue journée. « Je n'ai rien à dire, Rosala fait ce qu'elle veut. Mais je ne puis rien imaginer qui me ferait plus plaisir.

— Vraiment ? Pensez-vous qu'elle acceptera ? » La voix de Bertran manquait soudain d'assurance.

Blaise éclata de rire. C'était un son étrange dans ce lieu à l'orée de la forêt. « C'est à moi que vous demandez ce qu'une femme peut penser ? »

Pendant un instant, Bertran resta silencieux, puis il se mit à rire aussi, plus doucement. Le silence se réinstalla ensuite entre eux.

« Mon père », reprit finalement Blaise, sentant le besoin d'en parler, « mon père m'a dit qu'Adémar n'était qu'un outil pour détruire Rian en Arbonne. Que l'autre but qu'il avait poursuivi pendant toutes ces années avait été de me placer sur le trône du Gorhaut. »

Bertran resta silencieux, avec cette gravité attentive, concentrée qui était la sienne. « Cela ne me surprend pas », dit-il.

Blaise soupira et baissa les yeux sur la fiasque qu'il tenait entre ses mains. « Je préférerais croire que ce n'est pas vrai.

— Je comprends cela. N'en parlez à personne d'autre alors. Cela doit rester entre nous.

— Il n'en reste pas moins que c'est lui qui a manigancé tout ça. »

Bertran haussa les épaules. « En partie, pas complètement. Il n'aurait pas pu deviner ce qui vous est arrivé en Arbonne.

— Il l'a admis.

— Vous voyez ? Nous sommes faits de tant de choses que cela m'épouvante parfois, Blaise... C'est ici, dans cette cabane, que j'avais l'habitude de rencontrer Aëlis, reprit Bertran après une certaine hésitation. Ici que mon fils a été conçu. »

Ce fut au tour de Blaise de se taire. Il comprit, et cela le toucha profondément, que Bertran lui offrait cette vérité du cœur en échange de sa confidence.

« Je suis désolé, dit Blaise. Je n'avais pas l'intention de vous suivre. J'ai seulement vu vos traces. Dois-je m'en aller ? »

Bertran secoua la tête. « Vous pourriez cependant me redonner ça puisque vous ne buvez pas. » Blaise lui tendit la fiasque. Bertran la prit, le métal scintillant dans la lumière, et but le reste du séguignac. « Je ne pense pas être capable d'en supporter davantage aujourd'hui », déclara-t-il.

Un instant plus tard, ils entendirent les sabots d'un autre cheval qui approchait et, levant les yeux, ils aperçurent Ariane qui venait vers eux dans l'herbe d'hiver.

Elle se dirigea vers l'endroit où ils étaient assis sur le seuil de la cabane. Elle ne bougea pas, ne descendit pas de cheval. Ils virent qu'elle avait pleuré même si elle avait maintenant les yeux secs. Elle inspira en haletant et expira lentement.

« J'ai prêté un serment à ma cousine Aëlis la nuit de sa mort », annonça-t-elle sans préambule, sans même les avoir salués. Blaise vit qu'elle se maîtrisait au prix d'un immense effort ; il sentit Bertran se raidir à ses côtés. « Un serment dont je suis libérée aujourd'hui par la mort d'Urté. »

Voyant qu'elle regardait le duc, Blaise se redressa et répéta : « Je dois partir. Ce n'est pas une chose que j'ai le droit de...

— Non », interrompit Ariane d'une voix éteinte, son exquis visage blanc comme de la craie. « Cela vous concerne aussi, d'ailleurs. » Pendant qu'elle parlait, Bertran posa une main sur le genou de Blaise pour l'empêcher de se lever.

« Restez avec moi », demanda-t-il.

Blaise resta donc, assis sur le seuil d'une hutte de charbonnier à la fin d'une journée de froid et de mort, tandis que le vent soufflait autour d'eux, repoussant en arrière la chevelure noire d'Ariane, agitant l'herbe haute derrière elle, et il l'entendit raconter, d'une voix qui semblait avoir perdu toute résonance : « Je peux désormais vous révéler une chose à propos de la nuit où Aëlis est morte. Il y a une raison qui explique pourquoi elle a accouché avant terme, Bertran. » Elle reprit de nouveau son souffle, preuve flagrante qu'elle luttait de toutes ses forces pour retrouver son calme. « Lorsque Urté lui a arraché son fils des bras et qu'il a quitté la chambre, suivi de la prêtresse qui essayait de lui réclamer l'enfant, reprit-elle, je suis demeurée seule avec Aëlis. Quelques instants plus tard, nous nous sommes… rendu compte qu'elle portait un autre enfant. »

À côté de Blaise, Bertran fit un mouvement convulsif avec ses mains. La fiasque tomba dans l'herbe. Il tenta maladroitement de se lever. Il semblait avoir perdu toute sa force ; il resta assis sur le seuil, les yeux fixés sur Ariane.

« J'ai mis votre fille au monde, Bertran, reprit-elle. Et ensuite… ensuite Aëlis m'a demandé de lui jurer quelque chose, et nous savions toutes les deux qu'elle allait mourir. » Ariane avait recommencé à pleurer, ses larmes scintillant comme du cristal sur ses joues.

« Racontez-moi, demanda Bertran, Ariane, racontez-moi ce qui s'est passé. »

Elle avait pleuré cette fois-là aussi, au milieu des terreurs de la chambre. Elle avait treize ans et elle avait entendu Aëlis, agonisante, révéler à son mari que l'enfant qu'elle tenait dans ses bras était le fils de Bertran de Talair. Tapie dans un coin de la pièce, Ariane avait vu la colère donner au visage d'Urté une teinte rouge brique qu'elle n'avait jamais vue auparavant. Elle l'avait vu arracher le bébé des bras de sa mère dans lesquels la prêtresse l'avait gentiment déposé. À l'extérieur des murs de Miraval, une tempête d'hiver hurlait, la pluie fouettait le château, le tonnerre grondait comme un esprit furibond.

Le duc et la prêtresse s'étaient rués hors de la chambre. Où ? Ariane l'ignorait. Elle était toutefois convaincue qu'il allait tuer l'enfant. Aëlis aussi.

« Oh ! mon Dieu », avait gémi sa cousine, gisant dans son sang sur son lit, « qu'ai-je fait ? » Affolée par la peur et la souffrance, Ariane avait agrippé sa main, incapable de répondre. Elle ne voulait qu'une chose : être loin de cette chambre, loin de ce château terrible.

Ensuite, un moment plus tard, Aëlis avait dit autre chose, d'une voix différente. « Oh ! Rian ! Cousine, au nom de la déesse, je pense que je vais accoucher d'un autre enfant. »

C'était la vérité. Un tout petit bébé, même si Ariane avait eu l'impression qu'il était plus gros que le premier. C'était une fille cette fois, avec les cheveux noirs et les longs membres de sa mère, et une voix forte lorsqu'elle avait poussé son premier cri au milieu des tempêtes du monde où elle faisait son entrée.

C'était Ariane qui l'avait retirée du ventre d'Aëlis. Ariane qui avait coupé le cordon ombilical avec ses dents et qui avait emmailloté le nourrisson dans des langes tenues au chaud près du feu. Ariane qui, les mains tremblantes, l'avait donné à sa mère. Il n'y avait personne d'autre dans la pièce. Personne d'autre n'avait entendu le deuxième cri.

Et Aëlis de Miraval de Barbentain avait contemplé sa fille aux cheveux sombres dans ses bras, sachant que sa propre vie s'enfuyait, et elle avait dit à sa cousine, âgée de treize ans cette année-là : « Tu vas maintenant être liée par un serment fait sur mon lit de mort. Tu dois me jurer ce que je vais te demander. »

Ariane avait regardé la mère et la fille, et elle avait obéi : elle avait juré de sortir de la pièce, d'emprunter l'escalier arrière et de porter le bébé emmailloté dans ses langes, caché sous sa cape, hors du château dans la nuit déchaînée.

Et elle avait juré cette même nuit de ne jamais révéler à âme qui vive, même à Bertran, l'existence de ce deuxième enfant tant qu'Urté serait vivant. « Quand Urté sera mort, avait dit sa cousine, si vous êtes toutes deux en vie, ce sera à toi de décider. Juge ce qu'elle est devenue, si tu sais où elle se trouve. Je ne peux prédire l'avenir, Ariane. Juge ce qui sera nécessaire à ce moment-là. Cette enfant, ma fille, sera peut-être l'héritière de Miraval ou de Talair, peut-être même de l'Arbonne. J'ai besoin que tu deviennes le genre de femme capable de porter un jour ce jugement. Maintenant, embrasse-moi, cousine, pardonne-moi si tu le peux et va-t'en. »

Ariane s'était penchée et avait embrassé la moribonde sur la bouche avant de s'enfuir, seule dans l'escalier arrière en colimaçon, enveloppée dans une cape noire, un bébé contre son cœur. Elle n'avait croisé personne ni dans l'escalier, ni dans le corridor, ni en sortant du château sous la pluie par la grille de la poterne. Les valets avaient déserté les écuries à cause de la tourmente, et Ariane avait donc sorti toute seule sa jument de la stalle, l'avait enfourchée maladroitement en grimpant sur un tas de foin et, sans selle, elle était sortie de la cour uniquement vêtue de sa cape et de son capuchon pour les protéger, elle et le bébé, du froid et de la pluie.

Jamais de toute sa vie elle n'avait oublié cette chevauchée. Elle revenait dans ses rêves ou dès qu'éclatait soudain le tonnerre, qu'apparaissait un éclair dans une tempête. Ariane se retrouvait alors dans les vignes de Miraval, galopant vers l'est en direction du lac, les formes tordues des arbrisseaux se dessinant autour d'elle lorsqu'un éclair sillonnait le ciel et la terre. Au début, l'enfant ne cessait de pleurer, puis elle était devenue silencieuse ; Ariane avait été épouvantée à l'idée qu'elle était peut-être morte et elle avait eu peur d'entrouvrir sa cape pour vérifier. Elle aussi avait pleuré pendant tout le trajet.

Elle ne comprit jamais comment elle avait réussi à trouver la hutte près du lac où l'on conservait des bûches et du bois d'allumage pour adresser des signaux à l'île. Elle se rappelait être descendue de cheval, avoir attaché sa monture et être rapidement entrée à l'intérieur, être restée à la porte, trempée jusqu'aux os, incapable d'arrêter de pleurer. Un éclair avait alors éclairé tout un pan du ciel et, l'espace d'un instant, elle avait vu se profiler dans cette lumière aveuglante l'Arc des Anciens, gigantesque et noir dans la nuit, et elle avait hurlé de terreur. Puis, comme en réponse à son cri, elle avait senti, oh ! presque imperceptiblement, remuer le bébé contre son cœur, et elle l'avait entendu se remettre à vagir, affirmation précaire et résolue de sa présence au milieu des terreurs du monde.

Ariane avait serré l'enfant contre elle, l'avait bercée, avait fredonné une berceuse sans paroles, contemplant les éclairs qui ne cessaient de zébrer le ciel ; ils avaient pourtant fini par s'éloigner tandis que les grondements du tonnerre s'estompaient graduellement vers le sud et que, après un temps qui lui avait paru interminable, la lune bleue nommée en l'honneur de Rian s'était brièvement montrée, puis était apparue de nouveau au milieu des nuages poussés par le vent, et la pluie avait cessé.

Elle avait alors déposé le bébé, l'enveloppant de son mieux sur le sol miraculeusement sec de la cabane, elle avait pris du bois, des branchages et une pierre afin d'allumer un feu sur la butte dehors pour demander aux prêtresses de venir, et elles avaient répondu à son appel.

Elle avait vu une voile blanche sur la grève la plus proche de l'île et observé un petit bateau glisser dans sa direction sur les eaux du lac redevenues calmes, ineffablement beau et étrange dans le clair de lune bleuté, gracieux et délicat dans un monde où ces choses lui semblaient à jamais disparues.

Sa robe était trempée, sale et déchirée. Dans la nuit, on ne pouvait reconnaître en ce vêtement la marque de la richesse ou des privilèges. Elle avait gardé sa tête camouflée sous le capuchon. Une fois le bateau à proximité de la grève, elle avait retiré, affligée, les riches étoffes du château qui emmaillotaient le bébé et avait apporté ce dernier aux prêtresses dans une guenille trouvée dans la cabane.

Elle avait ensuite remis l'enfant d'Aëlis à la prêtresse qui se tenait, grande et grave, à côté de la proue sur la berge. Imitant l'accent d'une fermière, elle leur avait dit, d'une voix tremblante et frémissante, qu'il s'agissait de sa propre enfant et que son père refusait qu'elle la gardât, et avait supplié les bonnes servantes de la douce Rian de recueillir et de garder son bébé jusqu'à la fin de sa vie. Ariane se rappelait qu'elle avait encore pleuré en disant ces paroles.

Sa demande n'avait rien de particulièrement insolite. C'était ainsi, entre autres, qu'à l'île de Rian et à l'île de la déesse dans la mer on trouvait les serviteurs, les prêtres et les prêtresses nécessaires au fil des saisons et des ans. Les deux femmes ne lui avaient posé aucune question sauf pour s'informer de sa propre santé. Ariane se rappelait avoir tendu les mains pour prendre une dernière fois l'enfant dans ses bras maigres et fatigués, et l'avoir embrassée sur la bouche pour lui dire adieu, comme elle l'avait fait pour la mère. Elle avait assuré aux prêtresses que tout irait bien.

Elle s'était dit la même chose en regardant s'éloigner le bateau sur les eaux immobiles du lac sous une lune, les hauts et minces nuages balayés par le vent, et le scintillement des étoiles au-dessus du bateau qui emmenait la fille d'Aëlis et de Bertran.

Aëlis ne lui avait suggéré aucun nom. Sur la grève rocailleuse, Ariane avait levé les yeux sur le croissant bleu de la lune et avait dit aux prêtresses de nommer l'enfant, si elles l'en trouvaient digne, en l'honneur de cette lune et, par le fait même, de la déesse.

« Elle a vécu », déclara Ariane de Carenzu vingt-trois ans plus tard, montée sur un autre cheval devant la maisonnette où cette enfant et son frère mort avaient été conçus. Les larmes avaient séché sur ses joues pendant qu'elle racontait l'histoire. « J'ai gardé un œil sur elle pendant toutes ces années, chaque fois que c'était possible, du mieux que je le pouvais. Elle est demeurée sur l'île, évidemment ; c'est ce qu'ils font habituellement. Elle est belle, intelligente et brave, Bertran. Elle ressemble beaucoup à sa mère, je crois. Elle s'appelle Rinette. Elle devait devenir bientôt grande prêtresse de l'île de Rian.

— Devait ? » Bertran avait parlé à voix si basse que cet unique mot était presque inaudible. Il tenait ses mains serrées l'une contre l'autre devant lui, comme il l'avait fait pendant toute la durée de l'histoire. Blaise vit qu'elles tremblaient.

« Je lui ai parlé avant de venir vous voir. J'ai pensé que c'était nécessaire. Je lui ai appris qui elle est et comment elle est arrivée à l'île de Rian. Je lui ai également expliqué d'autres choses. J'ai dit... que, à cause de ce qu'elle est, elle serait peut-être plus utile loin de l'île, dans le monde des hommes et des femmes, mais que c'était à elle de faire le choix et... que je m'assurerais qu'il serait respecté.

— Et alors ? » Blaise trouva que Bertran avait soudainement vieilli. Il résista à l'envie de passer un bras autour de ses épaules.

« Elle a répondu que, si je lui avais dit la vérité, elle avait de toute évidence un rôle plus important à jouer pour l'Arbonne au milieu des châteaux qu'au milieu des sanctuaires. Ce furent ses propres paroles. Elle est très forte, Bertran... Elle est... vraiment extraordinaire. » Sa voix se brisa un peu en prononçant ces derniers mots.

« Je l'ai donc déjà vue », dit le duc, et sa voix évoquait un calice rempli d'étonnement émerveillé. « J'ai dû la voir plusieurs fois et je n'ai jamais remarqué la ressemblance.

— Comment l'auriez-vous remarquée ? Vous ne cherchiez rien de particulier.

— Cela a sûrement été très dur pour elle d'apprendre ces choses tout à coup. Cela a dû être terrible, reprit Bertran en secouant la tête.

— Cela le deviendra peut-être. Je ne crois pas que ce le soit maintenant. J'ai l'impression qu'elle ne comprend qu'à moitié la signification de tout ceci. Elle sait... elle sait, parce que je le lui ai dit, qu'on s'attendra peut-être à ce qu'elle se marie sous peu », ajouta Ariane après avoir hésité et, inexplicablement, s'être tournée vers Blaise.

Il comprit alors pourquoi elle avait voulu qu'il restât.

Il leva les yeux dans la lumière qui déclinait et croisa le regard sombre d'Ariane. Plusieurs choses lui revinrent soudainement à l'esprit, en particulier une conversation tenue un soir d'été à Tavernel.

Pour finir, ce fut Bertran qui les regarda tous les deux, puis se leva du seuil de cette cabane à l'orée de la forêt. « Je crois que je vais à présent rentrer, dit-il.

— Dois-je vous accompagner ? » demanda Blaise.

Bertran fit signe que non. Il esquissa un pauvre sourire, fantôme de son expression la plus habituelle. « Je connais le chemin, dit-il. Cela au moins n'a pas changé. »

Tout le reste semblait néanmoins avoir changé tandis que Blaise, immobile, regardait le duc s'éloigner. Ariane se retourna sur sa selle pour l'observer elle aussi. Ce ne fut que lorsque Bertran eut disparu au loin, silhouette rébarbative dans son habit de guerrier déchiré et taché de sang, qu'elle se tourna vers Blaise. Elle ne fit aucun geste pour descendre de cheval.

« Une femme a partagé mon lit la nuit de la mi-saison à Tavernel, commença-t-il brutalement. Elle m'a déclaré qu'elle consacrerait sa vie à changer les règles du jeu des mariages entre les hommes et les femmes de notre époque. » Il ne savait pas exactement pourquoi, mais il voulait presque la blesser par ces paroles.

Il vit qu'elle les comprenait ainsi et, alors qu'il prenait conscience de cela, toute sa colère et sa rancune disparurent comme si le vent les avait balayées. « Je ne peux rien influencer ici, répondit très calmement Ariane, et je n'ai pas envie d'essayer. Même à présent, je suis capable de voir une chose qui peut se produire. Vous le pouvez aussi, Blaise. Vous devez savoir à quel point c'est difficile pour moi. Vous le devez sûrement. Même après tout ce qui s'est passé. »

Il le savait, en effet. Il semblait plus perspicace qu'un an auparavant. Il savait quelle vérité du cœur elle lui tendait comme une offrande et il se sentit — ce n'était pas la première fois — humble devant son honnêteté. Voilà la femme, songea-t-il soudain, qui l'avait libéré de Lucianna et de l'amertume qui était la sienne depuis son séjour en Portezza.

« Ariane, déclara-t-il brusquement, vous êtes la raison pour laquelle on ne doit jamais permettre à l'Arbonne de mourir.

— Il y a une multitude de raisons », répondit-elle, mais une étincelle scintilla dans le noir de ses yeux.

« Vous en êtes le symbole et le cœur. Vous êtes la reine de la Cour d'amour.

— Je croyais que vous trouviez cela frivole.

— Il y a un grand nombre de choses que je considérais comme futiles et qui se sont révélées plus vraies que tout ce que je connaissais avant. » Il se tut, puis, parce qu'il avait absolument besoin de le dire, il ajouta d'une voix ferme : « C'est grâce à votre mari que nous avons gagné cette bataille, Ariane, quoi que nous puissions dire d'Urté, de Bertran et de Fulk de Savaric. Et c'est également Thierry qui a empêché le massacre des hommes qui se rendaient.

— Je crois le savoir, répondit-elle gravement.

— Je ne puis vous exprimer à quel point je le respecte.

— Je vous ai dit la même chose à Tavernel, murmura-t-elle. Qu'essayez-vous de me dire, Blaise ? »

Il s'obligea à soutenir son regard. Les yeux d'Ariane étaient si noirs et assez profonds pour qu'un homme s'y égare. « Que je suis encore suffisamment un homme du Gorhaut, et je crois que je le serai toute ma vie, pour éprouver tout l'embarras du monde à avouer mon amour à la femme d'un tel homme. »

Il la vit baisser la tête un moment. « Je sais cela aussi, dit-elle en levant de nouveau les yeux vers lui. Je sais également, et j'en souffre infiniment, que nous sommes ce que nous sommes, et ce qu'est l'époque dans laquelle nous sommes nés ; ce que je vous ai dit la nuit de la mi-saison à propos du libre choix est, en vérité, l'unique illusion que nous nous sommes jamais offerte l'un à l'autre. Vous êtes à la veille de devenir le roi du Gorhaut, Blaise, dans un monde complètement tourné à l'envers. L'héritière d'Arbonne attendra à Talair, même maintenant.

— Et vous êtes d'avis que je dois l'épouser ? Pour commencer à remettre le monde à l'endroit ? »

Ariane fit pour la première fois preuve de son ancienne autorité. « Je vous ai dit que je n'ai aucune influence sur quoi que ce soit ici. D'ailleurs, il est trop tôt. Puisque vous me posez la question, je crois que l'homme qui partagera la vie de cette femme sera béni plus qu'il puisse le mériter pendant le reste de ses jours. Même vous, Blaise. »

Il avait évidemment vu Rinette deux fois auparavant. Il avait échangé avec elle des paroles dures et hautaines près du lac au printemps après qu'il eut abattu six corans de Miraval. « Nous vous attendions », avait-elle dit, sûre d'elle malgré son jeune âge, et ces mots lui avaient fait peur. Peut-être, pensait-il à présent, avaient-ils une autre signification que ce que l'un et l'autre avaient compris ou deviné ce jour de printemps. Peut-être la déesse travaillait-elle d'une manière incompréhensible pour les mortels. Il pensa soudain à la flèche rouge qui avait tué Adémar. Il n'avait toujours aucune idée — et il ne voulait pas s'attarder sur cette pensée — de la façon dont la flèche avait pu tomber directement du ciel limpide.

« Je continuerai à vous voir ? Vous ne sortirez pas de ma vie ? » demanda-t-il en levant les yeux vers Ariane.

Elle sourit. « Le roi du Gorhaut sera toujours le bienvenu », répondit-elle d'un ton officiel.

Elle les ramenait tous les deux sur un terrain solide. Elle avait toujours offert des cadeaux généreux, et celui-ci n'était pas le moindre. Il essaya d'adopter le même ton. « De même que le seigneur et la dame de Carenzu le seront partout où je me trouverai. »

Il y eut un bref silence. Elle se mordit la lèvre. « D'autres paroles ont fait partie de cette nuit de la mi-saison. Une chanson chantée dans la taverne où nous nous sommes rencontrés. Je me demande si vous vous rappelez la fin. »

Blaise fit signe que non. Il se rappelait que Lisseut de Vézet avait chanté cette chanson. Ariane sourit alors, avec tendresse ou tristesse, et un retour de cette sagesse, cette connaissance du monde qu'elle semblait toujours avoir. « Laissez-moi repartir toute seule, Blaise, si vous le voulez bien. Je pense que j'aurai de la difficulté à être moi-même dans les moments qui vont suivre. »

Il hocha la tête. Qu'aurait-il pu faire d'autre ? La prendre dans ses bras dans la lumière qui baissait ? Pas dans ce monde-ci, se dit-il. Elle porta un doigt à ses lèvres, souriant toujours, et se détourna. Il n'avait jamais connu de femme plus belle. Il savait qu'elle aurait pu lui offrir un tel réconfort. Réconfort, passion et sagesse. Elle les lui aurait offerts et aurait pris ce qu'il lui aurait donné en échange, s'il le lui avait demandé. Le cœur gros, il la regarda s'éloigner lentement au soleil couchant dans l'herbe haute. Il se la figurait à treize ans, un nouveau-né dans les bras.

Ce nourrisson était devenu la femme que, semblait-il, le monde et sa propre compréhension de celui-ci l'amèneraient peut-être à épouser. Rien n'allait, rien ne pouvait se faire rapidement, et peut-être même cela ne se produirait-il jamais ; l'univers dans lequel il pénétrait à présent comportait tellement de niveaux de complexité. Elle attendait à Talair, avait dit Ariane. Il laissa son esprit errer vers cette rencontre. Uniquement sa pensée, cependant : Blaise demeura longtemps là où il se trouvait, assis tranquillement sur le seuil de la porte tandis que le soleil glissait vers l'ouest et que les couleurs du couchant se répandaient petit à petit sur les champs, les vignes nues et les arbres, puis tombaient en douceur, comme une bénédiction tardive, sur la cabane à l'orée de la forêt.

Avant de s'en aller, Blaise regarda une fois par la porte ouverte et vit comment cette lumière muette et rouge entrait obliquement par la fenêtre à l'ouest pour tomber sur le petit lit propre placé contre le mur. Il resta un moment immobile, puis ferma doucement la porte afin que le vent et la pluie ne puissent entrer après toutes ces années.

❖

C'était le crépuscule et les premières étoiles scintillaient faiblement à l'est pendant qu'il retournait vers Talair. Et parce qu'il faisait presque noir et qu'il ne pensait pas vraiment à son chemin — son esprit loin derrière et devant lui —, il passa sans la voir à côté de la femme qui se tenait calmement près de son cheval sous les ormes à l'autre extrémité de l'arc.

Lisseut avait eu l'intention de l'appeler, mais, au moment où il apparut et poursuivit son chemin, elle s'aperçut que sa voix refusait de lui obéir. Elle fut incapable de prononcer son nom. Elle avait vu le duc passer un peu plus tôt, puis Ariane de Carenzu, et elle était restée camouflée sous les arbres, retenant ses pensées tandis que le soleil déclinait et que les ombres devenaient de plus en plus profondes sous l'arc qui se profilait devant elle.

Ses pensées. Elle n'y trouvait aucun réconfort. L'homme qu'elle avait suivi, comme elle l'avait déjà fait une fois auparavant, était le roi du Gorhaut ou allait le devenir dans quelques jours. Il portait déjà la cape aux couleurs de la royauté. Elle l'avait vu quand elle était sur l'île.

Au moment où Blaise apparut, elle pensait à sa mère, à son père, à sa maison, au soleil levant que l'on voyait depuis la fenêtre de sa chambrette, à la lumière du matin filtrée à travers les feuilles d'olivier d'un vert grisâtre, l'air embaumant l'odeur de la mer au-dessous.

Elle avait toujours été impétueuse, s'était toujours retrouvée en train de pousser plus fort quand, dans son for intérieur, elle pensait qu'il aurait peut-être été préférable de ne pas pousser du tout. Sa mère n'avait cessé de lui répéter que c'était là un trait de caractère susceptible de lui faire un jour commettre une grave erreur.

C'était peut-être à cause du souvenir des paroles de sa mère que, le cœur brisé par la clarté de cette image de chez elle, Lisseut resta silencieuse lorsque le cavalier s'éloigna d'elle, de l'arc et des ormes, retournant au monde qui l'attendait. Blaise disparut dans la pénombre où s'achevait l'allée d'ormes et où le chemin bifurquait vers l'est et la rive du lac.

Elle demeura où elle était ; elle s'accrocha encore quelques instants à cette image de chez elle, puis cette image sembla disparaître elle aussi. Après quelque temps dans l'ombre grandissante, Lisseut s'aperçut que ses pensées s'étaient de nouveau tournées vers un autre lieu, puis elle eut l'impression qu'elle avait retrouvé la voix et que — cela n'avait peut-être rien d'étonnant — il y avait des paroles qu'elle avait envie d'offrir au crépuscule et au chemin déserté par où elle l'avait vu s'en aller :

Sur la table, les vins les plus capiteux,
Des viandes délicates, des fruits mûrs et suaves,
Lorsque nous dînons à la lueur des bougies
À Fionvarre.

Sur nous deux, les hautes étoiles scintilleront
Et la lune sacrée nous offrira sa lumière.
Si ce n'est pas ici, tu m'appartiendras
À Fionvarre.

Elle soupira. Il était inutile de s'attarder ici, se dit-elle. Il était temps de rentrer. Elle éprouvait encore toutefois cette curieuse répugnance à bouger. La nuit était à présent fraîche, mais les ormes bloquaient le vent et, dans le noir, on ne pouvait distinguer les formes troublantes des prisonniers et des esclaves sculptées sur l'arc. L'atmosphère était en fait étonnamment paisible là où elle se trouvait, tenant les rênes de son cheval.

Elle resta là un long moment, apaisée. Il était en vérité très tard lorsqu'elle entendit un cavalier solitaire galoper à l'orée du bois derrière elle, en direction du sud. Elle commença à avoir peur, seule dans les ténèbres. Elle enfourcha son cheval et se dirigea vers un endroit où elle pourrait trouver de la lumière, un abri, des amis et le réconfort que cela pourrait lui offrir.

En chemin, alors qu'elle approchait de la rive du lac et chevauchait le long de l'eau vers le lointain château, portant la perte et l'amour, pensant à son foyer, essayant de comprendre le genre d'avenir qui s'ouvrait devant eux tous, Lisseut se mit à penser à une chanson. Pas à une vieille berceuse dont les origines étaient depuis longtemps perdues, pas à une mélodie d'Anselme de Cauvas, le premier de tous les troubadours, du comte Folquet ou d'Alain ou de messire Bertran, pas même de Rémy ou d'Aurélien à présent disparus.

Cette musique, ces paroles n'appartenaient à aucun d'entre eux. Pour la première fois de sa vie, tandis qu'elle longeait la berge du lac Dierne en cette nuit d'hiver étoilée, chevauchant vers les lumières du château, il s'agissait d'une de ses propres compositions.

❦

Il faisait froid ici dehors, mais Rinette avait eu l'impression d'étouffer dans les pièces chaudes du château de Talair où des feux étaient allumés. Elle avait demandé où se trouvait le jardin et quelqu'un l'y avait escortée. Ensuite, pénétrant dans cet espace entouré de murs, elle avait demandé qu'on la laissât seule et on lui avait obéi. Tout le monde se montrait extraordinairement obligeant, davantage même qu'une prêtresse importante de Rian ne pouvait s'y attendre.

Mais elle était plus que cela, et moins. Elle avait laissé son hibou derrière elle. Cela avait représenté, en fait, la première des choses très difficiles qu'elle devait faire.

« Voici mon château », songea Rinette, marchant dans le crépuscule au milieu des arbres dénudés, des conifères, des buissons, des arbustes et des fleurs qui seraient splendides au printemps. Un de ses châteaux. Barbentain en était un autre et même Miraval avait des chances de faire partie de son héritage.

Il faisait froid, mais le froid ne la dérangeait pas. Elle pouvait supporter l'hiver. Elle portait encore l'une des tuniques de Rian sous sa cape grise. Elle n'avait guère eu le temps de changer d'habits, et ne saisissait pas tout à fait quelle était sa place dans le monde. Lorsqu'elle s'était levée ce matin-là, elle était prêtresse de Rian sur l'île sacrée, devant succéder à la grande prêtresse, tout en se demandant avec la peur que chacun éprouvait alors s'ils seraient encore en vie à la fin de l'hiver. Ou s'ils étaient destinés à périr sur le bûcher au nom du Gorhaut et du dieu que son armée prétendait servir.

Puis la bataille avait éclaté, chevaux et hommes hurlant, sang et chaos dans la vallée et, finalement, inattendue au milieu d'une terreur impuissante, une victoire si totale que l'esprit et le cœur pouvaient à peine l'assimiler. Elle était allée au sanctuaire afin d'aider la grande prêtresse à célébrer l'ancienne et sainte cérémonie d'action de grâce.

En sortant du sanctuaire, elle avait aperçu la dame Ariane de Carenzu qui l'attendait pour lui raconter une histoire qui avait transformé sa vie.

C'était difficile, très difficile quoi qu'elle s'efforçât de composer avec ceci comme elle l'avait toujours fait avec tout — le plus calmement, le plus lucidement possible. La dame de Carenzu avait terminé en lui disant ce qui était une évidence pour une personne raisonnable à partir du moment où l'histoire avait commencé à se clarifier ; elle lui avait dit que sa place était désormais presque certainement loin de cette île. Qu'après ces événements, la cécité et la vision intérieure n'étaient pas ce dont l'Arbonne avait besoin de sa part. Tout avait changé.

Ariane avait cependant ajouté quelque chose d'inattendu : elle avait déclaré qu'elle la défendrait de tout son pouvoir et qu'elle respecterait le choix que Rinette ferait, quel qu'il fût. Rinette se rappelait qu'Ariane était au bord des larmes en prononçant ces paroles. C'était là une offre profondément généreuse, mais elle ne comptait en vérité pas beaucoup, pas vraiment. Rinette n'aurait pas été ce qu'elle était si elle n'avait pas pu le comprendre.

Elle était l'héritière de l'Arbonne. La seule.

En offrant sa main, elle sauvegarderait l'avenir de son pays, du culte de la sainte Rian pendant un certain temps. Longtemps peut-être. Le comprenant, on ne pouvait tourner le dos et préférer la sécurité de la petite île, l'unique foyer qu'elle eût jamais connu. Les chemins qu'auraient pu lui offrir la cécité sacrée et la vision intérieure ne lui appartenaient plus.

Tout compte fait, elle n'allait pas suivre la grande prêtresse. Ni celle qui était ici, ni Béatrice sur l'île dans la mer. Pour la première fois, Rinette songea que la grande prêtresse de l'île de Rian, la plus sainte servante de la déesse, était la sœur aînée de sa mère.

Elle secoua la tête. Ce serait très difficile. Elle pouvait à présent les voir qui allumaient des torches dans le jardin. Ils respectaient son intimité, restant à distance de l'endroit où elle se promenait. À l'ouest, la lumière était devenue très belle, rouge et violette avec d'autres teintes plus douces du crépuscule là où le soleil avait presque disparu. Le jardin était splendide. Malgré l'hiver, Talair était situé suffisamment au sud pour qu'il subsistât des touches de couleurs un peu partout, et le vent soufflait plus doucement dans ce jardin, les murs et les arbres fournissant un abri. Elle entendit un bruit d'eau qui éclaboussait et, empruntant un sentier bordé de galets, elle arriva devant une fontaine. Les serviteurs l'y avaient devancée ; des flambeaux allumés dans des supports étaient fichés dans la terre. Elle resta près d'une torche, tendant les mains pour les réchauffer.

Elle était l'héritière de l'Arbonne et celle de ce château de Talair car messire Bertran ne s'était jamais marié et n'avait jamais nommé personne pour lui succéder. Messire Bertran. Le duc de Talair était son père.

Elle l'avait déjà vu, bien sûr : élevée sur cette île si près du château, elle l'avait aperçu à de nombreuses reprises de l'autre côté du lac. Elle se rappelait comment elle et les autres acolytes avaient passé d'innombrables soirées, alors qu'ils étaient censés dormir, à répéter inlassablement toutes les légendes et les rumeurs le concernant, communiquées par les troubadours et les ménestrels qui venaient à l'île de Rian. Elle connaissait tout à propos de Bertran de Talair, du duc Urté et de la belle dame qui était morte, Aëlis de Miraval. Elle connaissait même — comme tout le monde — l'ancienne chanson composée par Bertran pour sa bien-aimée sur les rives de ce même lac au printemps.

Ce qu'elle n'avait jamais su, c'était que la chanson avait été écrite par son père pour sa mère, qu'elle-même faisait partie de la légende. Elle semblait être, en réalité, la conclusion de l'histoire.

Et il y avait l'autre homme, celui qui deviendrait bientôt le roi du Gorhaut. Il s'était battu pour l'Arbonne aujourd'hui contre son propre peuple. Elle l'avait vu lui aussi, à deux reprises. Une fois au printemps dernier et de nouveau ce matin quand ils avaient traversé le lac pour ramener la comtesse après les palabres. Cet homme était grand, barbu comme les nordiques le sont toujours, et il avait un air sévère, mais on avait reçu un message de l'île de Rian au printemps dernier disant qu'il fallait le surveiller, qu'il venait vers eux et pourrait se révéler important pour l'Arbonne. Et cet après-midi même, Ariane de Carenzu qui, pensait Rinette, devait connaître ce genre de chose, lui avait affirmé qu'il était bon, plus doux qu'il ne le paraissait, et plus sage, et qu'il aurait besoin d'aide pour porter ses fardeaux dans les jours et les années à venir.

Elle se demanda s'il viendrait la voir ici. Si cela commencerait tout de suite. Elle se demanda si son père viendrait. Elle se laissa tomber sur l'un des bancs de pierre près de la fontaine, indifférente au froid. Le froid était facile à supporter. Ce qui s'était abattu sur elle aujourd'hui ne l'était pas, malgré tout le sang-froid dont elle était parvenue à faire preuve en présence d'Ariane. Elle avait vécu une journée accablante. Elle aurait voulu se cacher, dormir, ne pas rêver. Elle voulait... elle ne savait pas vraiment ce qu'elle voulait.

Rinette eut soudain l'impression — et elle ne pouvait se souvenir d'avoir éprouvé une telle sensation depuis sa tendre enfance — qu'elle pourrait même pleurer. Ce n'était pas la faute d'Ariane, ce n'était la faute de personne. Elle était assise dans le jardin entouré de murs du château de son père et elle ne connaissait de lui que des anecdotes inlassablement répétées à propos d'un duc qui écrivait la plus belle musique de son époque, qui avait fait la guerre dans tant de pays et qui avait passé plus de vingt ans à poursuivre fougueusement des femmes partout dans le monde. Chacun savait qu'il ne faisait qu'essayer sans répit d'affronter la mort de la seule dame qu'il eût jamais aimée. Sa mère.

« J'ai peur », se dit tout à coup Rinette et le fait de l'admettre sembla curieusement l'aider à retrouver son sang-froid. « Je ne vais pas être brûlée vive, se réprimanda-t-elle. Personne d'entre nous ne va être brûlé maintenant. Grâce à Rian qui nous a, une fois de plus, accordé davantage que nous ne le méritions, nous avons vaincu. » Les changements qui survenaient dans sa vie n'étaient rien de plus que des changements dans une vie. Les mortels ne devaient pas — ne pouvaient pas — savoir ce que l'avenir leur réservait, sauf quand la déesse envoyait à ceux qui avaient renoncé à leurs yeux pour elle des visions évanescentes et capricieuses.

Rinette ne suivrait pas ce chemin. Le sien commençait ici dans ce jardin.

Il était certainement normal d'avoir un peu peur, non ? On pouvait sans doute permettre cela à une femme assise toute seule au crépuscule dans un jardin d'hiver en train d'affronter la perte de tout ce qu'elle avait toujours attendu de la vie.

C'est alors qu'elle entendit des pas dans l'allée derrière elle, là d'où elle était venue. Elle leva les yeux un moment vers les torches, puis, légèrement éblouie, elle regarda plus loin jusqu'à ce qu'elle pût distinguer les étoiles. Elle prit une profonde inspiration et rejeta ses cheveux noirs en arrière. Ensuite elle se leva, droite, la tête haute, et se tourna pour faire face à son avenir. Une silhouette solitaire se tenait au bout du sentier qui menait à la fontaine.

Ce n'était pas le nordique qui était venu, et pas son père non plus, pas encore.

Elle reconnut évidemment l'arrivante et tomba à genoux sur la terre froide.

« Oh ! ma chérie, s'écria Cygne de Barbentain, je suis si heureuse de te voir, et si triste en même temps. Nous avons perdu tant d'années, toi et moi. J'ai tant de choses à te dire. À propos de ton père et de ta mère, et à propos du grand-père que tu n'as jamais connu et qui t'aurait aimée de tout son cœur. »

La comtesse s'approcha alors, d'une démarche presque hésitante dans la lumière des torches et Rinette vit qu'elle pleurait, des larmes ruisselant sur son visage dans le froid. Elle se releva vivement, instinctivement, submergée par une émotion étrange, le cœur et la gorge serrés. Elle s'entendit émettre un son ressemblant beaucoup à un sanglot d'enfant et se précipita, courant presque, dans le refuge des bras de sa grand-mère.

❖

Il faisait à présent tout à fait noir dans la vallée où la bataille avait eu lieu. Il avait attendu patiemment, presque joyeusement, ce moment. Les lunes se lèveraient bientôt et toutes deux seraient très brillantes cette nuit, mêlant et répandant leur riche lumière. Il était temps de partir. Il n'y avait pas de feu près de l'endroit où il se trouvait, pas de soldats de l'une ou de l'autre armée dormant ou montant la garde dans le froid.

Il descendit de branche en branche, le pied sûr dans l'obscurité. Personne ne l'entendit. Une fois sur le sol, il se glissa vers l'ouest, passant à l'orée de la forêt et retournant vers le lieu où il avait laissé son cheval deux jours auparavant, au nord de l'Arc des Anciens.

L'étalon était affamé, bien sûr. Il était désolé, mais il n'avait rien pu faire pour y remédier. Ayant laissé un sac de nourriture à proximité, il put à présent nourrir son cheval, tapotant et frottant son long cou, lui parlant avec tendresse. Il se sentait profondément en paix comme on se sent avec la nuit quand on est entouré par le murmure des arbres. Il s'agenouilla spontanément et pria.

Il éprouvait une telle gratitude qu'il avait l'impression que son cœur allait déborder. Il avait accompli la mission à laquelle il s'était préparé — quoique dans l'ignorance, se contentant de suivre les instructions — depuis les premiers jours de l'automne.

L'heure était venue de partir, avant que ne se lèvent les lunes brillantes. Il sella son cheval, l'enfourcha et se mit en route.

« Je veux que tu apprennes une nouvelle façon de tirer », lui avait dit la grande prêtresse sur l'île dans la mer. Et elle l'avait envoyé à un endroit où personne n'allait jamais pour apprendre à faire ce qu'elle voulait qu'il fît. Il avait toujours été capable de manier un arc, mais ce qu'elle exigeait de lui était bizarre, inexplicable. Il n'avait toutefois pas besoin d'explications ; le fait d'avoir été choisi était pour lui un honneur indescriptible. Il avait passé tout l'automne à s'entraîner, apprenant à atteindre les cibles avec la haute trajectoire en arc que Béatrice avait demandée. Encore et encore, jour après jour, semaine après semaine, il s'était rendu seul à l'extrémité est de l'île pour s'entraîner.

Il avait appris. Il lui avait déclaré un jour qu'il croyait avoir maîtrisé cette étrange et nouvelle façon de tirer du mieux qu'il le pourrait jamais. Elle l'avait aussitôt envoyé recommencer le même tir en arc en visant le même sommet dans le ciel, mais il devait à présent le faire perché sur les branches d'un arbre. Il avait fait cela aussi, jour après jour, semaine après semaine, pendant que l'hiver arrivait dans l'île de Rian et que les premières volées d'oiseaux venant du nord remplissaient les cieux.

Puis, un jour, la grande prêtresse l'avait convoqué de nouveau et, seule avec lui dans ses appartements, alors que le hibou blanc observait sa réaction, elle lui avait appris ce qu'elle attendait de lui, ce pour quoi il s'était entraîné.

« La déesse, lui avait-elle dit, intervient parfois en notre faveur, mais elle veut toujours voir que nous avons nous-mêmes fait des efforts. » Il comprenait, cela avait du sens. Dans la nature, un chevreuil peut venir vers vous, mais seulement si vous vous trouvez dans la forêt, dans le sens du vent et silencieux, et non pas si vous restez chez vous assis sur un banc près du feu. Elle lui avait dit alors — et ses paroles l'avaient fait trembler de crainte — où il devait se rendre et elle lui avait même décrit l'arbre dans lequel il devrait grimper avant que les armées n'arrivent dans la vallée du lac Dierne.

Il devrait attendre dans cet arbre, lui avait dit la grande prêtresse, les mains jointes sur ses genoux, un moment qui viendrait si Rian leur accordait cette grâce — un moment où il pourrait tuer le roi du Gorhaut. Elle avait ajouté qu'aucun homme, aucune femme, même parmi les prêtres ou les prêtresses, n'était au courant de sa mission. Personne ne devrait jamais l'apprendre. Il s'était alors agenouillé devant elle et avait fait le serment le plus sacré qu'il connaissait. Il avait senti les doigts robustes de la grande prêtresse se poser sur sa tête pendant qu'elle le bénissait.

Elle lui avait ensuite remis ses flèches teintes en rouge, empennées avec des plumes de hibou écarlates, et il les avait cachées dans un carquois couvert avant de s'en aller en barque vers le continent. Il avait acheté un bon cheval avec l'argent qu'elle lui avait donné et était parti, voyageant à vive allure jour et nuit, jusqu'à ce qu'il atteignît la vallée qu'elle lui avait indiquée. Arrivé au crépuscule avant l'une et l'autre des deux armées, il avait vu l'arbre qu'elle lui avait décrit de façon si précise, y était grimpé dans la pénombre et s'était installé pour attendre.

Les soldats étaient arrivés le lendemain, et la bataille avait commencé l'après-midi même. Tard dans la journée, lorsque messire Urté de Miraval était descendu avec ses corans depuis l'arête à l'ouest, le roi du Gorhaut avait affronté le duc Urté ; il avait fait sauter son heaume cabossé et l'avait lancé après avoir reçu un coup pendant ce combat.

Cela s'était passé exactement comme elle l'avait prévu. Il avait prié avec ferveur, prononçant les paroles à voix haute quoique doucement, puis il avait levé son arc et, assis dans les branches de cet arbre, il avait tiré une flèche presque droit dans le ciel clair le long du haut chemin de Rian.

Il n'avait pas été très surpris mais plutôt rempli d'une humilité et d'une gratitude indicibles en voyant cette flèche toucher le roi du Gorhaut à l'œil et mettre fin à ses jours.

Après, caché dans les branches de son arbre, il avait attendu que la nuit tombât, puis il s'était faufilé au loin sans être vu.

Tandis qu'il chevauchait, il laissa le lac derrière lui. Peu de temps après, Vidonne la blanche se leva dans le ciel à l'est, éclairant le chemin qui s'étirait devant lui vers le sud. Personne n'était en vue. Il ne se sentait pas du tout épuisé, mais plutôt exalté, béni. « Maintenant, je pourrais mourir », songea-t-il.

Le vent avait perdu de sa force quand la lune s'était levée. Il ne faisait même plus froid et, le cœur débordant, il chevauchait vers le sud, là où il ne faisait jamais vraiment froid, là où la bonté de Rian permettait qu'il y eût des fleurs tout au long de l'année.

Lorsque la lune bleue apparut à son tour dans le ciel à la suite de la blanche, il ne fut plus capable de se retenir. Luth de Baude, qui était Luth de l'île de Rian depuis cette nuit de printemps où il avait été pris en échange d'un poète et qui pensait même pouvoir maintenant être considéré comme digne d'être consacré prêtre de la déesse dans son sanctuaire, se mit à chanter.

Il n'était pas un musicien et il chantait mal, il le savait. Mais les chansons n'appartenaient pas exclusivement à ceux qui pouvaient les interpréter avec talent. Il savait cela aussi. Luth éleva donc la voix sans honte, ressentant une profonde richesse, une gloire dans la nuit tandis qu'il faisait galoper son cheval sur le chemin tortueux et désert vers le sud, passant devant les fermes et les châteaux, les villages, les champs et la forêt, sous les lunes qui se levaient et les étoiles qui brillaient sur l'Arbonne.

De la vida du troubadour Lisseut de Vézet…

Lisseut, qui fut l'une des premières et peut-être la plus grande des femmes troubadours de l'Arbonne, était de bonne naissance, fille d'un marchand d'olives dont les terres s'étendaient à l'est de la ville côtière de Vézet. De taille moyenne, elle avait les cheveux bruns et des traits agréables. On disait d'elle qu'elle était franche et directe dans sa jeunesse et il semble qu'elle ait conservé ce trait de caractère toute sa vie. Le frère de sa mère était lui-même un ménestrel de réputation mineure et ce fut lui qui, le premier, remarqua la pureté de la voix de la jeune Lisseut, ce qui l'amena à la prendre sous sa tutelle et à lui enseigner l'art des ménestrels. Bientôt cependant, la renommée de Lisseut dépassa grandement celle de son oncle.

À l'époque qui suivit la bataille du lac Dierne, quand l'Arbonne fut sauvée du danger de l'invasion du nord, le talent exceptionnel de Lisseut pénétra le royaume des troubadours et elle se mit à composer ses propres chansons. Sa « Complainte pour la douce musique disparue », dans laquelle elle pleurait la mort de deux de ses compagnons, fut sa première et peut-être sa plus célèbre chanson.

Lisseut entretint toute sa vie une étroite amitié avec le grand roi Blaise du Gorhaut, de même qu'avec sa première et sa deuxième épouse, et plusieurs sont d'avis que son « Élégie pour la couronne de tous les rois », écrite à l'époque de la mort du roi Blaise, est son œuvre la plus accomplie et la plus émouvante… Lisseut de Vézet ne s'est jamais mariée même si, comme chacun le sait, elle eut un enfant, Aurélien, qui n'aura sûrement pas besoin d'être présenté aux personnes qui lisent ou entendent ces mots. De nombreuses légendes ont circulé durant la vie de Lisseut et après son retour à Rian à propos d'une personne de très grande renommée qui aurait pu être le père de son fils. Nous n'avons pas l'intention de rapporter ici ces spéculations oiseuses, mais seulement les vérités pouvant être confirmées avec quelque certitude après toutes les années passées depuis cette époque...

Table

Quatrième partie

L'hiver